SOPHISTE - POLITIQUE - PHILÈBE
TIMÉE - CRITIAS

Œuvres de Platon
dans la même collection

ALCIBIADE *(nouvelle traduction de Chantal Marbœuf et Jean-François Pradeau).*

APOLOGIE DE SOCRATE — CRITON *(nouvelles traductions de Luc Brisson).*

LE BANQUET *(nouvelle traduction de Luc Brisson).*

LE BANQUET — PHÈDRE.

CRATYLE *(nouvelle traduction de Catherine Dalimier).*

EUTHYDÈME *(nouvelle traduction de Monique Canto).*

GORGIAS *(nouvelle traduction de Monique Canto).*

ION *(nouvelle traduction de Monique Canto).*

LACHÈS — EUTHYPHRON *(nouvelles traductions de Louis-André Dorion).*

LETTRES *(nouvelle traduction de Luc Brisson).*

MÉNON *(nouvelle traduction de Monique Canto).*

PARMÉNIDE *(nouvelle traduction de Luc Brisson).*

PHÉDON *(nouvelle traduction de Monique Dixsaut).*

PHÈDRE *(nouvelle traduction de Luc Brisson).*

PHILÈBE *(nouvelle traduction de Jean-François Pradeau).*

PLATON PAR LUI-MÊME *(textes choisis et traduits par Louis Guillermit).*

LE POLITIQUE.

PROTAGORAS *(nouvelle traduction de Frédérique Ildefonse).*

PROTAGORAS — EUTHYDÈME — GORGIAS — MÉNEXÈNE — MÉNON — CRATYLE.

LA RÉPUBLIQUE *(nouvelle traduction de Georges Leroux).*

SECOND ALCIBIADE — HIPPIAS MINEUR — PREMIER ALCIBIADE — EUTHYPHRON — LACHÈS — CHARMIDE — LYSIS — HIPPIAS MAJEUR — ION.

SOPHISTE *(nouvelle traduction de Nestor L. Cordero).*

SOPHISTE — POLITIQUE — PHILÈBE — TIMÉE — CRITIAS.

THÉÉTÈTE *(nouvelle traduction de Michel Narcy).*

THÉÉTÈTE — PARMÉNIDE.

TIMÉE — CRITIAS *(nouvelle traduction de Luc Brisson).*

PLATON

SOPHISTE - POLITIQUE
PHILÈBE - TIMÉE
CRITIAS

Édition établie
par
Émile Chambry

GF Flammarion

ISBN : 978-2-0807-02003-6

NOTICE
SUR LA VIE ET LES ŒUVRES DE PLATON

LA VIE

Platon naquit à Athènes en l'an ~428-~427 dans le dème de Collytos. D'après Diogène Laërce, son père Ariston descendait de Codros. Sa mère Périctionè, sœur de Charmide et cousine germaine de Critias, le tyran, descendait de Dropidès, que Diogène Laërce donne comme un frère de Solon. Platon avait deux frères aînés, Adimante et Glaucon, et une sœur, Potonè, qui fut la mère de Speusippe. Son père Ariston dut mourir de bonne heure; car sa mère se remaria avec son oncle Pyrilampe, dont elle eut un fils, Antiphon. Quand Platon mourut, il ne restait plus de la famille qu'un enfant, Adimante, qui était sans doute le petit-fils de son frère. Platon l'institua son héritier, et nous le retrouvons membre de l'Académie sous Xénocrate; la famille de Platon s'éteignit probablement avec lui; car on n'en entend plus parler.

La coutume voulait qu'un enfant portât le nom de son grand-père, et Platon aurait dû s'appeler comme lui Aristoclès. Pourquoi lui donna-t-on le nom de Platon, d'ailleurs commun à cette époque ? Diogène Laërce rapporte qu'il lui fut donné par son maître de gymnastique à cause de sa taille; mais d'autres l'expliquent par d'autres raisons. La famille possédait un domaine près de Képhisia, sur le Céphise, où l'enfant apprit sans doute à aimer le calme des champs, mais il dut passer la plus grande partie de son enfance à la ville pour les besoins de son éducation. Elle fut très soignée, comme il convenait à un enfant de haute naissance. Il apprit d'abord à honorer les dieux et à observer les rites de la religion, comme on le faisait dans toute bonne maison d'Athènes, mais sans mysticisme, ni superstition d'aucune sorte. Il gardera toute sa vie ce respect de la religion et l'imposera dans ses *Lois*. Outre la gymnastique et la musique, qui faisaient le fond de l'éducation athénienne, on prétend qu'il étudia aussi le dessin et la peinture. Il fut initié à la philosophie par un disciple d'Héraclite, Cratyle, dont il a donné le nom à un de ses traités. Il avait de grandes dispositions pour la poésie. Témoin des succès d'Euripide et d'Agathon, il composa lui aussi des tragédies, des poèmes lyriques et des dithyrambes.

Vers l'âge de vingt ans, il rencontra Socrate. Il brûla, dit-on, ses tragédies et s'attacha dès lors à la philosophie. Socrate s'était dévoué à enseigner la vertu à ses concitoyens : c'est par la réforme des individus qu'il voulait procurer le bonheur à la cité. Ce fut aussi le but que s'assigna Platon, car, à l'exemple de son cousin Critias et de son oncle Charmide, il songeait à se lancer dans la carrière politique; mais les excès des Trente lui firent horreur. Quand Thrasybule eut rétabli la constitution démocratique, il se sentit de nouveau, quoique plus mollement, pressé de se mêler des affaires de l'Etat. La condamnation de Socrate (~399) l'en dégoûta. Il attendit en vain une amélioration des mœurs politiques; enfin, voyant que le mal était incurable, il renonça à prendre part aux affaires; mais le perfectionnement de la cité n'en demeura pas moins sa grande préoccupation, et il travailla plus que jamais à préparer par ses ouvrages un état de choses où les philosophes, devenus les précepteurs et les gouverneurs de l'humanité, mettraient fin aux maux dont elle est accablée.

Il était malade lorsque Socrate but la ciguë, et il ne put assister à ses derniers moments. Après la mort de son maître, il se retira à Mégare, près d'Euclide et de Terpsion, comme lui disciples de Socrate. Il dut ensuite revenir à Athènes et servir, comme ses frères, dans la cavalerie. Il prit, dit-on, part aux campagnes de ~395 et de ~394, dans la guerre dite de Corinthe. Il n'a jamais parlé de ses services militaires, mais il a toujours préconisé les exercices militaires pour développer la vigueur.

Le désir de s'instruire le poussa à voyager. Vers ~390, il se rendit en Egypte, emmenant une cargaison d'huile pour payer son voyage. Il y vit des arts et des coutumes qui n'avaient pas varié depuis des milliers d'années. C'est peut-être au spectacle de cette civilisation fidèle aux antiques traditions qu'il en vint à penser que les hommes peuvent être heureux en demeurant attachés à une forme immuable de vie, que la musique et la poésie n'ont pas besoin de créations nouvelles, qu'il suffit de trouver la meilleure constitution et qu'on peut forcer les peuples à s'y tenir.

D'Egypte, il se rendit à Cyrène, où il se mit à l'école du mathématicien Théodore, dont il devait faire un des interlocuteurs du *Théétète*. De Cyrène, il passa en Italie, où il se lia d'amitié avec les Pythagoriciens Philolaos, Archytas et Timée. Il n'est pas sûr que ce soit à eux qu'il ait pris sa croyance à la migration des âmes; mais il leur doit l'idée de l'éternité de l'âme, qui devait devenir la pierre angulaire de sa philosophie, car elle lui fournit la solution du problème de la connaissance. Il approfondit aussi parmi eux ses connaissances en arithmétique, en astronomie et en musique.

D'Italie, il se rendit en Sicile. Il vit Catane et l'Etna. A Syracuse, il assista aux farces populaires et acheta le livre de Sophron, auteur de farces en prose. Il fut reçu à la cour de Denys comme un étranger de distinction et il gagna à la philosophie Dion, beau-frère du tyran. Mais il ne s'accorda pas longtemps avec Denys, qui le renvoya sur un vaisseau en partance pour Egine, alors ennemie d'Athènes. Si, comme on le rapporte, il le livra au Lacédémonien Pollis, c'était le livrer à l'ennemi. Heureusement il y avait alors à Egine un Cyrénéen, Annikéris, qui reconnut Platon et le racheta pour vingt mines. Platon revint à Athènes, vraisemblablement en ~388. Il avait quarante ans.

La guerre durait encore; mais elle allait se terminer l'année suivante par la paix d'Antalkidas. A ce moment, Euripide était mort et n'avait pas eu de successeur digne de lui. Aristophane venait de faire jouer son dernier drame, remanié, le *Ploutos*, et le théâtre comique ne devait retrouver son éclat qu'avec Ménandre. Mais si les grands poètes faisaient défaut, la prose jetait alors un vif éclat avec Lysias, qui écrivait des plaidoyers et en avait même composé un pour Socrate, et Isocrate, qui avait fondé une école de rhétorique. Deux disciples de Socrate, Eschine et Antisthène, qui tous deux avaient défendu le maître, tenaient école et publiaient des écrits goûtés du public. Platon, lui aussi, se mit à enseigner; mais au lieu de le faire en causant, comme son maître, en tous lieux et avec tout le monde, il fonda une sorte d'école à l'image des sociétés pythagoriciennes. Il acheta un petit terrain dans le voisinage du gymnase d'Académos, près de Colone, le village natal de Sophocle. De là le nom d'Académie qui fut donné à l'école de Platon. Ses disciples formaient une réunion d'amis, dont le président était choisi par les jeunes et dont les membres payaient sans doute une cotisation.

Nous ne savons rien des vingt années de la vie de Platon qui s'écoulèrent entre son retour à Athènes et son rappel en Sicile. On ne rencontre même dans ses œuvres aucune allusion aux événements contemporains, à la reconstitution de l'empire maritime d'Athènes, aux succès de Thèbes avec Epaminondas, à la décadence de Sparte. Denys l'Ancien étant mort en ~ 368, Dion, qui comptait gouverner l'esprit de son successeur, Denys le Jeune, appela Platon à son aide. Il rêvait de transformer la tyrannie en royauté constitutionnelle, où la loi et la liberté régneraient ensemble. Son appel surprit Platon en plein travail; mais le désir de jouer un rôle politique et d'appliquer son système l'entraîna. Il se mit en route en ~366, laissant à Eudoxe la direction de son école. Il gagna en passant l'amitié d'Archytas, mathématicien philosophe qui gouvernait Tarente. Mais quand il arriva à Syracuse, la situation avait changé. Il fut brillamment reçu par Denys, mais mal vu des partisans de la tyrannie et en particulier de Philistos, qui était rentré à Syracuse après la mort de Denys l'Ancien. En outre, Denys, s'étant aperçu que Dion voulait le tenir en tutelle, le bannit de Syracuse. Tandis que Dion s'en allait vivre à Athènes, Denys retenait Platon, sous prétexte de recevoir ses leçons, pendant tout l'hiver. Enfin quand la mer redevint navigable, au printemps de l'année ~365, il l'autorisa à partir sous promesse de revenir avec Dion. Ils se séparèrent amicalement, d'autant mieux que Platon avait ménagé à Denys l'alliance d'Archytas de Tarente.

De retour à Athènes, Platon y trouva Dion qui menait une vie fastueuse. Il reprit son enseignement. Cependant Denys avait pris goût à la philosophie. Il avait appelé à sa cour deux disciples de Socrate, Eschine et Aristippe de Cyrène, et il désirait revoir Platon. Au printemps de ~361, un vaisseau de guerre vint au Pirée. Il était commandé par un envoyé du tyran, porteur de lettres d'Archytas et de Denys, où Archytas lui garantissait sa sûreté personnelle, et Denys lui faisait entrevoir le rappel de Dion pour l'année suivante. Platon se rendit à leurs instantes prières et partit avec son neveu Speusippe. De nouveaux déboires l'attendaient : il ne put convaincre Denys de la nécessité de changer de vie. Denys mit l'embargo sur les biens de Dion. Platon voulut partir; le tyran le retint, et il fallut l'intervention d'Archytas pour qu'il pût quitter Syracuse, au printemps de ~ 360. Il se rencontra avec Dion à Olympie. On sait comment celui-ci, apprenant que Denys lui avait pris sa femme pour la donner à un autre, marcha contre lui en ~ 357, s'empara de Syracuse et fut tué en ~ 353. Platon lui survécut cinq ans. Il mourut en ~ 347- ~ 346, au milieu d'un repas de noces, dit-on. Son neveu Speusippe lui succéda. Parmi les disciples de Platon, les plus illustres quittèrent l'école. Aristote et Xénocrate se rendirent chez Hermias d'Atarnée, Héraclide resta d'abord à Athènes, puis alla fonder une école dans sa patrie, Héraclée. Après la mort de Speusippe, Xénocrate prit la direction de l'Académie, qui devait subsister jusqu'en 529 de notre ère, année où Justinien la fit fermer.

LES ŒUVRES

La collection des œuvres de Platon comprend trente-cinq dialogues, plus un recueil de lettres, des définitions et six petits dialogues apocryphes : *Axiochos*, *de la Justice*, *de la Vertu*, *Démodocos*, *Sisyphe*, *Eryxias*. Au lieu de ranger les trente-cinq dialogues admis pour authentiques dans l'ordre où ils furent publiés, les Anciens les avaient classés artificiellement. Platon lui-même avait groupé exceptionnellement le *Théétète*, *le Sophiste* et *le Politique*, avec l'intention d'y adjoindre *le Philosophe*, qui est resté à l'état de projet, et aussi *la République*, le *Timée*, le *Critias* et un dialogue qu'il n'écrivit pas. C'est apparemment sur ces groupes de trois ou de quatre qu'on se fonda pour le classement des œuvres de Platon. Au dire de Diogène Laërce, Aristophane de Byzance avait établi les cinq trilogies suivantes : 1. *République*, *Timée*, *Critias ;* 2. *Sophiste*, *Politique*, *Cratyle ;* 3. *Lois*, *Minos*, *Epinomis ;* 4. *Théétète*, *Euthyphron*, *Apologie ;* 5. *Criton*, *Phédon*, *Lettres*. Il avait divisé le reste par livres et l'avait cité sans ordre. Derkylidas, au temps de César, et Thrasylle, contemporain de Tibère, adoptèrent au contraire le classement par tétralogies, qui rappelait à la fois les deux groupes de quatre qu'avait conçus Platon et les tétralogies tragiques (trois tragédies, plus un drame satirique). L'ordre de Thrasylle est celui que nous présentent nos manuscrits, et qu'ont reproduit les éditeurs jusqu'à nos jours.

La 1re tétralogie comprend : Euthyphron, Apologie, Criton, Phédon;
la 2e : Cratyle, Théétète, Sophiste, Politique;
la 3e : Parménide, Philèbe, Banquet, Phèdre;
la 4e : Premier *et* second Alcibiade, Hipparque, Rivaux;
la 5e : Théagès, Charmide, Lachès, Lysis;
la 6e : Euthydème, Protagoras, Gorgias, Ménon;
la 7e : Hippias mineur *et* Hippias majeur, Ion, Ménexène;
la 8e : Clitophon, République, Timée, Critias;
la 9e : Minos, Lois, Epinomis, Lettres.

On divisait aussi les dialogues d'une autre manière. « Le dialogue a deux formes, nous dit Diogène Laërce; il est *diégétique* (sous forme d'exposition) ou *zététique* (sous forme de recherche). La première se divise en deux genres : *théorique* ou *pratique*. Le théorique se subdivise à son tour en deux espèces : *métaphysique* ou *rationnelle ;* le pratique aussi se subdivise en deux espèces : *morale* et *politique*. Le dialogue *zététique* peut avoir, lui aussi, deux formes différentes : il peut être *gymnique* (d'exercice) et *agonistique* (de combat). Le genre gymnique se subdivise en *maïeutique* (qui accouche les esprits) et en *peirastique* (qui éprouve, qui sonde). L'*agonistique* se subdivise également en deux espèces : l'*endictique* (démonstrative) et l'*anatreptique* (réfutative). Nos manuscrits et nos éditions ont conservé ces indications. Ils portent aussi, avec le nom propre qui désigne le dialogue, un sous-titre qui en indique le contenu. »

Les modernes se sont demandé si les ouvrages attribués à Platon sont tous authentiques. Déjà quelques Anciens tenaient pour suspects *le second Alcibiade*, l'*Hippias mineur*, *les Rivaux*, l'*Epinomis*, sans parler des six dialogues apocryphes. Au XIXe siècle une vague de scepticisme, mise en branle par le savant allemand Ast, s'est étendue à plus de la moitié des dialogues, et l'on a été jusqu'à rejeter l'*Euthydème*, le *Ménon*, le *Cratyle*, le *Philèbe* et tout le groupe formé du *Sophiste*, du *Politique* et du *Parménide*. Toutes ces athétèses sont parties d'un principe arbitraire, c'est-à-dire de l'idée que l'on se formait de Platon d'après certains dialogues jugés authentiques. On repoussait tout ce qui ne cadrait pas avec cette idée. Comme cette idée variait suivant l'esprit qui l'avait formée et suivant le point de vue où chacun se plaçait, les athétèses variaient aussi. Cette méthode toute subjective a fait son temps : l'on est revenu à des idées plus saines. On admet fort bien que Platon ait pu varier, que son génie ne soit pas éclos tout d'un coup, et qu'il ait pu avoir comme les autres ses défaillances et son déclin. On n'ose plus, comme on l'a fait par exemple pour l'*Hippias mineur*, passer par-dessus le témoignage irrécusable d'Aristote. On admet généralement comme authentiques presque tous les dialogues, sauf le *Théagès*, le *Minos* et le *Clitophon*. On regardait toutes les *Lettres* comme apocryphes : on fait exception aujourd'hui pour la 7ᵉ et la 8ᵉ. Quant aux *Définitions*, on y voit une compilation d'école, sans intérêt d'ailleurs.

LA PHILOSOPHIE DE PLATON — THÉORIE DES IDÉES

Dans ses premiers ouvrages, c'est-à-dire dans les dialogues dénommés socratiques, Platon, fidèle disciple de Socrate, s'attache comme lui à définir exactement les idées morales. Il recherche ce qu'est le courage, la sagesse, l'amitié, la piété, la vertu. Socrate professait qu'il suffit de connaître le bien pour le pratiquer, que par conséquent la vertu est science et le vice ignorance. Platon restera fidèle toute sa vie à cette doctrine. Comme Socrate, il honorera les dieux et tiendra que la vertu consiste à leur ressembler, autant que le permet la faiblesse humaine. Comme lui, il croira que le bien est le but suprême de toute existence et que c'est dans le bien qu'il faut chercher l'explication de l'univers.

Mais, si docile aux leçons de Socrate que Platon nous apparaisse à ses débuts, il était trop avide de savoir pour se borner à l'enseignement purement moral de son maître. Avant de connaître Socrate, il avait reçu les leçons de Cratyle et s'était familiarisé avec la doctrine d'Héraclite. Il s'initia aussi à celle des Eléates. Il avait étudié Anaxagore et lu certainement les écrits d'Empédocle. Au cours de son voyage à Cyrène, il s'était perfectionné dans la géométrie et, en Italie, il s'était adonné aux études d'arithmétique, d'astronomie, de musique et même de médecine des Pythagoriciens. Peut-être aurait-il visité l'Ionie et les rivages de la mer Egée si la guerre avec la Perse ne l'en eût pas détourné. Il aurait fait à Abdère la connaissance de Démocrite et de l'atomisme, la plus géniale création de la philosophie grecque avant Platon. Qui sait si l'influence de Démocrite, s'il l'eût connu plus jeune, n'aurait pas modifié la tendance de son esprit, tourné exclusivement vers la morale et vers les sciences abstraites ?

Quoi qu'il en soit, le système de Platon est une synthèse de tout ce qu'on savait de son temps, mais surtout des doctrines de Socrate, d'Héraclite, de Parménide et des Pythagoriciens. Ce qui fait le fond et l'originalité de ce système est la théorie des Idées. Platon avait d'abord étudié la doctrine d'Héraclite, fondée sur l'écoulement universel des choses. « Tout s'écoule, disait Héraclite; rien ne demeure. Le même homme ne descend pas deux fois dans le même fleuve. » De cette idée, Platon tire la conséquence que des êtres qui sont en perpétuel devenir pour aboutir à la destruction méritent à peine le nom d'êtres et qu'on n'en peut former que des opinions confuses, incapables de se justifier elles-mêmes. Ils ne sauraient être l'objet d'une science véritable; car il n'y a pas de science de ce qui est perpétuellement mobile; il n'y a de science que de ce qui est fixe et immuable. Cependant, quand on observe ces êtres changeants, on s'aperçoit qu'ils reproduisent dans la même espèce des caractères constants. Ces caractères se transmettent d'individu à individu, de génération à génération. Ils sont des copies de modèles universels, immuables, éternels que Platon appelle les Formes ou les Idées. Dans le langage courant, on entend par idée une modification, un acte de l'esprit. Dans le langage de Platon, l'Idée exprime, non pas l'acte de l'esprit qui connaît, mais l'objet même qui est connu. Ainsi l'Idée de l'homme est le type idéal que reproduisent plus ou moins parfaitement tous les hommes. Ce type est purement intelligible; il n'en est pas moins vivant; il est même seul vivant, car ses copies, toujours changeantes et périssables, méritent à peine le nom d'êtres, et, parce qu'il existe réellement, qu'il est éternel et immuable, il peut être connu et être objet de science.

Platon a illustré sa théorie des Idées dans la célèbre allégorie de la Caverne, où les hommes sont comparés à des prisonniers enchaînés qui ne peuvent tourner le cou et n'aperçoivent sur le fond de leur prison que des ombres projetées par des objets qui défilent derrière eux à la lumière d'un feu éloigné. « Il faut, dit Platon, assimiler le monde visible au séjour de la prison, et la lumière du feu dont elle est éclairée à l'effet du soleil. » Les objets qui passent sont ceux du monde intelligible, et le soleil qui les éclaire, c'est l'Idée du Bien, cause de toute science et de toute existence. On reconnaît ici la doctrine des Eléates, que le monde n'est qu'une apparence vaine, que la seule réalité consiste dans l'Unité. Mais tandis que chez Parménide l'Etre un et immuable est une abstraction vide, il est devenu chez Platon l'Etre par excellence, source de toute vie et de toute action.

L'Idée du Bien, dit Platon, est à la limite du monde intelligible : c'est la dernière et la plus haute; mais il y a toute une hiérarchie d'Idées. Platon semble même admettre au Xe livre de *la République* que tous les objets de la nature, et même les créations de l'homme, comme un lit ou une table, tirent leur existence d'une Idée et que les Idées sont innombrables. Mais il ne parle d'ordinaire que des Idées du Beau, du Juste et du Bien.

La doctrine des Idées est étroitement liée à celle de la réminiscence et de l'immortalité de l'âme. Ces Idées, notre âme, qui a existé avant nous et passera dans d'autres corps après nous, les a aperçues plus ou moins vaguement dans un autre monde. Le mythe du *Phèdre* nous montre l'âme escaladant le ciel, à la suite du cortège des dieux, pour aller contempler les Idées de l'autre côté de la voûte céleste. Elle en rapporte et en conserve un souvenir obscur que la philosophie s'efforce d'éclaircir. Elle le fait en soumettant d'abord l'âme à un entraînement préalable destiné à éveiller la réflexion. Les sciences qui relèvent du pur raisonnement, l'arithmétique, la géométrie, l'astronomie, l'harmonie sont les plus propres à nous familiariser avec le monde de l'intelligible. C'est alors qu'intervient la dialectique. Platon part de la dialectique socratique, sorte de conversation où l'on recherche la définition d'une vertu. Ainsi, dans le *Lachès*, les trois interlocuteurs Lachès, Nicias et Socrate recherchent la définition du courage. Lachès propose une première définition : « L'homme courageux, dit-il, est celui qui tient ferme contre l'ennemi. » Socrate la juge trop étroite; car le courage trouve son application en mille autres circonstances. Lachès alors en propose une autre : « Le courage est une sorte de fermeté. » Mais, si cette fermeté se fonde sur la folie et l'ignorance, répond Socrate, elle ne peut être le courage. Nicias, consulté à son tour, dit que le courage est la science de ce qui est à craindre et de ce qui ne l'est pas. A cette définition, Socrate fait une autre objection. Le courage, si c'est une science, dit-il, doit être la science de tous les biens et de tous les maux; mais cette définition s'applique à la vertu en général. Là-dessus, on se sépare, sans être arrivé à la définition cherchée. Mais on voit le procédé qui, d'une proposition, passe à une autre plus compréhensive, jusqu'à ce qu'on arrive à l'idée générale qui comprendra tous les cas et se distinguera nettement des idées voisines. Cette méthode socratique, Platon l'étend au domaine des Idées, pour les atteindre elles-mêmes et monter des Idées inférieures à l'Idée du Bien. Il faut commencer par une hypothèse sur l'objet étudié. On la vérifie par les conclusions auxquelles elle conduit. Si ces conclusions sont intenables, l'hypothèse est rejetée. Une autre prend sa place, pour subir le même sort, jusqu'à ce qu'on en trouve une qui résiste à l'examen. Chaque hypothèse est un degré qui nous hausse vers l'Idée. Quand nous aurons ainsi examiné tous les objets de connaissance, nous aurons atteint tous les principes (ἀρχαί) irréfragables, non seulement en eux-mêmes, mais dans leur mutuelle dépendance et dans la relation qu'ils ont avec le principe supérieur et absolu qu'est l'Idée du Bien. Le *Parménide* nous donne un exemple du procédé. Ce procédé exige une intelligence supérieure et un travail infatigable, dont seul est capable le philosophe né.

Mais la dialectique ne suffit pas à tout. Il est des secrets impénétrables à la raison et dont les dieux se sont réservé la possession. Ils peuvent, il est vrai, en laisser voir quelque chose à certains hommes privilégiés. Ils font connaître l'avenir aux devins et communiquent l'inspiration aux poètes; ils ont favorisé Socrate d'avertissements particuliers. Peut-être y a-t-il chez les poètes et dans les croyances populaires des traces d'une révélation divine qui jetteraient quelque lueur sur nos origines et notre destinée après la mort. Les Egyptiens croyaient que les hommes sont jugés sur leurs actes après la mort et les Pythagoriciens que l'âme passe du corps d'un animal dans celui d'un autre. Platon n'a pas dédaigné de recueillir ces croyances, mais il se garde de les donner pour des certitudes. Ce sont pour lui des espérances ou des rêves qu'il expose dans des mythes d'une poésie sublime. Son imagination leur communique un éclat magique et lui suggère des détails si précis qu'on dirait qu'il a assisté, comme Er le Pamphylien, aux mystères de l'au-delà. Il y a vu des limbes, un purgatoire et un enfer éternel réservé aux âmes incorrigibles. Ces visions extraordinaires ont tellement frappé les esprits que les chrétiens, en les modifiant un peu, en ont fait des dogmes religieux.

LA PSYCHOLOGIE DE PLATON

La psychologie de Platon est marquée d'un caractère profondément spiritualiste. L'âme est éternelle. Avant d'être unie au corps, elle a contemplé les Idées et, grâce à la réminiscence, elle peut les reconnaître, quand elle est descendue dans un corps. Par sa cohabitation avec la matière, elle perd sa pureté, et l'on distingue en elle trois parties différentes : une partie supérieure, le νοῦς ou la raison, faculté contemplative, faite pour gouverner et maintenir l'harmonie entre elle et les parties inférieures. Ces parties sont le θυμός ou courage, faculté noble et généreuse qui comprend à la fois les désirs élevés de notre nature et la volonté, et l'ἐπιθυμητικόν, c'est-à-dire l'instinct et le désir qui tirent l'homme vers les objets sensibles et les désirs grossiers *. Le point faible de cette psychologie, c'est la part insuffisante faite à la volonté libre. Platon soutient avec Socrate que la connaissance du bien entraîne forcément l'adhésion de la volonté, ce qui est contraire à l'expérience. Platon a essayé d'établir la survivance de l'âme par une démonstration dialectique et il a exposé dans les trois mythes du *Gorgias*, de *la République* et du *Phédon* les migrations et les purifications auxquelles l'âme est soumise, avant de remonter sur la terre et de rentrer dans un nouveau corps; mais le détail des descriptions varie d'un mythe à l'autre.

LA POLITIQUE

La politique de Platon est modelée sur sa psychologie; car les mœurs d'un Etat sont nécessairement modelées sur celles des individus. L'assise fondamentale de l'Etat est la justice, il ne peut durer sans elle. Platon entend la justice dans un sens plus large qu'on ne l'entend communément. La justice consiste pour nous à rendre à chacun le sien. Socrate rejette cette définition dans le premier livre de *la République*. La justice, telle qu'il la comprend, consiste, dans l'individu, à ce que chaque partie de l'âme remplisse la fonction qui lui est propre; que le désir soit soumis au courage et le courage et le désir

* *Dans le* Phèdre, *Platon représente l'âme comme un cocher* (*le* νοῦς) *qui conduit un attelage de deux chevaux, l'un* (*le* θυμός) *obéissant et généreux, l'autre* (*l'*ἐπιθυμητικόν) *indocile et rétif.*

à la raison. Il en est de même dans la cité. Elle se compose de trois classes de citoyens correspondant aux trois parties de l'âme : des magistrats philosophes, qui représentent la raison; des guerriers, qui représentent le courage et qui sont chargés de protéger l'Etat contre les ennemis du dehors et de réduire les citoyens à l'obéissance; enfin, des laboureurs, des artisans et des marchands, qui représentent l'instinct et le désir. Pour ces trois classes de citoyens, la justice consiste, comme dans l'individu, à remplir sa fonction propre (τὰ ἑαυτοῦ πράττειν). Les magistrats gouverneront, les guerriers obéiront aux magistrats, et les autres obéiront aux deux ordres supérieurs, et ainsi la justice, c'est-à-dire l'harmonie, régnera entre les trois ordres. Une éducation préalable, au moyen de la gymnastique et de la musique, préparera les magistrats et les guerriers ou auxiliaires à leurs fonctions futures. Elle sera donnée aux femmes comme aux hommes; car elles ont les mêmes aptitudes que les hommes; elles rempliront les mêmes charges et prendront comme eux part à la guerre. Les magistrats seront choisis parmi les mieux doués et ceux qui auront montré le plus grand dévouement au bien public. On les entraînera à la dialectique, pour qu'ils puissent contempler les Idées et régler l'Etat sur l'Idée du Bien. Au reste ces trois classes ne formeront pas des castes fermées : les enfants seront rangés dans l'une ou l'autre suivant leurs aptitudes.

Comme le plus grand danger dans un Etat est la division, tout d'abord l'Etat sera petit. Platon n'admet pas, comme Xénophon, de grands Etats à la manière de l'empire perse; il modèle le sien sur les petites cités entre lesquelles se partageait la Grèce. Un petit Etat n'est pas exposé à se démembrer comme un grand empire composé de peuples divers, et la surveillance des magistrats y est plus facile à exercer. Pour éviter la division, qui est le grand mal dont souffrent les villes grecques, on supprimera les deux ennemis les plus redoutables de l'unité, l'intérêt personnel et l'esprit de famille. On supprimera le premier par la communauté des biens, le second par la communauté des femmes et des enfants, lesquels seront élevés par l'Etat. Mais cette communauté des biens, des femmes et des enfants n'est pas à l'usage du peuple; elle ne sera de règle que dans les deux ordres supérieurs, seuls capables d'en comprendre la valeur et de s'y soumettre dans l'intérêt du bien public. Les mariages d'ailleurs ne seront pas laissés à l'arbitraire des jeunes gens : tout éphémères qu'ils sont, ils seront réglés solennellement par les magistrats.

Platon ne se faisait pas d'illusion sur la difficulté d'appliquer son système. Il savait que la doctrine des Idées sur laquelle il repose était inaccessible à la foule, que par conséquent sa constitution devait lui être imposée, qu'elle le voulût ou non, et qu'elle ne pouvait l'être que par un roi philosophe, et philosophe à la manière de Platon. Il espéra un moment le trouver dans la personne de Denys le Jeune et dans celle de son ami Dion. Son échec près du premier, et l'assassinat du second lui enlevèrent ses illusions. Mais la politique avait toujours été une de ses préoccupations dominantes. Il ne s'en détacha jamais. Il reprit la plume dans sa vieillesse pour tracer une autre constitution. C'est celle qu'il a exposée dans *les Lois*. Elle repose sur les mêmes principes; mais elle est plus pratique et renonce à la communauté des biens, des femmes et des enfants.

LA MORALE

La morale de Platon a un caractère à la fois ascétique et intellectuel. Platon reconnaît bien, comme Socrate, que le bonheur est la fin naturelle de la vie; mais il y a entre les plaisirs la même hiérarchie que dans l'âme. Les trois parties de l'âme nous procurent chacune un plaisir particulier : la raison le plaisir de connaître, le θυμός les satisfactions de l'ambition, et la partie concupiscible les jouissances grossières que Platon appelle le plaisir du gain (*République*, 580 d sqq.). Pour savoir quel est le meilleur de ces trois plaisirs, il faut consulter ceux qui en ont fait l'expérience. Or l'artisan, qui poursuit le gain, est entièrement étranger aux deux autres plaisirs; l'ambitieux à son tour ne connaît pas le plaisir de la science; seul, le philosophe a fait l'expérience des trois sortes de plaisirs et peut donner un avis compétent. Or, à ses yeux, le plaisir à la fois le plus pur et le plus grand, c'est le plaisir de connaître. C'est donc vers celui-là que nous devons nous porter. Et comme le corps est une entrave pour l'âme, qu'il est comme une masse de plomb qui arrête son vol vers les régions supérieures de l'Idée, il faut le mortifier et affranchir l'âme, autant que possible, des grossiers besoins dont il est la cause. Ainsi, c'est dans la subordination des désirs inférieurs au désir de connaître que consiste la vertu. Une fois arrivé à la connaissance du bien, l'homme est naturellement vertueux; car on ne peut voir le bien sans le vouloir et le vice vient toujours de l'ignorance. Bien que l'ignorance se réduise à un mauvais calcul, Platon ne la considère pas moins comme un vice punissable. Le méchant, d'après lui, devrait s'offrir de lui-même à l'expiation. S'il y échappe en ce monde, il n'y échappera pas dans l'autre.

L'ESTHÉTIQUE

L'esthétique de Platon dépend aussi de la théorie des Idées et de la morale et de la politique qu'il en a tirées. Les Idées sont immuables et éternelles. Puisque nous devons nous régler sur elles, nos arts seront comme elles immuables et à jamais figés. Et Platon n'admet en effet aucune innovation, ni dans la poésie, ni dans les arts. L'idéal une fois atteint, il faudra s'y tenir ou se recopier sans cesse. L'art n'aura d'ailleurs d'autre liberté que de servir la morale et la politique. « Nous contraindrons les poètes, dit Platon (*République*, 401 b), à n'offrir dans leurs poèmes que des modèles de bonnes mœurs, et nous contrôlerons de même les autres artistes et les empêcherons d'imiter le vice, l'intempérance, la bassesse, l'indécence, soit dans la peinture des êtres vivants, soit dans tout autre genre d'image, ou, s'ils ne peuvent faire autrement, nous leur interdirons de travailler chez nous. » En vertu de ces principes, Platon bannit tous les modes musicaux autres que le dorien et le phrygien, dont la gravité convient à des guerriers. Il bannit la tragédie, dont les accents plaintifs pourraient amollir leur cœur; il bannit la bouffonnerie et même le rire, qui sied mal à la dignité qu'ils doivent conserver. Homère même, qu'il aime, qu'il sait par cœur, qu'il cite sans cesse, ne trouve pas grâce à ses yeux, parce qu'il a peint les dieux aussi immoraux que les hommes, et il le renvoie de sa république, après l'avoir couronné de fleurs. Mais ce sont les peintres et sculpteurs dont il fait le moins de cas. Comme leurs œuvres ne sont que des copies incomplètes des objets sensibles, eux-mêmes copies des Idées, ils sont, dit-il, éloignés de trois degrés de la vérité; ce sont donc des ignorants, inférieurs aux fabricants d'objets réels. Qui pourrait être Achille ne voudrait pas être Homère. En poussant à bout le raisonnement de Platon, il serait facile de lui faire dire que le cordonnier qui critiquait Apelle était supérieur à ce grand peintre. Et voilà où l'esprit de système a conduit celui qui fut lui-même un des plus grands artistes de l'humanité.

LA PHYSIQUE ET LE DÉMIURGE

C'est dans le *Timée* qu'il faut chercher l'explication que Platon a donnée de l'univers en général et de l'homme en particulier. C'est là qu'il a rassemblé toutes les connaissances de son école concernant la nature.

Il y a un Dieu très bon qui a fait le monde à son image. Il ne l'a pas créé de rien, comme le Dieu des Juifs et des chrétiens; car il a toujours coexisté à côté de lui deux substances, l'âme incorporelle et indivisible et l'autre matérielle et divisible, et que la philosophie grecque appelle *l'Un* ou *le Même*, et *l'Autre*. Le Démiurge a d'abord créé le monde sensible. De la substance indivisible et de la substance divisible il a composé entre les deux, en les mélangeant, une troisième sorte de substance intermédiaire, comprenant la nature de l'Un et celle de l'Autre : c'est l'âme du monde, lequel est formé de ces trois substances. Avec le monde est né le temps, que mesure la marche des astres. Pour peupler le monde, le Démiurge a d'abord créé les dieux (astres ou dieux mythologiques) et les a chargés de créer les animaux, pour ne pas être responsable de leurs imperfections. Les dieux ont formé le corps des êtres en vue du plus grand bien; ils ont appliqué dans la formation de ces corps des lois géométriques très compliquées. Ils ont mis dans le corps de l'homme une âme qui, selon qu'il aura bien ou mal vécu, retournera après la mort dans l'astre d'où elle est descendue, ou passera dans d'autres corps jusqu'à ce qu'elle soit purifiée. C'est surtout à l'homme que Platon s'intéresse et même ce n'est qu'en vue de l'homme qu'il s'intéresse à l'univers. Aussi est-ce la physiologie et l'hygiène de l'homme qui sont le principal objet du *Timée :* la structure de son corps, ses organes, l'origine des impressions sensibles, les causes des maladies du corps et de l'âme, la génération, la métempsycose, Platon a traité tous ces sujets, en s'aidant des idées d'Empédocle et du médecin Alcméon et en y joignant toutes les découvertes faites en son école.

Le *Timée*, étant un des derniers ouvrages de Platon,

n'est pas toujours d'accord avec les ouvrages précédents. Ce n'est pas ici le lieu de marquer ces différences. Bornons-nous à citer la plus importante. Le Dieu suprême du *Timée* semble bien être distinct du monde intelligible des Idées qui lui servent de modèles pour la formation du monde sensible. Dans *la République*, au contraire, c'est l'Idée du Bien qui est la source, non seulement de toute connaissance, mais encore de toute existence. C'est elle qui est Dieu. D'après Théophraste, Platon tendait à identifier l'Idée du Bien avec le Dieu suprême; mais sans doute il n'est pas allé jusqu'au bout de sa tendance, et sa pensée sur le Dieu suprême est restée flottante.

INFLUENCE DU PLATONISME

La théorie essentielle sur laquelle se fonde la philosophie de Platon, la théorie des Idées, a été rejetée par son disciple Aristote; le simple bon sens suffit d'ailleurs pour la réfuter. Elève des Eléates, pour qui l'Un seul existait, et des Pythagoriciens, qui voyaient dans le nombre le principe des choses, Platon a prêté une existence réelle à des conceptions abstraites qui n'existent que dans notre esprit. Formé aux raisonnements mathématiques, il les a intrépidement appliqués aux notions morales, à l'Un, à l'Etre, au bien, à la cause. Il a cru lier la réalité par ses raisonnements, alors qu'il ne liait que des abstractions. Mais si les Idées n'ont pas une existence indépendante, il suffit qu'elles soient dans notre esprit comme un idéal que nous devons nous proposer. C'est parce que Platon nous détache du monde sensible pour nous élever à l'idéal intelligible qu'il exerce encore aujourd'hui tant d'empire sur ses lecteurs. Nul n'a parlé du bien et du beau avec un enthousiasme plus communicatif. La vie qui vaut la peine d'être vécue, dit-il dans *le Banquet*, est celle de l'homme qui s'est élevé de l'amour des beaux corps à celui des belles âmes, de celui-ci à l'amour des belles actions, puis des belles sciences, jusqu'à la beauté absolue qui transporte les cœurs d'un ravissement inexprimable.

Une foule d'idées platoniciennes exercent encore sur le monde moderne une influence considérable. Platon est en effet l'auteur du spiritualisme. Il a fait de l'âme le tout de l'homme. Pour lui, l'homme doit tendre à rendre à son âme l'état de pureté que lui a fait perdre son union avec le corps. C'est de cet effort que dépend sa vie future.

Aussi sa vie doit-elle être une préparation à la mort. L'existence d'une Providence qui gouverne le monde, la nécessité de l'expiation pour toute méchanceté commise, la récompense des bons, la punition des méchants dans l'autre monde et bien d'autres idées encore ont été incorporées dans la philosophie chrétienne et continuent par là à commander notre conduite. Et ainsi l'on peut dire qu'aucun autre philosophe n'a marqué d'une empreinte plus profonde la pensée soit des Anciens, soit des modernes.

L'ART CHEZ PLATON — LE DIALOGUE

Le penseur est doublé chez Platon d'un incomparable artiste que la Muse a doué de tous les dons, enthousiasme du beau, imagination puissante, faculté de sortir de lui-même et de créer des types de toute espèce, fantaisie ailée, ironie fine et légère. Il avait débuté par faire des tragédies. Il était en effet merveilleusement doué pour l'art dramatique et non seulement pour la tragédie, mais aussi pour la comédie et la satire des ridicules. Il n'est donc pas étonnant qu'il ait choisi pour exposer ses idées la forme du dialogue. Il imitait d'ailleurs en cela son maître Socrate, infatigable questionneur, qui ne pratiquait pas d'autre méthode que l'investigation par demandes et par réponses, et qui, jusque dans son procès, interroge Mélètos et le force à répondre. Platon n'a pas conçu d'autre méthode que la dialectique socratique, et il l'a gardée toute sa vie, même lorsque, semble-t-il, une exposition suivie, moins longue et plus claire, eût donné à ses démonstrations plus de force et de netteté.

Il commença par des dialogues très simples, à deux personnages. Tels sont les deux *Hippias*, les deux *Alcibiade*, le *Criton*, l'*Euthyphron*. Puis il y introduisit plusieurs répondants, dont chacun soutient un point de vue différent. C'est ce que nous voyons dans le *Lachès*, le *Charmide*, le *Lysis*, et enfin les interlocuteurs se multiplient, comme dans le *Protagoras* et le *Gorgias*, et le dialogue devient un drame considérable en plusieurs actes. Le fond en est toujours une question philosophique, et le but, la recherche d'une vérité au moyen de la dialectique. Cette dialectique est souvent subtile et demande pour être suivie une attention soutenue. Tel dialogue, le *Parménide* entre autres, est d'une lecture pénible et rebutante, et il n'est guère de dialogues où la discussion du problème mis en question n'exige un gros effort d'attention. Platon se joue avec aisance dans les abstractions; le lecteur ordinaire s'y sent moins à l'aise. Mais il est récompensé de sa peine par tous les agréments dont un poète à la fois lyrique, dramatique et satirique peut égayer son œuvre.

Quelquefois, comme dans le *Gorgias*, le dialogue s'engage entre les interlocuteurs sans aucune préparation. Mais généralement l'auteur expose les circonstances qui l'ont amené et décrit le lieu de la scène, et il le fait avec un naturel si parfait, avec des touches si justes qu'on croit voir les personnes et les lieux, qu'on en est charmé et qu'on se sent engagé d'avance à écouter les personnages pour lesquels l'auteur a si vivement éveillé notre sympathie ou notre curiosité. Quoi de plus gracieux et de plus délicat que le début du *Lachès*, du *Charmide* et du *Lysis?* Quoi de plus animé, de plus pittoresque, de plus convenable au sujet que les scènes et les descriptions par lesquelles s'ouvrent le *Protagoras*, le *Phèdre, le Banquet, la République?*

Vient ensuite la discussion du sujet. Elle est distribuée en plusieurs actes, séparés par des intermèdes, ou marquée, comme dans le *Lachès*, le *Charmide*, le *Gorgias*, par des changements d'interlocuteurs. Et ces intermèdes, outre le charme qu'ils ont en eux-mêmes, offrent encore l'avantage de reposer l'esprit d'un débat généralement aride, et de rafraîchir l'attention. Les citations de poètes, en particulier d'Homère, les discours des adversaires de Socrate, notamment des sophistes, toujours avides d'étaler leur éloquence, les discours de Socrate lui-même, les mythes où son imagination se donne carrière contribuent aussi à égayer la discussion. Elle est souvent lente et sinueuse, et ce n'est pas sans raison que ses longueurs impatientaient Montaigne. Nous l'aimerions, nous aussi, plus ramassée et plus courte; mais c'est notre goût, ce n'était pas celui des Grecs. D'ailleurs un dialogue ne suit pas la marche d'une exposition suivie. On y effleure en passant d'autres questions qui se rapportent plus ou moins étroitement au sujet principal, et Cousin a pu dire que chacun des grands dialogues de Platon contenait toute une philosophie. Aussi est-il parfois assez difficile de déterminer nettement l'objet de certains dialogues, dont l'unité n'a pas la rigueur qui nous paraît nécessaire à nous modernes. D'autres, et ils sont assez nombreux, restent sans conclusion. Ce n'est pas que la recherche qui en fait le sujet conduise au scepticisme; c'est que Platon a simplement voulu réfuter des opinions courantes et déblayer le terrain, se réservant de l'explorer à fond dans un autre ouvrage. C'est ainsi que le *Ménon* continue et achève le *Protagoras* et que le *Théétète* trouve sa conclusion dans le *Timée.*

LES CARACTÈRES

Ce qui distingue particulièrement les dialogues de Platon de ceux que son exemple a suscités, c'est la vie qu'il a su donner aux personnages qu'il met en scène. Dans les dialogues de ses imitateurs, hormis peut-être ceux de Lucien, les interlocuteurs ne se distinguent les uns des autres que par les thèses opposées qu'ils sont chargés de soutenir : on ne voit rien de leur figure réelle. Chez Platon, au contraire, il n'est pas de personnage, si mince que soit son rôle, qui n'ait son visage à lui. Les plus remarquables à ce point de vue sont les sophistes, notamment Protagoras, Gorgias, Hippias, Prodicos. Ils revivent dans le portrait qu'en a tracé Platon avec leur figure, leur allure, leur voix, leurs gestes, leurs tics même. On les revoit avec leur vanité, leur jactance, leur subtilité, et aussi avec leur talent, qui est réel et que Platon ne rabaisse pas. L'imitation est si parfaite qu'on a pu prendre le discours que Platon prête à Lysias pour le discours authentique de cet orateur. Et, sauf en quelques ouvrages de jeunesse, comme l'*Ion* ou l'*Hippias majeur*, il n'exagère pas et ne pousse pas le portrait jusqu'à la charge. Il fait rire à leurs dépens par le simple contraste qui paraît entre l'opinion qu'ils ont d'eux-mêmes et celle qu'ils donnent au public. C'est de la meilleure comédie, celle où les personnages se traduisent en ridicule sans qu'ils s'en doutent.

Aux sophistes avides de briller s'oppose le groupe des beaux éphèbes ingénus et modestes. Ce sont des fils de famille avides de s'instruire, qui s'attachent à Socrate pour profiter de ses leçons, qui rougissent à ses questions et y répondent avec une déférence pleine de grâce. Tels sont l'Hippocrate du *Protagoras*, qui ne peut contenir son impatience d'entendre l'illustre sophiste, Charmide, Lysis et le beau Phèdre. Taine a dépeint en termes exquis le charme de ces jeunes figures dans ses *Essais de critique et d'histoire.*

D'autres, plus âgés, sont des disciples tendrement attachés au maître qu'ils vénèrent, et pour qui rien n'est plus doux que de parler et d'entendre parler de lui. C'est Phédon qui se plaît ainsi à se souvenir de Socrate, c'est Apollodore qui sanglote à la vue de la ciguë qu'on apporte, c'est Chairéphon qui s'élance vers lui quand il revient de Potidée, c'est Criton, son ami d'enfance, Simmias et Cébès, Théétète, chacun avec un caractère distinctif qui le signale à notre sympathie.

Il faut faire une place à part à Alcibiade, dont les talents et le prestige avaient vivement frappé Platon en ses jeunes années. Alcibiade figure dans les deux dialogues qui portent son nom; mais ce n'est point là qu'il faut le considérer; il n'y est représenté que comme un écolier docile et sans personnalité. Il en a une, au contraire, et d'une originalité surprenante, dans *le Banquet*. Quand il entre dans la salle où Agathon a réuni ses amis, il est fortement pris de vin, ce qui excusera l'audace de certains aveux qu'on ne fait pas de sang-froid. A son allure tapageuse, à l'ascendant qu'il prend tout de suite sur la compagnie, on reconnaît l'enfant gâté des Athéniens, sûr qu'on lui pardonnera, qu'on applaudira même ses caprices. Mais cet enfant gâté, que la faveur populaire a perdu, a l'âme la plus généreuse et l'esprit le plus pénétrant. Un moment disciple de Socrate, il l'a quitté pour la politique; mais il ne peut l'entendre sans être remué jusqu'au fond de son âme et sans se reprocher l'inconséquence de sa conduite, et il fait de lui le plus magnifique éloge qu'on ait jamais fait d'un homme.

C'est grâce à lui que nous connaissons la puissance de séduction des discours de Socrate, son endurance physique incroyable, son courage et son sang-froid dans le danger, la profondeur de sa réflexion qui lui fait oublier le boire et le manger, la veille et la fatigue, sa continence invincible, enfin toute l'originalité de cet être d'exception que fut Socrate. Le portrait qu'Alcibiade fait de lui est d'ailleurs incomplet. Il faut en chercher les traits qui manquent dans tous les dialogues où Socrate est présent. Sous sa figure de Silène on verra l'être extraordinaire qui entend la voix d'un dieu et qui a reçu de lui la mission de conduire ses concitoyens à la vérité et à la vertu. Il est un de ceux que le ciel a favorisés de la θεία μοῖρα, le lot divin, qui élève certains hommes au-dessus de l'humanité. Sa vie et sa mort sont un exemple mémorable de ce que peut faire la vertu unie au génie.

LE STYLE

Par le fait même que Platon est un poète dramatique, il fait parler à chacun le langage qui lui convient. Quand il met en scène des personnages réels, comme les sophistes, comme Lysias, Agathon, Aristophane, il reproduit non seulement leurs idées, mais leur style avec une telle fidélité que ses pastiches donnent l'illusion du modèle.

Quand il est lui-même, son style est exactement approprié à la dialectique de ses dialogues. C'est dire qu'il se maintient constamment dans le ton de la conversation. L'art de Platon consiste ici à se cacher pour donner au discours l'apparence d'une improvisation. C'est un art tout contraire à celui d'Isocrate, qui balance des périodes soigneusement étudiées, ou d'un Démosthène, qui ramasse ses phrases pour les assener sur l'adversaire comme des coups de bélier. Le style de Platon ne sent ni l'étude, ni le travail; il n'a jamais rien d'affecté ni de tendu. La phrase suit simplement la marche de la pensée. Si un nouveau détail se présente à l'esprit, il s'ajoute et s'ajuste comme de lui-même à ceux qui le précèdent et la phrase s'allonge naturellement, sans que jamais elle paraisse ni surchargée ni lâchée. C'est le style de la conversation avec ses négligences, ses anacoluthes, ses jeux de mots même, mais de la conversation d'hommes supérieurs qui se trouvent à l'aise au milieu des plus hautes abstractions, comme le commun des mortels dans une conversation banale. Aussi, quand l'idée s'élève, le ton s'élève aussi, et, si elle est importante et chère à l'auteur, il l'éclaire de magnifiques comparaisons. Telle est celle de l'aimant dans l'*Ion*, de la torpille dans le *Ménon*, du vaisseau de l'Etat gouverné par de faux pilotes dans *la République* et bien d'autres également célèbres. Quand Platon nous fait monter avec lui dans le monde des Idées ou nous ouvre des perspectives sur l'autre vie, c'est un monde d'une poésie sublime qu'il nous découvre, et nul poète n'a jamais composé de tableau si émouvant que la promenade des dieux et des âmes au séjour des Idées dans le *Phèdre* ou le ravissement de l'âme en présence du Beau absolu dans *le Banquet*.

Le vocabulaire de Platon est du plus pur attique. Denys d'Halicarnasse lui reproche d'employer des mots poétiques. Mais Denys d'Halicarnasse en juge d'après l'idéal oratoire qu'il s'est formé sur Démosthène. Les mots poétiques, qui seraient déplacés dans une harangue, sont parfaitement à leur place dans un dialogue philosophique, quand le sujet s'élève et qu'on se hausse jusqu'au monde intelligible. D'ailleurs Platon se sert d'ordinaire des mots les plus communs, même pour exposer les idées les plus neuves, et il n'y a guère que le mot *idée* auquel il ait attribué un sens nouveau. C'est une qualité de plus parmi toutes celles qui forment l'éminente supériorité de cet incomparable artiste.

LE SOPHISTE

NOTICE SUR LE SOPHISTE

ARGUMENT

Fidèles au rendez-vous qui leur avait été donné la veille (à la fin du *Théétète*), Théodore et Théétète se présentent à Socrate avec un étranger qu'ils amènent avec eux. C'est un philosophe de l'école d'Elée. « On prend souvent, dit Socrate, les philosophes pour des sophistes ou des politiques, ou même des fous. J'aimerais savoir ce qu'on en pense à Elée, et si l'on voit dans la sophistique, la politique, la philosophie trois genres différents ou un genre unique. — Ce sont des choses difficiles à définir, Socrate, répond l'étranger; j'essaierai pourtant de le faire, afin de te complaire. — Comment préfères-tu procéder ? Veux-tu parler seul, ou prendre un interlocuteur, comme le fit autrefois Parménide en ma présence ? » L'étranger préfère cette dernière méthode, et Théétète s'offre à lui donner la réplique. Je vais, dit l'étranger, commencer par le sophiste. Comme le sujet est difficile, exerçons-nous d'abord à le traiter sur un objet plus facile, qui nous servira d'exemple. Prenons le pêcheur à la ligne, et essayons de le définir. Il exerce un art. Or tous les arts se ramènent à deux espèces, les arts de production et les arts d'acquisition. Ces derniers aussi se divisent en deux espèces : l'échange de gré à gré et la capture ou acquisition violente. Celle-ci se pratique par la lutte ou par la chasse. La chasse se fait sur des êtres inanimés ou sur des animaux. Les animaux sont ou marcheurs ou nageurs. Parmi les nageurs, il faut distinguer les volatiles et les poissons. La chasse aux poissons ou pêche se fait en emprisonnant le poisson ou en le frappant avec des hameçons ou des tridents. Cette pêche frappeuse a lieu de nuit (pêche au feu) ou de jour. Celle de jour se fait en frappant le poisson de haut en bas : c'est la pêche au trident, ou de bas en haut, c'est la pêche à la ligne.

Appliquons au sophiste cette méthode dichotomique. Le sophiste aussi pratique un art. Cet art, comme celui du pêcheur à la ligne, est une sorte de chasse, la chasse aux animaux marcheurs. Celle-ci comprend deux genres : la chasse aux animaux sauvages et la chasse aux animaux apprivoisés, c'est-à-dire aux hommes. Dans la chasse aux animaux apprivoisés, il faut distinguer la chasse violente, comme la guerre ou la piraterie, et la chasse par la persuasion, et dans la chasse par persuasion celle qui s'exerce sur le public et celle qui s'exerce sur les particuliers. Dans la chasse aux particuliers il y a celle qui se fait au moyen de présents (l'amour), et celle qui poursuit un salaire; dans celle qui poursuit un salaire, celle où l'on gagne les gens par la flatterie et celle où l'on enseigne la vertu. C'est celle-ci que le sophiste pratique sur les jeunes gens riches.

Mais l'art du sophiste est loin d'être simple, il est très compliqué au contraire. Considérons-le sous un autre aspect. Reprenons pour cela notre division de l'art d'acquérir. Nous avons vu qu'il comprend deux espèces : la chasse et l'échange. Nous avons laissé de côté l'échange; revenons-y. L'échange se fait de deux manières, par donation ou par marché. Dans ce dernier cas, l'on vend ce qu'on a produit soi-même ou les produits d'autrui. Quand le commerce des produits d'autrui se fait dans la même ville, c'est le débit; quand il se fait d'une ville à l'autre, c'est le négoce. Le négoce trafique, soit des choses qui servent aux besoins du corps, soit des choses qui servent aux besoins de l'âme. Dans le négoce des choses de l'âme, il faut distinguer l'étalage des objets de luxe et l'échange des connaissances, et enfin dans l'échange des connaissances, celui des connaissances relatives aux arts et aux métiers, et celui des connaissances relatives à la vertu, c'est-à-dire la sophistique.

Le sophiste est aussi l'homme qui, fixé dans une ville, vend des connaissances qu'il a achetées ou qu'il possède, pourvu que ces connaissances se rapportent à la vertu.

Voyons-le encore sous un autre aspect. Nous avons dit qu'il pratiquait l'art d'acquérir et que l'art d'acquérir comprenait l'échange de gré à gré et l'acquisition violente ou combat. Or dans le combat, il faut distinguer la lutte entre rivaux et la lutte entre ennemis; dans la lutte entre ennemis, celle qui se fait corps à corps et celle qui se fait discours contre discours, c'est-à-dire la controverse. Il y a deux sortes de controverse : la controverse judiciaire qui se fait par de longs discours et traite en public du juste et de l'injuste, et la controverse entre particuliers, qui est la dispute. Quand la dispute se porte sur des contrats et se fait sans art, elle n'a pas de nom; mais celle qui se fait avec art et conteste du juste et de l'injuste et des idées générales s'appelle l'éristique. Si l'éristique est pratiquée pour le plaisir et si pour elle on néglige ses propres affaires, c'est du bavardage ; mais celle qui a pour but de gagner de l'argent, c'est encore la sophistique.

Suivons maintenant le sophiste sur une nouvelle trace. Il y a un art de trier auquel se rapporte une foule d'opérations domestiques, comme filtrer, cribler, carder, etc. Or, dans l'art de trier, il faut distinguer l'opération qui sépare le pire du meilleur et celle qui sépare le semblable du semblable. Cette dernière n'a pas de nom ; mais l'autre s'appelle purification. La purification s'adresse au corps ou à l'âme, pour en ôter le vice. Il y a deux espèces de vices dans l'âme : la méchanceté qui est une discorde et une maladie de l'âme, et l'ignorance qui est une laideur de l'âme. De même qu'il y a pour remédier à la laideur et à la maladie du corps, deux arts : la gymnastique et la médecine, de même il y a deux arts pour guérir la méchanceté et l'ignorance : la correction et l'enseignement. Il y a deux espèces d'ignorance, celle qui se rapporte aux métiers, et celle qui croit savoir et qui ne sait pas. Pour guérir cette dernière, il y a deux espèces d'enseignement : l'admonestation, pratiquée par nos pères, et la réfutation qui délivre des fausses opinions. Ceux qui pratiquent cet art de la réfutation, ce sont les sophistes.

Résumons-nous. Nous avons trouvé premièrement que le sophiste est un chasseur intéressé de jeunes gens riches, deuxièmement, un négociant en connaissances à l'usage de l'âme, en troisième lieu, un détaillant de ces mêmes connaissances, en quatrième lieu, un fabricant de sciences qu'il vendait, en cinquième lieu, un athlète dans les combats de paroles, qui s'est réservé l'art de la dispute, et sixièmement enfin, un purificateur des opinions qui font obstacle à la science.

Mais la principale marque du sophiste, c'est qu'il est capable de discuter sur toutes choses. Or, comme on ne peut connaître toutes choses, c'est forcément un semblant de science, et non une science véritable que le sophiste possède. Au lieu de la vérité, il ne présente que des simulacres, et c'est dans l'art des simulacres que le sophiste se dissimule.

Mais il s'élève ici une grande difficulté ; car cet art suppose qu'il est possible de penser et de parler faux, et ceci implique l'existence du non-être. Or on ne peut appliquer quoi que ce soit au non-être. On ne peut même pas l'énoncer, parce que, pour l'énoncer, il faut lui attribuer l'unité ou la pluralité, c'est-à-dire le nombre, c'est-à-dire quelque être et qu'ainsi l'on se contredit soi-même.

Le sophiste nous échappe encore une fois. Pour le tenir, il faut que nous admettions que les images qu'il fabrique, tout en n'étant pas l'objet original, sont néanmoins réellement des images et que, tout non-êtres qu'elles sont, elles ont une certaine existence. Pour cela, il nous faut prouver contre Parménide que l'être n'est pas en quelque manière, et réciproquement que le non-être est en quelque manière.

Entendons-nous d'abord sur l'être. Les philosophes ne sont pas d'accord sur le nombre des êtres : les uns en admettent trois, d'autres deux, les Eléates un; les Muses d'Ionie et de Sicile admettent que l'être est à la fois un et multiple. En réalité, nous ne comprenons pas plus l'être que le non-être. Questionnons ces philosophes. Vous qui prétendez que le tout est le chaud et le froid, qu'entendez-vous par être ? Est-ce un troisième principe ajouté aux deux autres ? Ou bien réservez-vous le nom d'être à l'un des deux, ou au couple ? Mais c'est affirmer que les deux ne sont qu'un. Et vous qui prétendez que l'univers est un, vous affirmez qu'il n'y a qu'un être. Est-ce la même chose que l'un ? Alors, c'est deux noms pour une seule chose. Et le tout, dites-vous qu'il est autre que l'un, ou qu'il lui est identique ? Identique, répondrez-vous. Mais, si c'est un tout, il a des parties et par conséquent, il n'est pas l'un même qui n'a pas de parties, il participe seulement à l'unité. Mais l'être devient-il, en participant à l'unité, un être un et un tout, ou bien ne saurait-il être un tout ? Si l'être n'est un qu'en tant qu'il participe de l'un, il paraît qu'il diffère de l'un, et l'univers ne se réduit pas à un seul principe. D'un autre côté, si l'être n'est pas tout par participation à l'unité et que cependant le tout lui-même existe, il se trouve que l'être se fait défaut à lui-même, et qu'il devient non-être. Si au contraire le tout n'existe pas, il en sera de même de l'être, et non seulement il ne sera pas, mais il ne pourra jamais être, parce que ce qui est devenu est toujours devenu sous la forme d'un tout. Voilà des difficultés inextricables, et combien d'autres s'élèveraient contre quiconque prétendrait que l'être est deux ou qu'il n'est qu'un!

Voyons la doctrine opposée, celle des matérialistes qui soutiennent que tout est corps. Mais dans tout corps animé, il faut bien reconnaître que l'âme qui l'anime est un être, et de plus que telle âme est juste, telle autre injuste, que c'est la présence de la justice ou de l'injustice qui les fait telles : la justice est donc quelque chose qui existe. Pour l'âme, ils la font corporelle; mais pour la justice et les autres qualités, ils sont embarrassés : ils n'osent dire qu'elles n'ont aucune existence, ni que ce sont des corps. Voici une définition de l'être que l'on peut leur proposer : l'être est puissance d'agir ou de pâtir. Peut-être l'accepteront-ils.

Passons à ceux qui placent l'existence dans les idées. Ils séparent la génération de l'être. Ils admettent pour la génération la puissance d'agir et de pâtir; ils ne l'admettent pas pour l'être, qui est immuable. Il faut pourtant bien qu'ils admettent que l'âme connaît et que par conséquent c'est un être actif, et que les objets qu'elle connaît, par le fait qu'ils sont connus, sont des êtres passifs et par conséquent mus. Comment l'être pourrait-il être immobile ? S'il l'était, il n'y aurait plus de place nulle part pour l'intelligence. Il n'y en aurait d'ailleurs pas davantage, s'il était dans un perpétuel mouvement; car ce qui est identique à soi-même, condition nécessaire pour qu'il soit connu, ne saurait exister sans stabilité. L'être n'est donc ni absolument mobile, ni absolument immobile : il est tour à tour dans l'un et l'autre état.

Mais affirmer l'être aussi bien du mouvement que du repos, ce n'est pas résoudre le problème de l'être. Comment se comporte l'être à l'égard du mouvement et du repos, voilà ce qu'il faut d'abord élucider. Quand nous parlons d'un homme, nous lui attribuons une foule de choses; nous disons qu'il est bon, qu'il est beau, etc., et nous en disons autant de tout être quelconque. Nous posons chaque objet comme un et nous en parlons comme d'une chose multiple. On nous réplique qu'il est impossible qu'un soit plusieurs, et que nous devons nous borner à dire : l'homme est homme, mais qu'il ne faut pas dire : l'homme est bon. C'est le problème de la communauté des genres qui se pose devant nous. Il s'agit de savoir si tous les genres sont séparés et sans communication possible, ou s'ils communiquent tous, ou si les uns communiquent et les autres non. La première hypothèse est insoutenable ; car si rien ne communique avec rien, on ne peut rien dire de quoi que ce soit, sinon qu'il est identique à lui-même. La seconde ne l'est pas moins; car si tout se réunit à tout, le mouvement devient repos et le repos mouvement. La troisième seule est acceptable, et il faut admettre que telles choses se prêtent et que telles autres se refusent au mélange, comme les lettres dans le discours ou les sons dans une symphonie. Il faut pour accorder les lettres et les sons des sciences particulières, la grammaire et la musique; pour accorder les genres, il en faut une aussi, qui est la dialectique.

Etudier tous les genres et leurs rapports serait une tâche infinie. Bornons-nous aux genres essentiels, l'être, le mouvement, le repos, l'autre et le même. Nous avons déjà vu que le mouvement et le repos ne peuvent se mêler et que l'être se mêle à tous deux, car ils sont. Ils sont donc trois, et chacun d'eux est *autre* que les deux autres et le *même* que lui-même. L'autre et le même sont deux genres nouveaux qui ne se confondent pas avec le mouvement et le repos, ni avec l'être. Ils ne se confondent pas avec le couple mouvement-repos, parce que, quoi que nous attribuions au mouvement et au repos, il est impossible que cet attribut soit l'un ou l'autre d'entre eux; autrement, il contraindrait l'autre à changer sa nature propre en la nature contraire, puisqu'il le ferait participer de son contraire. On ne peut pas dire non plus que l'être est le même que le même : ce serait dire que le mouvement et le repos sont le même, puisqu'ils sont; l'être n'est pas non plus le même que l'autre : car l'être se dit en un sens absolu et en un sens relatif, et l'autre ne se dit qu'au sens relatif, car rien n'est autre que relativement à autrui, et l'autre pénètre à travers tous les genres. Nous avons donc cinq genres réels et irréductibles, l'être, le mouvement, le repos, l'autre et le même. Voici ce qu'il en faut dire en les reprenant un par un. Le mouvement est autre que le repos, mais il est parce qu'il participe de l'être. D'un autre côté, il est autre que le même : il n'est donc pas le même, et cependant il est le même parce que tout participe du même. Il est autre que l'autre, aussi bien qu'il est autre que le même et que le repos, et il n'est pas autre parce qu'il participe de l'autre. Le mouvement est être, puisqu'il participe de l'être, mais, étant autre que l'être, il est non-être. Et il en est de même de tous les genres : la nature de l'être, en rendant chacun autre que l'être, en fait un non-être : ils sont tous des êtres et des non-êtres. Donc autant sont les autres, autant de fois l'être n'est pas; car n'étant pas eux, il est un en soi, et les autres, infinis en nombre, ne sont pas non plus. Cela semble contradictoire; mais la contradiction n'est qu'apparente, car le non-être n'est pas contraire à l'être; il est seulement quelque chose d'autre. Quand j'énonce le non-beau, le non-grand, je nie les réalités déterminées auxquelles ils s'opposent; mais ce que j'exprime par la négation est aussi réel que les réalités dont je les distingue. Nous avons ainsi démontré que Parménide se trompait; car nous avons prouvé que la nature de l'autre existe et qu'elle se morcelle dans leurs relations naturelles, et nous avons osé affirmer que chaque portion de l'être qui s'oppose à l'être est non-être.

En forçant nos adversaires à nous accorder que les genres se mêlent les uns aux autres et que le non-être se mêle à tous, nous avons du même coup assuré la possibilité du discours et la possibilité du discours faux. Considérons en effet le discours et voyons comment les noms se portent ou se refusent à l'accord. Nous avons deux espèces de mots pour exprimer l'être par la voix : les noms et les verbes. Ni les noms ni les verbes prononcés à la file ne font un discours : le discours ne se fait que par le mélange des noms aux verbes. De plus, le discours doit porter naturellement sur quelque chose et il doit être d'une certaine nature, vrai ou faux. Quand on dit de quelque chose des choses autres comme étant les mêmes, ou des choses qui ne sont pas comme étant, cet assemblage formé de noms et de verbes est un faux discours. Le discours est donc tantôt vrai, tantôt faux. Il en est de même de l'opinion et de l'imagination. Qu'est-ce en effet que l'opinion ? C'est l'affirmation ou la négation où aboutit la pensée, qui n'est autre chose qu'un discours intérieur de l'âme avec elle-même; et l'imagination elle-même n'est qu'une opinion qui se forme par l'intermédiaire de la sensation. Il s'ensuit qu'il peut y avoir fausseté dans l'opinion et l'imagination, comme dans le discours.

C'est dans le genre imaginatif, qui crée des images, que nous avons cru pouvoir enfermer le sophiste. Poursuivons-le jusqu'à la dernière division où il se loge. L'art de produire des images se divise en deux parties, l'une divine et l'autre humaine. Les choses qu'on rapporte à la nature sont le produit d'un art divin; celles que les hommes composent au moyen d'elles sont le produit d'un art humain. Coupons en deux chacun de ces deux arts : nous aurons dans chaque section une partie productive de réalités et une partie productive d'images ou de simulacres. Coupons encore en deux cette dernière partie, nous aurons une section où l'on se sert d'instruments, et une autre où l'on se sert de sa propre personne comme instrument : celle-ci est la mimique. Parmi ceux qui la pratiquent, les uns le font en connaissant ce qu'ils imitent; les autres, sans le connaître. L'imitation fondée sur l'opinion peut être appelée doxomimétique; celle qui se fonde sur la science est l'imitation savante. C'est dans la première que se range le sophiste. Il y a des naïfs qui s'imaginent connaître ce qu'ils ne savent pas; il y a ceux qui font semblant de connaître. Enfin parmi ces derniers, il faut reconnaître deux espèces, l'une qui se rapporte aux discours publics, et l'autre aux discours privés. Dans la première se range le politique; dans la seconde, le sophiste. Nous pouvons résumer la définition à laquelle nous venons d'aboutir en disant que « l'espèce imitative de la partie ironique de l'art fondé sur l'opinion, lequel est une partie de l'art de la contradiction, et qui appartient au genre imaginatif, lequel se rattache à l'art de produire des images, cette portion, non pas divine, mais humaine de la production qui se spécialise dans les discours et fabrique des prestiges, voilà ce qu'on peut dire « qu'est la lignée et le sang », dont descend le véritable sophiste, et l'on dira, ce semble, l'exacte vérité ».

LA COMPOSITION DU « SOPHISTE »

La structure du *Sophiste* rappelle celle du *Phèdre*, où, entre un discours de Lysias et un discours de Socrate sur le même sujet, Platon a intercalé une théorie de l'amour et de l'âme qui a déjà semblé aux Anciens être la partie essentielle de l'ouvrage, comme on peut en juger par les sous-titres *Du beau*, *De l'âme*, qu'ils lui ont donnés. La composition est la même dans *le Sophiste*. L'étranger nous montre d'abord le sophiste sous ses multiples aspects et décrit la sophistique comme un art trompeur. Mais comme les sophistes répliquent que l'erreur et la tromperie ne sauraient exister, parce qu'on ne peut énoncer que ce qui est, et non ce qui n'est pas, il faut démontrer la possibilité de penser et de parler faux. Pour cela, il faut réfuter l'opinion de Parménide que le non-être n'existe pas et la démonstration prend une telle ampleur et a en elle-même une telle importance qu'on peut la prendre pour le véritable sujet. La possibilité de l'erreur enfin établie, l'étranger revient au sophiste pour l'enfermer définitivement dans cet art de tromperie dont il vient de prouver l'existence. Ainsi l'auteur, en dépit de la longue digression qui fait le centre de l'ouvrage, n'a point perdu de vue la définition qu'on lui a demandée au début. Les deux parties sont étroitement soudées entre elles, et l'unité de l'ouvrage est visible et incontestable.

LA DÉFINITION DU SOPHISTE

Platon n'a-t-il point calomnié les sophistes en les dépeignant comme des chasseurs qui pratiquent la chasse aux jeunes gens riches et font profession de leur enseigner la vertu, tandis qu'ils n'enseignent que l'erreur ? Il est certain, on le voit par la haine qu'Anytos dans le *Ménon* professe pour les sophistes, qu'ils avaient une réputation déplorable. L'auteur du traité *De la chasse*, attribué souvent à Xénophon, n'a pas d'eux une opinion plus favorable qu'Anytos. « Une chose me surprend, dit-il, c'est que les sophistes, comme on les appelle, prétendent pour la plupart conduire les jeunes gens à la vertu, tandis qu'ils les mènent à l'opposite... Les sophistes ne parlent que pour tromper, n'écrivent que pour leur profit et ils ne sont en aucune manière utiles à personne; car il n'y eut jamais, et il n'y a point de sage parmi eux. Il suffit à chacun d'eux d'être appelé sophiste, nom flétrissant aux yeux des gens sensés. Je conseille donc de se tenir en garde contre les préceptes des sophistes, mais non pas de mépriser les conceptions des philosophes. Les sophistes font la chasse aux jeunes gens riches; les philosophes sont accessibles à tous, amis de tous, et, quant à la fortune des gens, ils n'ont pour elle ni honneur ni mépris. » (*De la chasse*, ch. XIII, trad. P. Chambry.) Ce témoignage de l'auteur du traité *De la chasse* enchérit encore sur celui de Platon. Il en serait une éclatante confirmation si l'on n'avait pas lieu de soupçonner qu'il n'en est peut-être qu'un écho. Ce qui éveille le soupçon, c'est l'expression de « chasseurs aux jeunes gens riches », qui reproduit la définition du *Sophiste* et l'opposition du sophiste au philosophe, qui rappelle, en d'autres termes, il est vrai, celle que Platon a décrite (253 d-254 b). Il semble d'ailleurs que Platon lui-même a peint le sophiste avec des couleurs plus noires qu'il ne l'a fait dans ses autres ouvrages. Il se moque, il est vrai, sans pitié de Prodicos et particulièrement d'Hippias d'Elis; mais il est plein d'égards pour Gorgias et surtout pour Protagoras; il les traite même avec un certain respect. Dans le *Ménon*, il a même l'air de défendre les sophistes contre Anytos, qui les attaque avec une haine aveugle. S'il a ici forcé la note et s'il a mis tous les sophistes sur la même ligne, c'est que le sujet demandait qu'il définît le sophiste comme un agent d'erreur et de tromperie. Il semble bien en effet que le sujet véritable de l'ouvrage n'est pas la définition du sophiste, mais la réfutation de la thèse de Parménide sur le non-être et la démonstration de la possibilité de l'erreur, dirigée contre certains sophistes qui prétendaient qu'on ne peut ni penser ni parler faux, parce qu'on ne peut ni concevoir ni exprimer ce qui n'est pas.

L'IMPORTANCE DU « SOPHISTE » AU POINT DE VUE PHILOSOPHIQUE

C'est dans cette digression sur la possibilité de l'erreur que gît l'intérêt essentiel du *Sophiste*. Pour montrer que l'erreur est possible, Platon s'attaque d'abord à la thèse de Parménide, qui a toujours enseigné que le non-être n'est pas et qu'on ne peut contraindre à exister ce qui n'est pas. Mais, avant de rechercher ce qu'est le non-être, il faut d'abord savoir ce qu'est l'être. Or l'être n'est guère moins facile à définir que le non-être. Platon le démontre en passant en revue les écoles philosophiques qui ont traité de l'être, et il fait voir que, si l'on ne veut pas abolir toute connaissance, il faut réprouver à la fois celles qui soutiennent que l'être est en perpétuel mouvement et celles qui l'immobilisent, soit dans l'unité, soit dans des formes multiples. Dès lors, que peut-on dire de l'être ? Certains philosophes prétendent qu'on n'en peut affirmer que l'identité. On peut dire : l'homme est homme, mais non : l'homme est bon. C'est rejeter toute communauté entre les genres. Or si les genres ne communiquent pas entre eux, on ne peut rien dire de rien. Il y a ici trois hypothèses possibles : ou tous les genres communiquent, ou aucun ne communique avec aucun, ou certains genres communiquent avec d'autres par une affinité naturelle. Les deux premières hypothèses sont absurdes : reste la troisième. Platon, prenant pour exemples les cinq genres principaux : l'être, le mouvement, le repos, l'autre, le même, démontre que, tout en étant irréductibles l'un à l'autre, ils participent les uns des autres. C'est la théorie de la participation, clef de voûte du système des genres ou idées. Tous les genres participent à la fois du même et de l'autre. Il s'ensuit que le non-être est dans tous; « car, dans tous, la nature de l'être, en rendant chacun autre que l'être, en fait un non-être, en sorte qu'à ce point de vue, nous pouvons dire avec justesse qu'ils sont tous des non-êtres, et, par contre, parce qu'ils participent de l'être, qu'ils sont et ont de l'être ». « Ainsi le non-être n'est pas moins être que l'être lui-même; car ce n'est pas le contraire de l'être qu'il exprime, c'est seulement autre chose que l'être » (158 b). Du moment que le non-être existe, il est possible de l'énoncer; or énoncer ce qui est comme n'étant pas ou ce qui n'est pas comme étant, voilà ce qui constitue la fausseté dans le discours et dans la pensée.

Tels sont les problèmes dont Platon a donné la solution dans la longue digression du *Sophiste.* Ils sont de première importance en eux-mêmes et pour tout le système métaphysique de Platon.

« LE SOPHISTE » AU POINT DE VUE LITTÉRAIRE

Si *le Sophiste* intéresse vivement les métaphysiciens, il est beaucoup moins captivant aux yeux des profanes, que rebutent la sécheresse et la subtilité de la discussion. *Le Sophiste* est en effet une œuvre d'un caractère scolaire. La première partie donne aux jeunes adeptes de l'école platonicienne un exemple de la méthode dichotomique appliquée avec rigueur à la recherche d'une définition, et la deuxième est un modèle de dialectique sur un sujet de pure métaphysique. Néanmoins il y a bien de l'agrément encore dans la manière dont le dialogue est conduit, dans les petits intermèdes qui font oublier un instant la peine qu'on a eue à suivre un raisonnement subtil, dans le ton et l'humeur de l'étranger qui mène la bataille contre des adversaires absents et se fait donner la réplique en leur nom par le jeune Théétète, dans les images, les métaphores, les jeux de mots même. Un exemple de la manière dont Platon sait user du jeu de mots fera bien saisir ce qu'il y a d'ingénieux et de plaisant dans son style. « Le sophiste, dit Théétète, est vraiment une espèce de gibier difficile à chasser. Evidemment il est très fertile en *problèmes.* (Le mot grec correspondant à problème signifie non seulement *problème*, mais encore toute *armure*, tout *rempart* dont on se couvre, et c'est sur le second sens du mot que le développement continue.) Sitôt qu'il en met un en avant, c'est un *rempart* qu'il faut franchir en combattant, avant d'arriver jusqu'à lui. Maintenant, à peine sommes-nous venus à bout de celui qu'il nous a opposé en niant le non-être qu'il nous en a opposé un autre, et il faut que nous démontrions l'existence du faux dans le discours et dans l'opinion, après quoi il en élèvera peut-être un autre, et un autre encore après celui-là, et nous n'en verrons sans doute jamais la fin. »

A Théétète découragé l'étranger réplique ainsi :

« Il faut reprendre courage, Théétète, quand on peut toujours avancer, si peu que ce soit. Si l'on se décourageait en un cas comme celui-ci, que ferait-on dans d'autres conjonctures où l'on n'avancerait pas du tout, où l'on serait même repoussé en arrière. Il faudrait, dit le proverbe, bien du temps à un tel homme pour prendre une ville. Mais maintenant, mon bon ami, que nous sommes venus à bout de la difficulté dont tu parles, nous pouvons dire que le rempart le plus fort est pris et que le reste sera désormais plus facile et moins important. » C'est ainsi que ce traité d'apparence rébarbative est souvent égayé par le style imagé et par l'humour que l'Eléate porte jusque dans la dialectique la plus serrée. Ajoutons que dans les passages les plus subtils, la langue de Platon est, pour la simplicité, la précision, la justesse, plus admirable encore que dans tous ses autres ouvrages, car il était singulièrement difficile de trouver des expressions adéquates à des matières si abstraites et à des pensées si subtiles. Platon s'est tiré de la difficulté avec une aisance étonnante : il dit exactement tout ce qu'il veut dire dans les termes les plus simples et les plus clairs qu'on puisse imaginer. C'est un exemple à suivre pour certains philosophes qui semblent croire qu'il est impossible de parler philosophie dans la langue de tout le monde.

LA DATE DE LA COMPOSITION

Platon nous a présenté lui-même le *Théétète, le Sophiste* et *le Politique* comme se faisant suite l'un à l'autre. Il est donc très vraisemblable qu'il les rédigea dans cet ordre. Mais il se peut fort bien qu'il se soit écoulé un intervalle assez long entre chacun de ces trois ouvrages, surtout si, comme on peut le croire, le *Parménide* fut écrit après le *Théétète*. Aucun indice ne permet de lui assigner une date précise. Mais on peut conjecturer qu'il fut composé aux environs de l'an ~ 365, et sans doute ne s'écarte-t-on pas beaucoup de la vérité.

LE SOPHISTE

[ou **De l'Etre;** *genre logique*]

PERSONNAGES DU DIALOGUE

THÉODORE, SOCRATE, L'ÉTRANGER D'ÉLÉE, THÉÉTÈTE

THÉODORE

I. — Nous sommes fidèles à notre engagement d'hier, Socrate : nous voici à point nommé et nous amenons un étranger que voici [1]. Il est originaire d'Elée : il appartient au cercle des disciples de Parménide et de Zénon et c'est un véritable philosophe.

SOCRATE

Ne serait-ce pas, Théodore, au lieu d'un étranger, quelque dieu que tu amènes à ton insu, selon le mot d'Homère, qui dit que les dieux, et particulièrement le dieu qui préside à l'hospitalité, accompagnent les hommes qui participent de la pudeur et de la justice, pour observer les gens qui violent ou pratiquent la loi [2] ? Qui sait si cet étranger qui te suit n'est point un de ces êtres supérieurs, venu pour surveiller et réfuter les pauvres raisonneurs que nous sommes, et si ce n'est pas un dieu de la réfutation ?

THÉODORE

Non, Socrate, ce n'est point là le caractère de l'étranger : il est plus raisonnable que ceux qui s'adonnent aux disputes. Pour moi, je ne vois pas du tout un dieu en cet homme, quoique je le tienne pour divin; car c'est le nom que je donne à tous les philosophes.

SOCRATE

Et tu fais bien, ami. Mais il y a des chances que la race des philosophes ne soit pas, j'ose le dire, beaucoup plus facile à reconnaître que celle des dieux; car ces hommes, je parle des philosophes véritables, non de ceux qui feignent de l'être, ces hommes que l'ignorance se représente sous les formes les plus diverses, parcourent les villes, contemplant d'en haut la vie d'ici-bas. Aux yeux des uns, ils sont dignes de mépris, aux yeux des autres, dignes de tous les honneurs. On les prend tantôt pour des politiques, tantôt pour des sophistes, parfois même ils font l'effet d'être complètement fous. Mais j'aimerais savoir de l'étranger, si ma question lui agrée, ce qu'en pensent les gens de son pays et comment il les nomment.

THÉODORE

De qui parles-tu donc ?

SOCRATE

Du sophiste, du politique, du philosophe.

THÉODORE

Que veux-tu savoir au juste et qu'est-ce qui t'embarrasse si fort à leur sujet et t'a fait songer à poser cette question ?

SOCRATE

Voici. Regardent-ils tout cela comme un seul genre, ou comme deux, ou, parce qu'il y a trois noms, assignent-ils une classe à chaque nom ?

THÉODORE

Il ne refusera pas, je pense, de t'expliquer cela. Sinon, que répondrons-nous, étranger ?

L'ÉTRANGER

Cela même, Théodore. Je ne refuse pas du tout, et rien n'est plus facile que de répondre qu'ils voient là trois types. Mais quant à définir nettement chacun d'eux et en quoi il consiste, ce n'est pas une petite affaire ni une tâche facile.

THÉODORE

Cela tombe bien, Socrate : les sujets que tu viens de toucher sont justement voisins de ceux sur lesquels nous l'interrogions avant de venir ici, et les difficultés qu'il t'oppose, il nous les opposait à nous aussi, bien qu'il avoue avoir entendu discuter ces questions à fond et n'en avoir pas perdu le souvenir.

SOCRATE

II. — Ne va donc pas, étranger, à la première faveur que nous te demandons, nous opposer un refus. Dis-moi seulement une chose : qu'est-ce que tu préfères d'habitude, exposer toi-même, tout seul, en un discours suivi, ce que tu veux démontrer à un autre, ou procéder par interrogations, comme le fit autrefois Parménide, qui développa d'admirables arguments en ma présence, alors que j'étais jeune et lui déjà fort avancé en âge ?

L'ÉTRANGER

Si l'on a affaire à un interlocuteur complaisant et docile, la méthode la plus facile, c'est de parler avec un autre; sinon, c'est de parler tout seul.

SOCRATE

Alors tu peux choisir dans la compagnie celui que tu voudras; car tous te prêteront une oreille favorable; mais, si tu veux m'en croire, tu choisiras un de ces jeunes gens, Théétète que voici, ou tel autre qu'il te plaira.

L'ÉTRANGER

J'ai quelque honte, Socrate, pour la première fois que je me rencontre avec vous, de voir qu'au lieu d'une conversation coupée, où l'on oppose phrase à phrase, j'ai à faire un long discours suivi, soit seul, soit en m'adressant à un autre, comme si je donnais une séance publique. Car, en réalité, la question, posée comme tu l'as fait, n'est pas aussi simple qu'on pourrait l'espérer; elle exige, au contraire, de très longs développements. Cependant ne point chercher à te complaire, à toi et à ces messieurs, surtout après ce que tu as dit, serait, je le sens, une malhonnêteté indigne de votre hospitalité. Au reste, j'accepte de grand cœur Théétète comme interlocuteur, d'autant plus que je me suis déjà entretenu avec lui et que toi-même tu m'y invites.

THÉÉTÈTE

Fais donc ce que dit Socrate, étranger, et, comme il te l'assure, tu feras plaisir à toute la compagnie.

L'ÉTRANGER

Il me semble, Théétète, qu'il n'y a plus rien à dire là-contre. Dès lors c'est avec toi, je le vois, que je vais argumenter. Si la longueur de mon discours te fatigue et t'importune, ne t'en prends pas à moi, mais à ces messieurs, tes camarades.

THÉÉTÈTE

J'espère bien ne pas perdre courage de sitôt; mais, si cela m'arrivait, nous nous associerons Socrate que voici [3], l'homonyme de Socrate. Il est du même âge que moi, c'est mon compagnon de gymnase et il travaille presque toujours et très volontiers avec moi.

L'ÉTRANGER

III. — Bien dit. Là-dessus tu te consulteras toi-même au cours de l'argumentation. A présent, il faut te joindre à moi pour mener cette enquête, et commencer, à mon avis, par le sophiste, en recherchant et expliquant clairement ce qu'il est. Pour le moment, toi et moi, nous ne sommes d'accord que sur son nom; quant à la chose que nous désignons par ce nom, chacun de nous s'en fait peut-être à part lui une idée différente. Or, de quoi qu'il s'agisse, il faut toujours se mettre d'accord sur la chose même, en la définissant, plutôt que sur le nom seul, sans le définir. Quant à la tribu sur laquelle nous nous proposons de porter notre enquête, celle des sophistes, elle n'est certes pas la plus facile à définir. Mais dans toutes les grandes entreprises qu'on veut mener à bonne fin, c'est une opinion générale et ancienne, qu'il convient de s'entraîner *sur des objets* moins importants et plus faciles avant de passer aux très grands. Voici donc, Théétète, ce que je propose que nous fassions tous les deux dans le cas présent : puisque nous jugeons que la race des sophistes est difficile à saisir, c'est de nous exercer d'abord à la poursuivre sur un autre objet plus facile, à moins que tu n'aies, toi, quelque autre route à indiquer.

THÉÉTÈTE

Non, je n'en ai pas.

L'ÉTRANGER

Alors, veux-tu que nous nous appliquions à quelque question de peu d'importance et que nous essayions de la prendre pour modèle en traitant de notre grand sujet ?

THÉÉTÈTE

Oui.

L'ÉTRANGER

Que pourrions-nous donc nous proposer de facile à connaître et de simple, mais dont la définition n'offre pas moins de difficultés que les plus grands sujets ? Par exemple, le pêcheur à la ligne, n'est-ce pas un objet à la portée de tous et qui ne réclame pas une bien grande attention ?

THÉÉTÈTE

Si.

L'ÉTRANGER

J'espère néanmoins que nous trouverons en ce sujet une méthode et une définition appropriées à notre dessein.

THÉÉTÈTE

Ce serait à merveille.

L'ÉTRANGER

IV. — Eh bien, allons, commençons ainsi notre enquête sur le pêcheur à la ligne. Dis-moi : devons-nous le regarder comme un artiste ou comme un homme sans art, mais doué de quelque autre propriété ?

THÉÉTÈTE

Ce n'est pas du tout un homme sans art.

L'ÉTRANGER

Mais tous les arts se ramènent à peu près à deux espèces.

THÉÉTÈTE

Comment ?

L'ÉTRANGER

L'agriculture et tous les soins qui se rapportent à tous les corps mortels; puis tout ce qui concerne les objets composés et façonnés que nous appelons ustensiles; enfin l'imitation, tout cela, n'est-il pas absolument juste de le désigner par un seul nom ?

THÉÉTÈTE

Comment cela et par quel nom ?

L'ÉTRANGER

Quand on amène à l'existence une chose qui n'existait pas auparavant, nous disons de celui qui l'y amène qu'il produit, et de la chose amenée, qu'elle est produite.

THÉÉTÈTE

C'est juste.

L'ÉTRANGER

Or tous les arts que nous venons d'énumérer, c'est en vue de la production qu'ils possèdent leur pouvoir.

THÉÉTÈTE

En effet.

L'ÉTRANGER

Nous pouvons donc les appeler tous du nom collectif de productifs.

THÉÉTÈTE

Soit.

L'ÉTRANGER

Après cela, vient toute la classe des sciences et de la connaissance, de l'art du gain, de la lutte et de la chasse, tous arts qui ne fabriquent pas, mais s'approprient par la parole et par l'action des choses déjà existantes et déjà faites, ou les disputent à ceux qui voudraient se les approprier. Aussi le nom qui conviendrait le mieux à toutes ces parties serait celui d'art d'acquisition.

THÉÉTÈTE

Oui, ce serait celui-là.

L'ÉTRANGER

V. — Puisque tous les arts se rapportent à l'acquisition et à la production, dans quelle classe placerons-nous la pêche à la ligne ?

THÉÉTÈTE

Dans celle de l'acquisition, évidemment.

L'ÉTRANGER

Mais l'acquisition n'est-elle pas de deux sortes : l'une, qui est un échange de gré à gré et se fait par présents, locations et achats ? quant à l'autre, qui embrasse tout l'art de capturer par actes ou par paroles, c'est l'art de la capture.

THÉÉTÈTE

Cela ressort en effet de ce qui vient d'être dit.

L'ÉTRANGER

A son tour, l'art de capturer, ne devons-nous pas le diviser en deux ?

THÉÉTÈTE

Comment ?

L'ÉTRANGER

En classant dans le genre de la lutte tout ce qui se fait à découvert et dans celui de la chasse tout ce qui se fait à la dérobée.

THÉÉTÈTE

Oui.

L'ÉTRANGER

Mais logiquement la chasse doit être divisée en deux.

THÉÉTÈTE

Explique-moi cela.

L'ÉTRANGER

Une partie comprend le genre inanimé, l'autre le genre animé.

THÉÉTÈTE

Assurément, puisque les deux existent.

L'ÉTRANGER

Naturellement, ils existent. Pour celui des êtres inanimés, qui n'a pas de nom, sauf quelques parties de l'art de plonger et d'autres métiers pareils, qui n'ont pas d'importance, il faut le laisser de côté; l'autre, qui est la chasse aux êtres vivants, nous l'appellerons chasse aux êtres vivants.

THÉÉTÈTE

Soit.

L'ÉTRANGER

Et dans cette chasse aux êtres vivants, n'est-il pas juste de distinguer deux espèces, celle des animaux qui vont à pied, qui se subdivise en plusieurs classes avec des noms particuliers et qui s'appelle la chasse aux animaux marcheurs, et celle qui embrasse tous les animaux nageurs [4], la chasse au gibier d'eau ?

THÉÉTÈTE

Certainement si.

L'ÉTRANGER

Maintenant, dans le genre nageur, nous distinguons la tribu des volatiles et celle des aquatiques.

THÉÉTÈTE

Sans doute.

L'ÉTRANGER

La chasse qui comprend tout le genre volatile s'appelle, n'est-ce pas, la chasse aux oiseaux.

THÉÉTÈTE

C'est en effet le nom qu'on lui donne.

L'ÉTRANGER

Et celle qui comprend à peu près tout le genre aquatique s'appelle pêche.

THÉÉTÈTE

Oui.

L'ÉTRANGER

Et cette dernière, à son tour, ne pourrions-nous pas la diviser suivant ses deux parties les plus importantes ?

THÉÉTÈTE

Quelles parties ?

L'ÉTRANGER

Celle où la chasse se fait uniquement au moyen de clôtures, et celle où l'on frappe la proie.

THÉÉTÈTE

Que veux-tu dire et comment distingues-tu l'une de l'autre ?

L'ÉTRANGER

C'est qu'en ce qui concerne la première, tout ce qui retient et enclôt quelque chose pour l'empêcher de fuir, s'appelle naturellement clôture [5].

THÉÉTÈTE

C'est très juste.

L'ÉTRANGER

Eh bien, les nasses, les filets, les lacets, les paniers de jonc et autres engins du même genre, doit-on les appeler d'un autre nom que clôtures ?

THÉÉTÈTE

Non pas.

L'ÉTRANGER

Nous appellerons donc cette partie de la chasse, chasse à la clôture ou de quelque nom analogue.

THÉÉTÈTE

Oui.

L'ÉTRANGER

Mais celle qui se fait à coups d'hameçons et de tridents diffère de la première, et il faut, pour la désigner d'un seul mot, l'appeler chasse frappeuse; ou bien pourrait-on, Théétète, lui trouver un meilleur nom ?

THÉÉTÈTE

Ne nous mettons pas en peine du nom : celui-là suffit.

L'ÉTRANGER

Quand elle se fait de nuit à la lumière du feu, la chasse frappeuse a été, je crois, justement nommée par les chasseurs eux-mêmes la chasse au feu.

THÉÉTÈTE

C'est vrai.

L'ÉTRANGER

Quand elle se fait de jour, parce que les tridents mêmes sont munis d'hameçons à leur extrémité, on l'appelle en général la pêche à l'hameçon.

THÉÉTÈTE

C'est en effet le mot dont on se sert.

L'ÉTRANGER

VI. — Quand la pêche qui frappe avec l'hameçon se fait de haut en bas, elle s'appelle, je crois, chasse au trident, parce que c'est surtout le trident qu'elle emploie alors.

THÉÉTÈTE

Certains du moins la nomment ainsi.

L'ÉTRANGER

Il ne reste plus, je crois, qu'une seule espèce.

THÉÉTÈTE

Laquelle ?

L'ÉTRANGER

Celle qui frappe en sens inverse de la précédente, avec l'hameçon pour arme, et ne pique pas le poisson à n'importe quelle partie du corps, comme on le fait avec le trident, mais toujours à la tête et à la bouche, et le tire de bas en haut, au rebours de tout à l'heure, au moyen de gaules et de roseaux. Cette pêche-là, Théétète, comment dirons-nous qu'il faut la nommer ?

THÉÉTÈTE

C'est précisément, je crois, celle que nous nous sommes proposé tout à l'heure de trouver. Voilà qui est fait à présent.

L'ÉTRANGER

VII. — Ainsi donc, à présent, toi et moi, nous voilà d'accord sur le nom de la pêche à la ligne et de plus nous avons trouvé une définition suffisante de la chose elle-même. Nous avons vu en effet que la moitié de l'art en général est l'acquisition, que la moitié de l'acquisition est la capture, la moitié de la capture, la chasse ; la moitié de la chasse, la chasse aux animaux, la moitié de la chasse aux animaux, la chasse au gibier d'eau ; que dans la chasse au gibier d'eau, la section inférieure tout entière est la pêche ; la section inférieure de la pêche, la pêche frappeuse, celle de la pêche frappeuse, la pêche à l'hameçon. Or dans cette dernière espèce de pêche, celle qui frappe le poisson en le tirant de bas en haut, empruntant son nom à cette action même [6], s'appelle la pêche à la ligne, objet de notre présente recherche.

THÉÉTÈTE

Voilà certes une démonstration parfaitement claire.

L'ÉTRANGER

VIII. — Eh bien, prenons-la pour modèle et essayons de trouver de la même manière ce que peut être le sophiste.

THÉÉTÈTE

Oui, essayons.

L'ÉTRANGER

Nous nous sommes d'abord demandé s'il faut considérer le pêcheur à la ligne comme un ignorant, ou s'il possédait quelque art.

THÉÉTÈTE

Oui.

L'ÉTRANGER

Passons maintenant au sophiste, Théétète : devons-nous le considérer comme un ignorant ou comme un sophiste [7] dans toute la force du terme ?

THÉÉTÈTE

Ignorant, pas du tout; car j'entends ce que tu veux dire, c'est qu'il s'en faut du tout au tout qu'il soit ignorant, étant donné le nom qu'il porte.

L'ÉTRANGER

Il nous faut donc admettre, à ce qu'il semble, qu'il possède un art déterminé.

THÉÉTÈTE

Alors, que peut bien être cet art ?

L'ÉTRANGER

Au nom des dieux, avons-nous donc méconnu que notre homme est parent de l'autre ?

THÉÉTÈTE

Qui est parent et de qui ?

L'ÉTRANGER

Le pêcheur à la ligne, du sophiste.

THÉÉTÈTE

Comment ?

L'ÉTRANGER

A mes yeux, ce sont des chasseurs tous les deux.

THÉÉTÈTE

Qu'est-ce que chasse le dernier ? pour l'autre, nous l'avons dit.

L'ÉTRANGER

Nous avons tout à l'heure divisé la chasse en général en deux parties et mis dans l'une les animaux qui nagent, et dans l'autre ceux qui marchent.

THÉÉTÈTE

Oui.

L'ÉTRANGER

Pour la première, nous avons passé en revue toutes les espèces de nageurs qui vivent dans l'eau. Quant à celle des marcheurs, nous l'avons laissée indivise, en disant qu'elle comprenait plusieurs formes.

THÉÉTÈTE

C'est exact.

L'ÉTRANGER

Jusqu'à ce point donc, le sophiste et le pêcheur à la ligne marchent de compagnie, en partant de l'art d'acquérir.

THÉÉTÈTE

Ils en ont l'air, en tout cas.

L'ÉTRANGER

Mais ils se séparent à partir de la chasse aux animaux. L'un se dirige vers la mer, les rivières et les lacs, pour y chasser les animaux qui s'y trouvent.

THÉÉTÈTE

Sans doute.

L'ÉTRANGER

L'autre se dirige vers la terre et des fleuves d'une autre sorte, et, pour ainsi parler, vers des prairies où foisonnent la richesse et la jeunesse, afin d'en capturer les nourrissons.

THÉÉTÈTE

Que veux-tu dire ?

L'ÉTRANGER

La chasse aux marcheurs comprend deux grandes parties.

THÉÉTÈTE

Quelles sont ces deux parties ?

L'ÉTRANGER

L'une est celle des animaux apprivoisés, l'autre, des animaux sauvages.

THÉÉTÈTE

IX. — Alors il y a une chasse aux animaux apprivoisés ?

L'ÉTRANGER

Oui, si du moins l'homme est un animal apprivoisé. Admets l'hypothèse qu'il te plaira, ou qu'il n'y a pas d'animal apprivoisé, ou qu'il en existe, mais d'autres que l'homme, et que l'homme est un animal sauvage, ou bien, tout en disant que l'homme est un animal apprivoisé, juge qu'il n'y a pas de chasse à l'homme. Quelle que soit celle qui t'agrée, déclare-le-nous.

THÉÉTÈTE

Eh bien, je suis d'avis que nous sommes des animaux apprivoisés et je dis qu'il y a une chasse à l'homme.

L'ÉTRANGER

Disons donc aussi que la chasse aux animaux apprivoisés est double, elle aussi.

THÉÉTÈTE

Sur quoi fondes-tu cette assertion ?

L'ÉTRANGER

Brigandage, capture d'esclaves, tyrannie et guerre en général, nous ferons de tout cela une seule espèce, qui sera la chasse violente.

THÉÉTÈTE

Bien.

L'ÉTRANGER

Discours judiciaire, discours public, entretien privé, tout cela formera une espèce, que nous appellerons un art de persuasion.

THÉÉTÈTE

C'est juste.

L'ÉTRANGER

Disons maintenant que la persuasion comprend deux genres.

THÉÉTÈTE

Lesquels ?

L'ÉTRANGER

L'un s'exerce sur les particuliers, l'autre sur le public.

THÉÉTÈTE

Ces deux genres existent en effet.

L'ÉTRANGER

Et dans la chasse aux particuliers, n'y a-t-il pas celle qui poursuit un salaire et celle qui fait des présents ?

THÉÉTÈTE

Je ne comprends pas.

L'ÉTRANGER

A ce que je vois, tu n'as jamais fait attention à la chasse des amants.

THÉÉTÈTE

De quoi veux-tu parler ?

L'ÉTRANGER

Des présents dont ils accompagnent leur poursuite.

THÉÉTÈTE

C'est parfaitement vrai.

L'ÉTRANGER

Appelons donc cette espèce l'art d'aimer.

THÉÉTÈTE

D'accord.

L'ÉTRANGER

Mais dans la chasse qui vise à un salaire, l'espèce qui fait usage de la conversation pour plaire, qui prend exclusivement le plaisir pour amorce, sans chercher d'autre gain que sa propre subsistance, je crois que nous serons tous d'accord pour l'appeler un art de flatterie ou art de faire plaisir.

THÉÉTÈTE

Sans aucun doute.

L'ÉTRANGER

Mais quand on fait profession de converser pour enseigner la vertu, et qu'on se fait payer comptant, n'est-il pas juste de donner à ce genre-là un autre nom ?

THÉÉTÈTE

Sans aucun doute.

L'ÉTRANGER

Alors, quel nom ? essaye de le dire.

THÉÉTÈTE

Il est assez clair ; car c'est le sophiste, à n'en pas douter, que nous venons de trouver là. En l'appelant ainsi, je crois lui donner le nom qui lui convient.

L'ÉTRANGER

X. — D'après ce que nous venons de dire, Théétète, il apparaît que cette partie de l'art d'appropriation, de la chasse, de la chasse aux animaux vivants, au gibier de terre, aux animaux apprivoisés, à l'homme, au simple particulier, de la chasse en vue d'un salaire, de la chasse qui est un trafic d'argent, de celle qui prétend instruire, que cette partie, quand elle devient une chasse aux jeunes gens riches et d'illustre famille, doit être appelée sophistique : c'est la conclusion de la discussion que nous venons de soutenir.

THÉÉTÈTE

Parfaitement.

L'ÉTRANGER

Considérons encore la question de ce point de vue; car ce que nous cherchons ne relève pas d'un art simple, mais d'un art très complexe. Ce que nous venons de dire donne en effet lieu de penser que le sophiste n'est pas ce que nous disons, mais qu'il appartient à un autre genre.

THÉÉTÈTE

Comment cela ?

L'ÉTRANGER

Nous avons vu que l'art d'acquérir comprend deux espèces : l'une est la chasse, l'autre l'échange.

THÉÉTÈTE

Nous l'avons vu en effet.

L'ÉTRANGER

Dirons-nous maintenant qu'il y a deux formes d'échange, l'une qui se fait par donation, l'autre par marché ?

THÉÉTÈTE

Disons-le.

L'ÉTRANGER

Nous ajouterons que l'échange par marché se partage en deux parties.

THÉÉTÈTE

Comment ?

L'ÉTRANGER

L'une est la vente directe de ce qu'on a produit soi-même, et l'autre, qui échange les produits d'autrui, est un art d'échange.

THÉÉTÈTE

Parfaitement.

L'ÉTRANGER

Mais l'échange qui a lieu dans la ville et fait à peu près la moitié de l'échange en général s'appelle commerce de détail.

THÉÉTÈTE

Oui.

L'ÉTRANGER

Et l'autre, où l'on va de ville en ville, achetant et vendant, n'est-ce pas le négoce ?

THÉÉTÈTE

Sans doute.

L'ÉTRANGER

Mais dans le négoce, n'avons-nous pas observé qu'il y a une partie où l'on vend et échange contre de l'argent ce qui sert à la nourriture et aux besoins du corps, et une autre ce qui sert à l'âme ?

THÉÉTÈTE

Qu'entends-tu par là ?

L'ÉTRANGER

Peut-être que ce qui concerne l'âme nous échappe ; car nous connaissons ce qui regarde l'autre.

THÉÉTÈTE

Oui.

L'ÉTRANGER

Disons donc que la musique en général, chaque fois qu'elle est colportée de ville en ville, achetée ici, transportée là et vendue, que la peinture, l'art des prestiges et maintes autres choses qui se rapportent à l'âme, qu'on transporte et qu'on vend, comme objets, soit de plaisir, soit d'étude sérieuse, donnent à celui qui les transporte et les vend, non moins que la vente des aliments et des boissons, le droit au titre de négociant.

THÉÉTÈTE

Rien n'est plus vrai.

L'ÉTRANGER

Ne donneras-tu pas le même nom à celui qui achète en gros des connaissances et va de ville en ville les échanger contre de l'argent ?

THÉÉTÈTE

Si, certainement.

L'ÉTRANGER

XI. — Est-ce qu'une partie de ce négoce spirituel ne pourrait pas très justement s'appeler un art d'étalage, et l'autre, qui est tout aussi ridicule que la première, mais qui vend cependant des connaissances, ne doit-elle pas être appelée de quelque nom apparenté à son œuvre ?

THÉÉTÈTE

Certainement si.

L'ÉTRANGER

Maintenant la partie de ce commerce des sciences qui se rapporte aux connaissances des autres arts doit avoir un nom, et celle qui se rapporte à la vertu un autre.

THÉÉTÈTE

Sans contredit.

L'ÉTRANGER

Trafic d'arts, voilà le nom qui convient à la première partie. Quant à la seconde, essaie toi-même de la nommer.

THÉÉTÈTE

Et quel autre nom peut-on lui donner, pour ne pas se tromper, que l'objet même que nous cherchons, le genre sophistique ?

L'ÉTRANGER

Aucun autre. Résumons-nous donc en disant que la sophistique est apparue une seconde fois comme la partie de l'acquisition, de l'échange, du trafic, du négoce, du négoce spirituel relatif aux discours et à la connaissance de la vertu.

THÉÉTÈTE

Parfaitement.

L'ÉTRANGER

Troisième aspect : si un homme établi sur place dans une ville se proposait de vivre de la vente, soit de connaissances qu'il achèterait, soit d'autres relatives aux mêmes objets qu'il fabriquerait lui-même, j'imagine que tu ne lui donnerais pas d'autre nom que celui que tu as employé tout à l'heure ?

THÉÉTÈTE

Sans contredit.

L'ÉTRANGER

Ainsi cette partie de l'art d'acquérir qui procède par échange, où l'on trafique, soit en revendant au détail, soit en vendant ses propres produits, de toutes façons, pourvu que ce genre de commerce se rapporte aux enseignements que nous avons dits, c'est bien toujours, à ce qu'il paraît, ce que tu appelles la sophistique.

THÉÉTÈTE

Nécessairement, car c'est la conséquence forcée de ce qui a été dit.

L'ÉTRANGER

XII. — Examinons encore si le genre que nous poursuivons à présent ne ressemble pas à quelque chose comme ceci.

THÉÉTÈTE

Que veux-tu dire ?

L'ÉTRANGER

Nous avons dit qu'une partie de l'art d'acquérir est la lutte.

THÉÉTÈTE

Nous l'avons dit en effet.

L'ÉTRANGER

Il n'est donc pas hors de propos de diviser la lutte en deux parties.

THÉÉTÈTE

Lesquelles ? Dis-le.

L'ÉTRANGER

Je dis que l'une est la rivalité, et l'autre, le combat.

THÉÉTÈTE

C'est juste.

L'ÉTRANGER

Pour la partie du combat qui se fait corps à corps, il est, j'imagine, naturel et convenable de la nommer et de la définir lutte violente ?

THÉÉTÈTE

Oui.

L'ÉTRANGER

Mais à celle qui se fait discours contre discours, quel

autre nom peut-on lui donner, Théétète, que celui de controverse ?

THÉÉTÈTE

Aucun.

L'ÉTRANGER

Mais le genre de la controverse doit être divisé en deux.

THÉÉTÈTE

Comment ?

L'ÉTRANGER

En tant qu'elle se fait par de longs discours opposés à de longs discours et qu'elle traite en public du juste et de l'injuste, c'est la controverse judiciaire.

THÉÉTÈTE

Oui.

L'ÉTRANGER

Mais lorsqu'elle a lieu entre particuliers et qu'elle est coupée en menus morceaux par questions et réponses, n'avons-nous pas coutume de lui réserver le nom de dispute ?

THÉÉTÈTE

Elle n'en a pas d'autre.

L'ÉTRANGER

Mais dans la dispute, toute la partie où la controverse porte sur les contrats, mais se poursuit à l'aventure et sans art, doit être considérée comme une espèce, puisque notre argumentation l'a distinguée comme différente; mais elle n'a pas reçu de nom des anciens et ne mérite pas que nous lui en trouvions un aujourd'hui.

THÉÉTÈTE

C'est vrai; car elle se partage en toutes sortes de parties par trop menues.

L'ÉTRANGER

Mais celle qui se fait avec art et qui conteste du juste en soi, de l'injuste et des autres idées générales, ne l'appelons-nous pas d'ordinaire éristique ?

THÉÉTÈTE

Sans doute.

L'ÉTRANGER

Or il y a l'éristique qui ruine et l'éristique qui enrichit.

THÉÉTÈTE

Parfaitement.

L'ÉTRANGER

Essayons maintenant de trouver la dénomination qui convient à chacune de ces deux espèces.

THÉÉTÈTE

Oui, essayons.

L'ÉTRANGER

Pour moi, quand, pour le plaisir de s'occuper de ces objets, on néglige ses propres affaires et qu'on parle de manière que la plupart des auditeurs écoutent sans plaisir [8], j'estime qu'il n'y a pas pour cela d'autre nom que celui de bavardage.

THÉÉTÈTE

C'est bien, en somme, le nom qu'on lui donne.

L'ÉTRANGER

Et maintenant la partie opposée à celle-là, qui fait argent des disputes privées, essaye à ton tour d'en dire le nom.

THÉÉTÈTE

Que peut-on dire encore cette fois, si l'on veut éviter l'erreur, sinon que voici revenir encore pour la quatrième fois cet étonnant personnage que nous poursuivons, le sophiste ?

L'ÉTRANGER

Oui, le sophiste relève, à ce que nous voyons, du genre qui fait de l'argent et qui est issu de l'art éristique, de l'art de la dispute, de l'art de la controverse, de l'art du combat, de l'art de la lutte, de l'art d'acquérir. C'est ce que notre argumentation vient encore une fois de révéler.

THÉÉTÈTE

Cela est certain.

L'ÉTRANGER

XIII. — Vois-tu maintenant combien il est vrai de dire que cet animal est divers et justifie le dicton : il ne se prend pas avec une seule main.

THÉÉTÈTE

Il faut donc y mettre les deux.

L'ÉTRANGER

Oui, il le faut, et il faut appliquer toutes nos forces à le poursuivre sur la piste que voici. Dis-moi : nous avons bien certains mots pour désigner les besognes domestiques ?

THÉÉTÈTE

Nous en avons même beaucoup ; mais quels sont dans ce nombre ceux dont tu veux parler ?

L'ÉTRANGER

Des mots comme ceux-ci : filtrer, cribler, vanner, trier.

THÉÉTÈTE

Et puis ?

L'ÉTRANGER

Outre ceux-là : carder, dévider, tanner et mille autres termes analogues que nous savons être en usage dans les arts, n'est-ce pas ?

THÉÉTÈTE

Que veux-tu démontrer avec ces mots ? Pourquoi les proposes-tu comme exemples et me questionnes-tu sur tout cela ?

L'ÉTRANGER

Tous les mots cités expriment, je pense, une idée de séparation.

THÉÉTÈTE

Oui.

L'ÉTRANGER

Dès lors, puisque, suivant mon raisonnement, il n'y a qu'un art dans toutes ces opérations, il est juste que nous lui donnions un nom unique.

THÉÉTÈTE

Quel nom lui donnerons-nous ?

L'ÉTRANGER

L'art de trier.

THÉÉTÈTE

Soit.

L'ÉTRANGER

Voyons maintenant s'il n'y aurait pas moyen d'y apercevoir deux espèces.

THÉÉTÈTE

Tu me demandes là un examen un peu rapide pour moi.

L'ÉTRANGER

Pourtant dans les triages mentionnés, les uns consistaient à séparer le pire du meilleur, les autres, le semblable du semblable.

THÉÉTÈTE

Exprimé ainsi, c'est assez clair.

L'ÉTRANGER

Pour la dernière sorte, je ne connais pas de nom en usage; mais pour l'autre qui retient le meilleur et rejette le pire, j'ai un nom.

THÉÉTÈTE

Dis-le.

L'ÉTRANGER

Toute séparation de ce genre est, je pense, universellement appelée purification.

THÉÉTÈTE

C'est bien ainsi qu'on l'appelle.

L'ÉTRANGER

Est-ce que tout le monde ne voit pas que la forme de la purification, elle aussi, est double ?

THÉÉTÈTE

Oui, à la réflexion peut-être. Moi, je ne distingue rien pour le moment.

L'ÉTRANGER

XIV. — Il n'en faut pas moins embrasser d'un seul nom les nombreuses espèces de purification qui se rapportent au corps.

THÉÉTÈTE

Quelles espèces et de quel nom ?

L'ÉTRANGER

Ce sont les purifications des animaux, soit celles qu'opèrent à l'intérieur du corps, grâce à une exacte discrimination, la gymnastique et la médecine, soit les purifications au nom trivial qui relèvent de l'art du baigneur, et, d'autre part, celles des corps inanimés qui relèvent de l'art du foulon et de l'art de la parure en général et qui se distribuent en mille petites variétés dont les noms semblent ridicules.

THÉÉTÈTE

C'est vrai.

L'ÉTRANGER

Tout à fait vrai, Théétète. Mais notre méthode d'argumentation ne fait ni moins ni plus de cas de l'art de purifier avec l'éponge que de celui de purifier par des breuvages, et ne s'inquiète pas si l'un nous sert peu et l'autre beaucoup par ses purifications. Car c'est en vue d'acquérir de l'intelligence qu'elle essaye d'observer la parenté ou la dissemblance de tous les arts et, à ce point de vue, elle les honore tous également; elle ne trouve pas en les comparant que les uns soient plus ridicules que les autres. Elle ne croit pas qu'en illustrant l'art de la chasse par l'art du stratège, on ait droit à plus de considération qu'en l'assimilant à l'art de tuer les poux, mais qu'on est généralement plus prétentieux. De même à présent, à propos du nom que tu demandes pour désigner l'ensemble des puissances destinées à purifier les corps, animés ou inanimés, notre méthode ne se souciera pas le moins du monde de savoir quel nom aura l'air le plus distingué. Elle se bornera à mettre à part les purifications de l'âme et à lier ensemble tout ce qui purifie autre chose; car ce qu'elle entreprend en ce moment, c'est de séparer la purification qui s'adresse à l'âme de toutes les autres, si nous comprenons bien son intention.

THÉÉTÈTE

A présent, j'ai compris et j'accorde qu'il y a deux formes de purification, dont l'une se rapporte à l'âme et se distingue de celle qui se rapporte au corps.

L'ÉTRANGER

Voilà qui est le mieux du monde. Et maintenant écoute-moi encore et tâche de partager en deux cette dernière division.

THÉÉTÈTE

Je te suivrai partout et je tâcherai de diviser comme toi.

L'ÉTRANGER

XV. — Nous disons bien que la méchanceté est, dans l'âme, quelque chose de différent de la vertu ?

THÉÉTÈTE

Naturellement.

L'ÉTRANGER

Et nous avons vu que purifier, c'est rejeter tout ce qu'il peut y avoir de mauvais et garder le reste ?

THÉÉTÈTE

Nous l'avons vu en effet.

L'ÉTRANGER

Donc dans l'âme aussi, quelque moyen que nous trouvions d'en ôter le vice, nous serons dans la note juste en l'appelant purification.

THÉÉTÈTE

Oui, assurément.

L'ÉTRANGER

Il faut reconnaître qu'il y a deux espèces de vice dans l'âme.

THÉÉTÈTE

Lesquelles ?

L'ÉTRANGER

L'une s'y forme comme la maladie dans le corps et l'autre comme la laideur.

THÉÉTÈTE

Je ne comprends pas.

L'ÉTRANGER

Peut-être ne t'es-tu pas avisé que la maladie et la discorde étaient la même chose.

THÉÉTÈTE

A cela encore je ne vois pas ce qu'il faut répondre.

L'ÉTRANGER

Crois-tu donc que la discorde soit autre chose que la corruption de ce qui est actuellement parent, à la suite d'une rupture d'accord ?

THÉÉTÈTE

Ce n'est pas autre chose.

L'ÉTRANGER

Et que la laideur soit autre chose qu'un défaut de proportion, toujours désagréable à voir ?

THÉÉTÈTE

Ce n'est certainement pas autre chose.

L'ÉTRANGER

Mais quoi ? n'avons-nous pas remarqué que, dans les âmes des hommes sans valeur, les opinions sont en opposition avec les désirs, le courage avec les plaisirs, la raison avec les chagrins et toutes les choses de cette sorte les unes avec les autres ?

THÉÉTÈTE

Si, vraiment.

L'ÉTRANGER

On ne peut pourtant nier qu'il y ait parenté entre tout cela.

THÉÉTÈTE

Sans contredit.

L'ÉTRANGER

Si donc nous disons que la méchanceté est une discorde et une maladie de l'âme, nous nous exprimerons exactement.

THÉÉTÈTE

Très exactement.

L'ÉTRANGER

Mais quoi! si toutes les choses qui participent du mouvement, qui se fixent un but et font effort pour l'atteindre, passent à chaque élan à côté de ce but et le manquent, dirons-nous que cela vient de la symétrie qui est entre elles et lui, ou de l'asymétrie ?

THÉÉTÈTE

Il est évident que c'est de l'asymétrie.

L'ÉTRANGER

Mais nous savons que, toutes les fois que l'âme ignore quelque chose, c'est contre sa volonté.

THÉÉTÈTE

Certainement.

L'ÉTRANGER

Or l'ignorance n'est autre chose que l'aberration de l'âme quand elle s'élance vers la vérité et que l'intelligence passe à côté du but.

THÉÉTÈTE

Absolument.

L'ÉTRANGER

Il faut donc croire que l'âme déraisonnable est laide et manque de mesure.

THÉÉTÈTE

Il semble bien.

L'ÉTRANGER

Il y a donc en elle, à ce qu'il paraît, deux espèces de maux : l'un que le vulgaire appelle méchanceté et qui est manifestement une maladie de l'âme.

THÉÉTÈTE

Oui.

L'ÉTRANGER

Et l'autre qu'on appelle ignorance, mais qu'on ne veut pas reconnaître pour un vice, quand il s'élève seul dans l'âme.

THÉÉTÈTE

Décidément, il faut admettre ce dont je doutais tout à l'heure, quand tu l'as dit, qu'il y a deux genres de vice dans l'âme et que la lâcheté, l'intempérance, l'injustice doivent toutes être regardées comme une maladie en nous, et que cette affection si répandue et si diverse qu'est l'ignorance doit être considérée comme une difformité.

L'ÉTRANGER

XVI. — Dans le cas du corps, n'a-t-on pas trouvé deux arts correspondant à ces deux affections ?

THÉÉTÈTE

Quels sont ces arts ?

L'ÉTRANGER

Pour la laideur, la gymnastique, et pour la maladie, la médecine.

THÉÉTÈTE

Apparemment.

L'ÉTRANGER

Et pour la violence, l'injustice et la lâcheté, la correction n'est-elle pas, de tous les arts, celui qui convient le mieux à la justice ?

THÉÉTÈTE

C'est du moins vraisemblable, si l'on s'en rapporte à l'opinion du monde.

L'ÉTRANGER

Et pour l'ignorance en général, peut-on citer un art mieux approprié que l'enseignement ?

THÉÉTÈTE

Aucun.

L'ÉTRANGER

Voyons alors : devons-nous dire que l'enseignement forme un genre unique ou plusieurs, et qu'il y en a deux genres très importants. Examine la question.

THÉÉTÈTE

Je l'examine.

L'ÉTRANGER

Voici, je crois, le moyen le plus rapide pour la résoudre.

THÉÉTÈTE

Lequel ?

L'ÉTRANGER

C'est de voir si l'ignorance ne pourrait pas être coupée en son milieu. Car, si l'ignorance est double, il est clair que l'enseignement aussi doit avoir deux parties, une pour chaque partie de l'ignorance.

THÉÉTÈTE

Eh bien, vois-tu poindre la solution que nous cherchons ?

L'ÉTRANGER

Je crois du moins voir une grande et fâcheuse espèce d'ignorance, distincte des autres, et égale à elle seule à toutes les autres.

THÉÉTÈTE

Laquelle ?

L'ÉTRANGER

C'est de croire qu'on sait quelque chose, alors qu'on ne le sait pas. C'est de là, je le crains, que viennent toutes les erreurs où notre pensée à tous est sujette.

THÉÉTÈTE

C'est vrai.

L'ÉTRANGER

Et c'est aussi, je crois, la seule espèce d'ignorance qu'on ait appelée sottise.

THÉÉTÈTE

En effet.

L'ÉTRANGER

Et quel nom faut-il donc donner à la partie de l'enseignement qui nous en délivre ?

THÉÉTÈTE

Je pense, étranger, que l'autre partie se rapporte à l'enseignement des métiers; mais celle-là, ici du moins, nous l'appelons éducation.

L'ÉTRANGER

Et il en est de même à peu près, Théétète, chez tous les Grecs. Mais il nous faut examiner encore si l'éducation est un tout indivisible, et si elle comporte une division qui mérite un nom.

THÉÉTÈTE

Examinons donc.

L'ÉTRANGER

XVII. — Eh bien, elle aussi, je crois, se partage en deux.

THÉÉTÈTE

Par où ?

L'ÉTRANGER

Dans l'enseignement par le discours, il y a, ce semble, une route plus rude, et une section plus lisse.

THÉÉTÈTE

Comment qualifier chacune d'elles ?

L'ÉTRANGER

Il y a d'un côté la vénérable antique manière que nos pères pratiquaient généralement à l'égard de leurs fils et que beaucoup pratiquent encore aujourd'hui, quand ils les voient commettre quelque faute : aux réprimandes sévères, elle mêle les exhortations plus douces, et le tout ensemble pourrait très justement s'appeler l'admonestation.

THÉÉTÈTE

C'est juste.

L'ÉTRANGER

D'un autre côté, certains sont venus, après mûre réflexion, à penser que l'ignorance est toujours involontaire et que celui qui se croit sage ne consentira jamais à apprendre aucune des choses où il s'imagine être habile, et que, par suite, tout en prenant beaucoup de peine, le genre d'éducation qu'est l'admonestation aboutit à de médiocres résultats.

THÉÉTÈTE

Ils ont raison de le penser.

L'ÉTRANGER

En conséquence, ils s'y prennent d'une autre façon pour les défaire de cette présomption.

THÉÉTÈTE

De quelle façon ?

L'ÉTRANGER

Ils questionnent leur homme sur les choses où il croit parler sensément, alors qu'il ne dit rien qui vaille, puis, tandis qu'il s'égare, il leur est facile de reconnaître ses opinions; ils les ramassent ensemble dans leur critique, les confrontent les unes avec les autres et font voir ainsi qu'elles se contredisent sur les mêmes objets, sous les mêmes rapports et des mêmes points de vue. Ceux qui se voient ainsi confondus sont mécontents d'eux-mêmes et deviennent doux envers les autres, et cette épreuve les délivre des opinions orgueilleuses et cassantes qu'ils avaient d'eux-mêmes, ce qui est de toutes les délivrances la plus agréable à apprendre et la plus sûre pour celui qu'elle concerne. C'est que, mon cher enfant, ceux qui les purifient pensent comme les médecins du corps. Ceux-ci sont convaincus que le corps ne saurait profiter de la nourriture qu'on lui donne, avant qu'on n'en ait expulsé ce qui l'embarrasse. Ceux-là ont jugé de même que l'âme ne saurait tirer aucune utilité des connaissances qu'on lui donne, jusqu'à ce qu'on la soumette à la critique, qu'en la réfutant on lui fasse honte d'elle-même, qu'on lui ôte les opinions qui font obstacle à l'enseignement, qu'on la purifie ainsi et qu'on l'amène à reconnaître qu'elle ne sait que ce qu'elle sait et rien de plus.

THÉÉTÈTE

C'est, à coup sûr, la disposition la meilleure et la plus sage.

L'ÉTRANGER

De tout cela, Théétète, il nous faut conclure que la réfutation est la plus grande et la plus efficace des purifications, et nous devons être persuadés que celui qui se soustrait à cette épreuve, fût-ce le grand Roi lui-même, n'ayant pas été purifié des plus grandes souillures, est ignorant et laid par rapport aux choses où il devrait être le plus pur et le plus beau, s'il veut être véritablement heureux.

THÉÉTÈTE

C'est parfaitement exact.

L'ÉTRANGER

XVIII. — Mais ceux qui pratiquent cet art, comment les appellerons-nous ? Car pour moi, je n'ose pas les appeler sophistes.

THÉÉTÈTE

Pourquoi donc ?

L'ÉTRANGER

Je crains que nous ne leur fassions trop d'honneur.

THÉÉTÈTE

Pourtant le portrait que nous venons d'en faire leur ressemble bien.

L'ÉTRANGER

Comme le loup ressemble au chien, et ce qu'il y a de plus sauvage à ce qu'il y a de plus apprivoisé. Si l'on ne veut pas se tromper, il faut avant tout se tenir toujours en garde contre les ressemblances; car c'est un genre très glissant. Admettons pourtant que ce soient les sophistes : ce ne sera pas sur de petites différences que se produira la dispute, quand ils seront bien sur leurs gardes.

THÉÉTÈTE

Probablement non.

L'ÉTRANGER

Distinguons donc dans l'art de trier l'art de purifier, dans l'art de purifier, séparons la partie qui se rapporte à l'âme, de celle-ci l'art de l'enseignement, et de celui-ci l'art de l'éducation. Enfin dans l'art de l'éducation, reconnaissons que, comme nous venons de le voir en passant dans notre discussion, la réfutation des vaines prétentions à la sagesse n'est pas à nos yeux autre chose que l'art véritablement noble de la sophistique.

THÉÉTÈTE

Reconnaissons-le, soit; mais à présent que nous avons vu le sophiste sous tant de formes, je suis, moi, embarrassé pour donner avec vérité et en toute assurance la vraie définition du sophiste.

L'ÉTRANGER

Ton embarras est tout naturel; mais il faut croire que le sophiste aussi est à cette heure fort embarrassé pour savoir comment il pourra encore échapper à notre argumentation; car le proverbe est juste, qu'il n'est pas facile de tromper toutes les poursuites. Attaquons-le donc à cette heure avec un redoublement de vigueur.

THÉÉTÈTE

C'est bien dit.

L'ÉTRANGER

XIX. — Arrêtons-nous donc d'abord pour reprendre haleine, et, tout en nous reposant, faisons notre compte à part nous. Voyons : sous combien d'aspects le sophiste nous est-il apparu ? Si je ne me trompe, nous avons trouvé d'abord que c'est un chasseur intéressé de jeunes gens riches.

THÉÉTÈTE

Oui.

L'ÉTRANGER

En second lieu, un négociant en connaissances à l'usage de l'âme.

THÉÉTÈTE

C'est vrai.

L'ÉTRANGER

En troisième lieu, il nous est apparu, n'est-ce-pas ? comme détaillant des mêmes objets de connaissance.

THÉÉTÈTE

Oui, et en quatrième lieu, comme fabricant des sciences qu'il vendait.

L'ÉTRANGER

Tes souvenirs sont exacts. Pour sa cinquième forme, je vais moi-même tâcher de la rappeler. C'était un athlète dans les combats de parole, qui s'était réservé l'art de la dispute.

THÉÉTÈTE

C'est bien cela.

L'ÉTRANGER

La sixième forme prêtait à discussion. Néanmoins nous lui avons accordé qu'il était un purificateur des opinions qui font obstacle à la science dans l'âme.

THÉÉTÈTE

Parfaitement.

L'ÉTRANGER

Maintenant n'as-tu pas remarqué que, lorsqu'un homme paraît posséder plusieurs sciences, et que cependant il est désigné par le nom d'un seul art, l'idée qu'on se fait de lui n'est pas saine, et n'est-il pas clair que celui qui se fait une telle idée à propos d'un art est incapable d'y reconnaître le centre où convergent toutes ces connaissances, et que c'est la raison pour laquelle on donne à celui qui les possède plusieurs noms au lieu d'un seul ?

THÉÉTÈTE

Il y a bien des chances pour qu'il en soit ainsi.

L'ÉTRANGER

XX. — Prenons donc garde que cela ne nous arrive à nous-mêmes, faute de diligence dans notre recherche. Revenons d'abord sur nos définitions du sophiste. Il en est une surtout qui m'a semblé le désigner nettement.

THÉÉTÈTE

Laquelle ?

L'ÉTRANGER

Nous avons dit, je crois, que c'était un disputeur.

THÉÉTÈTE

Oui.

L'ÉTRANGER

Mais n'avons-nous pas dit aussi qu'il enseignait ce même art aux autres ?

THÉÉTÈTE

Sans doute.

L'ÉTRANGER

Examinons donc sur quoi ces sophistes prétendent les former à l'art de disputer. Commençons notre examen de cette façon : dis-moi, est-ce sur les choses divines, qui demeurent cachées à la multitude, qu'ils communiquent cette capacité à leurs disciples ?

THÉÉTÈTE

Oui, c'est là-dessus, du moins on l'assure.

L'ÉTRANGER

Est-ce aussi sur ce qu'offrent de visible la terre et le ciel et ce qu'ils contiennent ?

THÉÉTÈTE

Bien sûr.

L'ÉTRANGER

Mais dans les entretiens privés, où il est question de la génération et de l'être en général, nous savons, n'est-ce pas ? qu'ils sont habiles à contredire eux-mêmes et à rendre les autres capables de faire comme eux.

THÉÉTÈTE

Parfaitement.

L'ÉTRANGER

Et sur les lois aussi et les affaires publiques en général, ne s'engagent-ils pas à former de bons disputeurs ?

THÉÉTÈTE

On peut dire en effet que personne n'assisterait à leurs leçons s'ils ne prenaient pas cet engagement.

L'ÉTRANGER

En outre, sur les arts en général et sur chaque art en particulier, tous les arguments qu'il faut opposer à chacun de ceux qui en font profession, ont été publiés et couchés par écrit à l'usage de qui veut les apprendre.

THÉÉTÈTE

C'est, ce me semble, aux ouvrages de Protagoras sur la lutte et les autres arts que tu fais allusion [9].

L'ÉTRANGER

Et aux ouvrages de beaucoup d'autres, bienheureux homme. Mais enfin cet art de contredire, ne trouves-tu pas qu'en somme, c'est une faculté apte à disputer sur toutes choses ?

THÉÉTÈTE

Il semble en tout cas que presque rien ne lui échappe.

L'ÉTRANGER

Mais toi, mon enfant, par les dieux, crois-tu cela possible ? Peut-être qu'en effet vous autres, jeunes gens, vous avez en ceci la vue plus perçante, et nous, plus émoussée.

THÉÉTÈTE

En quoi et que veux-tu dire au juste ? Je n'entends pas bien ta question.

L'ÉTRANGER

Je demande s'il est possible qu'un homme connaisse tout.

THÉÉTÈTE

Nous serions, à n'en pas douter, étranger, une race de bienheureux.

L'ÉTRANGER

Dès lors comment un homme qui est lui-même ignorant, contredisant un homme qui sait, pourrait-il jamais dire quelque chose de sensé ?

THÉÉTÈTE

Il ne le pourrait pas du tout.

L'ÉTRANGER

Alors qu'est-ce que peut bien être cette merveilleuse puissance de la sophistique ?

THÉÉTÈTE

Merveilleuse sous quel rapport ?

L'ÉTRANGER

En ce qu'ils sont capables de faire croire à la jeunesse qu'ils sont, eux, les plus savants de tous sur toutes choses. Car il est clair que, s'ils ne discutaient pas et ne leur paraissaient pas discuter correctement, et si, en outre, leur talent de contredire ne rehaussait pas leur sagesse comme tu le disais, on aurait bien de la peine à se résoudre à les payer pour devenir leurs disciples en ces matières.

THÉÉTÈTE

A coup sûr on aurait de la peine.

L'ÉTRANGER

Au contraire, on le fait de bon gré.

THÉÉTÈTE

De fort bon gré même.

L'ÉTRANGER

C'est qu'ils paraissent, à ce que je crois, fort instruits des choses sur lesquelles ils disputent.

THÉÉTÈTE

Sans contredit.

L'ÉTRANGER

Et ils disputent sur toutes choses, disons-nous ?

THÉÉTÈTE

Oui.

L'ÉTRANGER

Ils passent donc pour omniscients aux yeux de leurs élèves ?

THÉÉTÈTE

Sans doute.

L'ÉTRANGER

Quoiqu'ils ne le soient pas; car nous avons dit que c'était impossible.

THÉÉTÈTE

XXI. — Oui, bien impossible.

L'ÉTRANGER

C'est donc, à ce que nous voyons, un semblant de science que le sophiste possède sur toutes choses, et non la science véritable ?

THÉÉTÈTE

C'est tout à fait cela, et ce que tu viens d'en dire en est peut-être la définition la plus exacte.

L'ÉTRANGER

Prenons maintenant un exemple plus clair pour expliquer cela.

THÉÉTÈTE

Quel exemple ?

L'ÉTRANGER

Celui-ci. Tâche de faire attention pour bien répondre.

THÉÉTÈTE

Sur quoi ?

L'ÉTRANGER

Si un homme prétendait savoir, non pas dire, ni contredire, mais faire et exécuter par un art unique toutes choses...

THÉÉTÈTE

Qu'entends-tu par toutes choses ?

L'ÉTRANGER

Dès le premier mot tu ne m'entends pas; car tu m'as l'air de ne pas comprendre ce « toutes choses ».

THÉÉTÈTE

Effectivement je ne saisis pas.

L'ÉTRANGER

Eh bien, par « toutes choses », je veux dire toi et moi, et, de plus, tous les animaux et tous les arbres.

THÉÉTÈTE

Qu'entends-tu par là ?

L'ÉTRANGER

Si un homme s'engageait à faire et toi et moi et tout ce qui pousse...

THÉÉTÈTE

Qu'entends-tu par faire ? car ce n'est point d'un laboureur que tu veux parler, puisque tu as dit que cet homme faisait des animaux.

L'ÉTRANGER

Oui, et en outre la mer, la terre, le ciel, les dieux et tout le reste, et j'ajoute qu'après avoir fait en un clin d'œil chacune de ces choses, il les vend à un prix très modique [10].

THÉÉTÈTE

Ce que tu dis là est pur badinage.

L'ÉTRANGER

Eh quoi! quand un homme dit qu'il sait tout et qu'il peut tout enseigner à un autre à bon marché et en peu de temps, ne faut-il pas regarder cela comme un badinage ?

THÉÉTÈTE

Incontestablement.

L'ÉTRANGER

Or connais-tu une forme de badinage plus artistique ou plus charmante que la mimétique ?

THÉÉTÈTE

Aucune; car cette forme dont tu parles, en ramenant tout à elle seule, est extrêmement vaste, et on peut dire, la plus complexe qui soit.

L'ÉTRANGER

XXII. — Ainsi, quand un homme se fait fort de tout créer par un seul art, nous reconnaissons qu'en fabriquant des imitations et des homonymes des êtres réels, il sera capable, grâce à son art de peindre, de faire illusion à des enfants irréfléchis, en leur montrant de loin ses peintures, et de leur faire croire qu'il est parfaitement capable de fabriquer réellement tout ce qu'il lui plaît de faire [11].

THÉÉTÈTE

Sans aucun doute.

L'ÉTRANGER

Eh bien, ne faut-il pas nous attendre à trouver dans les discours un autre art par lequel il est possible de faire illusion, en versant des discours dans les oreilles, aux jeunes gens et à ceux qui sont encore éloignés de la vérité des choses, en leur montrant des images parlées de toutes choses, de manière à leur faire croire que ce qu'ils entendent est vrai et que celui qui leur parle est en tout le plus savant de tous [12].

THÉÉTÈTE

Pourquoi en effet n'y aurait-il pas un art de ce genre ?

L'ÉTRANGER

Mais pour la plupart de ceux qui ont écouté ces discours, n'est-ce pas, Théétète, une nécessité qu'après un laps de temps suffisant et avec le progrès de l'âge, en abordant les choses de près et profitant de l'expérience qui les force à prendre nettement contact avec les réalités, ils modifient les opinions qu'ils s'étaient formées alors, de sorte que ce qui était grand leur paraît petit, ce qui était facile, difficile, et que les images parlées sont entièrement renversées par la réalité des faits ?

THÉÉTÈTE

Oui, du moins autant qu'on peut en juger, à mon âge; mais je pense que, moi aussi, je suis de ceux qui n'aperçoivent encore les choses que de loin.

L'ÉTRANGER

Voilà pourquoi nous tous ici présents, nous nous efforcerons et nous nous efforçons dès maintenant de t'en rapprocher le plus possible avant les avertissements de l'expérience. Mais, pour en revenir au sophiste, dis-moi une chose. N'est-il pas devenu clair que c'est un charlatan, qui ne sait qu'imiter les réalités, ou doutons-nous encore que, sur tous les sujets où il paraît capable de discuter, il n'en ait pas réellement la science ?

THÉÉTÈTE

Comment en douter encore, étranger ? Il est, au contraire, dès maintenant assez clair, d'après ce qui a été dit, qu'il fait partie de ceux qui pratiquent le badinage.

L'ÉTRANGER

Il faut donc le regarder comme un charlatan et un imitateur.

THÉÉTÈTE

Comment faire autrement ?

L'ÉTRANGER

XXIII. — Allons maintenant, c'est à nous de ne plus laisser échapper le gibier; car nous l'avons à peu près enveloppé dans les filets que le raisonnement emploie pour ces matières. Aussi n'évitera-t-il pas ceci du moins.

THÉÉTÈTE

Quoi ?

L'ÉTRANGER

D'être rangé dans le genre des faiseurs de prestiges.

THÉÉTÈTE

C'est une opinion que je partage sur le sophiste.

L'ÉTRANGER

Voilà donc qui est décidé : nous allons diviser au plus vite l'art de faire des images, y descendre jusqu'au fond et, si le sophiste nous fait tête d'abord, nous le saisirons sur l'ordre de la raison, notre roi, et nous le lui livrerons en déclarant notre capture [13]. Si, au contraire, il se faufile dans les parties de l'art d'imiter, nous l'y suivrons, divisant toujours la section où il se recèle, jusqu'à ce qu'il soit pris. Il est certain que ni lui, ni quelque autre espèce que ce soit ne se vantera jamais d'avoir échappé à la poursuite de ceux qui sont capables d'atteindre à la fois le détail et l'ensemble des choses.

THÉÉTÈTE

C'est bien dit, et c'est ainsi qu'il faut nous y prendre.

L'ÉTRANGER

En suivant la méthode de division que nous avons employée précédemment, je pense dès à présent apercevoir deux formes de l'art d'imiter; mais dans laquelle se trouve l'aspect que nous cherchons, je ne me crois pas encore à même de le découvrir.

THÉÉTÈTE

Commence toujours par me dire et par distinguer les deux formes dont tu parles.

L'ÉTRANGER

J'y en vois d'abord une, qui est l'art de copier. La meilleure copie est celle qui reproduit l'original en ses proportions de longueur, de largeur et de profondeur, et qui, en outre, donne à chaque partie les couleurs appropriées.

THÉÉTÈTE

Mais quoi! est-ce que tous ceux qui imitent un modèle n'essayent pas d'en faire autant ?

L'ÉTRANGER

Non pas ceux qui modèlent ou peignent des œuvres de grande envergure. Car s'ils reproduisaient les proportions réelles des belles formes, tu sais que les parties supérieures paraîtraient trop petites et les parties inférieures trop grandes, parce que nous voyons les unes de loin et les autres de près [14].

THÉÉTÈTE

Certainement.

L'ÉTRANGER

Aussi les artistes ne s'inquiètent pas de la vérité et ne reproduisent point dans leurs figures les proportions réelles, mais celles qui paraîtront belles; n'est-ce pas vrai ?

THÉÉTÈTE

Tout à fait.

L'ÉTRANGER

Or cette imitation, n'est-il pas juste, puisqu'elle ressemble à l'original, de l'appeler copie ?

THÉÉTÈTE

Si.

L'ÉTRANGER

Et, dans l'art d'imiter, la partie qui poursuit la ressemblance, ne faut-il pas l'appeler, comme nous l'avons déjà dit, l'art de copier ?

THÉÉTÈTE

Il le faut.

L'ÉTRANGER

Mais quoi! ce qui paraît, parce qu'on le voit d'une position défavorable, ressembler au beau, mais qui, si l'on est à même de voir exactement ces grandes figures, ne ressemble même pas à l'original auquel il prétend ressembler, de quel nom l'appellerons-nous ? Ne lui donnerons-nous pas, parce qu'il paraît ressembler, mais ne ressemble pas réellement, le nom de simulacre ?

THÉÉTÈTE

Sans contradiction.

L'ÉTRANGER

Et n'est-ce pas là une partie tout à fait considérable de la peinture et de l'art d'imiter en général ?

THÉÉTÈTE

Incontestablement.

L'ÉTRANGER

Mais l'art qui produit un simulacre au lieu d'une image, ne serait-il pas très juste de l'appeler l'art du simulacre ?

THÉÉTÈTE

Très juste.

L'ÉTRANGER

Voilà donc les deux espèces de fabrication des images dont je parlais, l'art de la copie et l'art du simulacre.

THÉÉTÈTE

C'est bien cela.

L'ÉTRANGER

Quant à la question qui m'embarrassait, de savoir dans laquelle de ces deux classes il faut placer le sophiste, je n'arrive pas encore à y voir bien clair. C'est un personnage véritablement étonnant et très difficile à connaître, puisque le voilà encore une fois bel et bien caché dans une espèce difficile à découvrir.

THÉÉTÈTE

C'est ce qu'il semble.

L'ÉTRANGER

Est-ce en connaissance de cause que tu me donnes ton assentiment, ou est-ce entraîné par l'argumentation et l'habitude, que tu t'es laissé aller à un acquiescement si rapide ?

THÉÉTÈTE

Que veux-tu dire et où tend ta question ?

L'ÉTRANGER

XXIV. — C'est que réellement, bienheureux jeune homme, nous voilà engagés dans une recherche tout à fait épineuse, car paraître et sembler, sans être, parler, mais sans rien dire de vrai, tout cela a toujours été plein de difficultés, autrefois comme aujourd'hui. Car soutenir qu'il est réellement possible de dire ou de penser faux et, quand on a affirmé cela, qu'on n'est pas enchevêtré dans la contradiction, c'est véritablement, Théétète, difficile à concevoir.

THÉÉTÈTE

Pourquoi donc ?

L'ÉTRANGER

C'est que cette assertion implique l'audacieuse supposition que le non-être existe, car, autrement, le faux ne pourrait pas être. Or le grand Parménide, mon enfant, au temps où nous étions enfants nous-mêmes, a toujours, du commencement jusqu'à la fin, protesté contre cette supposition et il a constamment répété en prose comme en vers :

Non, jamais on ne prouvera que le non-être existe.
Ecarte plutôt ta pensée de cette route de recherche [15].

Tel est son témoignage. Mais le meilleur moyen d'obtenir une confession de la vérité, ce serait de soumettre l'assertion elle-même à une torture modérée. C'est là, par conséquent, ce dont nous avons à nous occuper d'abord, si tu le veux bien.

THÉÉTÈTE

En ce qui me touche, procède comme tu voudras. Considère seulement la meilleure manière de mener à terme l'argumentation, et va toi-même de l'avant : je te suivrai sur la route que tu prendras.

L'ÉTRANGER

XXV. — C'est ce qu'il faut faire. Maintenant dis-moi : ce qui n'existe en aucune manière, oserons-nous bien l'énoncer ?

THÉÉTÈTE

Pourquoi pas ?

L'ÉTRANGER

Il ne s'agit ni de chicaner ni de badiner; mais, si l'un de ceux qui nous écoutent était sérieusement mis en demeure de réfléchir et de dire à quoi il fait appliquer ce terme de non-être, à quoi, à quelle sorte d'objet croyons-nous qu'il l'appliquerait et comment l'expliquerait-il à son questionneur ?

THÉÉTÈTE

Ta question est difficile, et je dirai presque insoluble pour un esprit comme le mien.

L'ÉTRANGER

En tout cas, voici qui est clair, c'est que le non-être ne peut être attribué à quelque être que ce soit.

THÉÉTÈTE

Comment le pourrait-il ?

L'ÉTRANGER

Par conséquent, si on ne peut l'attribuer à l'être, on ne peut pas non plus l'appliquer justement à quelque chose.

THÉÉTÈTE

Comment cela ?

L'ÉTRANGER

Il est évident aussi pour nous que, chaque fois que nous employons ce terme « quelque chose », nous l'appliquons à un être, car l'employer seul, pour ainsi dire nu et séparé de tous les êtres, c'est chose impossible, n'est-ce pas ?

THÉÉTÈTE

Impossible.

L'ÉTRANGER

Si nous considérons la question de ce biais, m'accordes-tu que nécessairement celui qui dit quelque chose dit une certaine chose ?

THÉÉTÈTE

Oui.

L'ÉTRANGER

Car, tu l'avoueras, quelque chose signifie une chose, et quelques choses signifient ou bien deux ou beaucoup.

THÉÉTÈTE

Comment ne pas l'accorder ?

L'ÉTRANGER

Mais celui qui ne dit pas quelque chose, il est de toute nécessité, ce me semble, qu'il ne dise absolument rien.

THÉÉTÈTE

Oui, de toute nécessité.

L'ÉTRANGER

Dès lors il ne faut même pas concéder que cet homme parle, il est vrai, mais ne dit rien; mais il faut déclarer qu'il ne parle même pas, quand il entreprend d'énoncer le non-être.

THÉÉTÈTE

Voilà au moins qui mettrait fin aux difficultés de la question.

L'ÉTRANGER

XXVI. — Ne chantons pas encore victoire; car il reste encore, mon bienheureux ami, une difficulté, et c'est, de toutes, la plus grande et la première; car elle se rapporte au commencement même du sujet.

THÉÉTÈTE

Que veux-tu dire ? Parle sans tergiverser.

L'ÉTRANGER

A l'être on peut, j'imagine, adjoindre quelque autre être.

THÉÉTÈTE

Sans contredit.

L'ÉTRANGER

Mais au non-être, dirons-nous qu'il soit jamais possible d'adjoindre quelque être ?

THÉÉTÈTE

Comment pourrions-nous le dire ?

L'ÉTRANGER

Or nous rangeons parmi les êtres le nombre en général.

THÉÉTÈTE

S'il faut y ranger quelque chose, c'est bien le nombre.

L'ÉTRANGER

Alors il ne faut même pas essayer de rapporter au non-être ni pluralité, ni unité.

THÉÉTÈTE

Nous aurions tort, ce semble, de l'essayer; notre raisonnement nous le défend.

L'ÉTRANGER

Alors comment exprimer par le discours ou même concevoir tant soit peu par la pensée les non-êtres et le non-être sans faire usage du nombre ?

THÉÉTÈTE

Explique-toi.

L'ÉTRANGER

Quand nous parlons des non-êtres, n'essayons-nous pas d'y ajouter une pluralité de nombre ?

THÉÉTÈTE

Sans doute.

L'ÉTRANGER

Et de non-être, d'y ajouter l'unité ?

THÉÉTÈTE

Oui, très nettement.

L'ÉTRANGER

Et pourtant nous déclarons qu'il n'est ni juste ni correct de vouloir ajuster l'être au non-être.

THÉÉTÈTE

C'est très vrai.

L'ÉTRANGER

Comprends-tu alors qu'il est proprement impossible soit de prononcer, soit de dire, soit de penser le non-être tout seul et qu'il est au contraire inconcevable, inexprimable, imprononçable et indéfinissable ?

THÉÉTÈTE

C'est tout à fait exact.

L'ÉTRANGER

Me suis-je donc trompé tout à l'heure en disant que j'allais énoncer la plus grande difficulté du sujet ?

THÉÉTÈTE

Quoi donc! Y en a-t-il encore une plus grande à citer ?

L'ÉTRANGER

Quoi donc! étonnant jeune homme, ne vois-tu pas par cela même qui vient d'être dit que le non-être réduit celui qui voudrait le réfuter à de telles difficultés que, lorsqu'il l'essaye, il est forcé de se contredire lui-même ?

THÉÉTÈTE

Comment dis-tu ? Explique-toi plus clairement.

L'ÉTRANGER

Ce n'est pas à moi qu'il faut demander plus de clarté. Car après avoir posé en principe que le non-être ne doit participer ni de l'unité ni de la pluralité, j'ai dit par là même tout à l'heure et je répète maintenant encore qu'il est un; car je dis le non-être. Tu comprends certainement.

THÉÉTÈTE

Oui.

L'ÉTRANGER

J'ai dit aussi il n'y a qu'un instant qu'il est indéfinissable, inexprimable et imprononçable. Tu me suis ?

THÉÉTÈTE

Je te suis. Comment ne te suivrais-je pas ?

L'ÉTRANGER

Est-ce qu'en essayant d'attacher l'être au non-être, je ne contredisais pas ce que j'avais dit auparavant ?

THÉÉTÈTE

Il semble.

L'ÉTRANGER

Eh quoi ! en l'y attachant, n'en ai-je pas parlé comme si je l'attachais à une chose ?

THÉÉTÈTE

Si.

L'ÉTRANGER

Et en l'appelant indéfinissable, inexprimable, imprononçable, n'en ai-je pas parlé comme de quelque chose d'un ?

THÉÉTÈTE

Sans doute.

L'ÉTRANGER

Or nous disons que, pour parler avec propriété, il ne faut le définir ni comme un, ni comme plusieurs, ni même le nommer du tout, car en le nommant on lui donnerait la forme de l'unité.

THÉÉTÈTE

Incontestablement.

L'ÉTRANGER

XXVII. — Dès lors, à quoi bon parler encore de moi ? car en ce moment, comme tout à l'heure, on peut constater que je suis battu dans cette argumentation contre le non-être. Aussi, je l'ai déjà dit, ce n'est pas chez moi qu'il faut chercher la propriété du langage au sujet du non-être. Mais allons, cherchons-la chez toi à présent.

THÉÉTÈTE

Que veux-tu dire ?

L'ÉTRANGER

Allons, déploie-nous bravement et généreusement toutes tes forces, comme un jeune homme que tu es, et, sans attribuer au non-être ni l'existence, ni l'unité, ni la pluralité numérique, tâche d'énoncer quelque chose avec justesse sur le non-être.

THÉÉTÈTE

Il me faudrait certainement avoir une terrible et ridicule envie de tenter l'entreprise pour m'y résoudre en voyant à quoi tu as abouti.

L'ÉTRANGER

Eh bien, s'il te plaît, mettons-nous, toi et moi, hors de cause, et jusqu'à ce que nous rencontrions quelqu'un qui puisse se tirer de cette difficulté, jusque-là disons que le sophiste, avec une astuce sans égale, s'est dérobé dans une cachette impénétrable.

THÉÉTÈTE

Il en a tout l'air.

L'ÉTRANGER

En conséquence, si nous disons qu'il possède une sorte d'art fantasmagorique, il tirera facilement avantage des mots employés par nous pour nous contre-attaquer et les retourner contre nous, et, lorsque nous l'appellerons faiseur d'images, il nous demandera ce qu'après tout nous entendons par images. Il faut donc, Théétète, examiner quelle réponse on fera à la question de ce vigoureux adversaire.

THÉÉTÈTE

Evidemment nous lui citerons les images réfléchies dans l'eau et dans les miroirs, les images peintes ou sculptées et toutes les autres du même genre.

L'ÉTRANGER

XXVIII. — Il est clair, Théétète, que tu n'as jamais vu de sophiste.

THÉÉTÈTE

Pourquoi donc ?

L'ÉTRANGER

Il te semblera qu'il a les yeux fermés ou qu'il n'a point d'yeux du tout.

THÉÉTÈTE

Comment cela ?

L'ÉTRANGER

Quand tu lui feras réponse en ces termes, et que tu lui citeras les miroirs et les moulages, il rira de t'entendre lui parler comme à un homme qui voit clair. Il fera semblant de ne connaître ni les miroirs, ni l'eau, ni la vue même, et il se bornera à demander ce qu'on peut tirer de tes discours.

THÉÉTÈTE

Qu'est-ce donc ?

L'ÉTRANGER

Ce qu'il y a de commun dans toutes ces choses que tu dis multiples et que tu as cru devoir appeler d'un seul nom, celui d'image, appliqué à toutes comme si elles étaient une seule chose. Parle donc et défends-toi sans céder un pouce à l'adversaire.

THÉÉTÈTE

Que pouvons-nous donc dire, étranger, qu'est l'image, sinon un second objet pareil, copié sur le véritable ?

L'ÉTRANGER

Mais, à ton avis, cet objet pareil est-il véritable, ou à quoi appliques-tu ce mot « pareil » ?

THÉÉTÈTE

Véritable, non pas, mais ressemblant.

L'ÉTRANGER

Le véritable, n'est-ce pas, selon toi, celui qui existe réellement ?

THÉÉTÈTE

Si.

L'ÉTRANGER

Mais quoi! ce qui n'est pas véritable, n'est-ce pas le contraire du vrai ?

THÉÉTÈTE

Naturellement.

L'ÉTRANGER

Alors ce qui est ressemblant n'existe pas réellement, selon toi, puisque tu dis qu'il n'est pas véritable ?

THÉÉTÈTE

Mais il existe pourtant en quelque manière.

L'ÉTRANGER

Mais non véritablement, dis-tu.

THÉÉTÈTE

Assurément non, sauf qu'il est réellement une image.

L'ÉTRANGER

Alors, quoique n'étant pas réellement, il est réellement ce que nous appelons une image ?

THÉÉTÈTE

Il semble que voilà l'être et le non-être entrelacés et enchevêtrés ensemble d'une façon bien étrange.

L'ÉTRANGER

Etrange assurément. Tu vois, en tout cas, que, par cet entre-croisement, le sophiste aux cent têtes nous a contraints une fois de plus à reconnaître, en dépit que nous en ayons, que le non-être existe en quelque façon.

THÉÉTÈTE

Je ne le vois que trop.

L'ÉTRANGER

Mais alors comment pouvons-nous définir son art sans nous contredire nous-mêmes ?

THÉÉTÈTE

Que veux-tu dire, et que crains-tu pour parler de la sorte ?

L'ÉTRANGER

Quand nous disons qu'il nous trompe par des fantômes et que son art est un art de tromperie, disons-nous alors que notre âme se forme des opinions fausses par l'effet de son art ? sinon, que pourrons-nous dire ?

THÉÉTÈTE

Cela même; car que pourrions-nous dire d'autre ?

L'ÉTRANGER

Mais penser faux sera-ce penser le contraire de ce qui est, ou que sera-ce ?

THÉÉTÈTE

Le contraire de ce qui est.

L'ÉTRANGER

Tu soutiens donc que penser faux, c'est penser ce qui n'est pas ?

THÉÉTÈTE

Nécessairement.

L'ÉTRANGER

Est-ce penser que ce qui n'est pas n'existe pas, ou que ce qui n'est en aucune façon existe en quelque façon ?

THÉÉTÈTE

Il faut certainement penser que ce qui n'est pas existe en quelque façon, si l'on veut que l'erreur soit possible si peu que ce soit.

L'ÉTRANGER

Et de même que ce qui existe absolument n'existe absolument pas.

THÉÉTÈTE

Oui.

L'ÉTRANGER

Et que c'est encore là une fausseté.

THÉÉTÈTE

C'en est encore une.

L'ÉTRANGER

On jugera de même, j'imagine, qu'un discours est faux, s'il affirme que ce qui est n'est pas et que ce qui n'est pas est.

THÉÉTÈTE

En effet, de quelle autre manière pourrait-il être faux ?

L'ÉTRANGER

Je n'en vois guère d'autre. Mais cela, le sophiste n'en conviendra pas. Et le moyen qu'un homme raisonnable en convienne, quand il a été reconnu précédemment que les non-êtres sont imprononçables, inexprimables, indéfinissables et inconcevables ? Comprenons-nous bien, Théétète, ce que peut dire le sophiste ?

THÉÉTÈTE

Comment ne pas comprendre qu'il nous reprochera de dire le contraire de ce que nous disions tout à l'heure, quand nous avons eu l'audace d'affirmer qu'il y a de l'erreur dans les opinions et dans les discours ? Nous sommes en effet constamment obligés de joindre l'être au non-être, après être convenus tout à l'heure que c'était la chose du monde la plus impossible.

L'ÉTRANGER

XXIX. — Tu as bonne mémoire. Mais voici le moment de décider ce qu'il faut faire au sujet du sophiste; car tu vois que si, continuant à le scruter, nous le plaçons dans la classe des artisans de mensonges et des charlatans, les objections et les difficultés se présentent d'elles-mêmes et en foule.

THÉÉTÈTE

Je ne le vois que trop.

L'ÉTRANGER

Et encore n'en avons-nous passé en revue qu'une petite partie : elles sont, pourrait-on dire, infinies.

THÉÉTÈTE

Impossible, ce semble, de saisir le sophiste, s'il en est ainsi.

L'ÉTRANGER

Quoi donc! Allons-nous perdre courage à présent et quitter la partie ?

THÉÉTÈTE

Mon avis à moi, c'est qu'il ne le faut pas, si nous pouvons avoir tant soit peu prise sur notre homme.

L'ÉTRANGER

Tu seras donc indulgent et, comme tu viens de le dire, tu seras content, si nous trouvons moyen de nous libérer tant soit peu de l'étreinte d'un si fort argument.

THÉÉTÈTE

Tu n'as pas à en douter.

L'ÉTRANGER

Maintenant j'ai encore une prière plus pressante à t'adresser.

THÉÉTÈTE

Laquelle ?

L'ÉTRANGER

De ne pas me regarder comme une sorte de parricide.

THÉÉTÈTE

Qu'est-ce à dire ?

L'ÉTRANGER

C'est qu'il nous faudra nécessairement, pour nous défendre, mettre à la question la thèse de notre père Parménide et prouver par la force de nos arguments que le non-être est sous certain rapport, et que l'être, de son côté, n'est pas en quelque manière.

THÉÉTÈTE

Evidemment, c'est là le point à débattre dans notre discussion.

L'ÉTRANGER

On ne peut plus évident, même, comme on dit, pour un aveugle; car, tant qu'on n'aura pas réfuté ou accepté la théorie de Parménide, on ne pourra guère parler de discours faux ou d'opinion fausse, ni de simulacres, ni d'images, ni d'imitations, ni d'apparences, ni non plus des arts qui s'y rapportent, sans échapper au ridicule d'inévitables contradictions.

THÉÉTÈTE

C'est très vrai.

L'ÉTRANGER

Voilà pourquoi il faut attaquer à présent la thèse de notre père, ou, si quelque scrupule nous empêche de le faire, renoncer absolument à la question.

THÉÉTÈTE

Non, il ne faut nous arrêter à aucun obstacle d'aucune sorte.

L'ÉTRANGER

En ce cas, je te ferai pour la troisième fois une petite requête.

THÉÉTÈTE

Tu n'as qu'à parler.

L'ÉTRANGER

J'ai dit tout à l'heure que, pour une telle réfutation, je me suis toujours senti impuissant et que je le suis encore à présent.

THÉÉTÈTE

Tu l'as dit.

L'ÉTRANGER

J'ai peur qu'après un tel aveu, tu ne me prennes pour un fou, en me voyant passer tout d'un coup d'une extrémité à l'autre. Au fait, c'est pour te complaire que je vais entreprendre cette réfutation, si réfutation il y a.

THÉÉTÈTE

Persuade-toi que je ne trouverai absolument rien à redire à ce que tu te lances dans cette réfutation et cette démonstration. A cet égard, tu peux avoir confiance et aller de l'avant.

L'ÉTRANGER

XXX. — Voyons, par où commencerons-nous cette périlleuse discussion ? Selon moi, mon enfant, voici le chemin qu'il nous faut suivre de préférence.

THÉÉTÈTE

Lequel ?

L'ÉTRANGER

C'est d'examiner d'abord les choses qui nous semblent évidentes, de peur que nous n'en ayons des notions confuses, et que nous ne nous les accordions réciproquement avec trop de facilité, comme si nous en avions des idées bien nettes.

THÉÉTÈTE

Exprime plus clairement ce que tu veux dire.

L'ÉTRANGER

Il me semble que Parménide et tous ceux qui ont jamais entrepris de discerner et de déterminer le nombre et la nature des êtres en ont pris bien à leur aise pour nous en parler.

THÉÉTÈTE

Comment ?

L'ÉTRANGER

Ils m'ont tous l'air de réciter une fable comme à des enfants. L'un dit que les êtres sont au nombre de trois et que certains d'entre eux, tantôt se font une sorte de guerre, et tantôt, devenant amis, se marient, ont des enfants et les élèvent [16]. Un autre prétend qu'il y en a deux, l'humide et le sec, ou le chaud et le froid, qu'il loge et marie ensemble [17]. Chez nous, l'école d'Elée, à dater de Xénophane et même de plus haut, tient ce qu'on appelle le tout pour un seul être et nous le présente comme tel en ses mythes. Plus tard, certaines Muses d'Ionie et de Sicile [18] ont réfléchi que le plus sûr est de combiner les deux thèses et de dire que l'être est à la fois multiple et un et qu'il se maintient par la haine et par l'amitié. Son désaccord est en effet un éternel accord, disent les Muses à la voix plus tendue [19]; mais celles dont la voix est plus molle ont relâché la rigueur de cette lutte perpétuelle; elles disent que, soumis à l'alternance, le tout est tantôt un et en bonne harmonie sous l'influence d'Aphrodite, et tantôt multiple et en guerre avec lui-même par suite de je ne sais quelle discorde [20]. En tout cela, lequel d'entre eux a dit vrai ou faux, il serait difficile de le décider, et il serait malséant de critiquer en des matières si hautes des hommes illustres et anciens. Mais voici ce qu'on peut déclarer sans encourir de blâme.

THÉÉTÈTE

Quoi ?

L'ÉTRANGER

C'est qu'ils ont eu trop peu d'égards et de considération pour la foule que nous sommes; car, sans se mettre en peine si nous pouvons suivre leur argumentation ou si nous restons en arrière, chacun d'eux va son chemin jusqu'au bout.

THÉÉTÈTE

Que veux-tu dire ?

L'ÉTRANGER

Lorsque l'un d'eux prononce qu'il existe, ou qu'il est né, ou qu'il naît plusieurs êtres, ou un seul, ou deux, et qu'un autre parle du chaud mélangé au froid, en supposant des séparations et des combinaisons, au nom des dieux, Théétète, comprends-tu ce qu'ils veulent dire par chacune de ces choses ? Pour moi, quand j'étais plus jeune, chaque fois qu'on parlait de ce qui nous embarrasse à présent, du non-être, je m'imaginais le comprendre exactement. Mais aujourd'hui tu vois à quel point il nous embarrasse.

THÉÉTÈTE

Je le vois.

L'ÉTRANGER

Or il se peut fort bien que notre âme soit dans le même état relativement à l'être : lorsqu'on en parle, nous pensons le comprendre sans difficulté, et ne pas comprendre l'autre terme; mais en réalité nous en sommes au même point en ce qui regarde l'un et l'autre.

THÉÉTÈTE

Cela se peut.

L'ÉTRANGER

Il faut en dire autant des autres termes dont nous avons parlé précédemment.

THÉÉTÈTE

Certainement.

L'ÉTRANGER

XXXI. — Nous examinerons plus tard, si tu le veux, la plupart d'entre eux; mais à présent c'est le plus grand, le chef, qu'il faut examiner d'abord.

THÉÉTÈTE

Lequel veux-tu dire ? Evidemment, c'est de l'être, selon toi, qu'il faut nous occuper d'abord, pour voir ce que ceux qui l'énoncent pensent qu'il signifie.

L'ÉTRANGER

Tu as saisi ma pensée au bond, Théétète. Voici, selon moi, la méthode que nous avons à suivre, c'est de les questionner, comme s'ils étaient présents, de la manière que voici : Allons, vous tous qui prétendez que le tout est le chaud et le froid, ou deux principes semblables, qu'est-ce que peut bien vouloir dire cette expression que vous appliquez au couple, quand vous dites de l'un et l'autre ou de chacun séparément qu'il est ? Que faut-il que nous entendions par votre être ? Est-ce un troisième principe ajouté aux deux autres ? Faut-il admettre que le tout est trois, selon vous, et non plus deux ? Car, si vous réservez le nom d'être à l'un des deux, vous ne dites plus qu'ils sont également tous deux, et quel que soit l'élément que vous appellerez être, il ne saurait guère y en avoir qu'un, et non pas deux.

THÉÉTÈTE

Tu dis vrai.

L'ÉTRANGER

Alors est-ce le couple que vous voulez appeler être ?

THÉÉTÈTE

Peut-être.

L'ÉTRANGER

Mais alors, amis, répliquerons-nous, de cette manière encore vous affirmez très nettement que les deux ne sont qu'un.

THÉÉTÈTE

Ta réplique est on ne peut plus juste.

L'ÉTRANGER

Puis donc que nous sommes embarrassés, c'est à vous à nous expliquer clairement ce que vous voulez désigner quand vous prononcez le mot être; car il est évident que vous savez cela depuis longtemps. Nous-mêmes jusqu'ici nous croyions le savoir, mais à présent nous sommes dans l'embarras. Commencez donc par nous renseigner là-dessus, afin que nous ne nous figurions pas comprendre ce que vous dites, tandis que ce serait tout le contraire. En parlant ainsi et en faisant cette requête à ces gens et à tous ceux qui prétendent que le tout est plus qu'un, ne serions-nous pas, mon enfant, dans la note juste ?

THÉÉTÈTE

Absolument.

L'ÉTRANGER

XXXII. — Mais quoi! ne faut-il pas nous informer, comme nous pourrons, auprès de ceux qui disent que le tout est un, de ce qu'ils entendent par l'être ?

THÉÉTÈTE

Naturellement, il le faut.

L'ÉTRANGER

Alors, qu'ils répondent à cette question : Vous affirmez, je crois, qu'il n'y a qu'un être ? — Nous l'affirmons en effet, répondront-ils, n'est-il pas vrai ?

THÉÉTÈTE

Oui.

L'ÉTRANGER

Et ce nom d'être, vous l'appliquez à quelque chose ?

THÉÉTÈTE

Oui.

L'ÉTRANGER

Est-ce la même chose que l'un et employez-vous deux noms pour désigner le même objet, ou que faut-il en penser ?

THÉÉTÈTE

Que vont-ils répondre à cette question, étranger ?

L'ÉTRANGER

Il est clair, Théétète, que celui qui soutient cette hypothèse ne trouvera pas que c'est la chose du monde la plus aisée de répondre à la question présente, ni à toute autre question que ce soit.

THÉÉTÈTE

Comment cela ?

L'ÉTRANGER

Reconnaître qu'il y a deux noms, après avoir posé qu'il n'y a que l'un, c'est quelque peu ridicule.

THÉÉTÈTE

Sans aucun doute.

L'ÉTRANGER

Et en général il serait déraisonnable d'approuver quelqu'un qui dirait qu'un nom a quelque existence.

THÉÉTÈTE

En quoi ?

L'ÉTRANGER

En ce que poser que le nom est autre que la chose, c'est dire qu'il y a deux choses.

THÉÉTÈTE

Oui.

L'ÉTRANGER

En outre, poser le nom comme identique à la chose, c'est forcément dire qu'il n'est le nom de rien, ou, si l'on veut qu'il soit le nom de quelque chose, il s'ensuivra que le nom sera uniquement le nom d'un nom et de rien d'autre.

THÉÉTÈTE

C'est vrai.

L'ÉTRANGER

Et que l'un, n'étant que l'unité de l'un, ne sera lui-même que l'unité d'un nom.

THÉÉTÈTE

Nécessairement.

L'ÉTRANGER

Et le tout, diront-ils qu'il est autre que l'un qui est, ou qu'il lui est identique ?

THÉÉTÈTE

Certainement ils diront et ils disent qu'il lui est identique.

L'ÉTRANGER

Si donc c'est un tout, comme le dit Parménide lui-même :

Semblable à la masse d'une sphère de toutes parts bien arrondie,
Partout équidistant du centre ; car qu'il soit plus grand
Ou plus petit d'un côté que de l'autre, cela ne se peut [21],
l'être qui est tel a un milieu et des extrémités, et, s'il a tout cela, il est de toute nécessité qu'il ait des parties, n'est-il pas vrai ?

THÉÉTÈTE

Si.

L'ÉTRANGER

Cependant rien n'empêche une chose ainsi divisée de posséder l'unité en tant qu'ensemble de parties et par là même d'être une, puisqu'elle est une somme et un tout.

THÉÉTÈTE

Qui l'en empêcherait ?

L'ÉTRANGER

Mais dans ces conditions n'est-il pas impossible que la chose soit l'un même ?

THÉÉTÈTE

Comment ?

L'ÉTRANGER

Parce qu'il faut admettre que ce qui est véritablement un, au sens exact du mot, doit être absolument sans parties.

THÉÉTÈTE

En effet.

L'ÉTRANGER

Et une chose ainsi constituée de plusieurs parties ne répondra pas à cette définition.

THÉÉTÈTE

Je comprends.

L'ÉTRANGER

Mais est-ce que l'être affecté d'un caractère d'unité sera un être un et un tout, ou bien nierons-nous absolument que l'être soit un tout ?

THÉÉTÈTE

C'est un choix difficile que tu me proposes là.

L'ÉTRANGER

Rien n'est plus vrai que ce que tu dis. Car l'être à qui s'ajoute cette sorte d'unité n'apparaîtra point identique à l'un et le tout sera plus qu'un.

THÉÉTÈTE

Oui.

L'ÉTRANGER

En outre, si l'être n'est pas tout, pour avoir reçu de l'un ce caractère d'unité, et si le tout absolu existe, il s'ensuit que l'être se fait défaut à lui-même.

THÉÉTÈTE

Assurément.

L'ÉTRANGER

Et suivant ce raisonnement, l'être, étant privé de lui-même, ne sera pas être.

THÉÉTÈTE

C'est juste.

L'ÉTRANGER

Et le tout devient encore une fois plus que l'un, puisque l'être et le tout ont reçu chacun de leur côté une nature qui leur est propre.

THÉÉTÈTE

Oui.

L'ÉTRANGER

Mais si le tout n'existe absolument pas, il en est de même de l'être, et non seulement il n'est pas, mais il ne pourra jamais même exister.

THÉÉTÈTE

Pourquoi donc ?

L'ÉTRANGER

Ce qui est devenu est toujours devenu sous la forme d'un tout, de sorte qu'il ne faut reconnaître ni existence ni génération comme réelles, si l'on ne met l'un ou le tout au nombre des êtres.

THÉÉTÈTE

Il est tout à fait vraisemblable qu'il en soit ainsi.

L'ÉTRANGER

En outre, ce qui n'est pas un tout ne saurait non plus avoir aucune quantité; car ce qui a une quantité, quelle qu'elle soit, par cette quantité même forme nécessairement un tout.

THÉÉTÈTE

Assurément.

L'ÉTRANGER

Et mille autres problèmes, chacun enveloppant des difficultés inextricables, surgiront pour celui qui prétend que l'être est, soit deux, soit un seulement.

THÉÉTÈTE

C'est ce que prouvent assez celles que nous venons d'entrevoir : elles s'enchaînent l'une à l'autre et suscitent des doutes toujours plus grands et plus inquiétants sur toutes les questions déjà traitées.

L'ÉTRANGER

XXXIII. — Nous n'avons pas passé en revue tous ceux qui ont minutieusement traité la question de l'être et du non-être [22], mais ce que nous en avons dit doit suffire. Il faut considérer maintenant ceux qui professent des doctrines différentes [23], afin de nous convaincre par un examen complet qu'il n'est pas plus aisé de définir la nature de l'être que celle du non-être.

THÉÉTÈTE

Il faut donc en venir à ceux-là aussi.

L'ÉTRANGER

Il semble vraiment qu'il y ait entre eux comme un combat de géants, tant ils contestent entre eux sur l'être.

THÉÉTÈTE

Comment cela ?

L'ÉTRANGER

Les uns tirent sur la terre tout ce qui tient au ciel et à l'invisible, enserrant littéralement rocs et chaînes dans leurs bras. Comme ils n'étreignent que des objets de cette sorte, ils soutiennent opiniâtrement que cela seul existe qui offre de la résistance et se laisse toucher; ils définissent le corps et l'existence comme identiques [24] et, si un philosophe d'une autre secte prétend qu'il existe des êtres sans corps, ils ont pour lui un souverain mépris et ne veulent plus rien entendre.

THÉÉTÈTE

Ce sont là, ma foi, des gens intraitables; car j'en ai moi-même souvent rencontré.

L'ÉTRANGER

C'est pourquoi ceux qui contestent contre eux se défendent avec beaucoup de circonspection du haut de quelque région invisible et les forcent de reconnaître certaines idées intelligibles et incorporelles pour la véritable essence. Quant aux corps de leurs adversaires et à ce que ceux-ci appellent la vérité, ils la brisent en menus morceaux dans leur argumentation, et, au lieu de l'essence, ne leur accordent qu'un mobile devenir [25]. Sur ce terrain, Théétète, il y a toujours une lutte acharnée entre les deux camps.

THÉÉTÈTE

C'est vrai.

L'ÉTRANGER

Maintenant demandons à ces deux races de nous expliquer ce qu'elles tiennent pour l'essence.

THÉÉTÈTE

Comment en tirerons-nous cette explication ?

L'ÉTRANGER

De ceux qui placent l'existence dans les idées, nous l'obtiendrons plus facilement, car ils sont d'humeur plus douce; mais de ceux qui ramènent tout de vive force au corps, ce sera plus difficile, peut-être même presque impossible. Mais voici, ce me semble, comment il faut en user avec eux.

THÉÉTÈTE

Voyons.

L'ÉTRANGER

Le mieux, s'il y avait quelque moyen d'y arriver, serait de les rendre réellement meilleurs. Mais, si cela n'est pas en notre pouvoir, faisons-les tels en imagination et supposons qu'ils consentent à nous répondre avec plus de civilité qu'ils ne font à présent. L'assentiment des honnêtes gens a, je pense, plus de poids que celui des malhonnêtes. D'ailleurs ce n'est pas d'eux que nous nous préoccupons, nous ne cherchons que la vérité.

THÉÉTÈTE

Très juste.

L'ÉTRANGER

XXXIV. — Demande donc à ceux qui sont devenus meilleurs de te répondre et fais-toi l'interprète de leurs déclarations.

THÉÉTÈTE

Je veux bien.

L'ÉTRANGER

Qu'ils disent donc s'ils admettent qu'un animal vivant mortel soit quelque chose.

THÉÉTÈTE

Naturellement, ils l'admettent.

L'ÉTRANGER

Et cet être vivant, n'accordent-ils pas que c'est un corps animé ?

THÉÉTÈTE

Si fait.

L'ÉTRANGER

Ils mettent ainsi l'âme au rang des êtres ?

THÉÉTÈTE

Oui.

L'ÉTRANGER

Et en parlant de l'âme, ne disent-ils pas que l'une est juste et l'autre injuste, celle-ci sensée et celle-là insensée ?

THÉÉTÈTE

Sans doute.

L'ÉTRANGER

Or n'est-ce pas par la possession et la présence de la justice que chaque âme devient telle et par la présence du contraire qu'elle devient le contraire ?

THÉÉTÈTE

Si, cela encore ils l'accordent.

L'ÉTRANGER

Mais ce qui est capable de devenir présent quelque part ou d'en être absent, ils admettront que c'est certainement quelque chose qui existe ?

THÉÉTÈTE

Ils en conviennent effectivement.

L'ÉTRANGER

Si donc la justice existe, ainsi que la sagesse et la vertu en général et leurs contraires, et si l'âme qui en est le siège existe aussi, y a-t-il quelqu'une de ces réalités qu'ils reconnaissent comme visible et tangible, ou prétendent-ils qu'elles sont toutes invisibles ?

THÉÉTÈTE

Ils disent qu'il n'y en a à peu près aucune de visible.

L'ÉTRANGER

Et ces réalités invisibles, ont-elles un corps, selon eux ?

THÉÉTÈTE

Ici, ils ne se bornent plus à une seule et même réponse. Pour l'âme, ils croient qu'elle a une sorte de corps; mais pour la sagesse et les autres réalités sur lesquelles tu les as interrogés, ils éprouvent quelque honte et n'osent ni avouer qu'elles n'ont aucune existence, ni affirmer catégoriquement qu'elles sont toutes des corps.

L'ÉTRANGER

Il est clair, Théétète, que nos gens sont devenus plus honnêtes; car ceux d'entre eux qui ont été semés et sont issus de la terre [26] ne ressentiraient aucune honte; ils soutiendraient, au contraire, que tout ce qu'ils ne peuvent étreindre de leurs mains n'existe absolument pas.

THÉÉTÈTE

C'est bien là le fond de leur pensée.

L'ÉTRANGER

Continuons donc à les interroger; car, s'ils consentent à accorder qu'il existe quelque être incorporel, si petit soit-il, cela suffit. Il faut, en effet, qu'ils définissent ce qu'ils trouvent de commun entre les choses incorporelles et les corporelles, pour pouvoir dire des unes comme des autres qu'elles existent. Il est possible qu'ils soient embarrassés pour le faire; s'ils le sont en effet, examine si, sur notre proposition, ils consentiraient à admettre et à avouer une définition de l'être comme celle-ci.

THÉÉTÈTE

Laquelle donc ? Parle, et nous saurons à quoi nous en tenir.

L'ÉTRANGER

Je dis que ce qui possède naturellement une puissance quelconque, soit d'agir sur n'importe quelle autre chose, soit de subir l'action, si petite qu'elle soit, de l'agent le plus insignifiant, et ne fût-ce qu'une seule fois, tout ce qui la possède est un être réel; car je pose comme une définition qui définit les êtres, qu'ils ne sont autre chose que puissance.

THÉÉTÈTE

Comme ils n'ont eux-mêmes en ce moment aucune définition meilleure à proposer, ils acceptent celle-là.

L'ÉTRANGER

C'est bien. Peut-être, en effet, par la suite, nous, comme eux, serons-nous d'un autre avis. Pour le moment, que cela reste convenu entre eux et nous.

THÉÉTÈTE

C'est entendu.

L'ÉTRANGER

XXXV. — Passons maintenant aux autres, aux amis des idées [27], et toi, interprète-nous encore leur doctrine.

THÉÉTÈTE

Je veux bien.

L'ÉTRANGER

Vous séparez la génération de l'être, et vous en parlez comme de choses distinctes, n'est-ce pas ?

THÉÉTÈTE

Oui.

L'ÉTRANGER

Et c'est par le corps, au moyen de la sensation, que nous entrons en rapport avec la génération, mais par l'âme, au moyen de la pensée, que nous communiquons avec l'être véritable, lequel, dites-vous, est toujours identique à lui-même et immuable, tandis que la génération varie selon le temps.

THÉÉTÈTE

C'est en effet ce que nous disons.

L'ÉTRANGER

Mais par cette communication, excellentes gens que vous êtes, que devons-nous croire que vous entendez dans les deux cas ? N'est-ce pas ce que nous disions tout à l'heure ?

THÉÉTÈTE

Quoi ?

L'ÉTRANGER

La passion ou l'action résultant d'une puissance qui s'exerce par suite de la rencontre de deux objets. Peut-être que toi, Théétète, tu n'entends pas leur réponse à cette explication, mais il se peut que moi, je l'entende, parce que je suis familier avec eux.

THÉÉTÈTE

Quel langage tiennent-ils donc ?

L'ÉTRANGER

Ils ne nous accordent pas ce que nous avons dit tout à l'heure aux fils de la terre au sujet de l'être.

THÉÉTÈTE

Qu'était-ce ?

L'ÉTRANGER

Nous avons cru définir les êtres d'une manière satisfaisante par la présence du pouvoir de subir ou d'agir sur la chose même la plus insignifiante.

THÉÉTÈTE

Oui.

L'ÉTRANGER

A cela voici ce qu'ils répondent : la génération participe bien de la puissance de pâtir et d'agir, mais pour l'être, ni l'une ni l'autre de ces puissances ne lui convient.

THÉÉTÈTE

N'y a-t-il pas quelque chose en ce qu'ils disent ?

L'ÉTRANGER

Quelque chose à quoi il nous faut répliquer en disant que nous avons besoin d'apprendre d'eux plus clairement s'ils accordent aussi que l'âme connaît et que l'être est connu.

THÉÉTÈTE

Pour cela, ils l'accordent.

L'ÉTRANGER

Eh bien, connaître ou être connu, est-ce, à votre avis, action ou passion, ou l'une et l'autre à la fois ? Ou bien l'un est-il passion, l'autre action ? Ou bien ni l'un ni l'autre n'ont-ils absolument aucun rapport ni avec l'un ni avec l'autre ?

THÉÉTÈTE

Evidemment ni l'un ni l'autre avec ni l'un ni l'autre, car ils seraient en contradiction avec ce qu'ils ont dit précédemment.

L'ÉTRANGER

Je comprends; mais il y a une chose qu'ils avoueront c'est que, si connaître, c'est agir, par contre, il s'ensuit nécessairement que ce qui est connu pâtit. Suivant ce raisonnement, l'être, étant connu par la connaissance, et dans la mesure où il est connu, sera mû dans cette mesure, puisqu'il est passif, et cela, disons-nous, ne peut arriver à ce qui est en repos.

THÉÉTÈTE

C'est juste.

L'ÉTRANGER

Mais, au nom de Zeus, nous laisserons-nous si aisément persuader que le mouvement, la vie, l'âme, la pensée n'ont vraiment pas de place en l'être absolu, qu'il ne vit ni ne pense, et que, vénérable et sacré, dénué d'intelligence, il reste figé et sans mouvement ?

THÉÉTÈTE

Ce serait vraiment, étranger, une étrange concession que nous ferions là.

L'ÉTRANGER

Mais admettrons-nous qu'il a l'intelligence sans avoir la vie ?

THÉÉTÈTE

Et comment l'admettre ?

L'ÉTRANGER

Eh bien, dirons-nous qu'il a en lui ces deux attributs, en déclarant que ce n'est pas dans l'âme qu'il les possède ?

THÉÉTÈTE

Et de quelle autre façon les posséderait-il ?

L'ÉTRANGER

Il aurait donc l'intelligence, la vie et l'âme, et cependant, tout animé qu'il est, il resterait absolument figé et immobile ?

THÉÉTÈTE

Tout cela me paraît absurde.

L'ÉTRANGER

Il faut donc admettre que ce qui est mû et le mouvement sont des êtres.

THÉÉTÈTE

Comment faire autrement ?

L'ÉTRANGER

Il suit donc de là, Théétète, que, si les êtres sont immobiles, il n'y a d'intelligence nulle part, en aucun sujet, ni touchant aucun objet.

THÉÉTÈTE

Assurément.

L'ÉTRANGER

D'un autre côté, si nous accordons que tout se déplace et se meut, c'est encore une doctrine qui exclut l'intelligence du nombre des êtres.

THÉÉTÈTE

Comment ?

L'ÉTRANGER

Te semble-t-il que ce qui est identique à soi-même et dans le même état relativement au même objet eût jamais existé sans la stabilité ?

THÉÉTÈTE

Aucunement.

L'ÉTRANGER

Et quand ces conditions manquent, vois-tu que l'intelligence existe ou ait jamais existé quelque part [28] ?

THÉÉTÈTE

Pas du tout.

L'ÉTRANGER

Or il faut combattre avec toutes les forces du raisonnement contre celui qui, abolissant la science, la pensée, l'intelligence, exprime une affirmation quelconque sur quelque chose.

THÉÉTÈTE

Très certainement.

L'ÉTRANGER

Pour le philosophe donc, qui met ces biens au-dessus de tout, c'est, ce me semble, une absolue nécessité de rejeter la doctrine de l'immobilité universelle que professent les champions soit de l'un, soit des formes multiples, comme aussi de faire la sourde oreille à ceux qui meuvent l'être en tout sens. Il faut qu'il imite les enfants qui désirent les deux à la fois [29], qu'il reconnaisse tout ce qui est immobile et tout ce qui se meut, l'être et le tout en même temps.

THÉÉTÈTE

C'est la vérité même.

L'ÉTRANGER

XXXVI. — Quoi donc! Ne semble-t-il pas à présent que nous ayons assez bien saisi l'être dans notre définition ?

THÉÉTÈTE

C'est incontestable.

L'ÉTRANGER

Hélas! Théétète, je crois, moi, que nous allons connaître maintenant combien l'examen de l'être offre de difficulté.

THÉÉTÈTE

Comment encore, et qu'entends-tu par là ?

L'ÉTRANGER

Bienheureux jeune homme, ne vois-tu pas que nous sommes à présent dans l'ignorance la plus profonde au sujet de l'être, tout en croyant que nous en parlons sensément ?

THÉÉTÈTE

Moi, je le croyais encore, et je ne vois pas bien en quoi nous nous sommes ainsi abusés.

L'ÉTRANGER

Cherche donc à voir plus clairement si, à propos de nos dernières conclusions, on n'aurait pas le droit de nous poser les mêmes questions que nous avons posées nous-mêmes à ceux qui disent que le tout consiste dans le chaud et le froid.

THÉÉTÈTE

Quelles questions ? Rappelle-les-moi.

L'ÉTRANGER

Volontiers, et j'essaierai de le faire en te questionnant comme je les ai questionnés, afin que du même coup nous progressions quelque peu.

THÉÉTÈTE

Bien.

L'ÉTRANGER

Voyons donc : le mouvement et le repos ne sont-ils pas, à ton avis, directement opposés l'un à l'autre ?

THÉÉTÈTE

Sans contredit.

L'ÉTRANGER

Et pourtant tu affirmes que tous les deux et chacun d'eux existent également ?

THÉÉTÈTE

Oui, je l'affirme.

L'ÉTRANGER

Et quand tu leur accordes l'être, tu entends que tous les deux et chacun d'eux se meuvent ?

THÉÉTÈTE

Pas du tout.

L'ÉTRANGER

Alors entends-tu qu'ils sont en repos, en disant qu'ils existent tous les deux ?

THÉÉTÈTE

Impossible.

L'ÉTRANGER

Tu poses donc l'être dans l'âme comme une troisième chose ajoutée aux deux autres, pensant que le repos et le mouvement sont compris en lui. Tu les embrasses ensemble et, considérant leur communauté avec l'être, c'est ainsi que tu en es venu à dire qu'ils existent tous les deux ?

THÉÉTÈTE

Il semble véritablement que nous distinguions l'être comme une troisième chose, quand nous disons que le mouvement et le repos existent.

L'ÉTRANGER

L'être n'est donc pas le mouvement et le repos pris ensemble, mais quelque chose d'autre qu'eux.

THÉÉTÈTE

Il semble.

L'ÉTRANGER

Donc, par sa nature propre, l'être n'est ni en repos ni en mouvement.

THÉÉTÈTE

Probablement.

L'ÉTRANGER

De quel côté faut-il donc tourner sa pensée, si l'on veut se faire une idée claire et solide de l'être ?

THÉÉTÈTE

De quel côté en effet ?

L'ÉTRANGER

J'imagine qu'il n'est pas facile à trouver désormais; car, si une chose n'est pas en mouvement, comment peut-elle n'être pas en repos, et, si elle n'est pas du tout en repos, comment peut-elle n'être pas en mouvement ? Or l'être vient de nous apparaître en dehors de cette alternative. Est-ce donc possible, cela ?

THÉÉTÈTE

C'est la chose du monde la plus impossible.

L'ÉTRANGER

Maintenant il y a une chose qu'il est juste de rappeler à ce sujet.

THÉÉTÈTE

Quelle chose ?

L'ÉTRANGER

C'est que, quand on nous a demandé à quoi il fallait appliquer le mot de non-être, nous avons été en proie au plus grand embarras. Tu t'en souviens ?

THÉÉTÈTE

Naturellement.

L'ÉTRANGER

Eh bien, à présent notre embarras est-il moindre à propos de l'être ?

THÉÉTÈTE

Pour moi, étranger, il m'apparaît, si je puis dire, plus grand encore.

L'ÉTRANGER

Alors restons-en là sur ce point embarrassant. Mais puisque l'être et le non-être nous embarrassent également, nous pouvons dès lors espérer que tout ce qui fera paraître l'un dans un jour plus obscur ou plus clair, nous donnera la même lumière sur l'autre. Que si nous ne parvenons à voir ni l'un ni l'autre, nous n'en poursuivrons pas moins notre discussion du mieux qu'il nous sera possible en ne les séparant pas.

THÉÉTÈTE

Bien.

L'ÉTRANGER

Expliquons maintenant comment il se fait que nous appelons une seule et même chose de plusieurs noms.

THÉÉTÈTE

Comment ? Cite un exemple.

L'ÉTRANGER

XXXVII. — Quand nous parlons d'un homme, nous lui donnons de multiples dénominations; nous lui attribuons des couleurs, des formes, une taille, des vices et des vertus et, dans toutes ces attributions et dans mille autres, nous disons de lui non seulement qu'il est homme, mais qu'il est bon et qu'il a d'autres qualités sans nombre. Il en va de même avec tous les autres objets : nous posons chacun d'eux comme un, et nous en parlons comme d'une chose multiple, que nous désignons par une foule de noms.

THÉÉTÈTE

Tu dis vrai.

L'ÉTRANGER

Par là, nous avons, j'imagine, préparé un régal pour les jeunes gens et pour les vieillards fraîchement instruits. Il est à la portée de tout le monde de répliquer aussitôt qu'il est impossible que plusieurs soient un et qu'un soit plusieurs, et, bien entendu, ils prennent plaisir à ne pas permettre qu'on dise qu'un homme est bon, mais seulement que le bon est bon et l'homme homme. J'imagine, Théétète, que tu rencontres souvent des gens qui ont pris au sérieux ces sortes d'arguties, parfois des hommes déjà âgés, pauvres d'esprit que ces misères émerveillent et qui se figurent qu'ils ont trouvé là le dernier mot de la sagesse.

THÉÉTÈTE

C'est bien cela.

L'ÉTRANGER

Afin donc que notre argumentation atteigne tous ceux qui ont jamais parlé de l'être, de quelque façon que ce soit, qu'il soit entendu que ce que nous allons dire sous forme d'interrogations s'adresse à la fois à ces derniers et aux autres, avec lesquels nous avons discuté précédemment.

THÉÉTÈTE

Et qu'allons-nous dire ?

L'ÉTRANGER

N'attribuerons-nous ni l'être au mouvement et au repos, ni aucun attribut à aucune chose et, regardant les choses comme incapables de se mélanger et de participer les unes des autres, les traiterons-nous comme telles dans nos discours ? ou bien les mettrons-nous toutes ensemble, dans la pensée qu'elles sont susceptibles de communiquer entre elles, ou tiendrons-nous que les unes en sont susceptibles et les autres non ? De ces trois partis, Théétète, lequel dirons-nous que nos gens préfèrent ?

THÉÉTÈTE

Quant à moi, je ne sais que répondre pour eux à ces questions.

L'ÉTRANGER

Pourquoi ne les prends-tu pas une par une, en examinant les conséquences qui en résultent en chaque cas ?

THÉÉTÈTE

C'est une bonne idée.

L'ÉTRANGER

Supposons donc, si tu veux, qu'ils déclarent en premier lieu que rien n'a aucun pouvoir de communiquer avec quoi que ce soit en aucune façon. N'est-il pas vrai qu'alors le mouvement et le repos ne participeront en aucune façon de l'être ?

THÉÉTÈTE

Ils n'en participeront pas, certainement.

L'ÉTRANGER

Mais quoi! l'un des deux sera-t-il, s'il ne participe pas de l'être ?

THÉÉTÈTE

Il ne sera pas.

L'ÉTRANGER

L'immédiat effet de cette concession, c'est, semble-t-il, de tout renverser, et la thèse de ceux qui meuvent le tout, et celle de ceux qui l'immobilisent en tant qu'un, et celle de ceux qui disent que les êtres sont rangés dans des formes immuables et éternelles; car tous ces philosophes attribuent l'être à l'univers, les uns disant qu'il se meut réellement, les autres qu'il est réellement en repos.

THÉÉTÈTE

Rien de plus exact.

L'ÉTRANGER

En outre, tous ceux qui tour à tour unissent et séparent le tout, soit qu'ils amènent l'infinité à l'unité et qu'ils l'en fassent sortir, soit qu'ils décomposent l'univers en un nombre limité d'éléments avec lesquels ils le recomposent, peu importe d'ailleurs qu'ils supposent que ces changements ont lieu successivement ou qu'ils coexistent toujours, ces philosophes tiennent un langage qui n'a pas de sens, s'il n'y a pas de mélange possible.

THÉÉTÈTE

C'est juste.

L'ÉTRANGER

Mais ceux-là sont les plus ridicules de tous qui poussent leur thèse jusqu'à ne pas permettre de donner à une chose qui participe de la qualité d'une autre, une dénomination autre que la sienne.

THÉÉTÈTE

Comment ?

L'ÉTRANGER

C'est que, j'imagine, ils sont, à propos de tout, contraints d'employer les expressions *être*, *à part*, *des autres*, *en soi*, et mille autres. Comme ils ne peuvent les écarter et les mêlent forcément dans leurs discours, ils n'ont pas besoin que d'autres les réfutent; ils logent chez eux, comme on dit, l'ennemi et le contradicteur, qui parle au-dedans d'eux et qu'ils portent partout avec eux, comme cet original d'Euryklès [30].

THÉÉTÈTE

Ta comparaison est tout à fait juste et vraie.

L'ÉTRANGER

Mais qu'arrivera-t-il si nous laissons à toutes choses le pouvoir de communiquer les unes avec les autres ?

THÉÉTÈTE

Cette question-là, je suis capable, moi aussi, de la résoudre.

L'ÉTRANGER

Voyons.

THÉÉTÈTE

Le mouvement lui-même s'arrêterait tout à fait et le repos, à son tour, se mouvrait, s'ils se réunissaient l'un à l'autre.

L'ÉTRANGER

Or j'imagine qu'il est de toute nécessité impossible que le mouvement soit immobile et le repos en mouvement.

THÉÉTÈTE

Sans aucun doute.

L'ÉTRANGER

XXXVIII. — Il ne reste donc plus que la troisième hypothèse.

THÉÉTÈTE

Oui.

L'ÉTRANGER

Or l'une de ces trois hypothèses doit certainement être vraie : ou bien tout se mêle, ou bien rien, ou bien telle chose se prête, telle autre se refuse au mélange.

THÉÉTÈTE

Sans contredit.

L'ÉTRANGER

Quant aux deux premières, nous les avons trouvées impossibles.

THÉÉTÈTE

Oui.

L'ÉTRANGER

Quiconque voudra répondre juste adoptera donc la dernière des trois.

THÉÉTÈTE

Parfaitement.

L'ÉTRANGER

Puisque telles choses se prêtent au mélange, et les autres non, elles se comportent donc à peu près comme les lettres; car, parmi les lettres, les unes ne s'accordent pas entre elles, tandis que les autres le font.

THÉÉTÈTE

Sans contredit.

L'ÉTRANGER

Mais les voyelles se distinguent des autres en ce qu'elles se glissent entre toutes pour leur servir de lien, si bien que, sans voyelle, il n'y a pas d'accord possible entre les autres lettres.

THÉÉTÈTE

C'est vrai.

L'ÉTRANGER

Maintenant, le premier venu sait-il quelles lettres sont susceptibles de s'unir entre elles, ou faut-il un art à qui veut les accorder comme il faut ?

THÉÉTÈTE

Il lui faut un art.

L'ÉTRANGER

Lequel ?

THÉÉTÈTE

L'art grammatical.

L'ÉTRANGER

Eh bien, n'en est-il pas de même avec les sons aigus et graves ? Celui qui possède l'art de discerner ceux qui se combinent et ceux qui ne se combinent pas est musicien; celui qui n'y entend rien est un profane.

THÉÉTÈTE

C'est vrai.

L'ÉTRANGER

Et nous trouverons des différences du même genre entre la compétence et l'incompétence dans tout autre art.

THÉÉTÈTE

Naturellement.

L'ÉTRANGER

Maintenant, puisque nous sommes tombés d'accord que les genres aussi se comportent de même entre eux en ce qui regarde le mélange, n'est-il pas indispensable d'avoir une science pour se guider à travers les discours, si l'on veut indiquer exactement quels genres s'accordent avec les autres et quels genres se repoussent, ensuite s'il y a certains genres qui pénètrent tous les autres et les lient entre eux, de telle sorte qu'ils peuvent se mêler, et enfin si, dans les divisions, il y en a d'autres qui, entre les ensembles, sont les causes de la division ?

THÉÉTÈTE

Il est certainement indispensable d'avoir une science, peut-être même la plus grande de toutes.

L'ÉTRANGER

XXXIX. — Comment donc, Théétète, allons-nous appeler cette science ? Est-ce que, par Zeus, nous serions tombés sans nous en douter sur la science des hommes libres, et nous serait-il arrivé, en cherchant le sophiste, de découvrir d'abord le philosophe ?

THÉÉTÈTE

Que veux-tu dire ?

L'ÉTRANGER

Diviser par genres et ne pas prendre la même forme pour une autre, ou une autre pour la même, ne dirons-nous pas que c'est là le propre de la science dialectique [31] ?

THÉÉTÈTE

Si, nous le dirons.

L'ÉTRANGER

Celui qui en est capable discerne nettement une forme unique déployée partout à travers beaucoup de formes dont chacune existe isolément, puis une multitude de formes différentes les unes des autres et enveloppées extérieurement par une forme unique, puis encore une forme unique, déployée à travers de nombreux touts et liée à une unité; enfin beaucoup de formes entièrement isolées et séparées, et cela, c'est savoir discerner, genre par genre, comment les diverses espèces peuvent ou ne peuvent pas se combiner.

THÉÉTÈTE

Parfaitement.

L'ÉTRANGER

Mais ce talent dialectique, tu ne l'accorderas, je pense, à nul autre qu'à celui qui philosophe en toute pureté et justice.

THÉÉTÈTE

Comment pourrait-on l'accorder à un autre ?

L'ÉTRANGER

Pour le philosophe, c'est dans quelque endroit semblable que nous le trouverons maintenant et plus tard, si nous le cherchons. Il est, lui aussi, difficile à voir en pleine clarté; mais la difficulté n'est pas la même pour lui que pour le sophiste.

THÉÉTÈTE

Comment ?

L'ÉTRANGER

Celui-ci se réfugie dans l'obscurité du non-être, avec lequel il se familiarise par un long séjour, et c'est l'obscurité du lieu qui le rend difficile à bien reconnaître. Est-ce vrai ?

THÉÉTÈTE

Il semble.

L'ÉTRANGER

Quant au philosophe, qui s'attache dans tous ses raisonnements à l'idée de l'être, c'est à cause de la brillante lumière de cette région qu'il n'est pas, lui non plus, facile à voir; car le vulgaire n'a pas les yeux de l'âme assez forts pour considérer avec persistance les choses divines.

THÉÉTÈTE

Cette explication n'est pas moins vraisemblable que l'autre.

L'ÉTRANGER

Nous tâcherons de nous faire bientôt du philosophe une idée plus claire, si nous en avons encore envie [32]. Quant au sophiste, il est, je pense, évident que nous ne devons pas le lâcher avant de l'avoir considéré suffisamment.

THÉÉTÈTE

Voilà qui est bien dit.

L'ÉTRANGER

XL. — Maintenant que nous sommes tombés d'accord que, parmi les genres, les uns consentent à communiquer entre eux, les autres non, que les uns communiquent avec quelques-uns, les autres avec beaucoup, et que d'autres, pénétrant partout, ne trouvent rien qui les empêche de communiquer avec tous, poursuivons dès lors notre argumentation de cette manière. Au lieu de prendre toutes les formes, dont le grand nombre pourrait nous embrouiller, choisissons-en quelques-unes de celles qui passent pour les plus importantes et voyons d'abord ce qu'est chacune d'elles, puis quel pouvoir elles ont de s'associer les unes aux autres. De cette façon, si nous n'arrivons pas à saisir en pleine clarté l'être et le non-être, nous pourrons du moins en donner une explication aussi satisfaisante que le permet cette méthode de recherche, et nous saurons si nous pouvons dire que le non-être est réellement inexistant et nous dégager sans dommage.

THÉÉTÈTE

C'est ce qu'il faut faire.

L'ÉTRANGER

Or les plus importants parmi les genres sont ceux que nous venons de passer en revue : l'être lui-même, le repos et le mouvement.

THÉÉTÈTE

Oui, et de beaucoup.

L'ÉTRANGER

Nous disons en outre que les deux derniers ne peuvent pas se mêler l'un à l'autre.

THÉÉTÈTE

Certainement.

L'ÉTRANGER

Mais l'être peut se mêler à tous les deux, car ils sont, je pense, tous les deux.

THÉÉTÈTE

Sans contredit.

L'ÉTRANGER

Cela fait donc trois.

THÉÉTÈTE

Assurément.

L'ÉTRANGER

Donc chacun d'eux est autre que les deux autres, mais le même que lui-même.

THÉÉTÈTE

Oui.

L'ÉTRANGER

Mais que voulons-nous dire par ces mots que nous venons de prononcer, le même et l'autre ? Sont-ce deux genres différents des trois premiers, quoique toujours mêlés nécessairement à eux ? et devons-nous conduire notre enquête comme s'ils étaient cinq, et non trois, ou bien le même et l'autre sont-ils des noms que nous donnons inconsciemment à quelqu'un de nos trois genres ?

THÉÉTÈTE

Il se pourrait.

L'ÉTRANGER

Cependant ni le mouvement ni le repos ne sont l'autre ni le même.

THÉÉTÈTE

Comment cela ?

L'ÉTRANGER

Quoi que nous attribuions en commun au mouvement et au repos, cela ne peut être ni l'un ni l'autre des deux.

THÉÉTÈTE

Pourquoi donc ?

L'ÉTRANGER

Parce que le mouvement s'immobiliserait et que le repos serait mû. Car que l'un d'eux, n'importe lequel, vienne s'appliquer aux deux à la fois, il contraindra l'autre à changer sa nature en la nature contraire, puisqu'il participe de son contraire.

THÉÉTÈTE

Assurément.

L'ÉTRANGER

Cependant ils participent tous deux du même et de l'autre.

THÉÉTÈTE

Oui.

L'ÉTRANGER

Ne disons donc pas que le mouvement est le même ou l'autre ; et ne le disons pas non plus du repos.

THÉÉTÈTE

Gardons-nous-en, en effet.

L'ÉTRANGER

Mais nous faudrait-il considérer l'être et le même comme ne faisant qu'un ?

THÉÉTÈTE

Peut-être.

L'ÉTRANGER

Mais si l'être et le même ne signifient rien de différent, en disant que le mouvement et le repos sont tous les deux, nous dirons par là qu'ils sont le même, puisqu'ils sont.

THÉÉTÈTE

Mais cela est impossible.

L'ÉTRANGER

Il est donc impossible que le même et l'être ne soient qu'un.

THÉÉTÈTE

Apparemment.

L'ÉTRANGER

Faut-il donc admettre le même comme une quatrième forme ajoutée aux trois autres ?

THÉÉTÈTE

Certainement.

L'ÉTRANGER

Et l'autre ? ne faut-il pas le compter comme une cinquième ? ou faut-il le regarder, lui et l'être, comme deux noms qui s'appliquent à un même genre ?

THÉÉTÈTE

Il le faudrait peut-être.

L'ÉTRANGER

Mais tu accorderas, je pense, que, parmi les êtres, les uns sont conçus comme absolus, les autres comme relatifs à d'autres.

THÉÉTÈTE

Sans doute.

L'ÉTRANGER

Et l'autre est toujours relatif à un autre, n'est-ce pas ?

THÉÉTÈTE

Oui.

L'ÉTRANGER

Cela ne serait pas si l'être et l'autre n'étaient pas extrêmement différents. Car si l'autre participait des deux formes, comme l'être, il y aurait quelquefois dans la classe des autres un autre qui ne serait pas relatif à autre chose. Or, en fait, nous constatons indubitablement que tout ce qui est autre n'est ce qu'il est que par son rapport nécessaire à autre chose.

THÉÉTÈTE

Il en est bien ainsi.

L'ÉTRANGER

Il faut donc compter la nature de l'autre comme cinquième parmi les formes que nous avons choisies.

THÉÉTÈTE

Oui.

L'ÉTRANGER

Et nous dirons qu'elle a pénétré dans toutes les formes; car chacune en particulier est autre que les autres, non point par sa propre nature, mais parce qu'elle participe de l'idée de l'autre.

THÉÉTÈTE

Incontestablement.

L'ÉTRANGER

XLI. — Voici donc ce qu'il nous faut dire de nos cinq formes, en les reprenant une par une.

THÉÉTÈTE

Quoi ?

L'ÉTRANGER

Prenons d'abord le mouvement : il est absolument autre que le repos. N'est-ce pas ce qu'il en faut dire ?

THÉÉTÈTE

C'est cela.

L'ÉTRANGER

Il n'est donc pas le repos.

THÉÉTÈTE

Pas du tout.

L'ÉTRANGER

Mais il est, en raison de sa participation à l'être.

THÉÉTÈTE

Il est.

L'ÉTRANGER

D'autre part, le mouvement est autre que le même.

THÉÉTÈTE

Soit.

L'ÉTRANGER

Il n'est donc pas le même.

THÉÉTÈTE

Certainement non.

L'ÉTRANGER

Cependant nous avons vu qu'il est le même, parce que tout participe du même.

THÉÉTÈTE

Certainement.

L'ÉTRANGER

Le mouvement est donc le même et n'est pas le même : il faut en convenir sans s'émouvoir. C'est que, quand nous disons qu'il est le même et pas le même, ce n'est pas sous les mêmes rapports que nous le disons. Quand nous disons qu'il est le même, c'est parce qu'en lui-même il participe du même, et quand nous disons qu'il n'est pas le même, c'est, par contre, à cause de la communauté qu'il a avec l'autre, communauté qui, en le séparant du même, l'a fait devenir non même, mais autre, en sorte qu'il est juste de dire aussi qu'au rebours de tout à l'heure il n'est pas le même.

THÉÉTÈTE

Parfaitement.

L'ÉTRANGER

Par conséquent, si le mouvement pouvait en quelque manière participer du repos, il ne serait pas du tout absurde de l'appeler stable.

THÉÉTÈTE

Ce serait parfaitement juste, si nous devons accorder que, parmi les genres, les uns consentent à se mêler, les autres non.

L'ÉTRANGER

Eh bien, c'est à démontrer cela que nous étions arrivés, avant d'en venir ici, et nous avons prouvé que c'était conforme à leur nature.

THÉÉTÈTE

Parfaitement.

L'ÉTRANGER

Reprenons donc : le mouvement est-il autre que l'autre, comme il est, nous l'avons vu, autre que le même et que le repos ?

THÉÉTÈTE

Nécessairement.

L'ÉTRANGER

Alors il n'est pas autre en un sens et il est autre suivant notre raisonnement de tout à l'heure.

THÉÉTÈTE

C'est vrai.

L'ÉTRANGER

Et maintenant, que s'ensuit-il ? Allons-nous dire qu'il n'est autre que les trois premiers et nier qu'il soit autre que le quatrième, après être tombés d'accord que les genres parmi lesquels nous avons fait notre choix et que nous nous sommes proposé d'examiner étaient au nombre de cinq ?

THÉÉTÈTE

Et le moyen ? Nous ne pouvons pas admettre un nombre moindre que celui que nous avons démontré tout à l'heure.

L'ÉTRANGER

Nous affirmons donc sans crainte et nous maintenons énergiquement que le mouvement est autre que l'être ?

THÉÉTÈTE

Oui, sans la moindre crainte.

L'ÉTRANGER

Ainsi donc il est clair que le mouvement est réellement non-être et qu'il est être, puisqu'il participe de l'être ?

THÉÉTÈTE

On ne peut plus clair.

L'ÉTRANGER

Il s'ensuit donc nécessairement que le non-être est dans le mouvement et dans tous les genres ; car, dans tous, la nature de l'être, en rendant chacun autre que l'être, en fait un non-être, en sorte qu'à ce point de vue nous pouvons dire avec justesse qu'ils sont tous des non-êtres et, par contre, parce qu'ils participent de l'être, qu'ils sont et ont de l'être.

THÉÉTÈTE

Il se peut.

L'ÉTRANGER

Ainsi chaque forme renferme beaucoup d'être et une quantité infinie de non-être.

THÉÉTÈTE

Il semble.

L'ÉTRANGER

Il faut donc dire aussi que l'être lui-même est autre que le reste des genres.

THÉÉTÈTE

Nécessairement.

L'ÉTRANGER

Nous voyons donc qu'autant sont les autres, autant de fois l'être n'est pas, car, n'étant pas eux, il est un en soi, et, à leur tour, les autres, infinis en nombre, ne sont pas.

THÉÉTÈTE

Ce n'est pas loin de la vérité.

L'ÉTRANGER

Il n'y a donc pas en cela non plus de quoi s'émouvoir, puisque la nature des genres comporte une communauté mutuelle. Si quelqu'un refuse de nous accorder ce point, qu'il gagne à sa cause nos précédents arguments, avant d'essayer d'en infirmer les conclusions.

THÉÉTÈTE

Rien de plus juste que ta demande.

L'ÉTRANGER

Voici encore un point à considérer.

THÉÉTÈTE

Lequel ?

L'ÉTRANGER

Quand nous énonçons le non-être, nous n'énonçons point, ce me semble, quelque chose de contraire à l'être, mais seulement quelque chose d'autre.

THÉÉTÈTE

Comment cela ?

L'ÉTRANGER

Par exemple, quand nous parlons de quelque chose qui n'est pas grand, te semble-t-il alors que nous désignons par cette expression le petit plutôt que l'égal ?

THÉÉTÈTE

Comment le pourrions-nous ?

L'ÉTRANGER

Quand donc on prétendra que la négation signifie le contraire de la chose énoncée, nous ne l'admettrons pas; nous admettrons seulement que c'est une chose différente qu'expriment le « non » et le « ne pas » placés devant les noms qui suivent, ou plutôt devant les choses désignées par les noms énoncés derrière la négation.

THÉÉTÈTE

Parfaitement.

L'ÉTRANGER

XLII. — Mais considérons un autre point, s'il te plaît.

THÉÉTÈTE

Lequel ?

L'ÉTRANGER

La nature de l'autre te paraît-elle morcelée, comme la science ?

THÉÉTÈTE

Comment ?

L'ÉTRANGER

La science, elle aussi, est une, n'est-ce pas ? mais chaque partie séparée d'elle qui s'applique à un sujet déterminé revêt un nom qui lui est propre. De là, la diversité de ce qu'on appelle les arts et les sciences.

THÉÉTÈTE

Parfaitement.

L'ÉTRANGER

Or il en est de même des parties de la nature de l'autre, bien qu'elle soit une.

THÉÉTÈTE

Il se peut, mais expliquerons-nous comment ?

L'ÉTRANGER

Y a-t-il une partie de l'être qui s'oppose au beau ?

THÉÉTÈTE

Oui.

L'ÉTRANGER

Faut-il dire qu'elle est anonyme ou qu'elle a un nom ?

THÉÉTÈTE

Elle en a un; car toutes les fois que nous employons l'expression « non-beau », c'est exclusivement une chose différente de la nature du beau.

L'ÉTRANGER

Allons, réponds maintenant à ma question.

THÉÉTÈTE

Laquelle ?

L'ÉTRANGER

Le non-beau n'est-il pas un être détaché d'un genre déterminé, puis opposé à un autre être ?

THÉÉTÈTE

C'est cela.

L'ÉTRANGER

Le non-beau se ramène donc, semble-t-il, à l'opposition d'un être à un être.

THÉÉTÈTE

C'est parfaitement juste.

L'ÉTRANGER

Mais quoi! à ce compte, devons-nous croire que le beau a plus de part à l'être et que le non-beau en a moins ?

THÉÉTÈTE

Pas du tout.

L'ÉTRANGER

Il faut donc dire que le non-grand existe au même titre que le grand lui-même.

THÉÉTÈTE

Oui, au même titre.

L'ÉTRANGER

Il faut donc aussi mettre le non-juste sur le même pied que le juste, pour que l'un ne soit pas plus être que l'autre.

THÉÉTÈTE

Assurément.

L'ÉTRANGER

Nous en dirons autant de tout le reste, puisque la nature de l'autre, nous l'avons vu, compte parmi les êtres, et que, si elle est, il faut nécessairement considérer ses parties comme étant au même titre que quoi que ce soit.

THÉÉTÈTE

Evidemment.

L'ÉTRANGER

Ainsi, à ce qu'il semble, l'opposition de la nature d'une partie de l'autre et de la nature de l'être, quand ils sont opposés l'un à l'autre, n'a pas, s'il est permis de le dire, moins d'existence que l'être lui-même; car ce n'est pas le contraire de l'être qu'elle exprime, c'est seulement autre chose que lui.

THÉÉTÈTE

C'est clair comme le jour.

L'ÉTRANGER

Alors, quel nom lui donnerons-nous ?

THÉÉTÈTE

Evidemment celui de non-être, ce non-être que nous cherchions justement à cause du sophiste.

L'ÉTRANGER

Alors n'est-il, comme tu l'as dit, inférieur en être à aucune autre chose, et faut-il dès lors affirmer hardiment que le non-être a une existence solide et une nature qui lui est propre, et, comme nous avons dit que le grand est grand et le beau beau, et que le non-grand est non grand et le non-beau non beau, ne dirons-nous pas de même que le non-être était et est non-être au même titre, et qu'il compte pour un genre dans la multitude des genres ? Ou bien aurions-nous encore, Théétète, quelque doute là-dessus ?

THÉÉTÈTE

Aucun.

L'ÉTRANGER

XLIII. — Te rends-tu compte à présent que nous avons enfreint la défense de Parménide et que nous nous sommes portés au-delà des limites qu'il nous avait prescrites ?

THÉÉTÈTE

Comment cela ?

L'ÉTRANGER

Nous avons exploré un terrain qu'il nous avait interdit, et, en poussant de l'avant nos recherches, nous lui avons montré son erreur.

THÉÉTÈTE

Comment ?

L'ÉTRANGER

C'est qu'il nous dit quelque part :
Non, jamais tu ne pourras forcer des non-êtres à être.
Ecarte ta pensée de cette route de recherche.

THÉÉTÈTE

C'est en effet ce qu'il dit.

L'ÉTRANGER

Or nous, nous n'avons pas seulement démontré que les non-êtres sont, mais nous avons aussi fait voir en quoi consiste la forme du non-être. Nous avons en effet prouvé que la nature de l'autre existe et qu'elle se morcelle en tous les êtres dans leurs relations mutuelles, et nous avons osé affirmer de chaque portion de l'autre qui s'oppose à l'être que c'est justement cela qu'est réellement le non-être.

THÉÉTÈTE

Et ce que nous avons dit est la vérité même, j'en suis persuadé.

L'ÉTRANGER

Qu'on ne vienne donc pas dire que c'est parce que nous dénonçons le non-être comme le contraire de l'être que nous osons affirmer qu'il existe. Pour nous, en ce qui regarde je ne sais quel contraire de l'être, il y a beau temps qu'il ne nous chaut plus de savoir s'il existe ou s'il n'existe pas, s'il peut être défini ou s'il répugne à toute définition. Quant à la définition que nous avons donnée tout à l'heure du non-être, ou bien qu'on nous convainque en nous réfutant que nous sommes dans l'erreur, ou bien, tant qu'on ne pourra le faire, qu'on dise, comme nous disons nous-mêmes, que les genres se mêlent les uns aux autres, que l'être et l'autre pénètrent dans tous et se pénètrent eux-mêmes mutuellement, que l'autre, participant de l'être, existe en vertu de cette participation, sans être ce dont il participe, mais en restant autre, et, parce qu'il est autre que l'être, il est clair comme le jour qu'il est nécessairement non-être. A son tour, l'être, participant de l'autre, est autre que le reste des genres, et, comme il est autre qu'eux tous, il n'est ni chacun d'eux ni la totalité des autres, mais seulement lui-même, en sorte que l'on ne saurait contester qu'il y a des milliers et des milliers de choses que l'être n'est pas et que les autres, soit chacune en particulier, soit toutes ensemble, sont sous de multiples rapports, et, sous de multiples rapports, ne sont point.

THÉÉTÈTE

C'est vrai.

L'ÉTRANGER

Que si l'on n'a pas foi à ces oppositions, qu'on étudie la question et qu'on propose une explication meilleure que celle que nous venons de donner. Que si, au contraire, on se figure avoir fait une invention difficile, en tirant à plaisir les arguments dans tous les sens, c'est prendre au sérieux des choses qui n'en valent guère la peine : nos arguments présents l'affirment. Cela n'est en effet ni ingénieux ni difficile à trouver; mais voici ce qui est à la fois difficile et beau.

THÉÉTÈTE

Quoi ?

L'ÉTRANGER

Ce que j'ai déjà dit : laisser là ces arguties comme inutiles, et se montrer capable de suivre et de critiquer pied à pied les assertions de celui qui prétend qu'une chose autre est la même sous quelque rapport et que la même est autre, et de le faire suivant la manière et le point de vue de cet homme, quand il explique la nature de l'un ou de l'autre. Quant à montrer n'importe comment que le même est autre et l'autre le même, que le grand est petit et le semblable dissemblable, et prendre plaisir à mettre toujours en avant ces oppositions dans ses raisonnements, cela n'est pas de la vraie critique, c'est l'ouvrage d'un novice qui vient seulement de prendre contact avec les réalités.

THÉÉTÈTE

Exactement.

L'ÉTRANGER

XLIV. — Et en effet, mon bon ami, entreprendre de séparer tout de tout n'est pas seulement manquer de mesure, c'est encore faire preuve d'une ignorance totale des Muses et de la philosophie.

THÉÉTÈTE

Pourquoi donc ?

L'ÉTRANGER

Il n'y a pas de moyen plus radical d'abolir toute espèce de discours que d'isoler chaque chose de tout le reste; car c'est par l'entrelacement réciproque des formes que le discours nous est né.

THÉÉTÈTE

C'est vrai.

L'ÉTRANGER

Vois donc combien il était opportun de mener bataille, comme nous venons de le faire, contre ces gens-là et de les forcer à permettre que les choses se mêlent les unes aux autres.

THÉÉTÈTE

En vue de quoi, opportun ?

L'ÉTRANGER

Pour assurer la position du discours parmi nos classes d'êtres. Si nous en étions privés, nous serions privés de la philosophie, conséquence de la plus sérieuse importance. Mais de plus, à cet instant même, nous avons besoin de nous mettre d'accord sur la nature du discours. Si on nous l'ôtait, en lui déniant toute existence, nous ne pourrions plus rien dire, et il nous serait ôté, si nous accordions qu'il n'y a aucun mélange de quoi que ce soit à quoi que ce soit.

THÉÉTÈTE

Bon pour ceci. Mais je ne saisis pas pourquoi il faut en ce moment nous entendre sur le discours.

L'ÉTRANGER

Le mieux, pour que tu le saisisses, est peut-être que tu me suives par ici.

THÉÉTÈTE

Par où ?

L'ÉTRANGER

Il nous est apparu que le non-être était un genre déterminé parmi les autres et qu'il est distribué en tous les êtres.

THÉÉTÈTE

C'est exact.

L'ÉTRANGER

Il faut dès lors examiner s'il se mêle à l'opinion et au discours.

THÉÉTÈTE

Pourquoi donc ?

L'ÉTRANGER

S'il ne s'y mêle pas, il s'ensuit nécessairement que tout est vrai. Qu'il s'y mêle, l'opinion fausse devient possible, et le discours aussi. Juger ou dire ce qui n'est pas, voilà, je pense, ce qui constitue la fausseté, dans la pensée et dans les discours.

THÉÉTÈTE

C'est vrai.

L'ÉTRANGER

Or si la fausseté existe, la tromperie aussi.

THÉÉTÈTE

Oui.

L'ÉTRANGER

Et s'il y a tromperie, tout se remplit inévitablement de simulacres, d'images et d'illusion.

THÉÉTÈTE

Naturellement.

L'ÉTRANGER

Or nous avons dit que le sophiste s'était réfugié dans cet endroit, mais qu'il avait absolument nié l'existence même de la fausseté, parce que le non-être ne peut ni se concevoir ni s'exprimer; car le non-être n'a d'aucune façon aucune part à l'être.

THÉÉTÈTE

C'est exact.

L'ÉTRANGER

Mais à présent il nous est apparu qu'il participait de l'être, en sorte que peut-être le sophiste ne combattrait plus sur ce terrain. Mais peut-être objecterait-il que parmi les formes, les unes participent du non-être, mais les autres non, et que précisément le discours et l'opinion sont de celles qui n'en participent pas, et alors il soutiendrait que l'art de faire des images et des simulacres, où nous prétendons le confiner, n'a pas du tout d'existence, puisque l'opinion et le discours n'ont point de communauté avec le non-être; car il n'y a absolument rien de faux, si cette communauté n'existe pas. Voilà donc pour quelles raisons il faut nous enquérir d'abord de ce que peuvent bien être le discours, l'opinion et l'imagination, afin que, les connaissant, nous puissions découvrir leur communauté avec le non-être, et, celle-ci découverte, démontrer que le faux existe, puis, le faux une fois démontré, y emprisonner le sophiste, si l'on peut retenir cette charge contre lui; sinon, nous le laisserons aller pour le chercher dans un autre genre.

THÉÉTÈTE

Il semble bien, étranger, que ce que nous avons dit du sophiste au début est pleinement justifié : c'est vraiment une espèce de gibier difficile à chasser. Evidemment il est très fertile en problèmes [33]. Sitôt qu'il en met un en avant, c'est un rempart qu'il faut franchir en combattant, avant d'arriver jusqu'à lui. Maintenant à peine sommes-nous venus à bout de celui qu'il nous a opposé en niant le non-être, qu'il nous en a opposé un autre, et il faut que nous démontrions l'existence du faux dans le discours et dans l'opinion; après quoi il en élèvera peut-être un autre encore après celui-là, et nous n'en verrons sans doute jamais la fin.

L'ÉTRANGER

Il faut prendre courage, Théétète, quand on peut toujours avancer, si peu que ce soit. Si l'on se décourageait en ce cas, que ferait-on dans d'autres conjonctures où l'on n'avancerait pas du tout, où l'on serait même repoussé en arrière ? Il faudrait, dit le proverbe, bien du temps à un tel homme pour prendre une ville. Mais maintenant, mon bon, que nous sommes venus à bout de la difficulté dont tu parles, nous pouvons dire que le rempart le plus fort est pris et que le reste sera désormais plus facile et moins important.

THÉÉTÈTE

C'est bien dit.

L'ÉTRANGER

XLV. — Prenons donc d'abord, comme nous venons de le dire, le discours et l'opinion, afin de nous rendre compte plus nettement si le non-être s'y attache, ou bien s'ils sont absolument vrais l'un et l'autre, et jamais faux ni l'un ni l'autre.

THÉÉTÈTE

C'est juste.

L'ÉTRANGER

Allons maintenant : comme nous avons parlé des formes et des lettres, examinons les noms à leur tour de la même façon. C'est par là que j'entrevois la solution que nous cherchons à présent.

THÉÉTÈTE

Qu'as-tu donc à me faire entendre à propos des noms ?

L'ÉTRANGER

Si tous s'accordent, ou aucun, ou si les uns se prêtent et les autres se refusent à cet accord.

THÉÉTÈTE

Cette dernière hypothèse est évidente : les uns s'y prêtent, les autres non.

L'ÉTRANGER

Voici peut-être ce que tu entends par là : ceux qui, prononcés à la suite les uns des autres, signifient quelque chose, s'accordent entre eux; les autres, qui s'enchaînent sans former de sens, ne s'accordent pas.

THÉÉTÈTE

Comment ? Qu'entends-tu par là ?

L'ÉTRANGER

Ce que je supposais que tu avais dans l'esprit, quand tu m'as donné ton assentiment. Nous avons, en effet, deux espèces de signes pour exprimer l'être par la voix.

THÉÉTÈTE

Comment cela ?

L'ÉTRANGER

Ceux qu'on a appelés les noms et les verbes.

THÉÉTÈTE

Définis les uns et les autres.

L'ÉTRANGER

Le signe qui s'applique aux actions, nous l'appelons verbe.

THÉÉTÈTE

Oui.

L'ÉTRANGER

Et le signe vocal qui s'applique à ceux qui les font s'appelle nom.

THÉÉTÈTE

Parfaitement.

L'ÉTRANGER

Or des noms seuls énoncés de suite ne forment jamais un discours, non plus que des verbes énoncés sans nom.

THÉÉTÈTE

C'est ce que je ne savais pas.

L'ÉTRANGER

C'est qu'évidemment tu avais autre chose en vue tout à l'heure en me donnant ton assentiment; car c'est cela même que je voulais dire, que ces noms et ces verbes ne font pas un discours, s'ils sont énoncés à la file de cette manière.

THÉÉTÈTE

De quelle manière ?

L'ÉTRANGER

Par exemple, *marche*, *court*, *dort*, et tous les autres verbes qui marquent des actions, fussent-ils prononcés tous à la file, ne forment pas davantage un discours.

THÉÉTÈTE

Cela va de soi.

L'ÉTRANGER

Et que l'on dise de même : *lion*, *cerf*, *cheval* et tous les noms qu'on a donnés à ceux qui font les actions, cette succession de mots non plus n'a jamais composé un discours; car ni dans un cas, ni dans l'autre, les mots prononcés n'indiquent ni action, ni inaction, ni existence d'un être ou d'un non-être, tant qu'on n'a pas mêlé les verbes aux noms. Alors seulement l'accord se fait et le discours naît aussitôt de la première combinaison, qu'on peut appeler le premier et le plus petit des discours.

THÉÉTÈTE

Qu'entends-tu donc par là ?

L'ÉTRANGER

Quand on dit : *l'homme apprend*, ne reconnais-tu pas que c'est là le discours le plus court et le premier ?

THÉÉTÈTE

Si.

L'ÉTRANGER

C'est que, dès ce moment, il donne quelque indication sur ce qui est, devient, est devenu ou doit être et qu'il ne se borne pas à le nommer, mais fait voir qu'une chose s'accomplit, en entrelaçant les verbes avec les noms. C'est pour cela que nous avons dit, de celui qui s'énonce ainsi, qu'il discourt et non point seulement qu'il nomme, et c'est cet entrelacement que nous avons désigné du nom de discours.

THÉÉTÈTE

C'est juste.

L'ÉTRANGER

XLVI. — Ainsi donc, de même qu'entre les choses, les unes s'accordaient mutuellement, les autres non, de même parmi les signes vocaux, il en est qui ne s'accordent pas; mais ceux d'entre eux qui s'accordent ont créé le discours.

THÉÉTÈTE

Parfaitement.

L'ÉTRANGER

Encore une petite remarque.

THÉÉTÈTE

Laquelle ?

L'ÉTRANGER

Le discours, dès qu'il est, est forcément un discours sur quelque chose; qu'il le soit sur rien, c'est impossible.

THÉÉTÈTE

C'est juste.

L'ÉTRANGER

Ne faut-il pas aussi qu'il soit d'une certaine nature ?

THÉÉTÈTE

Sans doute.

L'ÉTRANGER

Prenons nous maintenant nous-mêmes pour sujet d'observation.

THÉÉTÈTE

C'est ce qu'il faut faire en effet.

L'ÉTRANGER

Je vais donc te faire un discours en unissant un sujet à une action au moyen d'un nom et d'un verbe; sur quoi portera ce discours, c'est à toi de me le dire.

THÉÉTÈTE

Je le ferai comme je pourrai.

L'ÉTRANGER

Théétète est assis. Il n'est pas long, n'est-ce pas ?

THÉÉTÈTE

Non, il est assez court.

L'ÉTRANGER

A toi donc de dire de quoi il parle et à quoi il se rapporte.

THÉÉTÈTE

Evidemment il parle de moi et se rapporte à moi.

L'ÉTRANGER

Et celui-ci ?

THÉÉTÈTE

Lequel ?

L'ÉTRANGER

Théétète, avec qui je m'entretiens en ce moment, vole en l'air.

THÉÉTÈTE

De celui-ci non plus, on n'en peut dire qu'une chose : c'est que j'en suis le sujet et que c'est de moi qu'il parle.

L'ÉTRANGER

Mais chacun de ces discours, disons-nous, doit être nécessairement d'une certaine nature.

THÉÉTÈTE

Oui.

L'ÉTRANGER

Quelle est donc celle qu'il faut attribuer à chacun d'eux ?

THÉÉTÈTE

C'est que l'un est faux, l'autre vrai.

L'ÉTRANGER

Or celui des deux qui est vrai dit de toi des choses qui sont comme elles sont.

THÉÉTÈTE

Sans doute.

L'ÉTRANGER

Et le faux des choses autres que celles qui sont.

THÉÉTÈTE

Oui.

L'ÉTRANGER

Il dit donc des choses qui ne sont pas comme étant ?

THÉÉTÈTE

C'est assez cela.

L'ÉTRANGER

Les choses qu'il dit de toi existent, mais sont autres que celles qui sont, car il y a, nous l'avons dit, beaucoup d'êtres qui se rapportent à chaque chose, et beaucoup de non-êtres.

THÉÉTÈTE

Certainement.

L'ÉTRANGER

Quant au second discours que j'ai tenu sur toi, il est d'abord de toute nécessité, d'après la définition du discours que nous avons établie, qu'il soit un des plus brefs.

THÉÉTÈTE

C'est en tout cas ce dont nous sommes convenus tout à l'heure.

L'ÉTRANGER

Ensuite qu'il parle de quelqu'un.

THÉÉTÈTE

Oui.

L'ÉTRANGER

Et si ce n'est pas de toi, ce n'est assurément de personne autre.

THÉÉTÈTE

Assurément.

L'ÉTRANGER

Si ce n'était de personne, il ne serait même pas du tout discours; car nous avons démontré qu'il était impossible qu'un discours qui est ne discoure de rien.

THÉÉTÈTE

C'est très juste.

L'ÉTRANGER

Ainsi quand on dit de toi des choses autres comme étant les mêmes, et des choses qui ne sont pas comme étant, cet assemblage formé de noms et de verbes a tout à fait l'air d'être réellement et véritablement un faux discours.

THÉÉTÈTE

Rien n'est plus vrai, assurément.

L'ÉTRANGER

XLVII. — Mais quoi! la pensée, l'opinion, l'imagination, n'est-il pas dès maintenant évident que tous ces genres naissent dans nos âmes tantôt vrais, tantôt faux?

THÉÉTÈTE

Comment ?

L'ÉTRANGER

Tu le comprendras plus facilement quand tu auras vu d'abord en quoi ils consistent et par où ils diffèrent les uns des autres.

THÉÉTÈTE

Tu n'as qu'à t'expliquer.

L'ÉTRANGER

Eh bien, pensée et discours ne sont qu'une même chose, sauf que le discours intérieur que l'âme tient en silence avec elle-même, a reçu le nom spécial de pensée [34].

THÉÉTÈTE

Parfaitement.

L'ÉTRANGER

Mais le courant qui sort d'elle par la bouche en forme de son a reçu le nom de discours.

THÉÉTÈTE

C'est vrai.

L'ÉTRANGER

Nous savons en outre qu'il y a dans les discours ceci.

THÉÉTÈTE

Quoi ?

L'ÉTRANGER

L'affirmation et la négation.

THÉÉTÈTE

Nous le savons.

L'ÉTRANGER

Et quand cela se passe dans l'âme, en pensée, silencieusement, as-tu, pour le désigner, d'autre nom que celui d'opinion ?

THÉÉTÈTE

Quel autre pourrais-je lui donner ?

L'ÉTRANGER

Et quand l'opinion se produit chez quelqu'un, non pas spontanément, mais par l'intermédiaire de la sensation, peut-on, pour désigner correctement cet état d'esprit, trouver un autre nom que celui d'imagination ?

THÉÉTÈTE

Aucun autre.

L'ÉTRANGER

Donc, puisqu'il y a, nous l'avons vu, discours vrai et discours faux, et que, dans le discours, nous avons trouvé que la pensée était un dialogue de l'âme avec elle-même, l'opinion, l'achèvement de la pensée, et ce que nous voulons dire par « je m'imagine » un mélange de sensation et d'opinion, il est inévitable qu'étant parentes du discours, elles soient, quelques-unes et quelquefois, fausses.

THÉÉTÈTE

Certainement.

L'ÉTRANGER

Te rends-tu compte maintenant que nous avons découvert la fausse opinion et le faux discours plus vite que nous ne nous y attendions, quand nous appréhendions, il n'y a qu'un instant, de perdre notre peine en entreprenant cette recherche ?

THÉÉTÈTE

Je m'en rends compte.

L'ÉTRANGER

XLVIII. — Ayons donc bon courage aussi pour ce qui nous reste à faire, et maintenant que ces matières sont éclaircies, rappelons-nous nos précédentes divisions par formes.

THÉÉTÈTE

Quelles divisions ?

L'ÉTRANGER

Nous avons divisé l'art de faire des images en deux formes, celle qui copie et celle qui produit des simulacres.

THÉÉTÈTE

Oui.

L'ÉTRANGER

Et nous étions embarrassés, disions-nous, de savoir dans laquelle placer le sophiste.

THÉÉTÈTE

C'est bien cela.

L'ÉTRANGER

Et tandis que cette question nous tenait perplexes, nous avons été envahis par un vertige encore plus grand à l'apparition de l'argument qui soutient envers et contre tous qu'il n'existe absolument ni copie, ni image, ni simulacre d'aucun genre, puisqu'il n'y a jamais nulle part aucune espèce de fausseté.

THÉÉTÈTE

Tu dis vrai.

L'ÉTRANGER

Mais maintenant que nous avons mis en lumière l'existence et du discours faux et de l'opinion fausse, il est possible qu'il y ait des imitations des êtres et que, de la disposition à les produire, il naisse un art de tromperie.

THÉÉTÈTE

C'est possible.

L'ÉTRANGER

En outre, nous sommes précédemment tombés d'accord que le sophiste rentrait dans l'une des formes susdites.

THÉÉTÈTE

Oui.

L'ÉTRANGER

Essayons donc de nouveau, en divisant en deux le genre proposé, d'avancer en suivant toujours la partie droite de la section, nous attachant à ce qu'elle a de commun avec le sophiste, jusqu'à ce que l'ayant dépouillé de toutes ses propriétés communes, nous ne lui laissions que sa nature propre pour la mettre en lumière devant nous-mêmes d'abord, ensuite devant ceux dont le genre d'esprit est le plus congénial à notre méthode.

THÉÉTÈTE

C'est juste.

L'ÉTRANGER

Or n'avions-nous pas commencé par distinguer l'art de produire et l'art d'acquérir ?

THÉÉTÈTE

Si.

L'ÉTRANGER

Et dans l'art d'acquérir, la chasse, la lutte, le négoce et certaines formes analogues nous laissaient entrevoir le sophiste ?

THÉÉTÈTE

Parfaitement.

L'ÉTRANGER

Mais maintenant qu'il est enclos dans l'art de l'imitation, il est évident que c'est l'art même de produire qu'il faut d'abord diviser en deux. Car l'imitation est une espèce de production, quoiqu'elle ne produise, il faut l'avouer, que des images, et non des réalités véritables. N'est-ce pas vrai ?

THÉÉTÈTE

Tout à fait vrai.

L'ÉTRANGER

Commençons par diviser en deux parties l'art de produire.

THÉÉTÈTE

Lesquelles ?

L'ÉTRANGER

L'une divine, l'autre humaine.

THÉÉTÈTE

Je ne saisis pas encore.

L'ÉTRANGER

XLIX. — Nous avons appelé productrice, s'il nous souvient de ce que nous avons dit en commençant, toute puissance qui est cause que ce qui n'était pas avant existe après.

THÉÉTÈTE

Nous nous en souvenons.

L'ÉTRANGER

Or tous les animaux mortels, et toutes les plantes qui naissent sur la terre de semences et de racines, et tous les corps inanimés, fusibles ou non fusibles, qui se forment dans l'intérieur de la terre, devons-nous dire que ces choses qui n'existaient pas d'abord, c'est un autre qu'un dieu créateur qui leur a donné ensuite l'existence ? Ou adopterons-nous la croyance et le langage de la foule ?

THÉÉTÈTE

Quelle croyance ?

L'ÉTRANGER

Que la nature les fait naître de quelque cause naturelle en dehors de toute pensée créatrice, ou suivant la raison et par une science divine qui vient de Dieu ?

THÉÉTÈTE

Pour moi, sans doute à cause de mon âge, je passe souvent d'une opinion à l'autre; mais aujourd'hui, en te regardant, je soupçonne que ta conviction à toi, c'est que ces choses sont issues d'une pensée divine, et je le crois comme toi.

L'ÉTRANGER

C'est bien, Théétète. Si je croyais que tu doives par la suite être de ceux qui pensent autrement, j'essayerais en ce moment de te gagner à mon opinion par le raisonnement et par la force de la persuasion. Mais je vois que ton naturel se porte de lui-même, sans que j'aie besoin d'argumenter, vers ces croyances où tu te sens attiré, dis-tu; aussi je passe outre, car ce serait perdre le temps. Je poserai seulement que les choses qu'on rapporte à la nature sont les produits d'un art divin et que celles que les hommes composent au moyen d'elles sont les produits d'un art humain, et qu'en conséquence il y a deux genres de production : l'un humain, l'autre divin.

THÉÉTÈTE

C'est juste.

L'ÉTRANGER

Maintenant partage encore en deux chacun de ces deux genres.

THÉÉTÈTE

Comment ?

L'ÉTRANGER

Comme tu viens de couper la production entière dans le sens de la largeur, coupe-la à présent dans le sens de la longueur.

THÉÉTÈTE

Soit : c'est fait.

L'ÉTRANGER

Nous obtenons ainsi quatre parties en tout : deux qui se rapportent à nous et sont humaines, et deux qui se rapportent aux dieux et sont divines.

THÉÉTÈTE

Oui.

L'ÉTRANGER

Si nous prenons la division dans le premier sens, nous aurons dans chacune des deux sections une partie productrice de réalités, et les deux parties qui restent ne sauraient, je crois, être mieux appelées que productrices d'images, et ainsi la production est de nouveau divisée en deux parties.

THÉÉTÈTE

Explique-moi cette nouvelle division.

L'ÉTRANGER

Nous-mêmes et les autres animaux, et les éléments des choses naturelles, feu, eau et substances congénères, chacune de ces créatures est, nous le savons, la production et l'œuvre de Dieu. N'est-il pas vrai ?

THÉÉTÈTE

Si.

L'ÉTRANGER

Mais toutes sont accompagnées de simulacres, qui ne sont pas elles, et qui doivent aussi leur existence à un art divin.

THÉÉTÈTE

Quels simulacres ?

L'ÉTRANGER

Ceux de nos rêves et toutes les visions qui naissent, dit-on, d'elles-mêmes, en plein jour : l'ombre qui se projette quand le feu est envahi par l'obscurité, et l'apparence que produisent deux lumières, l'une propre à l'œil et l'autre étrangère, quand elles se rencontrent sur une surface brillante et polie et produisent une forme qui fait sur nos sens l'effet inverse de notre vue ordinaire [35].

THÉÉTÈTE

Voilà bien en effet les deux œuvres de la production divine, la chose même et le simulacre qui accompagne chaque chose.

L'ÉTRANGER

Et notre art à nous ? Ne dirons-nous pas que par l'art de l'architecte il fait la maison réelle et, par celui du peintre, une autre maison, qui est comme un songe de création humaine à l'usage des gens éveillés ?

THÉÉTÈTE

Certainement.

L'ÉTRANGER

Il en est de même des autres œuvres de notre activité productrice : elles sont doubles et vont par paires, la chose même, disons-nous, due à l'art qui fait des choses réelles, et l'image, due à l'art qui fait des images.

THÉÉTÈTE

A présent, je comprends mieux, et je pose, pour l'art qui produit, deux formes, dont chacune est double. Je mets la divine et l'humaine dans une section et dans l'autre la production des choses réelles et la création de certaines ressemblances.

L'ÉTRANGER

L. — Maintenant rappelons-nous que l'art de fabriquer des images devait comprendre deux genres, l'un qui copie, l'autre qui fait des simulacres, s'il était prouvé que le faux est réellement faux et s'il est de nature à avoir sa place parmi les êtres.

THÉÉTÈTE

Il le devait en effet.

L'ÉTRANGER

Or la preuve est faite; aussi tiendrons-nous la distinction de ces deux formes pour incontestable.

THÉÉTÈTE

Oui.

L'ÉTRANGER

Maintenant coupons à son tour l'art des simulacres en deux.

THÉÉTÈTE

Comment ?

L'ÉTRANGER

D'une part le simulacre se fait au moyen d'instruments; de l'autre, la personne qui fait le simulacre se prend elle-même comme instrument.

THÉÉTÈTE

Comment dis-tu ?

L'ÉTRANGER

Lorsqu'un homme, j'imagine, use de sa personne pour faire paraître son attitude semblable à la tienne et sa voix à ta voix, cette partie de l'art de simuler s'appelle généralement mimique, je crois.

THÉÉTÈTE

Oui.

L'ÉTRANGER

Réservons donc cette partie sous le nom de mimique. Quant à l'autre, laissons-la tranquillement de côté, sans y toucher, et laissons à d'autres le soin de la ramener à l'unité et de lui assigner une dénomination qui lui convienne.

THÉÉTÈTE

Réservons l'une, laissons l'autre.

L'ÉTRANGER

Mais cette première partie, Théétète, mérite aussi d'être considérée comme double. Pourquoi ? écoute.

THÉÉTÈTE

Parle.

L'ÉTRANGER

Parmi ceux qui imitent, les uns le font en connaissant ce qu'ils imitent, d'autres, sans le connaître. Or quelle division pouvons-nous poser qui soit plus complète que celle de l'ignorance et de la connaissance ?

THÉÉTÈTE

Aucune.

L'ÉTRANGER

Ainsi l'exemple que je viens de citer était une imitation faite par des gens qui savent; car c'est parce qu'on connaît ta figure et ta personne qu'on peut l'imiter.

THÉÉTÈTE

Sans doute.

L'ÉTRANGER

Mais que dire de la figure de la justice et de la vertu en général ? N'y a-t-il pas une foule de gens qui ne la connaissent pas, mais s'en forment une opinion quelconque, et mettent toutes leurs forces et leur zèle à faire paraître comme une qualité personnelle ce qu'ils prennent pour la vertu, l'imitant le plus qu'ils peuvent dans leurs actes et dans leurs paroles ?

THÉÉTÈTE

Certainement, et beaucoup.

L'ÉTRANGER

Eh bien, est-ce que tous échouent à paraître justes sans l'être aucunement, ou est-ce tout le contraire ?

THÉÉTÈTE

C'est tout le contraire.

L'ÉTRANGER

Il faut donc dire, je pense, que cet imitateur-ci diffère de l'autre, celui qui ne sait pas de celui qui sait.

THÉÉTÈTE

Oui.

L'ÉTRANGER

LI. — Cela étant, où prendrons-nous un nom qui convienne à chacun d'eux ? Il est évidemment difficile à trouver, parce qu'à l'égard de la division des genres en espèces nos devanciers souffraient d'une vieille paresse inconsciente, au point qu'aucun d'eux n'essaya même de diviser. De là vient nécessairement que nous n'avons pas une grande abondance de noms. Cependant, dût notre expression paraître trop hardie, appelons, pour les distinguer l'une de l'autre, l'imitation basée sur l'opinion, doxomimétique, et celle qui se fonde sur la science, imitation savante.

THÉÉTÈTE

Soit.

L'ÉTRANGER

Maintenant, c'est de la première qu'il nous faut faire usage; car le sophiste, nous l'avons vu, n'est point de ceux qui savent, mais de ceux qui imitent.

THÉÉTÈTE

Assurément.

L'ÉTRANGER

Examinons donc l'imitateur qui s'appuie sur l'opinion, comme nous ferions d'un morceau de fer, pour voir s'il est sain ou s'il n'a pas encore en lui quelque paille.

THÉÉTÈTE

Examinons.

L'ÉTRANGER

Eh bien, il en a une, une béante même. Car, parmi ces imitateurs, il y a le naïf, qui croit savoir ce dont il n'a qu'une opinion, et l'autre, qui a l'habitude de se vautrer dans les arguments, et qui, par suite, fait, par son attitude, violemment soupçonner et craindre qu'il n'ignore les choses qu'il se donne l'air de connaître devant le public.

THÉÉTÈTE

Ces genres dont tu parles existent certainement tous les deux.

L'ÉTRANGER

Alors nous appellerons l'un simple imitateur, et l'autre, imitateur ironique.

THÉÉTÈTE

C'est raisonnable en tout cas.

L'ÉTRANGER

Et le genre dont ce dernier relève, dirons-nous qu'il est unique ou double ?

THÉÉTÈTE

Vois toi-même.

L'ÉTRANGER

J'examine et je vois nettement deux genres; dans le premier, je distingue l'homme capable d'exercer son ironie en public, dans de longs discours devant la foule ; et un autre qui, dans le privé, par des discours brefs, contraint son interlocuteur à se contredire lui-même.

THÉÉTÈTE

Ce que tu dis là est très juste.

L'ÉTRANGER

Et comment désignerons-nous l'homme aux longs discours ? Est-ce un homme d'Etat ou un orateur populaire ?

THÉÉTÈTE

C'est un orateur populaire.

L'ÉTRANGER

Et l'autre, comment l'appellerons-nous? sage ou sophiste ?

THÉÉTÈTE

Sage, c'est impossible, puisque nous avons établi qu'il ne sait point; mais, comme il imite le sage, il est évident qu'il prendra un nom dérivé du sien, et il me semble bien maintenant que c'est de lui qu'il faut dire : Voilà celui qui est bien réellement le sophiste.

L'ÉTRANGER

Eh bien, ne ferons-nous pas comme précédemment une chaîne des qualités du sophiste, en tressant les éléments de son nom à partir de la fin jusqu'au commencement ?

THÉÉTÈTE

C'est tout à fait mon avis.

L'ÉTRANGER

Donc l'espèce imitative de la partie ironique de l'art fondé sur l'opinion, lequel est une partie de l'art de la contradiction et qui appartient au genre imaginatif, lequel se rattache à l'art de produire des images, cette portion, non pas divine, mais humaine, de la production qui se spécialise dans les discours et fabrique des prestiges, voilà, peut-on dire, « la lignée et le sang [36]» dont le véritable sophiste descend, et l'on dira, selon moi, l'exacte vérité.

THÉÉTÈTE

C'est parfaitement juste.

LE POLITIQUE

NOTICE SUR LE POLITIQUE

ARGUMENT

Le dialogue du *Politique* fait immédiatement suite à celui du *Sophiste :* il a lieu le même jour et dans la même séance. Ils ne sont séparés que par quelques paroles de remerciement adressées par Socrate à Théodore, qui lui a procuré le plaisir d'entendre l'étranger éléate et Théétète. Aussitôt après, sans lui laisser le temps de respirer, Théodore prie l'étranger qui vient d'achever le portrait du sophiste de continuer par celui du politique ou du philosophe. L'étranger déclare qu'il commencera par celui du politique, et comme Théétète est peut-être fatigué, il prendra le jeune Socrate, son camarade, pour lui donner la réplique, et il entre aussitôt en matière.

Le dialogue se divise en trois parties d'inégale étendue. La première (258 b-277 d) est la définition du roi comme pasteur du troupeau humain; la deuxième (277 b-287 b), la définition du tissage, pris comme exemple pour aider à celle de la fonction royale; la troisième (287 b-311 c), la plus longue, achève la définition du roi, assimilé à un tisserand.

PREMIÈRE PARTIE : LA DÉFINITION DU ROI COMME PASTEUR

Pour définir le politique, l'étranger procède par la même méthode que dans *le Sophiste*, par la méthode dichotomique. Etant donné que le politique est un homme de science, il faut préciser quelle est sa science. Or il y a des sciences de deux sortes : les unes théoriques, comme l'arithmétique, et les autres pratiques, comme l'architecture. Comme le roi agit plutôt avec son intelligence qu'avec ses mains, il faut ranger sa science parmi les sciences théoriques. Les sciences théoriques se bornent à la pure connaissance ou y joignent le commandement. Parmi les sciences qui commandent, il faut distinguer celles qui ne font que transmettre les ordres d'autrui et celles qui commandent en leur propre nom. Telle est la science royale. Les sciences qui commandent s'adressent à des êtres inanimés ou à des êtres animés; celles qui s'adressent à des êtres animés se divisent à leur tour en deux sections, dont l'une concerne les individus et l'autre les troupeaux. C'est des troupeaux que le politique s'occupe. Conçois-tu, demande l'étranger, comment on peut partager l'art d'élever les troupeaux ? Il me semble, répond le jeune Socrate, qu'il y a d'un côté l'élevage des hommes et de l'autre celui des bêtes.

LA DIVISION PAR ESPÈCES

La réponse n'est point sotte, dit l'étranger; mais c'est une entorse donnée à la méthode dichotomique. C'est comme si tu divisais le genre humain en mettant d'un côté les Grecs et de l'autre tous les autres peuples, si différents qu'ils soient, ou si tu divisais les nombres en posant d'un côté une myriade et de l'autre tout le reste des nombres. C'est par espèces qu'il faut diviser, et non en prenant une partie quelconque pour l'opposer à tout le reste. Or là où il y a espèce, il y a forcément partie, mais où il y a partie, il n'y a pas forcément espèce.

NOUVELLES DIVISIONS

Après cette leçon de méthode, l'Eléate revient à la question. Ce qu'il faut faire, dit-il, c'est diviser les animaux en apprivoisés et en sauvages. Parmi les premiers, il y a ceux qu'on élève dans l'eau et ceux qu'on élève sur terre. Ce sont ces derniers qui sont sous la houlette du roi. Ils se divisent en animaux qui volent et en animaux qui marchent. Parmi ces derniers, il faut distinguer ceux qui ont des cornes et ceux qui n'en ont pas. A leur tour, les animaux sans cornes, qui, seuls, dépendent de l'autorité royale, se divisent en deux espèces : celle des animaux qui peuvent se croiser pour engendrer, comme l'âne et le cheval, et celle de ceux qui ne se reproduisent qu'entre eux. Cette dernière comprend deux classes : les quadrupèdes et les bipèdes. Les bipèdes peuvent être emplumés ou sans plumes : ce sont ces derniers qui sont l'objet de la science politique.

Mais cette définition n'est pas complète : elle n'indique pas quelle différence il y a entre les autres pasteurs et le roi. Sans parler des boulangers, des commerçants et autres qui contribuent à l'entretien du troupeau humain, nul n'a plus de droit que le bouvier à prétendre au titre de nourricier du troupeau.

LE MYTHE DES DEUX RÉVOLUTIONS DE L'UNIVERS

Une légende nous servira à distinguer ce que peut être actuellement le politique : c'est celle qui se rattache au recul du soleil que Dieu fit en faveur d'Atrée. Le monde est tantôt gouverné par Dieu, qui le fait marcher dans un sens, et tantôt livré à lui-même. Alors il tourne en sens inverse, parce que, composé d'une âme et d'un corps, il est, par la présence du corps, soumis au changement. Quand il passe d'un mouvement à l'autre, il se produit en lui une secousse qui fait périr beaucoup de vivants, et ceux qui subsistent éprouvent d'étranges accidents. Tout marchant en sens contraire, les vieillards redeviennent jeunes, les jeunes redeviennent enfants, et tous disparaissent dans le sein de la terre. Ils s'y reconstituent et en ressortent pour remonter à la vie. C'est dans la période qui a précédé la nôtre et où le monde était gouverné par Dieu que se place le règne de Cronos, où tout naissait de soi-même pour l'usage des hommes. Toutes les parties du monde étaient divisées en régions gouvernées par des démons, comme l'ensemble l'était par Dieu. Les hommes de ce temps-là ne connaissaient ni nos Etats, ni nos institutions : ils n'avaient qu'à se laisser vivre sous la gouverne des dieux. Mais dès que le monde fut livré à lui-même, il suivit d'abord d'assez près l'ordre ancien; puis, peu à peu, le désordre s'introduisit en lui, et il finirait par périr si Dieu n'en reprenait pas le commandement. Privés des soins des démons qui les gouvernaient dans l'ordre ancien, les animaux étaient redevenus sauvages, et l'homme était sans défense contre eux et impuissant à se créer lui-même sa nourriture. C'est alors que les dieux lui donnèrent les arts, d'où sont sorties toutes les inventions qui ont contribué à l'organisation de la vie humaine.

Ce récit nous montre que nous avons commis deux erreurs. La première, c'est que nous sommes allés chercher dans la période opposée le berger qui paissait le troupeau humain d'alors, un dieu au lieu d'un homme. Or la différence de leurs fonctions est sensible : le dieu nourrissait ses ouailles; le politique actuel ne les nourrit pas; il se contente de les surveiller et de les soigner. D'autre part, en déclarant le politique chef de la cité tout entière, nous avons omis de dire qu'à la différence du pasteur divin, il pouvait commander contre la volonté de ses sujets, et devenir ainsi un tyran au lieu d'un roi. Nous nous sommes trompés en confondant ensemble le roi et le tyran.

DEUXIÈME PARTIE : LE TISSAGE

Mais la figure du roi n'est pas encore achevée. Pour nous faciliter la tâche, recourons à un exemple simple, qui nous servira de paradigme pour distinguer les éléments de la réalité qui nous ont échappé. Prenons, si vous voulez, le tissage, et dans le tissage, celui de la laine. Pour le distinguer des autres arts, appliquons-lui notre méthode dichotomique. Toutes les choses que nous faisons ou que nous possédons sont ou des instruments pour agir ou des préservatifs pour ne pas souffrir. Les préservatifs sont des antidotes ou des moyens de défense; ces derniers sont des armures de guerre ou des abris. Les abris sont des voiles ou des défenses contre le froid et le chaud. Ces défenses sont des toitures ou des étoffes; les étoffes, des tapis qu'on met sous soi ou des enveloppes. Les enveloppes sont faites d'une seule pièce ou de plusieurs. Ces dernières sont ou piquées ou assemblées sans couture. Celles qui sont sans couture sont faites de nerfs, de plantes ou de crins. Celles de crins sont collées avec de l'eau et de la terre ou attachées sans matière étrangère. C'est à ces préservatifs et à ces étoffes composées de brins liés entre eux que nous avons donné le nom de vêtements, et l'art du vêtement est appelé art vestimentaire, dont le tissage ne diffère que par le nom.

Il faut distinguer le tissage des arts auxiliaires. Il y a, en effet, dans chaque art deux sortes de causes : les unes, qui lui fournissent des instruments, ce sont les causes auxiliaires, et les autres qui produisent elles-mêmes, ce sont les causes créatrices. Parmi les causes auxiliaires, il faut ranger les arts qui fabriquent les fuseaux, les navettes et autres instruments, et tous les arts d'apprêtage, comme le lavage et le ravaudage. Dans le travail de la laine proprement dit, il y a le cardage, qui sépare ce qui était emmêlé, et qui appartient à l'art de séparer, et l'art d'assembler, qui se divise à son tour en art de tordre et en art d'entrelacer. L'art de tordre comprend la fabrication du fil solide de la chaîne et celle du fil plus lâche de la trame. Le tissage est l'entrelacement des deux fils.

L'ART DE MESURER

Nous pouvions dire tout de suite, sans faire ces longs détours, que l'art du tisserand est l'art d'entrelacer la trame et la chaîne. Pourquoi ces longueurs ? D'aucuns pourraient nous reprocher d'avoir manqué de mesure. Répondons-leur qu'il y a deux manières de mesurer, l'une qui s'applique à la grandeur et à la petitesse considérées dans leur rapport réciproque, et l'autre à ce que doit être la chose que l'on produit. Cette deuxième manière est celle de tous les arts : ce n'est pas sur la quantité, mais sur l'opportunité et la convenance qu'ils se règlent. Il y a pour eux un juste milieu en deçà et au-delà duquel l'œuvre est également imparfaite.

Si l'on trouve que nous nous sommes trop étendus ici sur le tissage et les révolutions de l'univers, et, dans *le Sophiste*, sur le non-être, c'est qu'on ne se rend pas compte qu'il faut classer les choses par espèces, en rassemblant toutes les différences qui les distinguent, et en enfermant tous leurs traits de parenté dans l'essence d'un genre, œuvre difficile, quand il s'agit de réalités immatérielles aussi importantes que celles qui nous occupent. D'ailleurs notre enquête sur le politique vise moins à définir le politique qu'à nous rendre meilleurs dialecticiens. Si donc nous avons atteint la vérité que nous cherchons, et si nous avons rendu l'auditeur plus inventif, ne nous inquiétons pas des critiques ou des éloges qu'on peut nous faire sur d'autres points; ne prenons même pas la peine de les entendre.

TROISIÈME PARTIE : LE ROYAL TISSERAND

Appliquons maintenant au politique l'exemple du tissage. Nous avons déjà séparé de l'art royal les arts qui lui sont apparentés; il nous reste à le séparer des arts qui sont ses auxiliaires et de ceux qui sont ses rivaux, comme nous l'avons fait à propos du tissage. Mais la méthode dichotomique n'est plus applicable ici : nous ne pouvons plus les diviser par espèces; divisons-les par membres, comme on fait des victimes, afin de rester le plus près possible de la division par espèces. Les arts auxiliaires, qui fournissent à la cité ce qui est indispensable à la vie, peuvent se répartir en sept classes : matières premières, instruments, vases, véhicules, abris, divertissements et nourriture. Ecartons-les, comme nous avons écarté du tissage tous les arts indispensables à sa tâche; et de même que nous avons distingué du tisserand les cardeurs et les fileurs, distinguons du roi tout le groupe des serviteurs, les esclaves, les commerçants, les mercenaires, les hérauts, les secrétaires, les devins et les prêtres, et tout un chœur de centaures et de satyres, dont les figures nous apparaîtront plus clairement, quand nous aurons passé en revue les différentes formes de constitution.

Il y a trois formes de constitution : la monarchie, le gouvernement du petit nombre et la démocratie, qui se dédoublent, selon leur légalité, en royauté et en tyrannie, en aristocratie et en oligarchie et en démocratie réglée ou déréglée. Mais la vraie politique étant une science, dans lequel de ces gouvernements la trouverons-nous ? Ce n'est ni le peuple, ni même le petit nombre qui peut posséder la science : on ne peut la trouver que dans un seul et dans quelques hommes seulement. Ceux qui la possèdent se régleront sur elle pour gouverner, avec ou sans lois, avec ou même contre le consentement de leurs sujets, comme le médecin guérit son malade même contre son gré. Le jeune Socrate s'étonne que l'étranger approuve un gouvernement sans lois. La raison en est que la loi ne peut promulguer de règles qui conviennent à tous les cas. Il est impossible que ce qui est toujours simple s'applique exactement à ce qui ne l'est jamais. Et cependant il est nécessaire de légiférer. Pas plus que les maîtres de gymnase, le politique, qui commande à une communauté, ne peut assigner à chacun ce qui lui convient : il ne prescrit que ce qui convient à la majorité des cas et des individus. Mais il ne se liera pas les mains, au point de ne pouvoir changer les lois qu'il aura édictées, s'il trouve quelque amélioration à y faire. On dit couramment, il est vrai, qu'on ne peut changer les lois qu'après avoir persuadé la cité de le faire. Mais si l'on impose de force des lois meilleures, est-ce que les administrés peuvent s'en plaindre ? Est-ce que les passagers se plaignent si le pilote les sauve malgré eux, et les malades, si le médecin leur impose un traitement plus salutaire ? Est-ce que tous les arts ne périraient pas s'il était défendu d'y introduire aucune nouveauté et si le peuple s'arrogeait le droit de les diriger, malgré son ignorance, comme il fait de l'Etat ?

Mais où trouver ce gouverneur idéal qui règle tous ses actes sur la science et la justice ? Il ne naît pas dans les cités, comme la reine des abeilles, et n'est pas reconnaissable comme elle à l'éminence de ses qualités natives. C'est ce qui justifie la répugnance des peuples à se donner un chef unique : ils ont peur, et avec raison, qu'il ne profite de son pouvoir pour les opprimer. Dès lors, ils n'ont plus qu'une ressource, celle d'imiter le vrai gouvernement, en lui empruntant, autant que possible, ses lois écrites, et en les déclarant inviolables. De là naissent les diverses formes de gouvernement dont nous avons parlé. Parmi ces formes imparfaites, quelle est la moins incommode et la plus supportable ? C'est la monarchie qui suit les lois ; après vient le régime du petit nombre. Quant à la démocratie, elle ne peut faire ni grand bien ni grand mal, parce que l'autorité y est partagée entre mille mains différentes. Aussi, de tous ces gouvernements imparfaits, quand ils sont soumis aux lois, c'est la démocratie qui est le pire ; mais, s'ils sont tous déréglés, c'est le plus supportable. C'est dans ces gouvernements que gravitent ces centaures et ces satyres dont nous avons tout à l'heure entrevu la figure. Ce ne sont pas de vrais gouvernants : ce sont des partisans, des factieux, des sophistes.

Il ne reste plus à séparer de la science royale que celles qui lui sont apparentées, la science militaire, la jurisprudence et la rhétorique. Or il y a une science qui décide s'il faut apprendre ou non telle ou telle autre science et qui commande à toutes. C'est celle du politique. La science militaire, la jurisprudence, la rhétorique ne sont que les gardiennes des lois et les servantes de la royauté.

Tous les genres de science contenus dans la cité ayant été reconnus et éliminés, expliquons la politique par l'exemple du tissage royal. Il y a, contrairement à l'opinion commune, des parties de la vertu qui, non seulement diffèrent d'autres parties, mais peuvent être ennemies l'une de l'autre, par exemple, la tempérance et le courage. Nous louons par l'épithète de fort la vivacité et la vitesse; mais nous louons aussi par l'épithète de mesuré tout ce qui se meut avec une lenteur opportune. Si ces deux sortes de qualités se manifestent hors de propos, nous les critiquons et leur appliquons les noms opposés de violentes et d'extravagantes, de lâches et d'indolentes. Ceux qui portent en eux ces qualités et ces défauts se haïssent, et ce désaccord devient terrible dans la conduite de la vie; car les pacifiques, par un amour exagéré de la paix, risquent de tomber dans l'esclavage, et les forts, par amour de la lutte, de susciter contre leur cité des coalitions qui la perdent. C'est à la science politique qu'il appartient de neutraliser les uns par les autres les fâcheux effets de ces qualités opposées; c'est à elle d'entrecroiser ces deux tempéraments divers, comme le tisserand entrelace les fils de la chaîne et de la trame. Elle enchaîne la partie divine de l'âme avec un fil divin, qui est l'opinion vraie sur le beau et le bien, opinion qui tempère la fougue des forts et fortifie la faiblesse des modérés; et elle enchaîne de même la partie animale par des liens humains, qui sont ceux du mariage. Quand le caractère fort se reproduit sans mélange pendant plusieurs générations, il finit par dégénérer en fureur; et quand le caractère modéré s'unit toujours à son pareil, il finit par tomber en langueur. Pour éviter ces conséquences, le vrai politique unira les forts avec les tempérés, sans tenir compte d'autre considération que celle de l'intérêt de la race. Il faut agir de même dans le choix des gouvernants. S'il ne faut qu'un chef, on choisira un homme qui réunisse en lui la force et la modération; s'il en faut plusieurs, on choisira des forts et des modérés en nombre égal.

OBJET DU « POLITIQUE »

Le Politique est une définition de l'homme d'Etat destinée à servir de modèle de raisonnement aux élèves de l'Académie. Il a donc un double objet, dont le plus important semble être l'entraînement dialectique. C'est du moins l'avis de l'auteur, s'il faut en croire l'étranger, qui demande au jeune Socrate (285 d) : « Et notre enquête actuelle sur le politique, est-ce en vue du politique lui-même que nous nous la sommes proposée? N'est-ce pas plutôt pour devenir meilleurs dialecticiens ? » A quoi le jeune Socrate réplique : « Il est évident que c'est pour cela. »

Or la méthode préconisée dans *le Politique* est la même que dans *le Sophiste*. C'est une méthode de classification analogue à celle que pratiquent les naturalistes pour classer les plantes. C'est la méthode dichotomique qui, pour arriver à définir un objet, partage le genre auquel il appartient en toutes les espèces qu'il enferme, jusqu'à ce que, après avoir écarté tous les autres objets qui ont des caractères communs avec lui, on parvienne enfin au caractère spécifique de l'objet étudié. Cette méthode n'est pas nouvelle. On la trouve déjà appliquée, dans le *Gorgias*, à la distinction des arts (450 c et 464 b-465), et le *Phèdre* (265 d-c) la recommande en des termes analogues à ceux du *Politique*. Ce qui est nouveau, c'est l'illustration que nous en donnent *le Sophiste*, et surtout *le Politique*, où les règles sont exposées en détail (262 b-263 b). L'important est de diviser en parties qui soient en même temps des espèces. Il faut donc se garder de diviser arbitrairement en prenant une petite partie pour l'opposer à tout le reste, par exemple, les Grecs pour les opposer à toutes les autres nations, ou une myriade pour l'opposer au reste de la numération. Autant que possible, il faut diviser par moitiés, et, si la division par espèces n'est pas possible, par membres naturels, comme on le fait pour les victimes dans un sacrifice.

Que ces exercices de dichotomie fussent une pratique courante à l'Académie à l'époque où *le Sophiste* et *le Politique* furent composés, nous en avons un curieux témoignage dans un passage du poète comique Epicrate, rapporté par Athénée (II, 59 d). On y voit les élèves de l'Académie occupés à définir, sous la surveillance de Platon, de Speusippe et de Ménédème, les animaux d'après leur genre de vie, les arbres d'après leur nature, les légumes d'après leurs familles, et parmi ceux-ci la citrouille. Le même Athénée nous apprend que Speusippe dans le deuxième livre de ses Ὅμοια avait classé d'après leurs ressemblances un grand nombre de plantes et d'animaux. « Quand on voit que ce second livre et l'*Histoire des animaux* d'Aristote énumèrent souvent les mêmes classes, presque toutes les mêmes espèces, on ne saurait méconnaître tout ce que ces exercices dialectiques de l'Académie ont préparé de matière autant que de méthode à la science aristotélicienne. » (A. Diès.)

LE PARADIGME

A la dichotomie il faut adjoindre le paradigme. Comme il est difficile d'expliquer clairement les grandes choses, il faut recourir à des exemples ou paradigmes. Il faut procéder comme on fait à l'école pour apprendre à lire aux enfants. Les enfants distinguent aisément chacun des éléments dans les syllabes les plus courtes et les plus faciles, mais ils ne les reconnaissent pas dans les plus longues. Il faut les ramener d'abord aux groupes qu'ils connaissent, puis les placer devant des groupes qu'ils ne connaissent pas encore et leur faire voir, en les comparant, que les lettres sont de même forme dans les deux composés, de manière que ces groupes deviennent des paradigmes qui leur apprennent à reconnaître chaque lettre, dans quelque groupe qu'elle se trouve (277 d-278). En face des éléments de toutes choses, nous sommes soumis aux mêmes incertitudes que les enfants en face des lettres. Il nous faut donc chercher un paradigme, pour nous aider à reconnaître les objets importants qui nous échappent. C'est à quoi sert le tissage pour définir le politique, comme le pêcheur à la ligne avait servi de modèle pour définir le sophiste dans le dialogue précédent.

Ce procédé non plus n'est pas nouveau. Platon en avait usé déjà dans plus d'un dialogue. C'est ainsi, par exemple, que dans le *Ménon* (74 b-77 a) Socrate définit la figure et la couleur pour mettre Ménon sur la voie et l'aider à chercher la définition de la vertu. Le paradigme n'est au fond qu'une extension systématique des perpétuelles comparaisons dont se servait Socrate pour mettre sa pensée en lumière, quand il parlait « d'ânes bâtés, de forgerons, de cordonniers, de tanneurs » (*Banquet*, 221 e). Seulement Platon a développé le procédé, l'a systématisé et en a fait une méthode scolaire dans *le Sophiste* et dans *le Politique*.

LE MYTHE

Pour arriver à distinguer nettement le roi de ses rivaux, Platon a recours à un vaste mythe composé de trois fragments de légendes, qu'il rattache au même phénomène. Partant de la légende d'Atrée, pour qui Zeus fit rétrograder le soleil et les astres, il fait tourner l'univers tantôt dans un sens, tantôt dans le sens opposé. Pendant une période, c'est Dieu lui-même qui le dirige : alors les hommes ne naissent pas les uns des autres, mais sortent de la terre, et c'est dans cette période que se place le règne de Cronos, où les hommes n'avaient qu'à se laisser vivre, la nature leur fournissant tout d'elle-même. Pendant une autre période, Dieu abandonne le gouvernail. Le monde se meut alors de son propre mouvement et il est ainsi abandonné assez longtemps pour marcher à rebours pendant plusieurs myriades de révolutions, parce que sa masse immense et parfaitement équilibrée tourne sur un pivot extrêmement petit*. C'est dans un de ces cycles que nous vivons. Le monde, livré à lui-même, suit d'abord les instructions de son Dieu et père; mais peu à peu le désordre prend le dessus, et l'univers se perdrait dans l'abîme de la dissemblance si Dieu ne reprenait le gouvernail. Dans un cycle comme le nôtre, les hommes ne naissent plus de la terre; ils s'engendrent d'eux-mêmes. Privés de la nourriture que la terre leur fournissait sans travail et en proie aux bêtes sauvages, ils auraient péri si les dieux ne leur avaient donné les arts.

En imaginant ces deux cycles opposés, Platon s'est inspiré d'Empédocle, qui fait osciller l'univers de l'un au multiple et du multiple à l'un, sous l'influence de la haine et de l'amour, ce qui détermine pour les choses mortelles « une double naissance et un double évanouissement ». Malheureusement nous sommes trop peu renseignés sur la doctrine d'Empédocle pour faire le départ exact de ce que Platon lui a emprunté et de ce qu'il a imaginé lui-même. Mais, lorsque Platon emprunte, il ajuste toujours ses emprunts à ses vues, et l'on retrouve sous les images de ce mythe l'opposition foncière qu'il établit partout entre le divin et l'humain, entre l'intelligence divine ordonnatrice et la matière en proie au désordre, entre le gouvernement de Dieu et celui des hommes.

Quant à la vie, telle qu'elle était au temps de Cronos, c'est un sujet qui avait été souvent traité avant Platon, notamment par Hésiode, dont la race d'or et la cinquième race correspondent aux deux vies exposées dans *le Politique*. Platon lui-même a repris le même thème dans *les Lois*. Au livre IV (713 b-714 b), il peint l'âge de Cronos des mêmes couleurs que dans *le Politique ;* au début du livre III, il peint l'humanité se reformant après une grande catastrophe, un déluge auquel ont survécu quelques pâtres réfugiés sur les montagnes. Mais, au lieu d'insister sur l'impuissance et la misère des hommes, comme il les a décrites dans le *Protagoras* et dans *le Politique*, il s'attache à dépeindre l'aisance et l'innocence de la nouvelle société qui se forme, des mêmes traits dont il a décrit dans *la République* (371 b-372 d) la cité naissante. La différence des peintures s'explique par celle des points de vue : dans la première il s'agissait de peindre la misère des hommes abandonnés à eux-mêmes, dans la seconde, le bonheur d'une communauté

* P.-M. Schuhl, *Sur le mythe politique* (Revue de Métaphysique et de Morale, XXXIV, 1932), pense que Platon a en vue un appareil représentant les mouvements du ciel, bien équilibré et mobile sur un pivot. Cet appareil est suspendu par un fil à un crochet. Quand on le fait tourner, le fil se tord; si on cesse de le faire tourner, le fil se détord et l'appareil tourne en sens inverse assez longtemps, parce que sa masse est équilibrée sur un pivot très petit.

primitive que les raffinements de la civilisation n'ont pas encore gâtée.

A première vue, ce mythe semble avoir un rapport assez lâche avec le sujet. Les seules conclusions que l'étranger en tire, c'est que la définition du roi pasteur convient bien au pasteur divin, mais non au pasteur humain, et qu'il a commis une erreur en ne distinguant pas chez ce dernier le roi du tyran. Etait-ce bien la peine de faire une si longue digression pour noter ces différences ? Elles pouvaient être signalées en quelques lignes. En réalité, en exposant ce mythe étrange, Platon s'est proposé avant tout de reposer le lecteur d'une discussion assez aride. Les mythes du *Gorgias*, de *la République*, du *Phédon* et du *Phèdre* avaient certainement ravi ses lecteurs par leur magnificence et leur beauté poétique. Il a voulu donner la même parure au *Politique* et s'assurer le même succès; mais il s'est bien rendu compte que son mythe était un pur ornement, puisqu'il s'est excusé lui-même de sa longueur.

LA JUSTE MESURE

C'est à propos de ce mythe, et de ses longs développements sur le tissage dans *le Politique* et du non-être dans *le Sophiste*, qu'il a essayé de se justifier en exposant ses idées sur la mesure qui convient dans les arts. Ce n'est pas sur la quantité, c'est sur la convenance qu'ils doivent se régler, pour ne dire ni trop ni trop peu. S'agit-il de philosophie, si le sujet exige de longs développements pour atteindre la vérité, il ne faut pas hésiter à sacrifier la brièveté : la vérité seule importe, le reste ne compte pas. Si d'autre part, la longueur des détours que l'on prend peut contribuer à rendre l'esprit plus apte à la dialectique et à l'invention, ici encore le but justifie les moyens. Il n'est pas interdit non plus de sacrifier à l'agrément quand l'occasion le demande : il a son utilité même pour la recherche de la vérité; car il rafraîchit l'attention quand le débat devient ardu et difficile à suivre. Tels sont les principes qui ont guidé Platon dans la composition de ses ouvrages : c'est d'après ces principes qu'il demande à être jugé.

LA POLITIQUE

La politique a toujours été une des premières préoccupations de Platon. Sans parler de ses voyages en Sicile, où il espérait établir un gouvernement selon son cœur, ses deux plus grands ouvrages, *la République* et *les Lois*, se rapportent à la politique, et bien que le troisième soit un exercice d'école, il n'en marque pas moins l'intérêt passionné que l'auteur prenait au gouvernement des Etats. *Le Politique* tient le milieu entre *la République*, où Platon expose son idéal de gouvernement, et *les Lois*, où il codifie des règles pratiques.

A *la République* il reprend l'idée d'un gouvernement fondé sur la science : mais après en avoir constaté l'impossibilité, il se rabat, comme dans *les Lois*, sur un gouvernement purement humain et par suite imparfait. Il accorde la toute-puissance à la science, comme dans *la République*, où un petit nombre de sages, entraînés à la dialectique et l'œil fixé sur l'Idée du bien, sont chargés de former les hommes à la ressemblance du modèle divin qu'ils contemplent. Mais *le Politique* va plus loin : il soutient que celui qui a la science peut non seulement légiférer, mais changer les lois sans l'assentiment du peuple et même leur imposer de force ses volontés contrairement à la loi. Cette audacieuse assertion choquait les idées reçues, comme en témoigne l'étonnement du jeune Socrate, quand il l'entend énoncer. Elle semble même en contradiction avec le respect religieux de la loi que Socrate professe dans le *Criton* et dans sa discussion avec Calliclès (*Gorgias*, 482 c-505 b). En réalité la contradiction n'est qu'apparente. Dans le cas du *Politique*, il s'agit d'un philosophe qui, fort de sa science et de la droiture de ses intentions, impose ce qui est juste et bon, comme le médecin impose son traitement au malade; dans l'autre, il s'agit d'un particulier en révolte contre la loi, révolte inadmissible dans les gouvernements imparfaits, qui n'ont d'autre sauvegarde que la loi. Cependant, même dans le cas d'un gouvernement parfait, le droit de contrainte que Platon reconnaît au chef peut paraître exorbitant. Peut-on contraindre des hommes libres à recevoir des lois qui leur répugnent ? Quels résultats peut-on espérer d'une telle contrainte ? Et quel mérite y a-t-il à faire le bien malgré soi ? Platon fait trop peu de cas de la liberté individuelle : il est, sur ce point, en conformité avec les idées des Anciens, qui absorbent entièrement l'individu dans la cité.

Le politique idéal est d'ailleurs impossible à trouver dans le cycle actuel, où les pasteurs divins du cycle précédent ont fait place à des pasteurs humains. Aussi faut-il recourir à la loi, si l'on veut éviter que le chef, toujours tenté d'abuser de son pouvoir, ne devienne un tyran. C'est pourquoi, quel que soit le gouvernement, royauté, aristocratie, ou démocratie, il est nécessaire que les lois soient inviolables. S'il y a des réfractaires, on les mettra à mort, ou on les bannira, ou on les réduira au rang d'esclaves. C'est le rôle du royal tisserand d'éliminer les éléments mauvais et de n'admettre dans la composition de sa toile que des éléments convenables. Or les éléments convenables sont de deux sortes, comme les fils du tisserand : il y a en effet dans la nature des caractères pacifiques; si les fougueux s'allient pendant plusieurs générations à leurs pareils, ils deviennent sauvages, et si les pacifiques ne s'unissent qu'avec des pacifiques, ils deviennent lâches et faibles à l'excès. C'est au roi à marier les uns avec les autres, comme le tisserand entrecroise les fils de la chaîne et les fils de la trame. On fera de même pour les gouvernants : s'il n'y a qu'un chef, il faudra le choisir courageux et doux, guerrier et pacifique à la fois; s'il y en a plusieurs, il faudra que le nombre des forts et celui des doux s'équilibrent aussi rigoureusement que possible.

En somme, les deux grandes idées qui sont mises en relief dans *le Politique*, c'est la toute-puissance de la science, qui peut et doit même, à l'occasion, se substituer à la loi et s'imposer de force pour le bien des administrés, et celle des mariages entre gens de caractères opposés. La première est à peu près impossible à réaliser en dehors d'un monde idéal gouverné par un dieu. Quant à la seconde, il nous paraît qu'elle n'est pas réalisable non plus dans les grands Etats que sont les Etats modernes. D'ailleurs le hasard se charge de mêler les tempéraments, tout aussi bien que pourrait le faire un roi qui aurait assez peu de sujets et assez de loisir pour s'occuper de ce détail. Platon lui-même se rendait bien compte que la tâche d'un gouvernement est bien autrement étendue et compréhensive que celle qu'il assignait au royal tisserand, puisque, après *le Politique*, il a composé le grand ouvrage des *Lois*. Mais son principal dessein, en composant *le Politique*, comme en composant le *Parménide* et *le Sophiste*, était de donner un modèle de discussion dialectique, et c'est la raison pour laquelle il a ainsi restreint la peinture du politique au tissage des caractères.

L'ART DANS « LE POLITIQUE »

Le Politique, étant un ouvrage scolaire, n'a pas toujours été apprécié à sa valeur. La méthode dichotomique a été jugée bizarre. Du vivant même de Platon, les poètes comiques l'avaient tournée en ridicule, et l'on dirait en effet que Platon s'amuse à étonner son lecteur par la subtilité de certaines divisions pour le moins inattendues. C'est de nos jours seulement qu'on a pris le procédé au sérieux et qu'on y a vu une véritable méthode scientifique.

Quoi qu'il en soit des excès et des bizarreries, *le Politique* n'en est pas moins fort intéressant par les réflexions qu'on y trouve sur le pouvoir de la science, la nécessité des lois et l'art d'accoupler les caractères. Quand la discussion trop prolongée deviendrait pénible à suivre, des digressions brillantes la coupent à propos. La plus belle de toutes est le mythe des deux révolutions contraires de l'univers; elle ne le cède point en originalité et en poésie aux mythes du *Gorgias* et du *Phédon*. Les digressions sur le paradigme, sur la mesure, sur les incommodités des divers gouvernements sont des repos agréables au lecteur par la justesse de la pensée et le naturel exquis du style. Enfin le peintre de Dèmos et de la démocratie athénienne dans *la République* se retrouve ici avec sa verve satirique inépuisable dans le tableau du gouvernement d'Athènes, livré au hasard et à l'incompétence. Le souvenir de Socrate, victime de l'ignorance de ses juges, vient encore aviver l'impression que ce gouvernement à rebours du bon sens laisse dans l'esprit. Bref, on reconnaît partout la griffe du lion dans l'originalité et l'élévation de la pensée, dans la hardiesse de l'imagination, dans les digressions qui reposent et charment l'esprit, dans l'art de conduire le dialogue et dans le style tantôt coupé, tantôt périodique, où l'aisance et le naturel s'allient à la grâce et à la poésie.

LA DATE DE L'OUVRAGE

Le Politique se rattache très étroitement au *Sophiste*, puisque la conversation qui en est l'objet est censée faire suite à celle du *Sophiste*. Mais la date de la composition du *Sophiste* étant incertaine, celle du *Politique* ne l'est pas moins. Il est d'ailleurs possible que Platon n'ait pas écrit les deux à la suite l'un de l'autre, et qu'un certain intervalle se soit écoulé entre les deux, pendant lequel Platon travaillait au grand ouvrage des *Lois*, qui offre beaucoup d'analogie avec *le Politique*. Les dates proposées par les critiques oscillent de l'an ~ 367 à l'an ~ 357. Wilamowitz croit que *le Politique* fut écrit entre le deuxième et le troisième voyage, c'est-à-dire entre ~ 367 et ~ 361, et que c'est le troisième voyage qui empêcha Platon de donner suite à son projet de définir aussi le philosophe. On ne peut faire à ce sujet que des conjectures : celle de Wilamowitz nous paraît être la plus vraisemblable.

LE POLITIQUE
[ou **De la royauté;** *genre logique*]

PERSONNAGES DU DIALOGUE.

SOCRATE, THÉODORE, L'ÉTRANGER,
SOCRATE LE JEUNE

SOCRATE

I. — Quelle reconnaissance je te dois, Théodore, de m'avoir fait faire la connaissance de Théétète, ainsi que celle de l'étranger!

THÉODORE

Tu m'en devras bientôt le triple, Socrate, quand ils t'auront défini le politique et le philosophe.

SOCRATE

J'entends; mais est-ce bien là, cher Théodore, le mot que nous dirons avoir entendu dans la bouche du grand maître du calcul et de la géométrie ?

THÉODORE

Que veux-tu dire, Socrate ?

SOCRATE

Que tu attribues la même valeur à chacun de ces hommes, alors qu'ils diffèrent en mérite au-delà de toutes les proportions de votre art.

THÉODORE

Par notre dieu Ammon [37], voilà qui est bien parler, Socrate, et justement, et tu as vraiment de la présence d'esprit de me reprocher cette faute de calcul. Je te revaudrai cela une autre fois. Pour toi, étranger, ne te lasse pas de nous obliger, continue [38] et choisis d'abord entre le politique et le philosophe, et, ton choix fait, développe ton idée.

L'ÉTRANGER

C'est ce qu'il faut faire, Théodore, du moment que nous avons tenté l'entreprise, et il ne faut pas y renoncer que nous ne soyons arrivés au terme de nos recherches. Mais à l'égard de Théétète, que faut-il que je fasse ?

THÉODORE

Que veux-tu dire ?

L'ÉTRANGER

Le laisserons-nous reposer et mettrons-nous à sa place son compagnon d'exercices, le Socrate que voici ? sinon que conseilles-tu ?

THÉODORE

Prends-le à sa place, comme tu l'as dit; car ils sont jeunes tous les deux et ils supporteront plus aisément la fatigue jusqu'au bout, si on leur donne du répit.

SOCRATE

Il me semble d'ailleurs, étranger, qu'ils ont tous les deux avec moi une sorte de lien de famille. En tout cas, l'un me ressemble, dites-vous, par les traits du visage; l'autre est mon homonyme et cette communauté de nom nous donne un air de parenté. Or on doit toujours être jaloux d'apprendre à connaître ses parents en conversant ensemble. Avec Théétète, j'ai moi-même, hier, noué connaissance en m'entretenant avec lui, et je viens de l'entendre te répondre; mais avec Socrate, je n'ai fait ni l'un ni l'autre. Il faut pourtant l'examiner, lui aussi. Une autre fois, c'est à moi qu'il donnera la réplique; aujourd'hui c'est à toi.

L'ÉTRANGER

C'est cela. Eh bien, Socrate, entends-tu ce que dit Socrate ?

SOCRATE LE JEUNE

Oui.

L'ÉTRANGER

Et tu consens à ce qu'il propose ?

SOCRATE LE JEUNE

Très volontiers.

L'ÉTRANGER

De ton côté, pas d'obstacle, à ce que je vois; il siérait encore moins, je crois, qu'il y en eût du mien. Maintenant il faut, ce me semble, après le sophiste, étudier à nous deux le politique. Or dis-moi : devons-nous le ranger, lui aussi, parmi ceux qui savent, ou que faut-il en penser ?

SOCRATE LE JEUNE

Qu'il est de ceux qui savent.

L'ÉTRANGER

II. — Il faut donc diviser les sciences comme nous avons fait en examinant le sujet précédent.

SOCRATE LE JEUNE

Peut-être bien.

L'ÉTRANGER

Mais ici, Socrate, la division, ce me semble, ne se fera pas de la même manière.

SOCRATE LE JEUNE

Comment donc ?

L'ÉTRANGER

D'une manière différente.

SOCRATE LE JEUNE

C'est vraisemblable.

L'ÉTRANGER

Comment donc trouvera-t-on le sentier de la science politique ? car il faut le découvrir, et, après l'avoir séparé des autres, le marquer d'un caractère unique, puis, appliquant une autre marque unique à tous les sentiers qui s'en écartent, amener notre esprit à se représenter toutes les sciences comme formant deux espèces.

SOCRATE LE JEUNE

A présent, étranger, c'est ton affaire, j'imagine, et non la mienne.

L'ÉTRANGER

Il faut pourtant, Socrate, que ce soit aussi la tienne, quand nous serons parvenus à y voir clair.

SOCRATE LE JEUNE

Tu as raison.

L'ÉTRANGER

Eh bien, l'arithmétique et certains autres arts apparentés avec elle ne sont-ils pas indépendants de l'action et ne se bornent-ils pas à fournir une connaissance ?

SOCRATE LE JEUNE

C'est exact.

L'ÉTRANGER

Au contraire ceux qui ont trait à l'art de bâtir et à tous les travaux manuels ont leur science liée, pour ainsi dire, à l'action et l'aident à produire des corps qui n'existaient pas auparavant.

SOCRATE LE JEUNE

C'est indéniable.

L'ÉTRANGER

Pars donc de là pour diviser l'ensemble des sciences, et donne à une partie le nom de science pratique, à l'autre celui de science purement théorique.

SOCRATE LE JEUNE

Soit : distinguons dans l'unité de la science en général deux espèces.

L'ÉTRANGER

Maintenant admettrons-nous que le politique est en même temps roi, maître et administrateur de ses biens et grouperons-nous tout cela sous un seul titre, ou dirons-nous qu'il y a là autant d'arts que nous avons cité de noms ? Mais suis-moi plutôt par ici.

SOCRATE LE JEUNE

Par où?

L'ÉTRANGER

Voici. Supposons qu'un homme soit capable de donner des conseils à un médecin public [39], quoiqu'il ne soit lui-même qu'un simple particulier, ne devra-t-on pas lui donner le même nom professionnel qu'à celui qu'il conseille ?

SOCRATE LE JEUNE

Si.

L'ÉTRANGER

De même, si quelqu'un a le talent de conseiller le roi d'un pays, quoiqu'il ne soit lui-même qu'un simple particulier, ne dirons-nous pas qu'il possède la science que le souverain lui-même devrait posséder ?

SOCRATE LE JEUNE

Nous le dirons.

L'ÉTRANGER

Mais la science d'un véritable roi, c'est la science royale ?

SOCRATE LE JEUNE

Oui.

L'ÉTRANGER

Et celui qui la possède, qu'il soit chef ou simple particulier, n'aura-t-il pas, quel que soit son cas, droit au titre royal du fait même de son art ?

SOCRATE LE JEUNE

Il y aura droit certainement.

L'ÉTRANGER

Et il en sera de même de l'administrateur et du maître de maison ?

SOCRATE LE JEUNE

Sans contredit.

L'ÉTRANGER

Mais dis-moi : entre l'état d'une grande maison et le volume d'une petite cité, y a-t-il quelque différence au regard du gouvernement ?

SOCRATE LE JEUNE

Aucune.

L'ÉTRANGER

Par conséquent, pour en revenir à la question que nous nous posions tout à l'heure, il est clair qu'il n'y a pour tout cela qu'une seule science; maintenant, qu'on l'appelle royale, politique, économique, nous ne disputerons pas sur le mot.

SOCRATE LE JEUNE

A quoi bon, en effet ?

L'ÉTRANGER

III. — Mais il est clair aussi qu'un roi fait peu de choses avec ses mains et le reste de son corps pour maintenir son pouvoir, en comparaison de ce qu'il fait par l'intelligence et la force de son âme.

SOCRATE LE JEUNE

C'est clair.

L'ÉTRANGER

Dès lors, veux-tu que nous disions que le roi a plus d'affinité avec la science théorique qu'avec les arts manuels et avec les arts pratiques en général ?

SOCRATE LE JEUNE

Sans difficulté.

L'ÉTRANGER

Donc la science politique et le politique, la science royale et l'homme royal, tout cela, nous le réunirons ensemble, comme une seule èt même chose ?

SOCRATE LE JEUNE

Evidemment.

L'ÉTRANGER

Maintenant ne procéderions-nous pas avec ordre, si après cela, nous divisions la science théorique ?

SOCRATE LE JEUNE

Certainement si.

L'ÉTRANGER

Applique-toi donc pour voir si nous n'y découvrirons pas une division naturelle.

SOCRATE LE JEUNE

Quelle division ? Explique-toi.

L'ÉTRANGER

Celle-ci. Nous avons dit qu'il y a un art du calcul.

SOCRATE LE JEUNE

Oui.

L'ÉTRANGER

Il rentre absolument, je crois, dans les arts théoriques.

SOCRATE LE JEUNE

Sans doute.

L'ÉTRANGER

Le calcul connaît la différence des nombres. Lui attribuerons-nous encore une autre fonction que de juger ce qu'il connaît ?

SOCRATE LE JEUNE

Quelle autre pourrions-nous lui attribuer ?

L'ÉTRANGER

De même aucun architecte n'est lui-même ouvrier, il commande seulement les ouvriers.

SOCRATE LE JEUNE

Oui.

L'ÉTRANGER

Il ne fournit, j'imagine, que son savoir, mais pas de travail manuel.

SOCRATE LE JEUNE

C'est vrai.

L'ÉTRANGER

Il serait donc juste de dire qu'il participe à la science théorique.

SOCRATE LE JEUNE

Certainement.

L'ÉTRANGER

Cependant il ne doit pas, je pense, une fois qu'il a porté son jugement, s'en tenir là et se retirer, comme faisait le calculateur, mais bien commander à chacun de ses ouvriers ce qu'il a à faire, jusqu'à ce qu'ils aient achevé ce qu'on leur a commandé.

SOCRATE LE JEUNE

C'est juste.

L'ÉTRANGER

Ainsi toutes les sciences de cette sorte et toutes celles qui se rattachent au calcul sont des sciences théoriques, mais il n'y en a pas moins là deux espèces qui diffèrent en ce que les unes jugent et les autres commandent. Est-ce vrai ?

SOCRATE LE JEUNE

Il semble.

L'ÉTRANGER

Si donc nous divisions la totalité de la science théorique en deux parties et que nous appelions l'une science du commandement, et l'autre science du jugement, nous pourrions dire que notre division serait juste ?

SOCRATE LE JEUNE

Oui, selon moi.

L'ÉTRANGER

Mais lorsqu'on fait quelque chose en commun, on doit se trouver heureux d'être d'accord ?

SOCRATE LE JEUNE

Sans contredit.

L'ÉTRANGER

Donc, aussi longtemps que nous resterons d'accord, ne nous préoccupons pas des opinions des autres.

SOCRATE LE JEUNE

A quoi bon, en effet ?

L'ÉTRANGER

IV. — Voyons maintenant : dans lequel de ces deux arts devons-nous placer l'homme royal ? Le placerons-nous dans l'art de juger, comme une sorte de spectateur ? Ne tiendrons-nous pas plutôt qu'il appartient à l'art du commandement, puisque c'est un maître ?

SOCRATE LE JEUNE

Plutôt, certainement.

L'ÉTRANGER

Revenons à l'art du commandement et voyons s'il comporte quelque division. Il me semble qu'on peut le diviser ainsi : comme nous avons distingué l'art des détaillants de l'art des marchands fabricants, ainsi le genre royal se distingue, semble-t-il, du genre des hérauts.

SOCRATE LE JEUNE

Comment ?

L'ÉTRANGER

Les détaillants achètent d'abord les produits des autres et, quand ils les ont reçus, ils les revendent.

SOCRATE LE JEUNE

Parfaitement.

L'ÉTRANGER

De même la tribu des hérauts reçoit les pensées d'autrui sous forme d'ordres et les retransmet à son tour à d'autres.

SOCRATE LE JEUNE

C'est très vrai.

L'ÉTRANGER

Eh bien, confondrons-nous la science du roi avec celle de l'interprète, du chef des rameurs, du devin, du héraut et de beaucoup d'autres arts de la même famille qui sont tous en possession du commandement ? Ou bien veux-tu que, poursuivant notre comparaison de tout à l'heure, nous forgions aussi un nom par comparaison, puisque le genre de ceux qui commandent de leur propre autorité est à peu près sans nom, et que nous fassions notre division en mettant le genre royal dans la classe des autocrates et que nous laissions de côté tout le reste et passions à d'autres le soin de lui donner un nom ? car c'est le chef qui est l'objet de notre recherche, et non pas son contraire.

SOCRATE LE JEUNE

Parfaitement.

L'ÉTRANGER

V. — Maintenant que nous avons bien séparé ce dernier genre des autres, en distinguant le pouvoir personnel du pouvoir emprunté, ne faut-il pas le diviser lui-même à son tour, si nous trouvons encore en lui quelque sectionnement qui s'y prête ?

SOCRATE LE JEUNE

Certainement.

L'ÉTRANGER

Et il paraît bien que nous le tenons. Mais suis-moi bien et divise avec moi.

SOCRATE LE JEUNE

Par où ?

L'ÉTRANGER

Imaginons tous les chefs qu'il nous plaira dans l'exercice du commandement : ne trouverons-nous pas que leurs ordres ont en vue quelque production ?

SOCRATE LE JEUNE

Sans aucun doute.

L'ÉTRANGER

Or il n'est pas du tout difficile de partager en deux l'ensemble des productions.

SOCRATE LE JEUNE

Comment ?

L'ÉTRANGER

Dans cet ensemble, les unes, j'imagine, sont inanimées, les autres animées.

SOCRATE LE JEUNE

Oui.

L'ÉTRANGER

C'est d'après cela même que nous partagerons, si nous voulons la partager, la partie de la science théorique qui a trait au commandement.

SOCRATE LE JEUNE

Comment ?

L'ÉTRANGER

En préposant une de ses parties à la production des êtres inanimés, et l'autre à celle des êtres animés, et ainsi le tout se trouvera dès lors partagé en deux.

SOCRATE LE JEUNE

Parfaitement.

L'ÉTRANGER

Maintenant, de ces parties, laissons l'une de côté et reprenons l'autre, puis partageons en deux ce nouveau tout.

SOCRATE LE JEUNE

Laquelle des deux dis-tu qu'il faut reprendre ?

L'ÉTRANGER

Il n'y a pas de doute, je pense : c'est celle qui commande aux êtres vivants; car la science royale ne préside pas, comme l'architecture, aux choses sans vie; elle est plus relevée; c'est parmi les êtres vivants et relativement à eux seuls qu'elle exerce toujours son autorité.

SOCRATE LE JEUNE

C'est juste.

L'ÉTRANGER

Quant à la production et à l'élevage des êtres vivants, on peut y distinguer, d'une part, l'élevage individuel, et, de l'autre, les soins donnés en commun aux nourrissons dans les troupeaux.

SOCRATE LE JEUNE

C'est juste.

L'ÉTRANGER

Mais nous ne trouverons pas le politique occupé à l'élevage d'un seul individu, comme celui qui n'a qu'un bœuf ou un cheval à soigner; il a plus de ressemblance avec celui qui fait paître des troupeaux de chevaux ou de bœufs.

SOCRATE LE JEUNE

Je le vois, à présent que tu viens de le dire.

L'ÉTRANGER

Maintenant cette partie de l'élevage des êtres vivants qui en nourrit en commun des groupes nombreux, l'appellerons-nous élevage de troupeaux ou élevage collectif ?

SOCRATE LE JEUNE

L'un ou l'autre, au hasard du discours.

L'ÉTRANGER

VI. — Bravo, Socrate! Si tu te gardes toujours d'attacher de l'importance aux mots, tu deviendras plus riche en sagesse sur tes vieux jours. Pour le moment, nous n'avons qu'à suivre ton conseil. Revenons à l'élevage en troupeaux : conçois-tu comment, après avoir montré qu'il comprend deux parties, on peut faire en sorte que ce qu'on cherchait tout à l'heure dans les deux moitiés confondues on ne le cherche désormais que dans une ?

SOCRATE LE JEUNE

Je m'y applique. Il me semble à moi qu'il y a d'un côté l'élevage des hommes et de l'autre celui des bêtes.

L'ÉTRANGER

Voilà qui est promptement et hardiment divisé; mais tâchons, autant que possible, de ne plus recommencer.

SOCRATE LE JEUNE

Quoi ?

L'ÉTRANGER

Ne détachons pas une petite partie pour l'opposer à beaucoup d'autres grandes, sans tenir compte de l'espèce; que chaque partie contienne en même temps une espèce. C'est en effet très bien de séparer sur-le-champ de tout le reste ce que l'on cherche, à condition de tomber juste. Ainsi toi, tout à l'heure, tu as cru tenir ta division, tu as anticipé le raisonnement, en voyant qu'il allait vers les hommes. Mais, en réalité, mon ami, il n'est pas sûr de faire de petites coupures; il l'est davantage de procéder en divisant par moitiés; on trouve mieux ainsi les espèces. Or c'est là ce qui importe par-dessus tout pour nos recherches.

SOCRATE LE JEUNE

Comment dis-tu cela, étranger ?

L'ÉTRANGER

Il faut essayer de parler encore plus clairement par égard pour une nature comme la tienne. Pour le moment, il est sans doute impossible d'exposer la question sans rien omettre; mais il faut essayer de pousser encore un peu plus avant pour l'éclaircir.

SOCRATE LE JEUNE

Qu'y a-t-il donc d'inexact, selon toi, dans la division que nous venons de faire ?

L'ÉTRANGER

Voici. Nous avons fait comme si, voulant diviser en deux le genre humain, on en faisait le partage à la manière de la plupart des gens d'ici, qui séparent la race hellénique de tout le reste, comme formant une unité distincte, et, réunissant toutes les autres sous la dénomination unique de barbares, bien qu'elles soient innombrables, qu'elles ne se mêlent pas entre elles et ne parlent pas la même langue, se fondent sur cette appellation unique pour les regarder comme une seule espèce. C'est encore comme si l'on croyait diviser les nombres en deux espèces en coupant une myriade sur le tout, dans l'idée qu'on en fait une espèce à part, et qu'on prétendît, en donnant à tout le reste un nom unique, que cette appellation suffit pour en faire aussi un genre unique, différent du premier. Mais on ferait plus sagement et on diviserait mieux par espèces et par moitiés, si l'on partageait les nombres en pairs et impairs et le genre humain en mâles et femelles, et si l'on n'en venait à séparer et opposer les Lydiens, ou les Phrygiens, ou quelque autre peuple à tous les autres que lorsqu'il n'y aurait plus moyen de trouver une division dont chaque terme fût à la fois espèce et partie.

SOCRATE LE JEUNE

VII. — Ce que tu dis est très juste. Mais cette espèce même et cette partie, étranger, comment peut-on reconnaître qu'elles ne sont pas une même chose, mais qu'elles diffèrent l'une de l'autre ?

L'ÉTRANGER

O le meilleur des hommes, ce n'est pas une mince tâche que tu m'imposes là, Socrate. Nous ne nous sommes déjà que trop écartés de notre sujet, et toi, tu demandes que nous nous en éloignions encore davantage. Pour le moment, revenons sur nos pas, comme il convient ; quant à la piste que tu voudrais suivre, nous la reprendrons plus tard, quand nous aurons le temps. En attendant, garde-toi bien d'aller jamais t'imaginer que tu m'as entendu expliquer ceci clairement.

SOCRATE LE JEUNE

Quoi ?

L'ÉTRANGER

Que l'espèce et la partie sont différentes l'une de l'autre.

SOCRATE LE JEUNE

En quoi ?

L'ÉTRANGER

C'est que, là où il y a espèce, elle est forcément partie de la chose dont elle est dite être une espèce; mais il n'est pas du tout forcé que la partie soit espèce. C'est cette explication plutôt que l'autre, Socrate, que tu devras toujours donner comme mienne.

SOCRATE LE JEUNE

C'est ce que je ferai.

L'ÉTRANGER

Dis-moi maintenant.

SOCRATE LE JEUNE

Quoi ?

L'ÉTRANGER

De quel point notre digression nous a entraînés jusqu'ici. Je pense que c'est précisément de l'endroit où, t'ayant demandé comment il fallait diviser l'art d'élever les troupeaux, tu m'as répondu avec tant d'empressement qu'il y a deux genres d'êtres animés, d'un côté, le genre humain, et de l'autre, l'ensemble des bêtes formant un genre unique.

SOCRATE LE JEUNE

C'est vrai.

L'ÉTRANGER

Il m'a paru alors que, détachant une partie, tu t'imaginais que toutes celles que tu laissais ne formaient qu'un seul genre, parce que tu pouvais leur donner à toutes le même nom, celui de bêtes.

SOCRATE LE JEUNE

C'est encore vrai.

L'ÉTRANGER

Mais, ô le plus intrépide des hommes, si, parmi les autres animaux, il en est un qui soit doué d'intelligence, comme paraît être la grue ou quelque bête du même genre, et que la grue par exemple distribue les noms comme tu viens de le faire, elle opposerait sans doute les grues comme une espèce à part aux autres animaux, se faisant ainsi honneur à elle-même, et, groupant tout le reste, y compris les hommes, en une même classe, elle ne leur donnerait sans doute pas d'autre nom que celui de bêtes. Tâchons donc, nous, de nous tenir en garde contre toutes les fautes de ce genre.

SOCRATE LE JEUNE

Comment ?

L'ÉTRANGER

En ne divisant pas le genre animal tout entier, afin d'être moins exposés à ces erreurs.

SOCRATE LE JEUNE

Il ne faut pas, en effet, le diviser tout entier.

L'ÉTRANGER

Car c'est cela qui nous a fait tomber dans l'erreur.

SOCRATE LE JEUNE

Quoi donc ?

L'ÉTRANGER

Toute la partie de la science théorique qui a trait au commandement, nous l'avons rangée dans le genre élevage des animaux, des animaux qui vivent en troupeaux, n'est-ce pas ?

SOCRATE LE JEUNE

Oui.

L'ÉTRANGER

Dès ce moment-là tout le genre animal se divisait en animaux apprivoisés et en sauvages; car si leur nature admet la domestication, on les appelle paisibles, et si elle ne l'admet pas, sauvages.

SOCRATE LE JEUNE

Bien.

L'ÉTRANGER

Or la science que nous poursuivons s'est toujours rapportée et se rapporte encore aux animaux paisibles, et c'est du côté de ceux qui vivent en troupeaux qu'il faut la chercher.

SOCRATE LE JEUNE

Oui.

L'ÉTRANGER

Ne divisons donc pas, comme nous l'avons fait alors, en envisageant le tout et en nous pressant pour arriver vite à la politique; car c'est pour cela que nous avons éprouvé tout à l'heure la déception dont parle le proverbe.

SOCRATE LE JEUNE

Laquelle ?

L'ÉTRANGER

Celle d'avoir avancé plus lentement, pour n'avoir pas pris tranquillement le temps de bien diviser.

SOCRATE LE JEUNE

Cela a été une bonne leçon pour nous, étranger.

L'ÉTRANGER

VIII. — Je ne le nie pas; mais reprenons au commencement et essayons de nouveau de diviser l'élevage en commun. Peut-être le cours même de l'entretien t'apportera-t-il plus de lumière sur la recherche qui te tient à cœur. Dis-moi donc.

SOCRATE LE JEUNE

Quoi ?

L'ÉTRANGER

Ceci, dont tu as dû entendre parler souvent; car je ne sache pas que tu aies assisté toi-même à l'élevage des poissons dans le Nil [40] ou dans les étangs royaux; mais peut-être l'as-tu vu pratiquer dans les fontaines.

SOCRATE LE JEUNE

Dans les fontaines, oui, je l'ai vu; pour les autres, j'en ai entendu parler plus d'une fois.

L'ÉTRANGER

De même, pour les troupeaux d'oies et de grues, sans avoir parcouru les plaines de Thessalie, tu sais certainement et tu crois qu'on en élève.

SOCRATE LE JEUNE

Sans doute.

L'ÉTRANGER

Si je t'ai posé toutes ces questions, c'est que, parmi les animaux qu'on élève en troupeaux, il y a, d'un côté, ceux qui vivent dans l'eau, et, de l'autre, ceux qui marchent sur la terre ferme.

SOCRATE LE JEUNE

Oui, en effet.

L'ÉTRANGER

Alors n'es-tu pas d'avis avec moi qu'il faut diviser la science de l'élevage en commun de cette manière : appliquer à chacune de ces deux classes la partie de cette science qui la concerne et nommer l'une élevage aquatique, et l'autre élevage en terre ferme ?

SOCRATE LE JEUNE

J'en suis d'avis.

L'ÉTRANGER

Alors nous ne chercherons pas auquel de ces deux arts appartient le métier de roi; c'est évident pour tout le monde.

SOCRATE LE JEUNE

Sans contredit.

L'ÉTRANGER

Tout le monde aussi est à même de diviser la tribu terrestre des animaux qu'on élève en troupes.

SOCRATE LE JEUNE

De quelle façon ?

L'ÉTRANGER

En distinguant ceux qui volent et ceux qui marchent.

SOCRATE LE JEUNE

C'est très vrai.

L'ÉTRANGER

Mais quoi ? est-il besoin de se demander si la science politique a pour objet les animaux qui marchent ? Ne crois-tu pas que l'homme le plus borné, si je puis dire, en jugerait ainsi ?

SOCRATE LE JEUNE

Je le crois.

L'ÉTRANGER

Mais l'élevage des animaux qui marchent, il faut montrer que, comme le nombre tout à l'heure, il se divise aussi en deux parties.

SOCRATE LE JEUNE

Evidemment.

L'ÉTRANGER

Or, pour la partie vers laquelle se dirige notre recherche, je crois apercevoir deux routes qui y mènent, l'une, plus rapide, qui sépare une petite partie qu'elle oppose à une plus grande, et l'autre, plus en accord avec la règle que nous avons énoncée précédemment, de couper, autant que possible, par moitiés, mais en revanche plus longue. Nous sommes libres de prendre celle des deux que nous voudrons.

SOCRATE LE JEUNE

Et les deux, est-ce donc impossible ?

L'ÉTRANGER

A la fois, oui, étonnant jeune homme; mais l'une après l'autre, évidemment, c'est possible.

SOCRATE LE JEUNE

Alors, moi, je choisis les deux, l'une après l'autre.

L'ÉTRANGER

C'est facile, vu que ce qui reste est court. Au commencement et au milieu du parcours, il eût été difficile de satisfaire à ta demande; mais à présent, puisque tu le juges bon, prenons d'abord la route la plus longue : frais comme nous sommes, nous la parcourrons plus aisément. Maintenant vois comme je divise.

SOCRATE LE JEUNE

Parle.

L'ÉTRANGER

IX. — Ceux des marcheurs apprivoisés qui vivent en troupeaux se divisent naturellement en deux espèces.

SOCRATE LE JEUNE

Sur quoi fondes-tu ta division ?

L'ÉTRANGER

Sur ce fait que les uns naissent sans cornes et les autres avec des cornes.

SOCRATE LE JEUNE

Cela est clair.

L'ÉTRANGER

Maintenant, en divisant l'élevage des marcheurs, désigne chaque partie en la définissant. Car, si tu veux leur donner un nom, ce sera compliquer ta tâche plus qu'il n'est nécessaire.

SOCRATE LE JEUNE

Comment faut-il donc dire ?

L'ÉTRANGER

Comme ceci : l'art de paître les marcheurs étant partagé en deux parties, il faut appliquer l'une à la partie cornue du troupeau et l'autre à la partie dépourvue de cornes.

SOCRATE LE JEUNE

Va pour cette façon de dire; elle désigne au moins les choses assez clairement.

L'ÉTRANGER

Nous voyons aussi clairement que le roi paît un troupeau dépourvu de cornes.

SOCRATE LE JEUNE

Comment ne pas le voir ?

L'ÉTRANGER

Maintenant morcelons ce troupeau et tâchons d'assigner au roi la portion qui lui appartient.

SOCRATE LE JEUNE

Oui, tâchons-y.

L'ÉTRANGER

Alors, veux-tu que nous le divisions selon que le pied est fendu, ou, comme on dit, d'une seule pièce, ou selon qu'il y a croisement de races ou race pure ? Tu comprends, je pense ?

SOCRATE LE JEUNE

Quoi ?

L'ÉTRANGER

Que les chevaux et les ânes engendrent naturellement entre eux.

SOCRATE LE JEUNE

Oui.

L'ÉTRANGER

Au lieu que le reste de ce doux troupeau des apprivoisés est incapable de ce croisement de races.

SOCRATE LE JEUNE

Cela est vrai.

L'ÉTRANGER

Eh bien, l'espèce dont le politique s'occupe te paraît-elle être celle dont la nature admet le croisement ou celle qui n'engendre que chez elle ?

SOCRATE LE JEUNE

C'est évidemment celle qui se refuse au croisement.

L'ÉTRANGER

Or cette espèce, il faut, ce semble, la partager en deux, comme les précédentes.

SOCRATE LE JEUNE

Il le faut effectivement.

L'ÉTRANGER

Voilà donc maintenant tous les animaux apprivoisés qui vivent en troupes à peu près entièrement divisés, hormis deux genres; car, pour le genre chien, il ne vaut pas la peine qu'on le compte parmi les bêtes qu'on élève en troupeaux.

SOCRATE LE JEUNE

Non, assurément. Mais comment diviser ces deux espèces ?

L'ÉTRANGER

Comme il est juste que vous les divisiez, Théétète et toi, puisque vous vous occupez de géométrie.

SOCRATE LE JEUNE

Comment ?

L'ÉTRANGER

Naturellement par la diagonale et puis par la diagonale de la diagonale.

SOCRATE LE JEUNE

Comment l'entends-tu ?

L'ÉTRANGER

Est-ce que la nature de notre race à nous autres hommes n'est pas, en ce qui concerne la marche, entièrement assimilable à la diagonale sur laquelle peut se construire un carré de deux pieds [41] ?

SOCRATE LE JEUNE

Elle l'est.

L'ÉTRANGER

Et la nature de l'autre espèce n'est-elle pas, à son tour, considérée, du point de vue de la racine carrée, comme la diagonale du carré de notre racine, puisqu'elle est naturellement de deux fois deux pieds [42] ?

SOCRATE LE JEUNE

Comment en serait-il autrement ? Je comprends à peu près ce que tu veux démontrer.

L'ÉTRANGER

Ne voyons-nous pas d'ailleurs, Socrate, qu'il nous est arrivé dans notre division quelque chose de bien propre à exciter le rire ?

SOCRATE LE JEUNE

Quoi ?

L'ÉTRANGER

Voilà notre race humaine qui va de compagnie et lutte de vitesse avec ce genre d'être le plus noble[43] et aussi le plus indolent.

SOCRATE LE JEUNE

Je le vois : c'est un résultat bien bizarre.

L'ÉTRANGER

Mais quoi ! n'est-il pas naturel que les plus lents arrivent les derniers ?

SOCRATE LE JEUNE

Cela, oui.

L'ÉTRANGER

Ne remarquons-nous pas aussi que le roi apparaît sous un jour plus ridicule encore, lorsqu'il lutte à la course avec son troupeau et fournit la carrière à côté de l'homme le mieux entraîné à cette vie indolente ?

SOCRATE LE JEUNE

C'est tout à fait vrai.

L'ÉTRANGER

C'est maintenant, en effet, Socrate, que s'éclaire la réflexion que nous avons faite lors de notre enquête sur le sophiste[44].

SOCRATE LE JEUNE

Quelle réflexion ?

L'ÉTRANGER

Que notre méthode d'argumentation ne s'inquiète pas plus de ce qui est noble que de ce qui ne l'est pas, qu'elle estime autant le plus petit que le plus grand, et qu'elle poursuit toujours son propre chemin vers la vérité la plus parfaite.

SOCRATE LE JEUNE

Il semble bien.

L'ÉTRANGER

Maintenant, sans attendre que tu me demandes quelle était cette route plus courte dont je parlais tout à l'heure pour arriver à la définition du roi, veux-tu que je t'y guide moi-même le premier ?

SOCRATE LE JEUNE

Certainement.

L'ÉTRANGER

Eh bien, je dis que nous aurions dû diviser tout de suite les animaux marcheurs en opposant les bipèdes aux quadrupèdes, puis voyant l'homme rangé encore dans la même classe que les volatiles seuls, partager le troupeau bipède à son tour en bipèdes nus et en bipèdes emplumés [45], qu'enfin cette division faite et l'art de paître les humains mis dès lors en pleine lumière, placer à sa tête l'homme politique et royal, l'y installer comme cocher et lui remettre les rênes de l'Etat, comme lui appartenant de droit, en tant que possesseur de cette science.

SOCRATE LE JEUNE

Voilà qui est parfait : tu m'as rendu raison, comme si tu me payais une dette, en ajoutant la digression en guise d'intérêts et pour faire bonne mesure.

L'ÉTRANGER

X. — Allons maintenant, revenons en arrière et enchaînons du commencement à la fin les anneaux de la définition que nous avons donnée de l'art politique.

SOCRATE LE JEUNE

Oui, faisons-le.

L'ÉTRANGER

Dans la science théorique, nous avons en commençant distingué une partie, celle du commandement, puis dans celle-ci une portion que nous avons appelée par analogie commandement direct. Du commandement direct nous avons détaché à son tour l'art d'élever les êtres animés, qui n'en est pas le genre le moins important; de l'art d'élever les êtres vivants, l'espèce qui consiste dans l'élevage en troupeaux, et de l'élevage en troupeaux, l'art de paître les animaux qui marchent, dont la section principale a été l'art de nourrir la race dépourvue de cornes. La partie à détacher de cet art n'exige pas moins qu'un triple entrelacement [46], si on veut la ramener dans un terme unique, en l'appelant l'art de paître des races qui ne se croisent pas. Le segment qui s'en sépare, seule partie qui reste encore après celle des troupeaux bipèdes, est l'art de paître les hommes, et c'est précisément ce que nous cherchions, l'art qui s'appelle à la fois royal et politique [47].

SOCRATE LE JEUNE

C'est bien cela.

L'ÉTRANGER

Mais est-il bien sûr, Socrate, que ce que tu viens de dire, nous l'ayons réellement fait ?

SOCRATE LE JEUNE

Quoi donc ?

L'ÉTRANGER

Que nous ayons traité notre sujet d'une manière absolument satisfaisante ? ou n'est-ce pas justement le défaut de notre enquête, qu'elle a bien abouti à une sorte de définition, mais non à une définition complète et définitive ?

SOCRATE LE JEUNE

Que veux-tu dire ?

L'ÉTRANGER

Je vais tâcher, pour moi comme pour toi, d'expliquer encore plus clairement ma pensée.

SOCRATE LE JEUNE

Parle.

L'ÉTRANGER

Nous avons vu tout à l'heure, n'est-ce pas, qu'il y avait plusieurs arts de paître les troupeaux et que l'un d'eux était la politique et le soin d'une sorte particulière de troupeau ?

SOCRATE LE JEUNE

Oui.

L'ÉTRANGER

Et cet art, notre argumentation l'a distingué de l'élevage des chevaux et d'autres bêtes et nous l'avons défini l'art d'élever en commun des hommes.

SOCRATE LE JEUNE

C'est cela même.

L'ÉTRANGER

XI. — Considérons maintenant la différence qu'il y a entre tous les autres pasteurs et les rois.

SOCRATE LE JEUNE

Quelle est-elle ?

L'ÉTRANGER

Voyons s'il n'y aurait pas quelqu'un qui, empruntant son nom d'un autre art, affirme et prétende qu'il concourt à nourrir le troupeau en commun avec un des autres pasteurs.

SOCRATE LE JEUNE

Que veux-tu dire ?

L'ÉTRANGER

Sais-tu bien, par exemple, que tous les commerçants, laboureurs, boulangers et aussi les maîtres de gymnase et la tribu des médecins, tous ces gens-là pourraient fort bien soutenir, avec force raisons, contre ces pasteurs d'hommes que nous avons appelés des politiques, que ce sont eux qui s'occupent de nourrir les hommes, et non seulement ceux du troupeau, mais aussi leurs chefs ?

SOCRATE LE JEUNE

N'auraient-ils pas raison de le soutenir ?

L'ÉTRANGER

Peut-être : c'est une autre question à examiner. Ce que nous savons, c'est que personne ne contestera au bouvier aucun de ces titres. C'est bien le bouvier, lui seul, qui nourrit le troupeau, lui qui en est le médecin, lui qui en est, si je puis dire, le marieur, lui qui, expert en accouchement, aide à la naissance des petits et à la délivrance des mères. Ajoute que, pour les jeux et la musique, dans la mesure où la nature permet à ses nourrissons d'y prendre part, nul autre ne s'entend mieux à les égayer et à les apprivoiser en les charmant, et, qu'il se serve d'instruments ou seulement de sa bouche, il exécute à merveille les airs qui conviennent à son troupeau. Et il en est de même des autres pasteurs, n'est-il pas vrai ?

SOCRATE LE JEUNE

Parfaitement vrai.

L'ÉTRANGER

Comment donc admettre que nous avons défini le roi d'une manière juste et distincte, quand nous l'avons proclamé seul pasteur et nourricier du troupeau humain et séparé de mille autres qui lui disputent ce titre ?

SOCRATE LE JEUNE

On ne peut l'admettre en aucune façon.

L'ÉTRANGER

Est-ce que nos appréhensions n'étaient pas fondées, quand tout à l'heure le soupçon nous est venu que, si nous pouvions avoir rencontré en discutant quelques traits du caractère royal, nous n'avions pas encore pour cela achevé exactement le portrait de l'homme d'Etat, tant que nous n'aurions pas écarté ceux qui se pressent autour de lui et se prétendent pasteurs comme lui et que nous ne l'aurions pas séparé d'eux, pour le montrer, lui seul, dans toute sa pureté ?

SOCRATE LE JEUNE

Elles étaient très justes.

L'ÉTRANGER

C'est donc là, Socrate, ce que nous avons à faire, si, à la fin de notre discussion, nous ne voulons pas avoir à en rougir.

SOCRATE LE JEUNE

C'est ce qu'il faut éviter à tout prix.

L'ÉTRANGER

XII. — Il faut donc partir d'un autre point de vue et suivre une route différente.

SOCRATE LE JEUNE

Laquelle ?

L'ÉTRANGER

Mêlons à ce débat une sorte d'amusement. Il nous faut en effet faire usage d'une bonne partie d'une vaste légende, après quoi, séparant toujours, comme nous l'avons fait précédemment, une partie d'une partie précédente, nous arriverons au terme de notre recherche. N'est-ce pas ainsi qu'il faut procéder ?

SOCRATE LE JEUNE

Certainement si.

L'ÉTRANGER

Prête donc à ma fable toute ton attention, comme les enfants. Aussi bien il n'y a pas beaucoup d'années que tu as quitté les jeux de l'enfance.

SOCRATE LE JEUNE

Parle, je te prie.

L'ÉTRANGER

Parmi tant d'autres traditions antiques qui ont eu et qui auront cours encore, je relève le prodige qui marqua la fameuse querelle d'Atrée et de Thyeste. Tu as, je pense, entendu raconter et tu te rappelles ce qu'on dit qui arriva alors ?

SOCRATE LE JEUNE

Tu veux sans doute parler du prodige de la brebis d'or [48].

L'ÉTRANGER

Non pas, mais du changement du coucher et du lever du soleil et des autres astres, qui se couchaient alors à l'endroit où ils se lèvent aujourd'hui et se levaient du côté opposé. C'est précisément à cette occasion que le dieu, pour témoigner en faveur d'Atrée, changea cet ordre en celui qui existe aujourd'hui.

SOCRATE LE JEUNE

Effectivement, on raconte aussi cela.

L'ÉTRANGER

Il y a aussi le règne de Cronos que nous avons souvent entendu répéter.

SOCRATE LE JEUNE

Oui, très souvent.

L'ÉTRANGER

Et aussi cette tradition que les hommes d'avant nous naissaient de la terre au lieu de s'engendrer les uns les autres [49].

SOCRATE LE JEUNE

Oui, c'est aussi là un de nos vieux récits.

L'ÉTRANGER

Eh bien, tous ces prodiges et mille autres encore plus merveilleux ont leur source dans le même événement; mais la longueur du temps qui s'est écoulé a fait oublier les uns, tandis que les autres se sont fragmentés et ont donné lieu à des récits séparés. Quant à l'événement qui a été cause de tous ces prodiges, personne n'en a parlé, mais c'est le moment de le raconter; car le récit en servira à définir le roi.

SOCRATE LE JEUNE

XIII. — Voilà qui est fort bien dit. Maintenant parle sans rien omettre.

L'ÉTRANGER

Ecoute. Cet univers où nous sommes, tantôt le dieu lui-même dirige sa marche et le fait tourner, tantôt il le laisse aller, quand ses révolutions ont rempli la mesure du temps qui lui est assigné; alors il tourne de lui-même en sens inverse, parce qu'il est un être animé et qu'il a été doué d'intelligence par celui qui l'a organisé au début. Quant à cette disposition à la marche rétrograde, elle est nécessairement innée en lui, pour la raison que voici.

SOCRATE LE JEUNE

Quelle raison ?

L'ÉTRANGER

Etre toujours dans le même état et de la même manière et rester identique n'appartient qu'aux êtres les plus divins de tous; mais la nature du corps n'est pas de cet ordre. Or cet être que nous avons nommé ciel et monde, bien qu'il ait reçu de son créateur une foule de dons bienheureux, ne laisse pas de participer du corps. Par suite, il lui est impossible d'être entièrement exempt de changement, mais il se meut, autant qu'il en est capable, à la même place, de la même manière et d'un même mouvement. Aussi a-t-il reçu le mouvement circulaire inverse, qui est celui qui l'écarte le moins de son mouvement original.

Mais quant à se faire tourner soi-même éternellement, cela n'est guère possible qu'à celui qui dirige tout ce qui se meut, et à celui-là la loi divine interdit de mouvoir tantôt dans tel sens, tantôt dans un sens opposé. Il résulte de tout cela qu'il ne faut dire ni que le monde se meut lui-même éternellement, ni qu'il reçoit tout entier et toujours de la divinité ces deux rotations contraires, ni enfin qu'il est mû par deux divinités de volontés opposées. Mais, comme je l'ai dit tout à l'heure, et c'est la seule solution qui reste, tantôt il est dirigé par une cause divine étrangère à lui, recouvre une vie nouvelle et reçoit du démiurge une immortalité nouvelle, et tantôt, laissé à lui-même, il se meut de son propre mouvement et il est ainsi abandonné assez longtemps pour marcher à rebours pendant plusieurs myriades de révolutions, parce que sa masse immense et parfaitement équilibrée tourne sur un pivot extrêmement petit [50].

SOCRATE LE JEUNE

En tout cas, tout ce que tu viens d'exposer paraît fort vraisemblable.

L'ÉTRANGER

XIV. — En nous fondant sur ce qui vient d'être dit, essayons de nous rendre compte de l'événement que nous avons dit être la cause de tous ces prodiges. Or c'est exactement ceci.

SOCRATE LE JEUNE

Quoi ?

L'ÉTRANGER

Le mouvement de l'univers, qui tantôt le porte dans le sens où il tourne à présent, et tantôt dans le sens contraire.

SOCRATE LE JEUNE

Comment cela ?

L'ÉTRANGER

On doit croire que ce changement est de toutes les révolutions célestes [51] la plus grande et la plus complète.

SOCRATE LE JEUNE

C'est en tout cas vraisemblable.

L'ÉTRANGER

Il faut donc penser que c'est alors aussi que se produisent les changements les plus considérables pour nous qui habitons au sein de ce monde.

SOCRATE LE JEUNE

Cela aussi est vraisemblable.

L'ÉTRANGER

Mais ne savons-nous pas que la nature des animaux supporte difficilement le concours de changements considérables, nombreux et divers ?

SOCRATE LE JEUNE

Comment ne le saurions-nous pas ?

L'ÉTRANGER

Alors il s'ensuit forcément une grande mortalité parmi les animaux et, dans la race humaine elle-même, il ne reste qu'un petit nombre de vivants, et ceux-ci éprouvent un grand nombre d'accidents étranges et nouveaux, dont le plus grave est celui-ci, qui résulte du mouvement rétrograde de l'univers, lorsqu'il vient à tourner dans une direction contraire à la direction actuelle.

SOCRATE LE JEUNE

Quel est cet accident ?

L'ÉTRANGER

Tout d'abord l'âge de tous les animaux, quel qu'il fût alors, s'arrêta court, et tout ce qui était mortel cessa de s'acheminer vers la vieillesse et d'en avoir l'aspect et, changeant en sens contraire, devint pour ainsi dire plus jeune et plus délicat. Aux vieillards, les cheveux blancs noircissaient; les joues de ceux qui avaient de la barbe, redevenues lisses, les ramenaient à leur jeunesse passée, et les corps des jeunes gens, devenant de jour en jour et de nuit en nuit plus lisses et plus menus, revenaient à l'état de l'enfant nouveau-né, et leur âme aussi bien que leur corps s'y conformait; puis, se flétrissant de plus en plus, ils finissaient par disparaître complètement. Quant à ceux qui en ces temps-là périssaient de mort violente, leur cadavre passait par les mêmes transformations avec une telle rapidité qu'en peu de jours il se consumait sans laisser de traces.

SOCRATE LE JEUNE

XV. — Et la génération, étranger, comment se faisait-elle en ce temps-là chez les animaux, et de quelle manière se reproduisaient-ils les uns les autres ?

L'ÉTRANGER

Il est évident, Socrate, que la reproduction des uns par les autres n'était pas dans la nature d'alors. Mais la race née de la terre qui, suivant la tradition, a existé jadis, c'est celle qui ressortit en ce temps-là du sein de la terre et dont le souvenir nous a été transmis par nos premiers ancêtres, qui, nés au commencement de notre cycle, touchaient immédiatement au temps où finit le cycle précédent. Ce sont eux qui furent pour nous les hérauts de ces traditions que beaucoup de gens ont aujourd'hui le tort de révoquer en doute. Il faut, en effet, considérer ce qui devait s'ensuivre. Une conséquence naturelle du retour des vieillards à l'état d'enfants, c'est que les morts, enfouis dans la terre, devaient s'y reconstituer et remonter à la vie, suivant l'inversion de mouvement qui ramenait la génération en sens contraire. C'est ainsi qu'ils naissaient forcément de la terre, et c'est de là que viennent leur nom et la tradition qui les concerne, tous ceux du moins qui ne furent pas emportés par un dieu vers une autre destinée.

SOCRATE LE JEUNE

C'est en effet une conséquence toute naturelle de ce qui s'était produit avant. Mais le genre de vie que tu rapportes au règne de Cronos se place-t-il dans l'autre période de révolution ou dans la nôtre ? car le changement dans le cours des astres et du soleil se produit évidemment dans l'une et dans l'autre des deux périodes.

L'ÉTRANGER

Tu as bien suivi mon raisonnement. Quant au temps dont tu me parles, où tout naissait de soi-même pour l'usage des hommes, il n'appartient pas du tout au cours actuel du monde, mais bien, comme le reste, à celui qui a précédé. Car, en ce temps-là, le dieu commandait et surveillait le mouvement de l'ensemble, et toutes les parties du monde étaient divisées par régions, que les dieux gouvernaient de même. Les animaux aussi avaient été répartis en genres et en troupeaux sous la conduite de démons, sorte de pasteurs divins, dont chacun pourvoyait par lui-même à tous les besoins de ses propres ouailles [52], si bien qu'il n'y en avait point de sauvages, qu'elles ne se mangeaient pas entre elles et qu'il n'y avait parmi elles ni guerre ni querelle d'aucune sorte; enfin tous les biens qui naissaient d'un tel état de choses seraient infinis à redire. Mais, pour en revenir à ce qu'on raconte de la vie des hommes, pour qui tout naissait de soi-même, elle s'explique comme je vais dire. C'est Dieu lui-même qui veillait sur eux et les faisait paître, de même qu'aujourd'hui les hommes, race différente et plus divine, paissent d'autres races inférieures à eux. Sous sa gouverne, il n'y avait ni Etats ni possession de femmes et d'enfants; car c'est du sein de la terre que tous remontaient à la vie, sans garder aucun souvenir de leur passé. Ils ne connaissaient donc aucune de ces institutions; en revanche, ils avaient à profusion des fruits que leur donnaient les arbres et beaucoup d'autres plantes, fruits qui poussaient sans culture et que la terre produisait d'elle-même. Ils vivaient la plupart du temps en plein air sans habit et sans lit; car les saisons étaient si bien tempérées qu'ils n'en souffraient aucune incommodité et ils trouvaient des lits moelleux dans l'épais gazon qui sortait de la terre. Telle était, Socrate, la vie des hommes sous Cronos. Quant à celle d'aujourd'hui, à laquelle on dit que Zeus préside, tu la connais par expérience. Maintenant, serais-tu capable de décider laquelle des deux est la plus heureuse, et voudrais-tu le dire ?

SOCRATE LE JEUNE

Non, pas du tout.

L'ÉTRANGER

Alors, veux-tu que j'en décide en quelque façon, pour toi ?

SOCRATE LE JEUNE

Très volontiers.

L'ÉTRANGER

XVI. — Eh bien donc, si les nourrissons de Cronos, qui avaient tant de loisir et la facilité de s'entretenir par la parole, non seulement avec les hommes, mais encore avec les animaux, profitaient de tous ces avantages pour cultiver la philosophie, conversant avec les bêtes aussi bien qu'entre eux et questionnant toutes les créatures pour savoir si l'une d'elles, grâce à quelque faculté particulière, n'aurait pas découvert quelque chose de plus que les autres pour accroître la science, il est facile de juger qu'au point de vue du bonheur, les hommes d'autrefois l'emportaient infiniment sur ceux d'aujourd'hui. Mais si, occupés à se gorger de nourriture et de boisson, ils n'échangeaient entre eux et avec les bêtes que des fables comme celles qu'on rapporte encore aujourd'hui à leur sujet, la question, s'il en faut dire mon avis, n'est pas moins facile à trancher. Quoi qu'il en soit, laissons cela de côté, jusqu'à ce que nous trouvions un homme capable de nous révéler de quelle nature étaient les goûts de cette époque au regard de la science et de l'emploi de la parole. Quant à la raison pour laquelle nous avons réveillé cette fable, c'est le moment de la dire, afin que nous puissions ensuite avancer et finir notre discours.

Lorsque le temps assigné à toutes ces choses fut accompli, que le changement dut se produire et que la race issue de la terre fut entièrement éteinte, chaque âme ayant payé son compte de naissances en tombant dans la terre sous forme de semence autant de fois qu'il lui avait été prescrit, alors le pilote de l'univers, lâchant la barre du gouvernail, se retira dans son poste d'observation, et le monde rebroussa chemin de nouveau, suivant sa destinée et son inclination native. Dès lors tous les dieux qui, dans chaque région, secondaient la divinité suprême dans son commandement, en s'apercevant de ce qui se passait, abandonnèrent à leur tour les parties du monde confiées à leurs soins. Dans ce renversement, le monde se trouva lancé à la fois dans les deux directions contraires du mouvement qui commence et du mouvement qui finit, et, par la violente secousse qu'il produisit en lui-même, il fit périr encore une fois des animaux de toute espèce. Puis, lorsque après un intervalle de temps suffisant il eut mis un terme aux bouleversements, aux troubles, aux secousses qui l'agitaient et fut entré dans le calme, il reprit, d'un mouvement réglé, sa course habituelle, surveillant et gouvernant de sa propre autorité et lui-même et ce qui est en lui et se remémorant de son mieux les instructions de son auteur et père. Au commencement, il les exécutait assez exactement, mais à la fin avec plus de négligence. La cause en était l'élément corporel qui entre dans sa constitution et le défaut inhérent à sa nature primitive, qui était en proie à une grande confusion avant de parvenir à l'ordre actuel. C'est, en effet, de son organisateur que le monde a reçu ce qu'il a de beau; mais c'est de sa condition antérieure que viennent tous les maux et toutes les injustices qui ont lieu dans le ciel; c'est d'elle qu'il les tient et les transmet aux animaux. Tant qu'il fut guidé par son pilote dans l'élevage des animaux qui vivent dans son sein, il produisait peu de maux et de grands biens; mais une fois détaché de lui, pendant chaque période qui suit immédiatement cet abandon, il administre encore tout pour le mieux; mais à mesure que le temps s'écoule et que l'oubli survient, l'ancien désordre domine en lui davantage et, à la fin, il se développe à tel point que, ne mêlant plus que peu de bien à beaucoup de mal, il en arrive à se mettre en danger de périr lui-même et tout ce qui est en lui. Dès lors le dieu qui l'a organisé, le voyant en détresse, et craignant qu'assailli et dissous par le désordre, il ne sombre dans l'océan infini de la dissemblance, reprend sa place au gouvernail, et relevant les parties chancelantes ou dissoutes pendant la période antérieure où le monde était laissé à lui-même, il l'ordonne, et, en le redressant, il le rend immortel et impérissable.

Ici finit la légende. Mais cela suffit pour définir le roi, si nous le rattachons à ce qui a été dit plus haut. Quand en effet le monde se fut retourné vers la voie que suit aujourd'hui la génération, l'âge s'arrêta de nouveau et prit une marche nouvelle, contraire à la précédente. Les animaux qui, à force de diminuer, avaient été réduits presque à rien, se remirent à croître, et les corps nouvellement nés de la terre se mirent à grisonner, puis moururent et rentrèrent sous terre. Et tout le reste changea de même, imitant et suivant la modification de l'univers, et, en particulier, la conception, l'enfantement et le nourrissage imitèrent et suivirent nécessairement la révolution générale. Il n'était plus possible, en effet, que l'animal naquît dans le sein de la terre d'une combinaison d'éléments étrangers; mais, de même qu'il avait été prescrit au monde de diriger lui-même sa marche, de même ses parties elles-mêmes durent concevoir, enfanter et nourrir par elles-mêmes, autant qu'elles pourraient, en se soumettant à la même direction.

Nous voici maintenant au point où tendait tout ce discours. En ce qui concerne les autres animaux, il y aurait beaucoup à dire et il serait long d'expliquer quel était l'état de chacun et par quelles causes il s'est modifié; mais sur les hommes, il y a moins à dire et c'est plus à propos. Privés des soins du démon qui nous avait en sa possession et en sa garde, entourés d'animaux dont la plupart, naturellement sauvages, étaient devenus féroces, tandis qu'eux-mêmes étaient devenus faibles et sans protecteurs, les hommes étaient déchirés par ces bêtes, et, dans les premiers temps, ils n'avaient encore ni industrie ni art; car la nourriture qui s'offrait d'elle-même étant venue à leur manquer, ils ne savaient pas encore se la procurer, parce qu'aucune nécessité ne les y avait contraints jusqu'alors. Pour toutes ces raisons, ils étaient dans une grande détresse. Et c'est pourquoi ces présents dont parlent les anciennes traditions nous furent apportés par les dieux avec l'instruction et les enseignements nécessaires, le feu par Prométhée, les arts par Hèphaistos et la compagne de ses travaux [53], et les semences et les plantes par d'autres divinités [54]. De là sont sorties toutes les inventions qui ont contribué à l'organisation de la vie humaine, lorsque la protection divine, comme je l'ai dit tout à l'heure, vint à manquer aux hommes et qu'ils durent se conduire par eux-mêmes et prendre soin d'eux-mêmes, tout comme l'univers entier que nous imitons et suivons, vivant et naissant, tantôt comme nous faisons aujourd'hui, tantôt comme à l'époque précédente. Terminons ici notre récit, et qu'il nous serve à reconnaître à quel point nous nous sommes mépris en définissant le roi et la politique dans notre discours précédent.

SOCRATE LE JEUNE

XVII. — Mépris en quoi, et quelle est la gravité de cette méprise dont tu parles ?

L'ÉTRANGER

Elle est légère en un sens, mais en un autre très grave, et beaucoup plus grande et plus importante que celle de tout à l'heure.

SOCRATE LE JEUNE

Comment cela ?

L'ÉTRANGER

C'est que, interrogés sur le roi et le politique de la période actuelle du mouvement et de la génération, nous sommes allés chercher dans la période opposée le berger qui paissait le troupeau humain d'alors, un dieu au lieu d'un mortel, en quoi nous nous sommes gravement fourvoyés. D'autre part, en déclarant qu'il est le chef de la cité tout entière, sans expliquer de quelle façon, nous avons bien dit la vérité, mais pas complètement ni clairement, et voilà pourquoi notre erreur est ici moins grave que l'autre.

SOCRATE LE JEUNE

C'est vrai.

L'ÉTRANGER

Ce n'est donc que lorsque nous aurons expliqué la manière dont se gouverne l'Etat que nous pourrons nous flatter d'avoir donné du politique une définition complète.

SOCRATE LE JEUNE

Bien.

L'ÉTRANGER

C'est pour cela que nous avons introduit notre mythe : nous voulions non seulement montrer que tout le monde dispute à celui que nous cherchons en ce moment le titre de nourricier du troupeau, mais aussi voir sous un jour plus clair celui qui se chargeant seul, à l'exemple des bergers et des bouviers, de nourrir le troupeau humain, doit être seul jugé digne de ce titre.

SOCRATE LE JEUNE

C'est juste.

L'ÉTRANGER

Mais je suis d'avis, Socrate, que cette figure du pasteur divin est encore trop haute pour un roi et que nos politiques d'aujourd'hui sont, par leur nature, beaucoup plus semblables à ceux qu'ils commandent et s'en rapprochent aussi davantage par l'instruction et l'éducation qu'ils reçoivent.

SOCRATE LE JEUNE

Certainement.

L'ÉTRANGER

Mais qu'ils soient pareils à leurs sujets ou aux dieux, il n'en faut ni plus ni moins chercher à les définir.

SOCRATE LE JEUNE

Sans doute.

L'ÉTRANGER

Revenons donc en arrière comme je vais dire. L'art que nous avons dit être l'art de commander soi-même aux animaux et qui prend soin, non des individus, mais de la communauté, nous l'avons appelé sans hésiter l'art de nourrir les troupeaux, tu t'en souviens ?

SOCRATE LE JEUNE

Oui.

L'ÉTRANGER

Eh bien, c'est là que nous avons commis quelque erreur. Car nous n'y avons nulle part inclus ni nommé le politique : il a échappé à notre insu à notre nomenclature.

SOCRATE LE JEUNE

Comment ?

L'ÉTRANGER

Nourrir leurs troupeaux respectifs est, je pense, un devoir commun à tous les autres pasteurs, mais qui ne regarde pas le politique, à qui nous avons imposé un nom auquel il n'a pas droit, tandis qu'il fallait lui imposer un nom qui fût commun à tous.

SOCRATE LE JEUNE

Tu dis vrai, à supposer qu'il y en eût un.

L'ÉTRANGER

Or le soin des troupeaux, n'est-ce pas une chose commune à tous, si l'on ne spécifie pas le nourrissage ni aucun autre soin particulier ? En l'appelant art de garder les troupeaux, ou de les soigner, ou de veiller sur eux, expression qui s'applique à tous, nous pouvions envelopper le politique avec les autres, puisque l'argument a indiqué que c'est cela qu'il fallait faire.

SOCRATE LE JEUNE

XVIII. — Bien; mais la division qui vient ensuite, comment se serait-elle faite ?

L'ÉTRANGER

De la même manière que précédemment, quand, divisant l'élevage des troupeaux, nous avons distingué les animaux marcheurs et sans ailes, et les animaux qui ne se reproduisent qu'entre eux et qui ne portent pas de cornes. En appliquant ces mêmes divisions à l'art de soigner les troupeaux, nous aurions également compris dans notre discours et la royauté d'aujourd'hui et celle du temps de Cronos.

SOCRATE LE JEUNE

Apparemment, mais je me demande quelle aurait été la suite.

L'ÉTRANGER

Il est clair que, si nous avions employé ainsi le mot « art de soigner les troupeaux », il ne nous serait jamais arrivé d'entendre certaines gens soutenir qu'il n'y a pas du tout de soin, alors que tout à l'heure on a soutenu à juste titre qu'il n'y a pas parmi nous d'art qui mérite cette appellation de nourricier, et qu'en tout cas, s'il y en avait un, beaucoup de gens y pourraient prétendre avant le roi, et plus justement.

SOCRATE LE JEUNE

C'est exact.

L'ÉTRANGER

Quant au soin de la communauté humaine en son ensemble, aucun art ne saurait prétendre plus tôt et à plus juste titre que l'art royal, que ce soin le regarde et qu'il est l'art de gouverner toute l'humanité.

SOCRATE LE JEUNE

Tu as raison.

L'ÉTRANGER

Et maintenant, Socrate, ne nous apercevons-nous pas que, sur la fin même, nous avons commis une grosse faute ?

SOCRATE LE JEUNE

Quelle faute ?

L'ÉTRANGER

Celle-ci : si fortement que nous ayons été convaincus qu'il y a un art de nourrir le troupeau bipède, nous ne devions pas plus pour cela lui donner sur-le-champ le nom d'art royal et politique, comme si la définition en était achevée.

SOCRATE LE JEUNE

Qu'aurions-nous dû faire alors ?

L'ÉTRANGER

Il fallait d'abord, comme nous l'avons dit, modifier le nom, en lui donnant un sens plus voisin de « soin » que de « nourrissage », puis diviser ce soin ; car il comporte encore des sections qui ne sont pas sans importance.

SOCRATE LE JEUNE

Lesquelles ?

L'ÉTRANGER

D'abord la section suivant laquelle nous aurions séparé le pasteur divin du simple mortel qui prend soin d'un troupeau.

SOCRATE LE JEUNE

Bien.

L'ÉTRANGER

Après avoir détaché cet art de soigner, il fallait ensuite le diviser en deux parties.

SOCRATE LE JEUNE

Comment ?

L'ÉTRANGER

Selon qu'il s'impose par la force ou qu'il est librement accepté.

SOCRATE LE JEUNE

Sans contredit.

L'ÉTRANGER

C'est en ce point que nous nous sommes trompés précédemment, ayant eu l'excessive simplicité de confondre le roi et le tyran, qui sont si différents et en eux-mêmes et dans leurs façons respectives de gouverner.

SOCRATE LE JEUNE

C'est vrai.

L'ÉTRANGER

Ét maintenant, pour nous corriger, comme je l'ai dit, ne devons-nous pas diviser en deux l'art humain du soin, suivant qu'il y a violence ou accord mutuel ?

SOCRATE LE JEUNE

Assurément si.

L'ÉTRANGER

Et si nous appelons tyrannique celui qui s'exerce par la force, et politique celui qui soigne de gré à gré des animaux bipèdes vivant en troupes, ne pouvons-nous pas proclamer que celui qui exerce cet art et ce soin est le véritable roi et le véritable homme d'Etat ?

SOCRATE LE JEUNE

XIX. — Il y a des chances, étranger, que nous ayons ainsi une définition complète du politique.

L'ÉTRANGER

Ce serait parfait, Socrate; mais il ne suffit pas que tu sois seul de cette opinion, il faut que je la partage avec toi. Or, à mon avis, la figure du roi ne me paraît pas encore achevée. Mais de même que les statuaires parfois trop pressés retardent par des additions trop nombreuses et trop fortes l'achèvement de leurs œuvres, de même nous, dans notre désir de relever promptement et avec éclat l'erreur de notre précédent exposé, et dans la pensée qu'il convenait de comparer le roi à de grands modèles, nous nous sommes chargés d'une si prodigieuse masse de légende que nous avons été contraints d'en employer plus qu'il ne fallait. Par là nous avons fait notre démonstration trop longue; en tout cas, nous n'avons pu mener à sa fin notre mythe; et l'on peut dire que notre discours ressemble à une peinture d'animal dont les contours extérieurs paraîtraient bien dessinés, mais qui n'aurait pas encore reçu la clarté que le peintre y ajoute par le mélange des couleurs. Et ce n'est pas le dessin ni tout autre procédé manuel, c'est la parole et le discours qui conviennent le mieux pour représenter un être vivant devant des gens capables de suivre un argument; pour les autres, il vaut mieux employer la main.

SOCRATE LE JEUNE

Cela est bien dit; mais fais-nous voir en quoi tu trouves notre définition encore insuffisante.

L'ÉTRANGER

Il est difficile, excellent jeune homme, d'exposer de grandes choses avec une clarté suffisante, si l'on n'a pas recours à des exemples. Car il semble que chacun de nous connaît tout ce qu'il sait comme en rêve et qu'il ne connaît plus rien à l'état de veille.

SOCRATE LE JEUNE

Que veux-tu dire par là ?

L'ÉTRANGER

Il est bien étrange, semble-t-il, que j'aille aujourd'hui remuer la question de la formation de la science en nous.

SOCRATE LE JEUNE

En quoi donc ?

L'ÉTRANGER

C'est que mon exemple lui-même, bienheureux jeune homme, a besoin à son tour d'un exemple.

SOCRATE LE JEUNE

Eh bien, parle sans hésiter à cause de moi.

L'ÉTRANGER

XX. — Je parlerai, puisque, de ton côté, tu es prêt à me suivre. Nous savons, n'est-ce pas ? que les enfants, quand ils commencent à connaître les lettres...

SOCRATE LE JEUNE

Eh bien ?

L'ÉTRANGER

Ils distinguent assez bien chacun des éléments dans les syllabes les plus courtes et les plus faciles et sont capables de les désigner exactement.

SOCRATE LE JEUNE

Sans doute.

L'ÉTRANGER

Mais s'ils trouvent ces mêmes éléments dans d'autres syllabes, ils ne les reconnaissent plus et en jugent et en parlent d'une manière erronée.

SOCRATE LE JEUNE

Certainement.

L'ÉTRANGER

Or le moyen le plus facile et le plus beau de les amener à connaître ce qu'ils ne connaissent pas encore, ne serait-ce pas celui-ci ?

SOCRATE LE JEUNE

Lequel ?

L'ÉTRANGER

Les ramener d'abord aux groupes où ils avaient des opinions correctes sur ces mêmes lettres, puis, cela fait, les placer devant les groupes qu'ils ne connaissent pas encore et leur faire voir, en les comparant, que les lettres ont la même forme et la même nature dans les deux composés, jusqu'à ce qu'on leur ait montré, en face de tous les groupes qu'ils ignorent, ceux qu'ils reconnaissent exactement, et que ces groupes ainsi montrés deviennent des paradigmes qui leur apprennent, pour chacune des lettres, dans quelque syllabe qu'elle se trouve, à désigner comme autre que les autres celle qui est autre, et comme toujours la même et identique à elle-même celle qui est la même.

SOCRATE LE JEUNE

J'en suis entièrement d'accord.

L'ÉTRANGER

Maintenant nous voyons bien, n'est-ce pas, que ce qui constitue un paradigme, c'est le fait que le même élément est reconnu exactement dans un autre groupe distinct et que sur l'un et l'autre, comme s'ils formaient un seul ensemble, on se forme une opinion vraie unique.

SOCRATE LE JEUNE

Apparemment.

L'ÉTRANGER

Nous étonnerons-nous donc que notre âme, naturellement sujette aux mêmes incertitudes en ce qui concerne les éléments de toutes choses, tantôt se tienne ferme sur la vérité à l'égard de chaque élément dans certains composés, et tantôt se fourvoie sur tous les éléments de certains autres et qu'elle se forme d'une manière ou d'une autre une opinion droite sur certains éléments de ces combinaisons et qu'elle les méconnaisse quand ils sont transposés dans les syllabes longues et difficiles de la réalité ?

SOCRATE LE JEUNE

Il n'y a là rien d'étonnant.

L'ÉTRANGER

Le moyen, en effet, mon ami, quand on part d'une opinion fausse, d'atteindre même la moindre parcelle de vérité et d'acquérir de la sagesse ?

SOCRATE LE JEUNE

Ce n'est guère possible.

L'ÉTRANGER

Si donc il en est ainsi, nous ne ferions certainement pas mal, toi et moi, après avoir d'abord essayé de voir la nature de l'exemple en général dans un petit exemple particulier, d'appliquer ensuite le même procédé, expérimenté sur de petits objets, à l'objet très important qu'est la royauté, pour tenter de nouveau, au moyen de l'exemple, de reconnaître méthodiquement ce que c'est que le soin des choses de l'Etat et de passer ainsi du rêve à la veille. N'est-ce pas juste ?

SOCRATE LE JEUNE

Tout à fait juste.

L'ÉTRANGER

Il faut donc revenir à ce que nous avons dit ci-devant, que, puisque des milliers de gens disputent au genre royal le soin de l'Etat, il faut les écarter tous et ne conserver que le roi, et c'est précisément pour ce faire que nous disions avoir besoin d'un exemple.

SOCRATE LE JEUNE

Il le faut assurément.

L'ÉTRANGER

XXI. — Que pourrions-nous donc prendre comme exemple qui comportât le même genre d'activité que la politique et qui, comparé à elle, nous mettrait à même, en dépit de sa petitesse, de découvrir ce que nous cherchons. Au nom de Zeus, veux-tu, Socrate, si nous n'avons rien d'autre sous la main, que nous choisissions le tissage, et encore, si tu n'as pas d'objections, pas tout le tissage; car nous aurons peut-être assez du tissage des laines; il se peut, en effet, que la partie que nous aurons choisie nous donne le témoignage que nous voulons.

SOCRATE LE JEUNE

Pourquoi pas ?

L'ÉTRANGER

Oui, pourquoi, ayant divisé précédemment chaque sujet, en en coupant successivement les parties en parties, ne ferions-nous pas à présent la même chose pour le tissage, et que ne parcourons-nous cet art tout entier le plus brièvement possible, pour revenir vite à ce qui peut servir à notre présente recherche ?

SOCRATE LE JEUNE

Que veux-tu dire ?

L'ÉTRANGER

Ma réponse sera l'exposé même que je vais te faire.

SOCRATE LE JEUNE

C'est fort bien dit.

L'ÉTRANGER

Eh bien donc, toutes les choses que nous fabriquons ou acquérons ont pour but, ou de faire quelque chose, ou de nous préserver de souffrir. Les préservatifs sont ou des antidotes soit divins soit humains, ou des moyens de défense. Les moyens de défense sont, les uns des armures de guerre, les autres des abris. Les abris sont ou des voiles contre la lumière ou des défenses contre le froid et la chaleur. Les défenses sont des toitures ou des étoffes. Les étoffes sont des tapis qu'on met sous soi ou des enveloppes. Les enveloppes sont faites d'une seule pièce ou de plusieurs. Celles qui sont faites de plusieurs pièces sont, les unes piquées, les autres assemblées sans couture. Celles qui sont sans couture sont faites de nerfs de plantes ou de crins. Parmi celles qui sont faites de crins, les unes sont collées avec de l'eau et de la terre, les autres attachées sans matière étrangère. C'est à ces préservatifs et à ces étoffes composés de brins liés entre eux que nous avons donné le nom de vêtements. Quant à l'art qui s'occupe spécialement des vêtements, de même que nous avons tantôt appelé politique celui qui a soin de l'Etat, de même nous appellerons ce nouvel art, d'après son objet même, art vestimentaire. Nous dirons en outre que le tissage, en tant que sa partie la plus importante se rapporte, nous l'avons vu, à la confection des habits, ne diffère que par le nom de cet art vestimentaire, tout comme l'art royal, de l'art politique, ainsi que nous l'avons dit tout à l'heure.

SOCRATE LE JEUNE

Rien de plus juste.

L'ÉTRANGER

Observons maintenant qu'on pourrait croire qu'en parlant ainsi de l'art de tisser les vêtements, nous l'avons suffisamment défini ; mais il faudrait pour cela être incapable de voir qu'il n'a pas encore été distingué des arts voisins qui sont ses auxiliaires, bien qu'il ait été séparé de plusieurs autres qui sont ses parents.

SOCRATE LE JEUNE

Quels sont ces parents ? dis-moi.

L'ÉTRANGER

XXII. — Tu n'as pas suivi ce que j'ai dit, à ce que je vois. Il nous faut donc, ce me semble, revenir sur nos pas et recommencer par la fin. Car si tu conçois bien ce qu'est la parenté, c'est un art qui lui est parent que nous avons détaché tout à l'heure de l'art de tisser, quand nous avons mis à part la fabrication des tapis, en distinguant ce qu'on met autour de soi et ce qu'on met dessous.

SOCRATE LE JEUNE

Je comprends.

L'ÉTRANGER

Et nous avons écarté également toute la fabrication des vêtements faits de lin, de sparte et de tout ce que tout à l'heure nous avons appelé par analogie les nerfs des plantes. Nous avons éliminé aussi l'art de feutrer et celui d'assembler en perçant et en cousant, dont la partie la plus considérable est la cordonnerie.

SOCRATE LE JEUNE

Parfaitement.

L'ÉTRANGER

Et puis la pelleterie, qui apprête des couvertures faites d'une seule pièce, et la construction des abris qui sont l'objet de l'art de bâtir ou de la charpenterie en général, ou d'autres arts qui nous protègent contre les eaux, nous avons écarté tout cela, ainsi que tous les arts de clôture, qui fournissent des barrières contre les vols et les actes de violence en fabriquant des couvercles et des portes solides, et qui sont des parties spéciales de l'art de clouer. Nous avons retranché aussi la fabrication des armes, qui est une section de la grande et complexe industrie qui prépare des moyens de défense. Nous avons éliminé de même, dès le début, toute la partie de la magie qui a pour objet les antidotes, et nous n'avons conservé, on pourrait du moins le croire, que l'art même que nous cherchons, celui qui nous garantit des intempéries, en fabriquant des défenses de laine, et qui porte le nom de tissage.

SOCRATE LE JEUNE

On peut le croire en effet.

L'ÉTRANGER

Cependant, mon enfant, notre exposition n'est pas encore complète; car celui qui met le premier la main à la confection des vêtements semble bien faire le contraire d'un tissu.

SOCRATE LE JEUNE

Comment ?

L'ÉTRANGER

Un tissu est bien une sorte d'entrelacement ?

SOCRATE LE JEUNE

Oui.

L'ÉTRANGER

Mais le premier travail consiste à séparer ce qui est réuni et pressé ensemble.

SOCRATE LE JEUNE

Qu'entends-tu donc par là ?

L'ÉTRANGER

Le travail que fait l'art du cardeur. Ou bien aurons-nous le front d'appeler tissage le cardage et de dire que le cardeur est un tisserand ?

SOCRATE LE JEUNE

Pas du tout.

L'ÉTRANGER

N'en est-il pas de même de la confection de la chaîne et de la trame ? L'appeler tissage, ce serait aller contre l'usage et la vérité.

SOCRATE LE JEUNE

C'est indéniable.

L'ÉTRANGER

Et l'art de fouler en général et l'art de coudre, soutiendrons-nous qu'ils n'ont rien à voir ni à faire avec le vêtement, ou dirons-nous que ce sont là autant d'arts de tisser ?

SOCRATE LE JEUNE

Pas du tout.

L'ÉTRANGER

Il n'en est pas moins certain que tous ces arts disputeront à l'art du tissage le soin et la confection des vêtements, et qu'en lui accordant la plus grosse part, ils s'attribueront à eux-mêmes une part importante.

SOCRATE LE JEUNE

Assurément.

L'ÉTRANGER

Outre ces arts, il faut encore s'attendre à ce que ceux qui fabriquent les outils qui servent à exécuter le travail du tissage revendiquent leur part dans la confection de toute espèce de tissu.

SOCRATE LE JEUNE

C'est très juste.

L'ÉTRANGER

Notre définition du tissage, c'est-à-dire de la portion que nous avons choisie, sera-t-elle suffisamment nette si, de tous les arts qui s'occupent des vêtements de laine, nous disons que c'est le plus beau et le plus important ? ou bien ce que nous en avons dit, quoique vrai, restera-t-il obscur et imparfait, tant que nous n'en aurons pas écarté tous ces arts ?

SOCRATE LE JEUNE

C'est juste.

L'ÉTRANGER

XXIII. — N'est-ce pas là ce que nous avons à faire à présent, si nous voulons que notre discussion marche avec suite ?

SOCRATE LE JEUNE

Sans aucun doute.

L'ÉTRANGER

Commençons donc par nous rendre compte qu'il y a deux arts qui embrassent tout ce que nous faisons.

SOCRATE LE JEUNE

Lesquels ?

L'ÉTRANGER

L'un qui est une cause auxiliaire de la production, l'autre qui en est la cause même.

SOCRATE LE JEUNE

Comment cela ?

L'ÉTRANGER

Tous les arts qui ne fabriquent pas la chose elle-même, mais qui procurent à ceux qui la fabriquent les instruments sans lesquels aucun art ne pourrait jamais exécuter ce qu'on lui demande, ces arts-là ne sont que des causes auxiliaires ; ceux qui exécutent la chose elle-même sont des causes.

SOCRATE LE JEUNE

C'est certainement une division logique.

L'ÉTRANGER

Dès lors les arts qui façonnent les fuseaux et les navettes et tous les autres instruments qui concourent à la production des vêtements, nous les appellerons tous auxiliaires, et ceux qui s'appliquent à les fabriquer, nous les nommerons causes ?

SOCRATE LE JEUNE

C'est parfaitement juste.

L'ÉTRANGER

Parmi ces derniers, il est tout à fait naturel de considérer le lavage, le ravaudage et toutes les opérations qui se rapportent au vêtement comme une partie de l'art si vaste de l'apprêtage et de les embrasser toutes sous le nom d'art de fouler.

SOCRATE LE JEUNE

Bien.

L'ÉTRANGER

Et d'un autre côté, l'art de carder, l'art de filer et toutes les opérations relatives à la production même du vêtement, dont nous nous occupons, forment un art unique connu de tout le monde, l'art de travailler la laine.

SOCRATE LE JEUNE

C'est incontestable.

L'ÉTRANGER

Or dans ce travail de la laine il y a deux sections, et chacune de ces sections est une partie de deux arts à la fois.

SOCRATE LE JEUNE

Comment cela ?

L'ÉTRANGER

Le cardage, la moitié du travail de la navette et toutes les opérations qui séparent ce qui était emmêlé, tout cela, pris en bloc, appartient bien au travail même de la laine, et en toutes choses nous avons distingué deux grands arts : l'art d'assembler et l'art de séparer.

SOCRATE LE JEUNE

Oui.

L'ÉTRANGER

Or c'est à l'art de séparer qu'appartiennent le cardage et toutes les opérations que nous venons de mentionner; car, lorsqu'il s'exerce sur la laine ou les fils, soit de telle façon avec la navette, soit de telle autre avec les mains, l'art qui sépare reçoit tous les noms que nous avons énoncés tout à l'heure.

SOCRATE LE JEUNE

Parfaitement.

L'ÉTRANGER

Maintenant, au contraire, prenons, dans l'art d'assembler, une portion qui appartienne aussi au travail de la laine, et, laissant de côté tout ce qui, dans ce travail, nous a paru relever de l'art de séparer, partageons le travail de la laine en ses deux sections, celle où l'on sépare et celle où l'on assemble.

SOCRATE LE JEUNE

Considérons ce partage comme fait.

L'ÉTRANGER

Maintenant cette portion qui est à la fois assemblage et travail de la laine, il faut, Socrate, que tu la divises à son tour, si nous voulons bien saisir ce qu'est ledit art de tisser.

SOCRATE LE JEUNE

Il le faut, en effet.

L'ÉTRANGER

Oui, il le faut. Disons donc qu'une de ses parties est l'art de tordre, et l'autre, l'art d'entrelacer.

SOCRATE LE JEUNE

Ai-je bien compris ? Il me semble que c'est à la confection du fil de la chaîne que tu rapportes l'art de tordre.

L'ÉTRANGER

Non seulement du fil de la chaîne, mais encore du fil de la trame. Ou bien trouverons-nous un moyen de fabriquer ce dernier sans le tordre ?

SOCRATE LE JEUNE

Nous n'en trouverons pas.

L'ÉTRANGER

Définis maintenant chacune de ces opérations : il se peut, en effet, que tu trouves quelque avantage à cette définition.

SOCRATE LE JEUNE

Comment la faire ?

L'ÉTRANGER

Comme ceci : quand le produit du cardage a longueur et largeur, nous l'appelons filasse.

SOCRATE LE JEUNE

Oui.

L'ÉTRANGER

Eh bien, cette filasse, quand elle a été tordue au fuseau et qu'elle est devenue un fil solide, donne au fil le nom de chaîne et à l'art qui dirige cette opération celui de fabrication de la chaîne.

SOCRATE LE JEUNE

Bien.

L'ÉTRANGER

D'un autre côté, tous les fils qui n'ont subi qu'une torsion lâche et qui ont juste la mollesse proportionnée à la traction de l'ouvrier qui les courbe en les entrelaçant à la chaîne, appelons-les la trame, et l'art qui préside à ce travail la fabrique de la trame.

SOCRATE LE JEUNE

C'est parfaitement juste.

L'ÉTRANGER

Ainsi la partie du tissage que nous nous étions proposé d'examiner est, je pense, assez clairement définie pour que tout le monde la comprenne. Lorsqu'en effet la partie de l'art d'assembler qui est comprise dans le travail de la laine a formé un tissu par l'entrelacement régulier de la trame et de la chaîne, nous appelons l'ensemble du tissu vêtement de laine et l'art qui préside à ce travail tissage.

SOCRATE LE JEUNE

C'est très juste.

L'ÉTRANGER

XXIV. — Bon. Mais alors pourquoi donc n'avons-nous pas répondu tout de suite : « Le tissage est l'entrelacement de la trame avec la chaîne », au lieu de tourner en cercle et de faire tant de distinctions inutiles ?

SOCRATE LE JEUNE

Pour moi, étranger, je ne vois rien d'inutile dans ce qui a été dit.

L'ÉTRANGER

Je ne m'en étonne pas; mais il se peut, bienheureux jeune homme, que tu changes d'avis. Contre une maladie de ce genre, si par hasard elle te prenait par la suite — et il n'y aurait à cela rien d'étonnant —, je vais te soumettre un raisonnement applicable à tous les cas de cette sorte.

SOCRATE LE JEUNE

Tu n'as qu'à parler.

L'ÉTRANGER

Considérons d'abord l'excès et le défaut en général, afin de louer ou de blâmer sur de justes raisons ce qu'on dit de trop long ou de trop court dans des entretiens comme celui-ci.

SOCRATE LE JEUNE

C'est ce qu'il faut faire.

L'ÉTRANGER

Or c'est à ces choses mêmes qu'il convient, à mon avis, d'appliquer notre raisonnement.

SOCRATE LE JEUNE

A quelles choses ?

L'ÉTRANGER

A la longueur et à la brièveté, à l'excès et au défaut en général; car c'est de tout cela que s'occupe l'art de mesurer.

SOCRATE LE JEUNE

Oui.

L'ÉTRANGER

Divisons-le donc en deux parties : c'est indispensable pour atteindre le but que nous poursuivons.

SOCRATE LE JEUNE

Dis-nous comment il faut faire cette division.

L'ÉTRANGER

De cette manière : une partie se rapporte à la grandeur et à la petitesse considérées dans leur rapport réciproque, l'autre, à ce que doit être nécessairement la chose que l'on fait.

SOCRATE LE JEUNE

Comment dis-tu ?

L'ÉTRANGER

Ne te semble-t-il pas naturel que le plus grand ne doive être dit plus grand que par rapport au plus petit, et le plus petit, plus petit que par rapport au plus grand, à l'exclusion de toute autre chose ?

SOCRATE LE JEUNE

Si.

L'ÉTRANGER

Mais, d'autre part, ce qui dépasse le juste milieu ou reste en deçà, soit dans les discours, soit dans les actions, ne dirons-nous pas que c'est là réellement ce qui distingue principalement parmi nous les bons et les méchants ?

SOCRATE LE JEUNE

C'est évident.

L'ÉTRANGER

Il faut donc admettre, pour le grand et le petit, ces deux manières d'exister et de juger; nous ne devons pas dire, comme tout à l'heure, qu'ils doivent être seulement relatifs l'un à l'autre, mais plutôt, comme nous le disons à présent, qu'ils sont d'une part relatifs l'un à l'autre et, d'autre part, relatifs à la juste mesure. Et voulons-nous savoir pourquoi ?

SOCRATE LE JEUNE

Bien sûr.

L'ÉTRANGER

Si l'on veut que la nature du plus grand n'ait point de relation à autre chose qu'au plus petit, elle n'en aura jamais avec la juste mesure, n'est-il pas vrai ?

SOCRATE LE JEUNE

Si.

L'ÉTRANGER

Mais n'allons-nous pas avec cette doctrine anéantir les arts et tous leurs ouvrages et abolir en outre la politique, qui est maintenant l'objet de nos recherches, et le tissage dont nous avons parlé ? Car tous ces arts ne considèrent pas ce qui est au-delà ou en deçà de la juste mesure comme inexistant, mais comme une réalité fâcheuse contre laquelle ils sont en garde dans leurs opérations, et c'est en conservant ainsi la mesure qu'ils produisent tous leurs chefs-d'œuvre.

SOCRATE LE JEUNE

Assurément.

L'ÉTRANGER

Mais si nous abolissons la politique, il nous sera impossible de continuer notre enquête sur la science royale.

SOCRATE LE JEUNE

Certainement.

L'ÉTRANGER

Donc, de même que, dans le cas du sophiste, nous avons contraint le non-être à être, parce que cette existence était l'unique refuge de notre raisonnement, de même il nous faut contraindre ici le plus et le moins à devenir commensurables non seulement l'un à l'autre, mais encore à la juste mesure qu'il faut produire; car il est impossible de soutenir qu'il existe indubitablement des hommes d'Etat ou d'autres hommes entendus à la pratique des affaires, si ce point n'est d'abord accordé.

SOCRATE LE JEUNE

Il faut donc mettre tous nos efforts à en faire autant dans le cas qui nous occupe.

L'ÉTRANGER

XXV. — C'est là, Socrate, une besogne encore plus considérable que l'autre, et pourtant nous n'avons pas oublié combien celle-ci nous a pris de temps. Mais voici, à ce propos, une chose qu'on peut admettre en toute justice.

SOCRATE LE JEUNE

Quelle chose ?

L'ÉTRANGER

C'est que nous aurons besoin quelque jour de ce que nous venons de dire pour montrer ce qu'est l'exactitude en soi. Pour la question qui nous occupe à présent, notre démonstration est bonne et suffisante, et il me semble qu'elle trouve un magnifique appui dans ce raisonnement qui nous fait juger que tous les arts existent également et que le grand et le petit se mesurent en relation non seulement l'un à l'autre, mais encore à la production de la juste mesure. Car si la juste mesure existe, les arts existent aussi; et, si les arts existent, elle existe aussi; mais que l'un des deux n'existe pas, jamais aucun des deux n'existera.

SOCRATE LE JEUNE

Voilà qui est juste; mais après ?

L'ÉTRANGER

Il est évident que, pour diviser l'art de mesurer comme nous l'avons dit, nous n'avons qu'à le couper en deux parties, mettant dans l'une tous les arts où le nombre, les longueurs, les profondeurs, les largeurs, les épaisseurs se mesurent à leurs contraires, et dans l'autre tous ceux qui se règlent sur la juste mesure, la convenance, l'à-propos, la nécessité et tout ce qui se trouve également éloigné des extrêmes.

SOCRATE LE JEUNE

Tu parles là de deux divisions bien vastes et bien différentes l'une de l'autre.

L'ÉTRANGER

Oui, Socrate; car ce qu'on entend parfois dire à beaucoup d'habiles gens, persuadés qu'ils énoncent une vérité profonde, à savoir que l'art de mesurer s'étend à tout ce qui devient, c'est justement cela même que nous disons à présent. En effet, tous les ouvrages de l'art participent à la mesure en quelque manière. Mais, parce que les gens ne sont pas habitués à diviser par espèces les choses qu'ils étudient, ils réunissent tout de suite dans la même catégorie des choses aussi différentes que celles-ci, parce qu'ils les jugent semblables, et ils font le contraire pour d'autres choses, parce qu'ils ne les divisent pas en leurs parties, alors qu'il faudrait, quand on a d'abord reconnu dans plusieurs objets des caractères communs, ne pas les abandonner avant d'avoir découvert dans cette communauté les différences qui distinguent les espèces, et, inversement, quand on a vu les différences de toute sorte qui se trouvent dans une multitude, il faudrait ne pas pouvoir s'en détourner et s'arrêter avant d'avoir enclos tous les traits de parenté dans un ensemble unique de ressemblances et de les avoir enveloppés dans l'essence d'un genre. Mais j'en ai dit assez là-dessus, comme aussi sur les défauts et les excès; prenons seulement garde que nous y avons trouvé deux espèces de l'art de mesurer, et rappelons-nous en quoi nous avons dit qu'elles consistaient.

SOCRATE LE JEUNE

Nous nous le rappellerons.

L'ÉTRANGER

XXVI. — Après ce discours, donnons audience à un autre qui touche à la fois l'objet même de nos recherches et tous les entretiens où l'on discute de telles matières.

SOCRATE LE JEUNE

De quoi s'agit-il ?

L'ÉTRANGER

Supposons qu'on nous pose cette question : quand on demande à un écolier qui apprend à lire de quelles lettres se compose tel ou tel mot, doit-on croire qu'on lui fait faire cette recherche en vue d'un seul mot, le mot en question, ou pour le rendre plus habile à lire tous les mots qu'on peut lui proposer ?

SOCRATE LE JEUNE

C'est pour tous les mots évidemment.

L'ÉTRANGER

Et notre enquête actuelle sur le politique, est-ce en vue du politique lui-même que nous nous la sommes proposée ? n'est-ce pas plutôt pour devenir meilleurs dialecticiens sur tous les sujets ?

SOCRATE LE JEUNE

Il est évident aussi que c'est pour cela.

L'ÉTRANGER

On peut bien assurer qu'il n'y a pas un homme sensé qui voudrait se mettre en quête d'une définition de la tisseranderie pour la seule tisseranderie. Mais il y a, ce me semble, une chose qui échappe au vulgaire, c'est que, pour certaines réalités, il y a des ressemblances naturelles qui tombent sous les sens et sont faciles à percevoir, et qu'il n'est pas du tout malaisé de les faire voir à ceux qui demandent une explication de quelqu'une de ces réalités, quand on ne veut pas se donner de peine ni recourir au raisonnement pour l'expliquer; mais qu'au contraire, pour les réalités les plus grandes et les plus précieuses, il n'existe point d'image faite pour en donner aux hommes une idée claire, image qu'il suffirait de présenter à celui qui vous interroge, en l'appropriant à l'un de ses sens, pour satisfaire entièrement son esprit. Aussi faut-il travailler à se rendre capable de donner et de comprendre la raison de chaque chose. Car les réalités immatérielles, qui sont les plus belles et les plus grandes, c'est la raison seule, et rien autre, qui nous les révèle clairement, et c'est à ces réalités que se rapporte tout ce que nous disons en ce moment. Mais il est plus facile, quel que soit le sujet, de s'exercer sur de petites choses que sur des grandes.

SOCRATE LE JEUNE

C'est fort bien dit.

L'ÉTRANGER

N'oublions donc pas pourquoi nous venons de traiter cette matière.

SOCRATE LE JEUNE

Pourquoi ?

L'ÉTRANGER

C'est surtout à cause de cette impatience que nous ont donnée ces longs détails sur le tissage, sur le mouvement rétrograde de l'univers et sur l'existence du non-être à propos du sophiste. Nous sentions, en effet, qu'ils étaient trop longs et, sur tous, nous nous faisions des reproches, dans la crainte qu'ils ne fussent pas seulement prolixes, mais encore superflus. Nous voulons désormais éviter ces ennuis, et c'est pour tous ces motifs, sache-le, que nous avons fait tous deux ces observations.

SOCRATE LE JEUNE

Entendu. Continue seulement.

L'ÉTRANGER

Je dis donc qu'il faut que toi et moi, nous souvenant de ce qui vient d'être dit, nous ne blâmions ou n'approuvions jamais la brièveté ou la longueur de nos propos en comparant leur étendue respective, mais en nous référant à cette partie de l'art de mesurer dont nous disions plus haut qu'il ne fallait pas la perdre de vue, la convenance.

SOCRATE LE JEUNE

C'est juste.

L'ÉTRANGER

Mais il ne faut pas non plus nous régler uniquement sur elle. Car nous n'aurons nul besoin d'ajuster la longueur de nos discours au désir de plaire, sinon accessoirement, et quant à la manière la plus facile et la plus rapide de chercher la solution d'un problème donné, la raison nous recommande de la tenir pour secondaire et de ne pas lui donner le premier rang, mais d'estimer bien davantage et par-dessus tout la méthode qui enseigne à diviser par espèces, et, si un discours très long rend l'auditeur plus inventif, de le poursuivre résolument, sans s'impatienter de sa longueur; et sans s'impatienter non plus, s'il se trouve un homme qui blâme les longueurs du discours dans des entretiens comme les nôtres et n'approuve point nos façons de tourner autour du sujet, il ne faut pas le laisser partir en toute hâte et tout de suite après qu'il s'est borné à blâmer la longueur de la discussion; il lui reste à faire voir qu'il y a des raisons de croire que, si elle eût été plus courte, elle aurait rendu ceux qui y prenaient part plus aptes à la dialectique et plus ingénieux à démontrer la vérité par le raisonnement. Quant aux autres critiques ou éloges qu'on peut faire sur d'autres points, il ne faut aucunement s'en mettre en peine; il ne faut même pas du tout avoir l'air de les entendre. Mais en voilà assez là-dessus, si tu es de mon avis. Revenons maintenant au politique pour lui appliquer l'exemple du tissage que nous avons exposé.

SOCRATE LE JEUNE

Tu as raison : faisons comme tu dis.

L'ÉTRANGER

XXVII. — Nous avons déjà séparé le roi de la plupart des arts qui lui sont apparentés, ou plutôt de tous ceux qui s'occupent des troupeaux. Mais il reste, disons-nous, ceux qui sont, dans l'Etat même, des arts auxiliaires et des arts producteurs qu'il faut d'abord séparer les uns des autres.

SOCRATE LE JEUNE

C'est juste.

L'ÉTRANGER

Sais-tu bien qu'il est difficile de les diviser en deux ? Pour quelle raison, c'est ce que nous verrons plus clairement, je pense, en avançant.

SOCRATE LE JEUNE

Eh bien, ne divisons pas en deux.

L'ÉTRANGER

Divisons-les donc par membres, comme on fait les victimes, puisque nous ne pouvons pas les diviser en deux; car il faut toujours diviser en un nombre aussi rapproché que possible du nombre deux.

SOCRATE LE JEUNE

Comment faut-il nous y prendre ici ?

L'ÉTRANGER

Comme nous l'avons fait précédemment pour tous les arts qui fournissent des instruments au tissage : tu sais que nous les avons mis alors dans la classe des arts auxiliaires.

SOCRATE LE JEUNE

Oui.

L'ÉTRANGER

Il faut faire à présent la même chose : c'est encore plus nécessaire qu'alors. Tous les arts qui fabriquent dans la cité un instrument quelconque, petit ou grand, doivent être classés comme arts auxiliaires; car, sans eux, il ne pourrait jamais exister ni Etat ni politique, et cependant ils n'ont aucune part dans les opérations de l'art royal, nous pouvons l'affirmer.

SOCRATE LE JEUNE

Non, en effet.

L'ÉTRANGER

A coup sûr, c'est une entreprise difficile que d'essayer de séparer ce genre des autres; car on pourrait dire qu'il n'est rien qui ne soit l'instrument d'une chose ou d'une autre, et l'assertion paraîtrait plausible. Cependant, parmi les objets que possède l'Etat, il en est d'une nature particulière, dont j'ai quelque chose à dire.

SOCRATE LE JEUNE

Quoi ?

L'ÉTRANGER

Qu'ils n'ont pas la même propriété que les autres; car ils ne sont point fabriqués, comme l'instrument, pour produire, mais pour conserver ce qui a été produit.

SOCRATE LE JEUNE

Quels sont-ils ?

L'ÉTRANGER

C'est la classe des objets de toute sorte que l'on fabrique pour contenir les matières sèches et humides, préparées au feu ou sans feu, et que nous désignons par le nom unique de vases, classe très étendue et qui n'a, que je sache, absolument aucun rapport avec la science que nous cherchons.

SOCRATE LE JEUNE

Assurément.

L'ÉTRANGER

Considérons maintenant une troisième classe d'objets différente des précédentes et très compréhensive : terrestre ou aquatique, vagabonde ou fixe, précieuse ou sans prix, elle n'a pourtant qu'un nom, parce qu'elle ne produit pas autre chose que des sièges et qu'elle fournit toujours un support à quelque chose.

SOCRATE LE JEUNE

Qu'est-ce ?

L'ÉTRANGER

C'est ce que nous appelons véhicule, et ce n'est pas du tout l'ouvrage de la politique, mais bien plutôt de l'art du charpentier, du potier et du forgeron.

SOCRATE LE JEUNE

Je saisis cela.

L'ÉTRANGER

XXVIII. — Après ces trois espèces, n'en faut-il pas mentionner une quatrième, qui diffère d'elles et qui comprend la plupart des choses dont nous avons déjà parlé, l'habillement en général, la plus grande partie des armes, les murs de tous les abris de terre ou de pierre et mille autres choses ? Comme tout cela est fait pour abriter, on peut très justement l'appeler du nom collectif d'abri et en rapporter la plus grande partie à l'art de bâtir et à l'art de tisser bien plus justement qu'à la politique.

SOCRATE LE JEUNE

Certainement.

L'ÉTRANGER

Et maintenant, comme cinquième espèce, ne faut-il pas admettre l'ornementation, la peinture et toutes les imitations qu'on fait au moyen de la peinture et de la musique, œuvres qui ne visent qu'à notre plaisir et qu'il serait juste de réunir sous une seule dénomination ?

SOCRATE LE JEUNE

Laquelle ?

L'ÉTRANGER

On dit, je crois, que c'est une sorte de divertissement.

SOCRATE LE JEUNE

Sans doute.

L'ÉTRANGER

Et c'est bien de ce nom unique qu'il conviendra de les nommer toutes, puisque aucune d'elles n'est faite dans une intention sérieuse et qu'elles n'ont toutes en vue que l'amusement.

SOCRATE LE JEUNE

Cela aussi, je le comprends assez bien.

L'ÉTRANGER

Mais ce qui fournit les matériaux desquels et dans lesquels tous les arts que nous venons de citer façonnent leurs ouvrages, cette espèce si variée, issue de beaucoup d'autres arts, n'en ferons-nous pas une sixième division ?

SOCRATE LE JEUNE

De quoi parles-tu ?

L'ÉTRANGER

De l'or, de l'argent, de tout ce qu'on extrait des mines, de tout ce que la coupe du bois et l'élagage en général abattent et fournissent à la charpenterie et à la vannerie. Ajoutes-y la décortication des plantes et l'art du corroyeur, qui dépouille de leur peau les corps des animaux, et tous les arts analogues, qui, en préparant du liège, des papyrus et des liens, nous permettent de fabriquer des espèces composées avec des espèces simples. Donnons à tout cela un nom unique, appelons-le la première et simple acquisition de l'homme, et disons qu'elle n'est en aucune manière l'œuvre de la science royale.

SOCRATE LE JEUNE

Bien.

L'ÉTRANGER

Enfin l'acquisition des aliments et toutes les choses qui, se mélangeant à notre corps, ont le pouvoir d'en conforter les parties par des parties d'elles-mêmes nous donneront une septième espèce que nous désignerons tout entière par le nom de nourricière, si nous n'en avons pas de plus beau à lui donner. Mais il sera plus exact de ranger tout cela sous l'agriculture, la chasse, la gymnastique, la médecine, la cuisine que de l'attribuer à la politique.

SOCRATE LE JEUNE

C'est incontestable.

L'ÉTRANGER

XXIX. — Ainsi donc, à peu près tout ce qu'on peut posséder, à la réserve des animaux apprivoisés, a été, je crois, énuméré dans ces sept classes. Vois, en effet : j'ai cité la classe des matières premières qui, en bonne justice, aurait dû être placée en tête, puis l'instrument, le vase, le véhicule, l'abri, le divertissement, la nourriture. Nous négligeons ici les objets de peu d'importance que nous avons pu oublier et qui auraient pu rentrer dans quelqu'une de ces classes, par exemple le groupe de la monnaie, des sceaux et des empreintes de toutes sortes. Car ces choses ne forment aucune grande classe analogue aux autres; mais les unes rentreront dans l'ornementation, les autres dans les instruments, non sans résistance, il est vrai, mais, en les tirant bien, ils s'y accommoderont tout de même. Quant à la possession des animaux apprivoisés, à part les esclaves, il est évident qu'ils rentreront dans l'art d'élever des troupeaux, qui a déjà été divisé en parties.

SOCRATE LE JEUNE

Certainement.

L'ÉTRANGER

Reste le groupe des esclaves et des serviteurs, en général, parmi lesquels je prévois que nous allons voir apparaître ceux qui disputent au roi la confection même du tissu, comme tout à l'heure les fileurs, les cardeurs et autres ouvriers dont nous avons parlé le disputaient au tisserand. Pour tous les autres, que nous avons appelés auxiliaires, ils ont été écartés avec les ouvrages que nous venons de dire et séparés de la fonction royale et politique.

SOCRATE LE JEUNE

Il le semble, du moins.

L'ÉTRANGER

Allons maintenant, approchons-nous de ceux qui restent, pour les examiner de près et les connaître plus sûrement.

SOCRATE LE JEUNE

C'est ce qu'il faut faire.

L'ÉTRANGER

Nous trouvons d'abord que les plus grands serviteurs, à en juger d'ici, sont, par leurs occupations et leur condition, le contraire de ce que nous avions soupçonné.

SOCRATE LE JEUNE

Qui sont-ils ?

L'ÉTRANGER

Ce sont ceux qu'on achète et qu'on possède par ce moyen. Nous pouvons, sans crainte d'être contredits, les appeler esclaves et affirmer qu'ils n'ont pas la moindre part à l'art royal.

SOCRATE LE JEUNE

Sans aucun doute.

L'ÉTRANGER

Et ceux des hommes libres qui se rangent volontairement dans la classe des serviteurs avec ceux que nous venons de citer, et qui transportent et distribuent également entre les uns et les autres les produits de l'agriculture et des autres arts, les uns dans les marchés, les autres en passant de ville en ville, par terre et par mer, changeant monnaie contre marchandises ou monnaie contre monnaie, qu'on les nomme changeurs, ou négociants, ou patrons de vaisseaux, ou détaillants, est-ce qu'ils ont quelque prétention à la politique ?

SOCRATE LE JEUNE

Peut-être à la politique commerciale.

L'ÉTRANGER

Pour les mercenaires et les hommes à gages que nous voyons tout prêts à se mettre au service du premier venu, il n'y a pas de danger qu'on les trouve prenant part à la fonction royale.

SOCRATE LE JEUNE

Comment le feraient-ils, en effet ?

L'ÉTRANGER

Mais ceux qui, à l'occasion, s'acquittent pour nous de certains offices, qu'en dirons-nous ?

SOCRATE LE JEUNE

De quels offices et de quels hommes veux-tu parler ?

L'ÉTRANGER

De ceux qui forment la classe des hérauts, de ceux qui, à force de servir, deviennent des clercs habiles, et de certains autres qui remplissent en perfection une foule d'autres fonctions relatives aux offices publics. De ceux-là, que dirons-nous ?

SOCRATE LE JEUNE

Ce que tu disais tout à l'heure, qu'ils sont des serviteurs, mais qu'ils ne sont pas eux-mêmes les chefs des cités.

L'ÉTRANGER

Je ne rêvais pourtant pas, que je sache, quand j'ai dit que c'était de ce côté que nous verrions apparaître ceux qui élèvent les plus grandes prétentions à la politique, quoiqu'il puisse paraître fort étrange de les chercher dans un groupe quelconque de serviteurs.

SOCRATE LE JEUNE

Assurément.

L'ÉTRANGER

Approchons donc encore plus près de ceux qui n'ont pas encore été passés à la pierre de touche. Ce sont d'abord ceux qui s'occupent de divination et qui possèdent une partie de la science du service : car ils passent pour être les interprètes des dieux auprès des hommes.

SOCRATE LE JEUNE

Oui.

L'ÉTRANGER

Et d'autre part, la race des prêtres qui, selon l'opinion reçue, savent offrir, en sacrifiant aux dieux en notre nom, des présents selon leur cœur et leur demander par des prières de nous octroyer des biens. Or ces deux fonctions sont bien des parties de l'art de servir.

SOCRATE LE JEUNE

Il le semble en tout cas.

L'ÉTRANGER

XXX. — Je crois qu'à présent nous tenons une piste pour atteindre le but que nous poursuivons. Car les prêtres et les devins ont l'air d'avoir une haute idée d'eux-mêmes et sont en grande vénération à cause de la grandeur de leurs fonctions. C'est à tel point qu'en Egypte un roi ne peut régner s'il n'est point prêtre, et, si par hasard il appartenait à une autre classe, avant d'avoir conquis le trône, il est forcé par la suite de se faire recevoir dans la caste sacerdotale. Chez les Grecs aussi, on trouverait qu'en maint Etat ce sont les plus hauts magistrats qui sont chargés d'accomplir les plus importants de ces sacrifices. Et c'est chez vous surtout que se vérifie ce que j'avance; car on dit que c'est au roi désigné par le sort [55] que l'on confie ici le soin d'offrir les sacrifices les plus solennels et qui remontent à la tradition nationale la plus ancienne.

SOCRATE LE JEUNE

C'est bien cela.

L'ÉTRANGER

Il faut donc examiner à la fois ces rois désignés par le sort et ces prêtres, avec leurs assistants, et aussi certaine troupe très nombreuse, qui vient d'apparaître à nos yeux, à présent que les autres prétendants sont écartés.

SOCRATE LE JEUNE

De qui parles-tu donc ?

L'ÉTRANGER

De gens tout à fait étranges.

SOCRATE LE JEUNE

En quoi donc ?

L'ÉTRANGER

C'est une race formée de toute sorte de tribus, à ce qu'il semble au premier coup d'œil; car beaucoup de ces gens ressemblent à des lions, à des centaures et à d'autres êtres pareils, et un très grand nombre à des satyres et à des bêtes sans force, mais pleines de ruse; en un clin d'œil, ils changent entre eux de formes et de propriétés. Ah! Socrate, je crois que je viens de reconnaître ces gens-là.

SOCRATE LE JEUNE

Explique-toi; tu as l'air de découvrir quelque chose d'étrange.

L'ÉTRANGER

Oui; car c'est l'ignorance qui fait toujours paraître les choses étranges, et c'est ce qui m'est arrivé à moi-même tout à l'heure; en apercevant soudain le chœur qui s'agite autour des affaires publiques, je ne l'ai pas reconnu.

SOCRATE LE JEUNE

Quel chœur ?

L'ÉTRANGER

Le plus grand magicien de tous les sophistes et le plus habile dans cet art, et qu'il faut, bien que ce soit très difficile à faire, distinguer des vrais politiques et des vrais rois, si nous voulons voir clairement ce que nous cherchons.

SOCRATE LE JEUNE

Vraiment, c'est à quoi nous ne devons pas renoncer.

L'ÉTRANGER

Nous ne le devons pas, c'est mon avis. Dis-moi donc.

SOCRATE LE JEUNE

XXXI. — Quoi ?

L'ÉTRANGER

La monarchie n'est-elle pas, selon nous, une des formes du pouvoir politique ?

SOCRATE LE JEUNE

Si.

L'ÉTRANGER

Et après la monarchie, on peut nommer, je crois, le gouvernement du petit nombre.

SOCRATE LE JEUNE

Assurément.

L'ÉTRANGER

Une troisième forme de gouvernement, n'est-ce pas le commandement de la multitude, qui a reçu le nom de démocratie ?

SOCRATE LE JEUNE

Certainement.

L'ÉTRANGER

Mais ces trois formes ne deviennent-elles pas cinq en quelque manière, en engendrant d'elles-mêmes deux autres dénominations de surcroît ?

SOCRATE LE JEUNE

Lesquelles ?

L'ÉTRANGER

En considérant ce qui prévaut dans ces gouvernements, la violence ou l'obéissance volontaire, la pauvreté ou la richesse, la légalité ou l'illégalité, on divise en deux chacun des deux premiers et, comme la monarchie offre deux formes, on l'appelle de deux noms, tyrannie ou royauté.

SOCRATE LE JEUNE

C'est vrai.

L'ÉTRANGER

De même tout gouvernement où domine le petit nombre s'appelle soit aristocratie, soit oligarchie.

SOCRATE LE JEUNE

Parfaitement.

L'ÉTRANGER

Quant à la démocratie, que la multitude commande de gré ou de force à ceux qui possèdent, qu'elle observe exactement les lois ou ne les observe pas, dans aucun cas, on n'a l'habitude de rien changer à ce nom.

SOCRATE LE JEUNE

C'est vrai.

L'ÉTRANGER

Mais dis-moi : pensons-nous que le vrai gouvernement soit un de ceux que nous venons de définir par ces termes : un, quelques-uns, beaucoup; richesse ou pauvreté; contrainte ou libre consentement, lois écrites ou absence de lois ?

SOCRATE LE JEUNE

Et qu'est-ce qui l'en empêcherait ?

L'ÉTRANGER

Suis-moi par ici pour y voir plus clair.

SOCRATE LE JEUNE

Par où ?

L'ÉTRANGER

Nous en tiendrons-nous à ce que nous avons dit en commençant, ou nous en écarterons-nous ?

SOCRATE LE JEUNE

De quoi parles-tu ?

L'ÉTRANGER

Nous avons dit, je crois, que le commandement royal était une science.

SOCRATE LE JEUNE

Oui.

L'ÉTRANGER

Et pas une science quelconque, mais bien une science critique et directive, que nous avons relevée entre les autres.

SOCRATE LE JEUNE

Oui.

L'ÉTRANGER

Et dans la science directive nous avons distingué une partie qui s'exerce sur les œuvres inanimées, et une autre, sur les êtres vivants, et, divisant toujours de cette manière, nous en sommes arrivés ici, sans perdre de vue la science, mais sans pouvoir définir nettement ce qu'elle est.

SOCRATE LE JEUNE

C'est exact.

L'ÉTRANGER

Dès lors, ne comprenons-nous pas que la distinction entre les formes de gouvernement ne doit pas être cherchée dans le petit nombre, ni dans le grand nombre, ni dans l'obéissance volontaire, ni dans l'obéissance forcée, ni dans la pauvreté, ni dans la richesse, mais bien dans la présence d'une science, si nous voulons être conséquents avec nos principes.

SOCRATE LE JEUNE

Quant à cela, nous ne pouvons pas faire autrement.

L'ÉTRANGER

XXXII. — Il est dès lors indispensable d'examiner maintenant dans laquelle de ces formes de gouvernement se rencontre la science de commander aux hommes, la plus difficile peut-être et la plus importante à acquérir. C'est en effet cette science qu'il faut considérer, afin de voir quels hommes nous devons distinguer du roi sage, parmi ceux qui prétendent être des hommes d'Etat et qui le font croire à beaucoup de gens, bien qu'ils ne le soient en aucune façon.

SOCRATE LE JEUNE

C'est, en effet, ce qu'il faut faire, comme la discussion nous l'a déjà indiqué.

L'ÉTRANGER

Or te semble-t-il que, dans une cité, la multitude soit capable d'acquérir cette science ?

SOCRATE LE JEUNE

Comment le pourrait-elle ?

L'ÉTRANGER

Mais, dans une cité de mille hommes, est-il possible que cent d'entre eux ou même cinquante la possèdent dans une mesure suffisante ?

SOCRATE LE JEUNE

A ce compte, ce serait le plus facile de tous les arts. Nous savons bien que, sur mille hommes, on ne trouverait jamais un pareil nombre de joueurs de trictrac supérieurs à tous ceux que renferme la Grèce, encore moins un pareil nombre de rois. Car l'homme qui possède la science royale, qu'il règne ou non, a droit, d'après ce que nous avons dit, à être appelé roi.

L'ÉTRANGER

Tu fais bien de me le rappeler. Il suit de là, si je ne me trompe, que le gouvernement véritable, s'il en existe un de tel, doit être cherché dans un seul, ou dans deux, ou dans un tout petit nombre d'hommes.

SOCRATE LE JEUNE

Sans contredit.

L'ÉTRANGER

Mais ceux-là, qu'ils commandent avec ou sans le consentement de leurs sujets, selon des lois écrites ou sans elles, et qu'ils soient riches ou pauvres, il faut croire, comme nous le pensons maintenant, qu'ils gouvernent suivant un certain art. Il en est absolument de même des médecins : qu'ils nous guérissent avec ou sans notre consentement, en nous taillant, nous brûlant ou nous faisant souffrir de quelque autre manière, qu'ils suivent des règles écrites ou s'en dispensent, qu'ils soient pauvres ou riches, quel que soit le cas, nous ne les en tenons pas moins pour médecins, tant qu'ils nous régentent avec art, qu'ils nous purgent ou nous amaigrissent d'une autre manière, ou nous font engraisser, pourvu que ce soit pour le bien de notre corps et pour le rendre meilleur, de pire qu'il était, et que leur traitement sauve toujours les malades qu'ils soignent. C'est en la définissant de cette manière, j'en suis persuadé, et de cette manière seulement, que nous pourrons affirmer que nous tenons la seule définition juste de la médecine, comme de tout autre art de commander.

SOCRATE LE JEUNE

Certainement.

L'ÉTRANGER

XXXIII. — C'est donc, semble-t-il, une conséquence forcée que, parmi les gouvernements, celui-là soit éminemment et uniquement le véritable gouvernement, où l'on trouve des chefs qui ne paraissent pas seulement savants, mais qui le soient, et qu'ils gouvernent suivant des lois ou sans lois, du consentement ou contre le gré de leurs sujets, qu'ils soient pauvres ou qu'ils soient riches, tout cela doit être compté pour rien, quand il s'agit de la véritable règle en quoi que ce soit.

SOCRATE LE JEUNE

Bien.

L'ÉTRANGER

Et, soit qu'ils purgent la cité pour son bien en mettant à mort ou bannissant quelques personnes, soit qu'ils l'amoindrissent en envoyant au-dehors des colonies comme des essaims d'abeilles, ou qu'ils l'agrandissent en y amenant du dehors des gens dont ils font des citoyens, tant qu'ils la conservent par la science et la justice et la rendent meilleure, autant qu'il est en eux, c'est alors, c'est à ces traits seuls que nous devons reconnaître le véritable gouvernement. Quant à tous ceux dont nous parlons, il faut dire qu'ils ne sont pas légitimes et qu'ils n'existent même pas : ce ne sont que des imitations du gouvernement véritable, et, si l'on dit qu'ils ont de bonnes lois, c'est qu'ils l'imitent dans le bon sens, tandis que les autres l'imitent dans le mauvais.

SOCRATE LE JEUNE

Sur tout le reste, étranger, ton langage me paraît juste; mais que l'on doive gouverner sans lois, c'est une assertion un peu pénible à entendre.

L'ÉTRANGER

Tu ne m'as devancé que d'un instant, Socrate, avec ta question; car j'allais te demander si tu approuves tout ce que j'ai dit, ou si tu y trouves quelque chose de choquant. Mais, à présent, il est clair que ce que nous aurons à cœur de discuter, c'est la légitimité d'un gouvernement sans lois.

SOCRATE LE JEUNE

Sans contredit.

L'ÉTRANGER

Il est évident que la législation appartient jusqu'à un certain point à la science royale, et cependant l'idéal n'est pas que la force soit aux lois, mais à un roi sage. Sais-tu pourquoi ?

SOCRATE LE JEUNE

Et toi, comment l'entends-tu ?

L'ÉTRANGER

C'est que la loi ne pourra jamais embrasser exactement ce qui est le meilleur et le plus juste pour tout le monde à la fois, pour y conformer ses prescriptions : car les différences qui sont entre les individus et entre les actions et le fait qu'aucune chose humaine, pour ainsi dire, ne reste jamais en repos interdisent à toute science, quelle qu'elle soit, de promulguer en aucune matière une règle simple qui s'applique à tout et à tous les temps. Accordons-nous cela ?

SOCRATE LE JEUNE

Comment s'y refuser ?

L'ÉTRANGER

Et cependant, nous le voyons, c'est à cette uniformité même que tend la loi, comme un homme buté et ignorant, qui ne permet à personne de rien faire contre son ordre, ni même de lui poser une question, lors même qu'il viendrait à quelqu'un une idée nouvelle, préférable à ce qu'il a prescrit lui-même.

SOCRATE LE JEUNE

C'est vrai : la loi agit réellement à l'égard de chacun de nous comme tu viens de le dire.

L'ÉTRANGER

Il est donc impossible que ce qui est toujours simple s'adapte exactement à ce qui ne l'est jamais.

SOCRATE LE JEUNE

J'en ai peur.

L'ÉTRANGER

XXXIV. — Alors, pourquoi donc est-il nécessaire de légiférer, si la loi n'est pas ce qu'il y a de plus juste ? Il faut que nous en découvrions la raison.

SOCRATE LE JEUNE

Certainement.

L'ÉTRANGER

N'y a-t-il pas chez vous, comme dans d'autres Etats, des réunions d'hommes qui s'exercent soit à la course, soit à quelque autre jeu, en vue d'un certain concours ?

SOCRATE LE JEUNE

Si, et même beaucoup.

L'ÉTRANGER

Eh bien, remettons-nous en mémoire les prescriptions des entraîneurs professionnels qui président à ces sortes d'exercices.

SOCRATE LE JEUNE

Que veux-tu dire ?

L'ÉTRANGER

Ils pensent qu'il n'est pas possible de faire des prescriptions détaillées pour chaque individu, en ordonnant à chacun ce qui convient à sa constitution. Ils croient, au contraire, qu'il faut prendre les choses plus en gros et ordonner ce qui est utile au corps pour la généralité des cas et la généralité des individus.

SOCRATE LE JEUNE

Bien.

L'ÉTRANGER

C'est pour cela qu'imposant les mêmes travaux à des groupes entiers, ils leur font commencer en même temps et finir en même temps, soit la course, soit la lutte, ou tous les autres exercices.

SOCRATE LE JEUNE

C'est vrai.

L'ÉTRANGER

Croyons de même que le législateur, qui doit imposer à ses ouailles le respect de la justice et des contrats, ne sera jamais capable, en commandant à tous à la fois, d'assigner exactement à chacun ce qui lui convient.

SOCRATE LE JEUNE

C'est en tout cas vraisemblable.

L'ÉTRANGER

Mais il prescrira, j'imagine, ce qui convient à la majorité des individus et dans la plupart des cas, et c'est ainsi qu'il légiférera, en gros, pour chaque groupe, soit qu'il promulgue des lois écrites, soit qu'il donne force de loi à des coutumes traditionnelles non écrites.

SOCRATE LE JEUNE

C'est juste.

L'ÉTRANGER

Oui, c'est juste. Comment, en effet, Socrate, un homme pourrait-il rester toute sa vie aux côtés de chaque individu pour lui prescrire exactement ce qu'il doit faire ? Au reste, j'imagine que, s'il y avait quelqu'un qui en fût capable parmi ceux qui ont réellement reçu la science royale en partage, il ne consentirait guère à se donner des entraves en écrivant ce qu'on appelle des lois.

SOCRATE LE JEUNE

Non, étranger, du moins d'après ce que nous venons de dire.

L'ÉTRANGER

Et plus encore, excellent ami, d'après ce que nous allons dire.

SOCRATE LE JEUNE

Quoi donc ?

L'ÉTRANGER

Ceci. Il faut nous dire qu'un médecin ou un maître de gymnase qui va partir en voyage et qui pense rester longtemps loin de ceux auxquels il donne ses soins, voudrait, s'il pense que ses élèves ou ses malades ne se souviendront pas de ses prescriptions, les leur laisser par écrit, ou bien que ferait-il ?

SOCRATE LE JEUNE

Ce que tu as dit.

L'ÉTRANGER

Mais si le médecin revenait après être resté en voyage moins longtemps qu'il ne prévoyait, est-ce qu'il n'oserait pas à ces instructions écrites en substituer d'autres, si ses malades se trouvaient dans des conditions meilleures par suite des vents ou de tout autre changement inopiné dans le cours ordinaire des saisons ? ou persisterait-il à croire que personne ne doit transgresser ses anciennes prescriptions, ni lui-même en ordonnant autre chose, ni ses malades en osant enfreindre les ordonnances écrites, comme si ces ordonnances étaient seules médicales et salutaires, et tout autre régime insalubre et contraire à la science? Se conduire de la sorte en matière de science et d'art, n'est-ce pas exposer sa façon de légiférer au ridicule le plus complet ?

SOCRATE LE JEUNE

Sûrement.

L'ÉTRANGER

Et si après avoir édicté des lois écrites ou non écrites sur le juste et l'injuste, le beau et le laid, le bien et le mal, pour les troupeaux d'hommes qui se gouvernent dans leurs cités respectives conformément aux lois écrites, si, dis-je, celui qui a formulé ces lois avec art, ou tout autre pareil à lui se représente un jour, il lui serait interdit de les remplacer par d'autres! Est-ce qu'une telle interdiction ne paraîtrait pas réellement tout aussi ridicule dans ce cas que dans l'autre ?

SOCRATE LE JEUNE

Si, assurément.

L'ÉTRANGER

XXXV. — Sais-tu ce qu'on dit généralement à ce sujet ?

SOCRATE LE JEUNE

Cela ne me revient pas ainsi sur-le-champ.

L'ÉTRANGER

C'est pourtant bien spécieux. On dit, en effet, que, si un homme connaît des lois meilleures que celles des ancêtres, il ne doit les donner à sa patrie qu'après avoir persuadé chacun de ses concitoyens; autrement, non.

SOCRATE LE JEUNE

Eh bien, n'est-ce pas juste ?

L'ÉTRANGER

Peut-être. En tout cas, si quelqu'un, au lieu de les persuader, leur impose de force des lois meilleures, réponds, quel nom faudra-t-il donner à son coup de force ? Mais non, pas encore : revenons d'abord à ce que nous disions plus haut.

SOCRATE LE JEUNE

Que veux-tu dire ?

L'ÉTRANGER

Si un médecin qui entend bien son métier, au lieu d'user de persuasion, contraint son malade, enfant ou homme fait, ou femme, à suivre un meilleur traitement, en dépit des préceptes écrits, quel nom donnera-t-on à une telle violence ? Tout autre nom, n'est-ce pas ? que celui dont on appelle la faute contre l'art, l'erreur fatale à la santé. Et le patient ainsi traité aurait le droit de tout dire sur son cas, sauf qu'il a été soumis par les médecins qui lui ont fait violence à un traitement nuisible à sa santé et contraire à l'art.

SOCRATE LE JEUNE

C'est parfaitement vrai.

L'ÉTRANGER

Mais qu'est-ce que nous appelons erreur dans l'art politique ? N'est-ce pas la malhonnêteté, la méchanceté et l'injustice ?

SOCRATE LE JEUNE

C'est exactement cela.

L'ÉTRANGER

Or, quand on a été contraint de faire contre les lois écrites et l'usage traditionnel des choses plus justes, meilleures et plus belles qu'auparavant, voyons, si l'on blâme cet usage de la force, ne sera-t-on pas toujours, à moins qu'on ne veuille se rendre absolument ridicule, autorisé à tout dire plutôt que de prétendre que les victimes de ces violences ont subi des traitements honteux, injustes, mauvais ?

SOCRATE LE JEUNE

C'est parfaitement vrai.

L'ÉTRANGER

Mais faut-il dire que la violence est juste, si son auteur est riche, et injuste s'il est pauvre ? Ne faut-il pas plutôt, lorsqu'un homme, qu'il ait ou n'ait pas persuadé les citoyens, qu'il soit riche ou qu'il soit pauvre, qu'il agisse suivant ou contre les lois écrites, fait des choses utiles, voir en cela le critère le plus sûr d'une juste administration de l'Etat, critère d'après lequel l'homme sage et bon administrera les affaires de ses sujets ? De même que le pilote, toujours attentif au bien du vaisseau et des matelots, sans écrire un code, mais en prenant son art pour loi, sauve ses compagnons de voyage, ainsi et de la même façon des hommes capables de gouverner d'après ce principe pourraient réaliser une constitution droite, en donnant à leur art une force supérieure à celle des lois. Enfin, quoi qu'ils fassent, les chefs sensés ne commettent pas d'erreur, tant qu'ils observent cette grande et unique règle, de dispenser toujours avec intelligence et science aux membres de l'Etat la justice la plus parfaite, et, tant qu'ils sont capables de les sauver et de les rendre, autant que possible, meilleurs qu'ils n'étaient.

SOCRATE LE JEUNE

Il n'y a rien à objecter à ce que tu viens de dire.

L'ÉTRANGER

Et rien non plus à ceci.

SOCRATE LE JEUNE

XXXVI. — De quoi veux-tu parler ?

L'ÉTRANGER

Je veux dire que jamais un grand nombre d'hommes, quels qu'ils soient, n'acquerront jamais une telle science et ne deviendront capables d'administrer un Etat avec intelligence, et que c'est chez un petit nombre, chez quelques-uns, ou un seul, qu'il faut chercher cette science unique du vrai gouvernement, que les autres gouvernements doivent être considérés comme des imitations de celui-là, imitations tantôt bien, tantôt mal réussies.

SOCRATE LE JEUNE

Comment entends-tu cela ? Car, même tout à l'heure, j'ai mal compris ce que sont ces imitations.

L'ÉTRANGER

Nous nous exposerions à un reproche sérieux si, après avoir soulevé cette question, nous la laissions tomber, sans la traiter à fond et sans montrer l'erreur qu'on commet aujourd'hui en cette matière.

SOCRATE LE JEUNE

Quelle erreur ?

L'ÉTRANGER

Voici ce que nous avons à chercher. Ce n'est pas du tout ordinaire ni aisé à voir; essayons pourtant de le saisir. Puisqu'il n'y a pas pour nous d'autre gouvernement parfait que celui que nous avons dit, ne vois-tu pas que les autres ne peuvent subsister qu'en lui empruntant ses lois écrites, en faisant ce qu'on approuve aujourd'hui, bien que ce ne soit pas le plus raisonnable ?

SOCRATE LE JEUNE

Quoi donc ?

L'ÉTRANGER

C'est que personne dans la cité n'ose rien faire contre les lois et que celui qui l'oserait soit puni de mort et des derniers supplices. Et c'est là le principe le plus juste et le plus beau, en seconde ligne, quand on a écarté le premier, que nous avons exposé tout à l'heure. Comment s'est établi ce principe que nous mettons en seconde ligne, c'est ce qu'il nous faut expliquer, n'est-ce pas ?

SOCRATE LE JEUNE

Certainement.

L'ÉTRANGER

XXXVII. — Revenons donc aux images qui s'imposent chaque fois que nous voulons portraire des chefs faits pour la royauté.

SOCRATE LE JEUNE

Quelles images ?

L'ÉTRANGER

Celle de l'excellent pilote et du médecin « qui vaut beaucoup d'autres hommes [56] ». Façonnons une similitude où nous les ferons figurer et observons-les.

SOCRATE LE JEUNE

Quelle similitude ?

L'ÉTRANGER

Celle-ci. Suppose que nous nous mettions tous en tête que nous souffrons de leur part d'abominables traitements, par exemple, que si l'un ou l'autre veut sauver l'un d'entre nous, l'un comme l'autre le sauve, mais que s'ils veulent le mutiler, ils le mutilent, en le taillant, en le brûlant, en lui enjoignant de leur verser, comme une sorte d'impôt, des sommes dont ils ne dépensent que peu ou rien pour le malade, et détournent le reste pour leur usage ou celui de leur maison. Finalement ils vont jusqu'à se laisser payer par les parents ou les ennemis du malade pour le tuer. De leur côté, les pilotes commettent mille autres méfaits du même genre; ils vous laissent traîtreusement seuls à terre, quand ils prennent le large; ils font de fausses manœuvres en pleine mer et jettent les hommes à l'eau, sans parler des autres méchancetés dont ils se rendent coupables. Suppose qu'avec ces idées en tête, nous décidions, après en avoir délibéré, de ne plus permettre à aucun de ces deux arts de commander en maître absolu ni aux esclaves, ni aux hommes libres, de nous réunir nous-mêmes en assemblées, où l'on admettrait, soit le peuple tout entier, soit seulement les riches, et d'accorder aux ignorants et aux artisans le droit de donner leur avis sur la navigation et sur les maladies, et de décider comment il faut appliquer aux malades les remèdes et les instruments médicaux, comment il faut manœuvrer les vaisseaux et les engins nautiques, soit pour naviguer, soit pour affronter les dangers du vent et de la mer pendant la navigation, ou les rencontres de pirates, et si, dans un combat naval, il faut opposer aux vaisseaux longs des vaisseaux du même genre; enfin d'écrire ce que la foule aurait décidé à ce sujet, soit que des médecins et des pilotes ou que des ignorants aient pris part aux délibérations, sur des tables tournantes [57] ou sur des colonnes, ou bien, sans l'écrire, de l'adopter à titre de coutumes ancestrales et de nous régler désormais sur toutes ces décisions pour naviguer et pour soigner les malades.

SOCRATE LE JEUNE

Ce sont des choses bien étranges que tu dis là.

L'ÉTRANGER

Suppose encore que l'on institue chaque année des chefs du peuple, tirés au sort, soit parmi les riches, soit dans le peuple tout entier, et que les chefs ainsi institués se règlent sur les lois écrites pour gouverner les vaisseaux et soigner les malades.

SOCRATE LE JEUNE

Cela est encore plus difficile à admettre.

L'ÉTRANGER

XXXVIII. — Considère maintenant ce qui suit. Lorsque chacun des magistrats aura fini son année, il faudra constituer des tribunaux dont les juges seront choisis parmi les riches ou tirés au sort dans le peuple tout entier, et y faire comparaître les magistrats sortis de charge pour qu'ils rendent leurs comptes. Quiconque le voudra pourra les accuser de n'avoir pas, pendant leur année, gouverné les vaisseaux suivant les lois écrites ou suivant les vieilles coutumes des ancêtres, et l'on pourra de même accuser ceux qui soignent les malades, et les mêmes juges fixeront la peine ou l'amende que les condamnés auront à payer.

SOCRATE LE JEUNE

Alors, si un homme consentait volontairement à commander parmi de tels gens, il mériterait bien toutes les peines et amendes possibles.

L'ÉTRANGER

Il faudra encore après cela établir une loi portant que si l'on surprend quelqu'un à faire des recherches, en dépit des règles écrites, sur l'art du pilotage et la navigation et sur la santé et la vraie science médicale, dans ses rapports avec les vents, le chaud et le froid, et à imaginer quelque nouveauté en ces matières, d'abord, on ne lui donnera pas le nom de médecin, ni de pilote, mais celui de discoureur en l'air et de sophiste bavard [58], ensuite, que quiconque le voudra, parmi ceux qui en ont le droit, pourra l'accuser et le traduire devant quelque tribunal comme corrompant les jeunes gens et leur persuadant de pratiquer le pilotage et la médecine sans tenir compte des lois, en gouvernant, au contraire, en maîtres absolus les vaisseaux et les malades; et s'il est avéré qu'il donne, soit aux jeunes gens, soit aux vieillards, des conseils contraires aux lois et aux règlements écrits, on le punira des derniers supplices; car il ne doit rien y avoir de plus sage que les lois, vu que personne n'ignore la médecine, l'hygiène, ni le pilotage et la navigation; car il est loisible à tout le monde d'apprendre les règles écrites et les coutumes reçues dans la nation. S'il en devait être ainsi, Socrate, et de ces sciences, et de la stratégie, et de toute espèce de chasse, et de la peinture ou de toute autre partie de l'imitation en général, de la charpenterie et de la fabrication d'ustensiles de toute espèce, ou de l'agriculture, ou de toute l'horticulture; si nous devions voir pratiquer suivant des règles écrites l'élevage des chevaux ou l'art en général de soigner les troupeaux, ou la divination, ou toutes les parties qu'embrasse l'art de servir, ou le jeu du trictrac, ou la science des nombres tout entière, soit pure, soit appliquée aux surfaces planes, aux solides, aux mouvements, que deviendraient tous ces arts ainsi traités et réglés sur des lois écrites, au lieu de l'être sur l'art ?

SOCRATE LE JEUNE

Il est évident que c'en serait fait pour nous de tous les arts et qu'ils ne renaîtraient plus jamais, par suite de cette loi qui interdit la recherche; et la vie, déjà si dure à présent, deviendrait alors absolument insupportable.

L'ÉTRANGER

XXXIX. — Et ceci, qu'en diras-tu ? Si nous exigions que chacun des arts que j'ai nommés fût asservi à des règlements et que le chef désigné par l'élection ou par le sort veillât à leur exécution, mais que ce chef ne tînt aucun compte des règles écrites et que, par amour du gain ou par une complaisance particulière, il essayât d'agir autrement qu'elles ne le prescrivent, bien qu'il ne sût rien, ne serait-ce pas là un mal encore plus grave que le précédent ?

SOCRATE LE JEUNE

C'est très vrai.

L'ÉTRANGER

Il me semble, en effet, que, si l'on enfreint les lois qui ont été instituées d'après une longue expérience et dont chaque article a été sanctionné par le peuple sur les conseils et les exhortations de conseillers bien intentionnés, celui qui y contrevient commet une faute cent fois plus grande que la première et anéantit toute activité plus sûrement encore que ne le faisaient les règlements.

SOCRATE LE JEUNE

Naturellement.

L'ÉTRANGER

Par conséquent, lorsqu'on institue des lois et des règles écrites en quelque matière que ce soit, il ne reste qu'un second parti à prendre, c'est de ne jamais permettre ni à un seul individu ni à la foule de rien entreprendre qui y soit contraire.

SOCRATE LE JEUNE

C'est juste.

L'ÉTRANGER

Ces lois, écrites par des hommes qui possèdent la science, autant qu'il est possible, ne seraient-elles pas, en chaque matière, des imitations de la vérité ?

SOCRATE LE JEUNE

Sans aucun doute.

L'ÉTRANGER

Et pourtant nous avons dit, s'il nous en souvient, que l'homme qui sait, le véritable politique, agirait souvent suivant son art, sans s'inquiéter aucunement, pour se conduire, des règlements écrits, lorsqu'une autre manière de faire lui paraîtrait meilleure que les règles qu'il a rédigées lui-même et adressées à des hommes qui sont loin de lui.

SOCRATE LE JEUNE

Nous l'avons dit, en effet.

L'ÉTRANGER

Or, quand un individu quelconque ou une foule quelconque, ayant des lois établies, entreprennent, à l'encontre de ces lois, de faire quelque chose qui leur paraît préférable, ne font-ils pas, autant qu'il est en eux, la même chose que ce politique véritable ?

SOCRATE LE JEUNE

Assurément.

L'ÉTRANGER

Si ce sont des ignorants qui agissent ainsi, ils essaieront sans doute d'imiter la vérité, mais ils l'imiteront fort mal; si, au contraire, ce sont des gens savants dans leur art, ce n'est plus là de l'imitation, c'est la parfaite vérité même dont nous avons parlé.

SOCRATE LE JEUNE

A coup sûr.

L'ÉTRANGER

Cependant nous sommes tombés d'accord précédemment qu'aucune foule n'est capable de s'assimiler un art, quel qu'il soit. Notre accord reste acquis ?

SOCRATE LE JEUNE

Il reste acquis.

L'ÉTRANGER

Dès lors, s'il existe un art royal, la foule des riches et le peuple tout entier ne pourront jamais s'assimiler cette science politique.

SOCRATE LE JEUNE

Comment le pourraient-ils ?

L'ÉTRANGER

Il faut donc, à ce qu'il semble, que ces sortes de gouvernements, s'ils veulent imiter le mieux possible le gouvernement véritable, celui de l'homme unique qui gouverne avec art, se gardent bien, une fois qu'ils ont des lois établies, de jamais rien faire contre les règles écrites et les coutumes des ancêtres.

SOCRATE LE JEUNE

C'est fort bien dit.

L'ÉTRANGER

Quand ce sont les riches qui imitent ce gouvernement, nous nommons ce gouvernement-là aristocratie, et, quand ils ne s'inquiètent pas des lois, oligarchie.

SOCRATE LE JEUNE

Il y a apparence.

L'ÉTRANGER

Cependant, quand c'est un seul qui commande conformément aux lois, en imitant le savant politique, nous l'appelons roi, sans distinguer par des noms différents celui qui règne suivant la science de celui qui suit l'opinion.

SOCRATE LE JEUNE

Je le crois.

L'ÉTRANGER

Ainsi, lors même qu'un homme réellement savant règne seul, il n'en reçoit pas moins ce même nom de roi, et on ne lui en donne pas d'autre. Il en résulte que la totalité des noms donnés aux gouvernements que l'on distingue actuellement se réduit au nombre de cinq.

SOCRATE LE JEUNE

A ce qu'il semble du moins.

L'ÉTRANGER

Mais quoi! lorsque le chef unique n'agit ni suivant les lois, ni suivant les coutumes et qu'il prétend, comme le politique savant, qu'il faut faire passer le meilleur avant les règles écrites, alors que c'est au contraire la passion ou l'ignorance qui inspirent son imitation, est-ce qu'il ne faut pas alors nommer tyrans tous les chefs de cette sorte ?

SOCRATE LE JEUNE

Sans aucun doute.

L'ÉTRANGER

XL. — Voilà donc, disons-nous, comment sont nés le tyran, le roi, l'oligarchie, l'aristocratie et la démocratie : leur origine est la répugnance que les hommes éprouvent pour ce monarque unique que nous avons dépeint. Ils ne croient pas qu'il puisse jamais y avoir un homme qui soit digne d'une telle autorité et qui veuille et puisse gouverner avec vertu et science, dispensant comme il faut la justice et l'équité à tous ses sujets. Ils croient au contraire qu'il outragera, tuera, maltraitera tous ceux de nous qu'il lui plaira. S'il y avait, en effet, un monarque tel que nous disons, il serait aimé et vivrait heureux en administrant le seul Etat qui soit parfaitement bon.

SOCRATE LE JEUNE

Comment en douter ?

L'ÉTRANGER

Mais, puisqu'en fait, comme nous le disons, il ne naît pas dans les Etats de roi comme il en éclôt dans les ruches, doué dès sa naissance d'un corps et d'un esprit supérieurs, nous sommes, à ce qu'il semble, réduits à nous assembler pour écrire des lois, en suivant les traces de la constitution la plus vraie.

SOCRATE LE JEUNE

Il y a des chances qu'il en soit ainsi.

L'ÉTRANGER

Nous étonnerons-nous donc, Socrate, de tous les maux qui arrivent et ne cesseront pas d'arriver dans de tels gouvernements, lorsqu'ils sont basés sur ce principe qu'il faut conduire les affaires suivant les lois écrites et les coutumes, et non sur la science, alors que chacun peut voir que, dans tout autre art, le même principe ruinerait toutes les œuvres ainsi produites ? Ce qui doit plutôt nous étonner, n'est-ce pas la stabilité inhérente à la nature de l'Etat ? Car, malgré ces maux qui rongent les Etats depuis un temps infini, quelques-uns d'entre eux ne laissent pas d'être stables et ne sont pas renversés. Mais il y en a beaucoup qui, de temps à autre, comme des vaisseaux qui sombrent, périssent, ont péri et périront par l'incapacité de leurs pilotes et de leur équipage, lesquels témoignent sur les matières les plus importantes la plus grande ignorance et, sans rien connaître à la politique, s'imaginent que, de toutes les sciences, c'est celle dont ils ont la connaissance la plus nette et la plus détaillée.

SOCRATE LE JEUNE

Rien n'est plus vrai.

L'ÉTRANGER

XLI. — Et maintenant, parmi ces gouvernements imparfaits, où la vie est toujours difficile, quel est le moins incommode, et quel est le plus insupportable ? N'est-ce pas là ce qu'il nous faut voir, bien que cette question ne soit qu'accessoire par rapport à notre objet présent ? Mais, en somme, il y a peut-être toujours un motif accessoire à l'origine de toutes nos actions.

SOCRATE LE JEUNE

Il faut traiter la question, c'est indispensable.

L'ÉTRANGER

Eh bien, tu peux dire que des trois gouvernements, le même est à la fois le plus incommode et le plus aisé à supporter.

SOCRATE LE JEUNE

Que veux-tu dire ?

L'ÉTRANGER

Rien autre chose, sinon que le gouvernement d'un seul, celui du petit nombre et celui de la multitude sont les trois dont nous avons parlé au début de ce débat qui nous a submergés.

SOCRATE LE JEUNE

C'est bien cela.

L'ÉTRANGER

Eh bien, divisons-les chacun en deux et faisons-en six, en plaçant à part, comme septième, le gouvernement parfait.

SOCRATE LE JEUNE

Comment ?

L'ÉTRANGER

Nous avons dit que le gouvernement d'un seul donnait naissance à la royauté et à la tyrannie, le gouvernement du petit nombre à l'aristocratie avec son nom d'heureux augure et à l'oligarchie, et le gouvernement de la multitude à ce que nous avons appelé du nom unique de démocratie; mais à présent il nous faut aussi la tenir pour double.

SOCRATE LE JEUNE

Comment donc, et d'après quel principe la diviserons-nous ?

L'ÉTRANGER

D'après le même exactement que les autres, eût-il déjà un double nom [59]. En tout cas, on peut commander selon les lois ou au mépris des lois dans ce gouvernement, comme dans les autres.

SOCRATE LE JEUNE

On le peut, en effet.

L'ÉTRANGER

Au moment où nous étions à la recherche de la vraie constitution, cette division était sans utilité, comme nous l'avons montré précédemment. Mais maintenant que nous avons mis à part cette constitution parfaite et que nous avons admis la nécessité des autres, chacune d'elles se divise en deux, suivant qu'elles méprisent ou respectent la loi.

SOCRATE LE JEUNE

Il le semble, d'après ce qui vient d'être dit.

L'ÉTRANGER

Or la monarchie, liée par de bonnes règles écrites que nous appelons lois, est la meilleure de toutes les six; mais sans lois, elle est incommode et rend l'existence très pénible.

SOCRATE LE JEUNE

On peut le croire.

L'ÉTRANGER

Quant au gouvernement du petit nombre, de même que peu est un milieu entre un seul et la multitude, regardons-le de même comme un milieu entre les deux autres. Pour celui de la multitude, tout y est faible et il ne peut rien faire de grand, ni en bien, ni en mal, comparativement aux autres, parce que l'autorité y est répartie par petites parcelles entre beaucoup de mains. Aussi, de tous ces gouvernements, quand ils sont soumis aux lois, celui-ci est le pire, mais, quand ils s'y dérobent, c'est le meilleur de tous; s'ils sont tous déréglés, c'est en démocratie qu'il fait le meilleur vivre; mais, s'ils sont bien ordonnés, c'est le pire pour y vivre, et c'est celui que nous avons nommé en premier lieu qui, à ce point de vue, tient le premier rang et qui vaut le mieux, à l'exception du septième; car celui-là doit être mis à part de tous les autres, comme Dieu est à part des hommes.

SOCRATE LE JEUNE

Il semble bien que les choses soient et se passent ainsi, et il faut faire comme tu dis.

L'ÉTRANGER

Alors ceux qui prennent part à tous ces gouvernements, à l'exception du gouvernement scientifique, doivent être éliminés, comme n'étant pas des hommes d'Etat, mais des partisans; comme ils sont préposés aux plus vains simulacres, ils ne sont eux-mêmes que des simulacres, et, comme ils sont les plus grands imitateurs et les plus grands charlatans, ils sont aussi les plus grands des sophistes.

SOCRATE LE JEUNE

Voilà un mot qui semble être sorti juste à propos à l'adresse des prétendus politiques.

L'ÉTRANGER

Oui; c'est vraiment pour nous comme un drame, où l'on voit, ainsi que nous l'avons dit tout à l'heure, une bande bruyante de centaures et de satyres, qu'il fallait écarter de la science politique; et maintenant voilà la séparation faite, bien qu'à grand-peine.

SOCRATE LE JEUNE

Apparemment.

L'ÉTRANGER

Mais il reste une autre troupe encore plus difficile à écarter, parce qu'elle est à la fois plus étroitement apparentée à la race royale et plus malaisée à reconnaître. Et il me semble que nous sommes à peu près dans la situation de ceux qui épurent l'or.

SOCRATE LE JEUNE

Comment ?

L'ÉTRANGER

Ces ouvriers-là commencent par écarter la terre, les pierres et beaucoup d'autres choses; mais, après cette opération, il reste mêlées à l'or les substances précieuses qui lui sont apparentées et que le feu seul peut en séparer : le cuivre, l'argent et parfois aussi l'adamas [60], qui, séparés, non sans peine, par l'action du feu et diverses épreuves, nous laissent voir ce qu'on appelle l'or pur seul et réduit à lui-même.

SOCRATE LE JEUNE

Oui, c'est bien ainsi, dit-on, que la chose se passe.

L'ÉTRANGER

XLII. — C'est d'après la même méthode, si je ne me trompe, que nous avons nous-mêmes tout à l'heure séparé de la science politique tout ce qui en diffère, tout ce qui lui est étranger et sans lien d'amitié avec elle, et laissé les sciences précieuses qui lui sont apparentées. Tels sont l'art militaire, la jurisprudence et tout cet art de la parole associé à la science royale, qui persuade le juste, et gouverne de concert avec elle les affaires de l'Etat. Maintenant quel serait le moyen le plus aisé de les éliminer et de faire paraître nu et seul en lui-même celui que nous cherchons ?

SOCRATE LE JEUNE

Il est évident que c'est ce qu'il faut essayer de faire par quelque moyen.

L'ÉTRANGER

S'il ne tient qu'à essayer, nous le découvrirons sûrement. Mais il nous faut recourir à la musique pour le bien faire voir. Dis-moi donc.

SOCRATE LE JEUNE

Quoi ?

L'ÉTRANGER

Il y a bien, n'est-ce pas, un apprentissage de la musique et en général des sciences qui ont pour objet le travail manuel ?

SOCRATE LE JEUNE

Oui.

L'ÉTRANGER

Mais dis-moi encore : décider s'il faut apprendre ou non telle ou telle de ces sciences, ne dirons-nous pas aussi que c'est une science qui se rapporte à ces sciences mêmes ? ou bien que dirons-nous ?

SOCRATE LE JEUNE

Nous dirons que c'est une science qui se rapporte aux autres.

L'ÉTRANGER

Ne conviendrons-nous pas qu'elle en diffère ?

SOCRATE LE JEUNE

Si.

L'ÉTRANGER

Dirons-nous aussi qu'aucune d'elles ne doit commander à aucune autre, ou que les premières doivent commander à celle-ci, ou que celle-ci doit présider et commander toutes les autres ?

SOCRATE LE JEUNE

Que celle-ci doit commander aux autres.

L'ÉTRANGER

Ainsi tu déclares que c'est à la science qui décide s'il faut ou non apprendre celle qui est apprise et qui enseigne que nous devons attribuer le commandement ?

SOCRATE LE JEUNE

Catégoriquement.

L'ÉTRANGER

Et celle qui décide s'il faut ou non persuader, doit-elle commander à celle qui sait persuader ?

SOCRATE LE JEUNE

Sans aucun doute.

L'ÉTRANGER

Et maintenant, à quelle science attribuerons-nous le pouvoir de persuader la foule et la populace en leur contant des fables au lieu de les instruire ?

SOCRATE LE JEUNE

Il est clair, je pense, qu'il faut l'attribuer à la rhétorique.

L'ÉTRANGER

Et le pouvoir de décider s'il faut faire telle ou telle chose et agir envers certaines personnes, en employant la persuasion ou la violence, ou s'il faut ne rien faire du tout, à quelle science l'attribuerons-nous ?

SOCRATE LE JEUNE

A celle qui commande à l'art de persuader et à l'art de dire.

L'ÉTRANGER

Et celle-là n'est pas autre, je pense, que la capacité du politique.

SOCRATE LE JEUNE

C'est fort bien dit.

L'ÉTRANGER

Nous avons eu vite fait, ce me semble, de séparer de la politique cette fameuse rhétorique, en tant qu'elle est d'une autre espèce, mais subordonnée à elle.

SOCRATE LE JEUNE

Oui.

L'ÉTRANGER

XLIII. — Et de cette autre faculté, que faut-il en penser ?

SOCRATE LE JEUNE

De quelle faculté ?

L'ÉTRANGER

De celle qui sait comment il faut faire la guerre à ceux à qui nous déciderons de la faire. Dirons-nous qu'elle est étrangère à l'art ou qu'elle relève de l'art ?

SOCRATE LE JEUNE

Comment croire qu'elle est étrangère à l'art, quand on la voit en action dans la stratégie et dans toutes les opérations de la guerre ?

L'ÉTRANGER

Mais celle qui sait et peut décider s'il faut faire la guerre ou traiter à l'amiable, la regarderons-nous comme différente de la précédente ou comme identique ?

SOCRATE LE JEUNE

D'après ce qui a été dit précédemment, il faut la regarder comme différente.

L'ÉTRANGER

Ne déclarerons-nous pas qu'elle commande à l'autre, si nous voulons rester fidèles à nos affirmations précédentes ?

SOCRATE LE JEUNE

C'est mon avis.

L'ÉTRANGER

Mais à cet art si savant et si important qu'est l'art de la guerre en son ensemble, quel autre art nous aviserons-nous de lui donner pour maître, sinon le véritable art politique ?

SOCRATE LE JEUNE

Nous ne lui en donnerons pas d'autre.

L'ÉTRANGER

Nous n'admettrons donc pas que la science des généraux soit la science politique, puisqu'elle est à son service ?

SOCRATE LE JEUNE

Il n'y a pas d'apparence.

L'ÉTRANGER

Allons maintenant, examinons aussi la puissance des magistrats, quand ils rendent des jugements droits.

SOCRATE LE JEUNE

Très volontiers.

L'ÉTRANGER

Va-t-elle donc plus loin qu'à juger les contrats, d'après toutes les lois existantes qu'elle a reçues du roi législateur, et à déclarer, en se réglant sur elles, ce qui a été classé comme juste ou comme injuste, montrant comme vertu particulière que ni les présents, ni la crainte, ni la pitié, ni non plus la haine, ni l'amitié ne peuvent la gagner et la résoudre à trancher les différends des parties contrairement à l'ordre établi par le législateur ?

SOCRATE LE JEUNE

Non, son action ne va guère au-delà de ce que tu as dit.

L'ÉTRANGER

Nous voyons donc que la force des juges n'est point la force royale, mais la gardienne des lois et la servante de la royauté.

SOCRATE LE JEUNE

Il le semble.

L'ÉTRANGER

Constatons donc, après avoir examiné toutes les sciences précitées, qu'aucune d'elles ne nous est apparue comme étant la science politique; car la science véritablement royale ne doit pas agir elle-même, mais commander à celles qui sont capables d'agir; elle connaît les occasions favorables ou défavorables pour commencer et mettre en train les plus grandes entreprises dans les cités; c'est aux autres à exécuter ce qu'elle prescrit.

SOCRATE LE JEUNE

C'est juste.

L'ÉTRANGER

Ainsi les sciences que nous avons passées en revue tout à l'heure ne se commandent ni les unes aux autres, ni à elles-mêmes, mais chacune d'elles, ayant sa sphère d'activité particulière, a reçu justement un nom particulier correspondant à sa fonction propre.

SOCRATE LE JEUNE

Il le semble du moins.

L'ÉTRANGER

Mais celle qui commande à toutes ces sciences et qui veille aux lois et à tous les intérêts de l'Etat, en tissant tout ensemble de la manière la plus parfaite, nous avons tout à fait le droit, ce me semble, pour désigner d'un nom compréhensif son pouvoir sur la communauté, de l'appeler politique.

SOCRATE LE JEUNE

Certainement.

L'ÉTRANGER

XLIV. — Or çà, ne voudrions-nous pas expliquer la politique à son tour sur le modèle du tissage, à présent que tous les genres de sciences contenus dans la cité sont devenus clairs pour nous ?

SOCRATE LE JEUNE

Oui, nous le voulons, et même fortement.

L'ÉTRANGER

Nous avons donc, ce me semble, à expliquer de quelle nature est le tissage royal, comment il entrecroise les fils et quel est le tissu qu'il nous fournit.

SOCRATE LE JEUNE

Evidemment.

L'ÉTRANGER

Certes, c'est une chose difficile que nous sommes obligés d'exposer, à ce que je vois.

SOCRATE LE JEUNE

Il n'en faut pas moins le faire.

L'ÉTRANGER

Qu'une partie de la vertu diffère, en un sens, d'une autre espèce de la vertu, cette assertion donne aisément prise aux disputeurs qui s'appuient sur les opinions de la multitude.

SOCRATE LE JEUNE

Je ne comprends pas.

L'ÉTRANGER

Je reprends d'une autre façon. Je suppose que tu regardes le courage comme une partie de la vertu.

SOCRATE LE JEUNE

Certainement.

L'ÉTRANGER

Et la tempérance comme différente du courage, mais comme étant pourtant une partie de la vertu aussi bien que lui.

SOCRATE LE JEUNE

Oui.

L'ÉTRANGER

Eh bien, sur ces vertus, il faut oser dire une chose qui surprendra.

SOCRATE LE JEUNE

Laquelle ?

L'ÉTRANGER

C'est qu'elles sont, en un sens, violemment ennemies l'une de l'autre et forment deux factions contraires dans beaucoup d'êtres où elles se trouvent.

SOCRATE LE JEUNE

Que veux-tu dire ?

L'ÉTRANGER

Une chose absolument contraire à ce qu'on dit d'habitude; car on soutient, n'est-ce pas? que toutes les parties de la vertu sont amies les unes des autres.

SOCRATE LE JEUNE

Oui.

L'ÉTRANGER

Examinons donc avec une grande attention si la chose est aussi simple qu'on le dit, ou si décidément il n'y a pas quelqu'une d'elles qui soit en désaccord avec ses sœurs.

SOCRATE LE JEUNE

Soit; mais explique comment il faut conduire cet examen.

L'ÉTRANGER

Il faut chercher en toutes choses ce que nous appelons beau, mais que nous rangeons en deux espèces opposées l'une à l'autre.

SOCRATE LE JEUNE

Explique-toi encore plus clairement.

L'ÉTRANGER

La vivacité et la vitesse, soit dans le corps, soit dans l'esprit, soit dans l'émission de la voix, qu'on les considère en ces objets mêmes ou dans les images qu'en produisent par l'imitation la musique et la peinture, sont-ce là des qualités que tu aies jamais louées toi-même ou que tu aies entendu louer par un autre en ta présence ?

SOCRATE LE JEUNE

Bien certainement.

L'ÉTRANGER

Te rappelles-tu aussi comment on s'y prend pour louer chacune de ces choses ?

SOCRATE LE JEUNE

Pas du tout.

L'ÉTRANGER

Serais-je capable de t'expliquer par des paroles comment je l'entends ?

SOCRATE LE JEUNE

Pourquoi pas ?

L'ÉTRANGER

Tu as l'air de croire que c'est une chose facile. Quoi qu'il en soit, examinons-la dans les genres contraires. Souvent et en beaucoup d'actions, chaque fois que nous admirons la vitesse, la force, la vivacité de la pensée et du corps, et de la voix aussi, nous nous servons pour louer ces qualités d'un seul mot, celui de force.

SOCRATE LE JEUNE

Comment cela ?

L'ÉTRANGER

Nous disons vif et fort, vite et fort, véhément et fort; et, en tout cas, c'est en appliquant à toutes ces qualités l'épithète commune que je viens d'énoncer, que nous exprimons leur éloge.

SOCRATE LE JEUNE

Oui.

L'ÉTRANGER

Mais quoi! N'avons-nous pas souvent loué dans beaucoup d'actions l'espèce de tranquillité avec laquelle elles se font ?

SOCRATE LE JEUNE

Oui, et vivement même.

L'ÉTRANGER

Or n'est-ce pas en nous servant d'expressions contraires aux précédentes que nous exprimons notre éloge ?

SOCRATE LE JEUNE

Comment ?

L'ÉTRANGER

Toutes les fois que nous appelons calmes et sages les ouvrages de l'esprit qui excitent notre admiration, que nous louons des actions lentes et douces, des sons coulants et graves, et tous les mouvements rythmiques et tous les arts en général qui usent d'une lenteur opportune, ce n'est pas le terme de fort, mais celui de réglé que nous appliquons à tout cela.

SOCRATE LE JEUNE

C'est parfaitement exact.

L'ÉTRANGER

Par contre, toutes les fois que ces deux genres de qualités se manifestent hors de propos, nous changeons de langage et nous les critiquons, les unes aussi bien que les autres, en leur appliquant des noms opposés.

SOCRATE LE JEUNE

Comment cela ?

L'ÉTRANGER

Quand les choses dont nous parlons deviennent plus vives qu'il ne convient et apparaissent trop rapides et trop dures, nous les appelons violentes et extravagantes ; si elles sont trop graves, trop lentes et trop douces, nous les appelons lâches et indolentes, et presque toujours ces genres opposés, la modération et la force, se montrent à nous comme des idées rangées en deux partis hostiles, et qui ne se mêlent pas dans les actes où elles se réalisent. Enfin nous verrons que ceux qui portent ces qualités dans leurs âmes ne s'accordent pas entre eux, si nous voulons les suivre.

SOCRATE LE JEUNE

XLV. — En quoi sont-ils en désaccord, selon toi ?

L'ÉTRANGER

En tout ce que nous venons de dire et probablement aussi en beaucoup d'autres choses. J'imagine que, suivant leur parenté avec l'une ou l'autre espèce, ils louent certaines choses comme des qualités qui leur sont propres, et blâment les qualités opposées, parce qu'elles leur sont étrangères, et c'est ainsi qu'ils arrivent à se haïr cruellement à propos d'une foule de choses.

SOCRATE LE JEUNE

C'est ce qui me semble.

L'ÉTRANGER

Cependant cette opposition des deux espèces d'esprits n'est qu'un jeu, mais dans les affaires de haute importance, elle devient la plus détestable maladie qui puisse affliger les Etats.

SOCRATE LE JEUNE

De quelles affaires parles-tu ?

L'ÉTRANGER

Naturellement, de celles qui regardent toute la conduite de la vie. Ceux qui sont d'un naturel extrêmement modéré sont disposés à mener une vie toujours paisible; ils font leurs affaires tout seuls et par eux-mêmes; ils sont également pacifiques envers tout le monde dans leur propre cité, et à l'égard des cités étrangères ils sont de même prêts à tout pour conserver la paix. En poussant cet amour au-delà des bornes raisonnables, ils deviennent inconsciemment, quand ils peuvent satisfaire leurs goûts, incapables de faire la guerre; ils inspirent à la jeunesse les mêmes dispositions et sont à la merci du premier agresseur. Aussi en peu d'années eux, leurs enfants et la cité tout entière ont glissé insensiblement de la liberté dans l'esclavage.

SOCRATE LE JEUNE

C'est une dure et terrible expérience.

L'ÉTRANGER

Que dirons-nous de ceux qui inclinent plutôt vers la force ? Ne poussent-ils pas sans cesse leur pays à quelque guerre, par suite de leur passion trop violente pour ce genre de vie, et, à force de lui susciter de puissants ennemis, n'arrivent-ils pas à ruiner totalement leur patrie ou à la rendre esclave et sujette de ses ennemis ?

SOCRATE LE JEUNE

Cela se voit aussi.

L'ÉTRANGER

Comment donc ne pas avouer dans ces conditions que ces deux genres d'esprits sont toujours à l'égard l'un de l'autre en état de haine violente et d'hostilité profonde ?

SOCRATE LE JEUNE

Impossible de ne pas l'avouer.

L'ÉTRANGER

Et maintenant, n'avons-nous pas trouvé ce que nous cherchions en commençant, que certaines parties importantes de la vertu sont naturellement opposées les unes aux autres et produisent les mêmes oppositions dans ceux où elles se rencontrent ?

SOCRATE LE JEUNE

Il semble bien.

L'ÉTRANGER

Maintenant voyons ceci.

SOCRATE LE JEUNE

Quoi ?

L'ÉTRANGER

XLVI. — Si, parmi les sciences qui combinent, il en est une qui, de propos délibéré, compose l'un quelconque de ses ouvrages, si humble qu'il soit, aussi bien de mauvais que de bons éléments, ou si toute science, au contraire, ne rejette pas invariablement, autant qu'elle peut, les éléments mauvais, pour prendre les éléments convenables et bons, et, les réunissant tous ensemble, qu'ils soient ou non semblables, en fabriquer une œuvre qui ait une propriété et un caractère unique.

SOCRATE LE JEUNE

Le doute n'est pas possible.

L'ÉTRANGER

Il en est de même de la politique, si elle est, comme nous le voulons, conforme à la nature : il n'est pas à craindre qu'elle consente jamais à former un Etat d'hommes indifféremment bons ou mauvais. Il est, au contraire, bien évident qu'elle commencera par les soumettre à l'épreuve du jeu; puis, l'épreuve terminée, elle les confiera à des hommes capables de les instruire et de servir ses intentions; mais elle gardera elle-même le commandement et la surveillance, tout comme l'art du tisserand commande et surveille, en les suivant pas à pas, les cardeurs et ceux qui préparent les autres matériaux en vue du tissage, montrant à chacun comment il doit exécuter les besognes qu'il juge propres à son tissage.

SOCRATE LE JEUNE

Parfaitement.

L'ÉTRANGER

C'est exactement ainsi, ce me semble, que la science royale procédera à l'égard de ceux qui sont chargés par la loi de l'instruction et de l'éducation. Gardant pour elle-même la fonction de surveillante, elle ne leur permettra aucun exercice qui n'aboutisse à former des caractères propres au mélange qu'elle veut faire et leur recommandera de ne rien enseigner que dans ce but. Et s'il en est qui ne puissent se former comme les autres à des mœurs fortes et sages, et à toutes les autres qualités qui tendent à la vertu, et qu'un naturel fougueux et pervers pousse à l'athéisme, à la violence et à l'injustice, elle s'en débarrasse en les mettant à mort, en les exilant, en leur infligeant les peines les plus infamantes.

SOCRATE LE JEUNE

On dit en effet que c'est ainsi qu'elle procède.

L'ÉTRANGER

Ceux qui se vautrent dans l'ignorance et la bassesse grossière, elle les attache au joug de la servitude.

SOCRATE LE JEUNE

C'est très juste.

L'ÉTRANGER

Pour les autres, ceux dont la nature est capable de se former par l'éducation aux vertus généreuses, et de se prêter à un mélange mutuel combiné avec art, s'ils sont plutôt portés vers la force, elle assimile dans sa pensée leur caractère ferme au fil de la chaîne; s'ils inclinent vers la modération, elle les assimile, pour reprendre notre image, au fil souple et mou de la trame, et, comme ces natures sont de tendances opposées, elle s'efforce de les lier ensemble et de les entre-croiser de la façon suivante.

SOCRATE LE JEUNE

De quelle façon ?

L'ÉTRANGER

Elle assemble d'abord, suivant leur parenté, la partie éternelle de leur âme avec un fil divin, et, après la partie divine, la partie animale avec des fils humains.

SOCRATE LE JEUNE

Qu'entends-tu encore par là ?

L'ÉTRANGER

XLVII. — Quand l'opinion réellement vraie et ferme sur le beau, le juste, le bien, et leurs contraires, se forme dans les âmes, je dis que c'est quelque chose de divin qui naît dans une race démoniaque.

SOCRATE LE JEUNE

Il convient en effet de le dire.

L'ÉTRANGER

Or ne savons-nous pas qu'il n'appartient qu'au politique et au sage législateur de pouvoir imprimer cette opinion chez ceux qui ont reçu une bonne éducation, ceux dont nous parlions tout à l'heure ?

SOCRATE LE JEUNE

C'est en tout cas vraisemblable.

L'ÉTRANGER

Quant à celui qui est incapable de le faire, gardons-nous, Socrate, de lui appliquer jamais les noms que nous cherchons en ce moment à définir.

SOCRATE LE JEUNE

C'est très juste.

L'ÉTRANGER

Mais, si une âme forte saisit ainsi la vérité, ne s'adoucit-elle pas et ne serait-elle pas parfaitement disposée à communier avec la justice, et si elle n'a pas saisi la vérité, n'inclinera-t-elle pas plutôt vers un naturel sauvage ?

SOCRATE LE JEUNE

Il n'en saurait être autrement.

L'ÉTRANGER

Et le caractère modéré ne devient-il pas, en participant à ces opinions vraies, réellement tempéré et sage, autant du moins qu'on peut l'être dans un État, tandis que, s'il ne participe point à ces opinions dont nous parlons, il acquiert à très juste titre une honteuse réputation de niaiserie ?

SOCRATE LE JEUNE

Parfaitement.

L'ÉTRANGER

Ne faut-il pas affirmer qu'un tissu et un lien qui unit les méchants entre eux, ou les bons avec les méchants, n'est jamais durable, et qu'aucune science ne saurait songer sérieusement à s'en servir pour de tels gens ?

SOCRATE LE JEUNE

Comment le pourrait-elle ?

L'ÉTRANGER

Que c'est seulement chez les hommes qui sont nés avec un caractère généreux et qui ont reçu une éducation conforme à la nature que les lois font naître ce lien, que c'est pour eux que l'art en fait un remède, et que c'est, comme nous l'avons dit, le lien vraiment divin qui unit ensemble des parties de la vertu qui sont naturellement dissemblables et divergent en sens contraire.

SOCRATE LE JEUNE

C'est exactement vrai.

L'ÉTRANGER

Quant aux autres liens, qui sont purement humains, une fois que ce lien divin existe, il n'est pas bien difficile ni de les concevoir, ni, les ayant conçus, de les réaliser.

SOCRATE LE JEUNE

Comment, et quels sont-ils ?

L'ÉTRANGER

Ceux que l'on forme en se mariant d'un Etat dans un autre, en échangeant des enfants et, entre particuliers, en établissant des filles ou en contractant des mariages. La plupart des gens contractent ces unions dans des conditions défavorables à la procréation des enfants.

SOCRATE LE JEUNE

Comment cela ?

L'ÉTRANGER

Ceux qui, en pareille affaire, cherchent l'argent et la puissance, méritent-ils seulement qu'on prenne la peine de les blâmer ?

SOCRATE LE JEUNE

Pas du tout.

L'ÉTRANGER

XLVIII. — Il vaut mieux parler de ceux qui se préoccupent de la race et voir s'il y a quelque chose à redire à leur conduite.

SOCRATE LE JEUNE

Il semble en effet que cela vaut mieux.

L'ÉTRANGER

Le fait est qu'il n'y a pas une ombre de raison droite dans leur conduite : ils ne cherchent que la commodité immédiate; ils font beau visage à leurs pareils, et ils n'aiment pas ceux qui ne leur ressemblent pas; car ils obéissent avant tout à leur antipathie.

SOCRATE LE JEUNE

Comment ?

L'ÉTRANGER

Les modérés recherchent des gens de leur humeur, et c'est parmi eux qu'ils prennent femme, s'ils le peuvent, et à eux qu'ils donnent leurs filles en mariage. Ceux de la race énergique font de même : ils recherchent une nature semblable à la leur, alors que l'une et l'autre race devraient faire tout le contraire.

SOCRATE LE JEUNE

Comment et pourquoi ?

L'ÉTRANGER

Parce que la nature du tempérament fort est telle que, lorsqu'il se reproduit pendant plusieurs générations sans se mélanger au tempéré, il finit, après avoir été d'abord éclatant de vigueur, par dégénérer en véritables fureurs.

SOCRATE LE JEUNE

C'est vraisemblable.

L'ÉTRANGER

D'un autre côté, l'âme qui est trop pleine de réserve et qui ne s'allie pas à une mâle audace, après s'être transmise ainsi pendant plusieurs générations, devient nonchalante à l'excès et finit par devenir entièrement paralysée.

SOCRATE LE JEUNE

Cela encore est vraisemblable.

L'ÉTRANGER

Voilà les liens dont je disais qu'ils ne sont pas du tout difficiles à former, pourvu que ces deux races aient la même opinion sur le beau et sur le bien. Car toute la tâche du royal tisserand, et il n'en a pas d'autre, c'est de ne pas permettre le divorce entre les caractères tempérés et les caractères énergiques, de les ourdir ensemble, au contraire, par des opinions communes, des honneurs, des renommées, des gages échangés entre eux, pour en composer un tissu lisse et, comme on dit, de belle trame, et de leur conférer toujours en commun les charges de l'Etat.

SOCRATE LE JEUNE

Comment ?

L'ÉTRANGER

En choisissant, là où il ne faut qu'un seul chef, un homme qui réunisse ces deux caractères, et là où il en faut plusieurs, en faisant leur part à chacun d'eux. Les chefs d'humeur tempérée sont, en effet, très circonspects, justes et conservateurs; mais il leur manque le mordant et l'activité hardie et prompte.

SOCRATE LE JEUNE

Il semble en effet que cela aussi est vrai.

L'ÉTRANGER

Les hommes énergiques, à leur tour, sont inférieurs à ceux-là du côté de la justice et de la circonspection, mais ils leur sont supérieurs par la hardiesse dans l'action. Aussi est-il impossible que tout aille bien dans les cités pour les particuliers et pour l'Etat, si ces deux caractères ne s'y trouvent pas réunis.

SOCRATE LE JEUNE

C'est incontestable.

L'ÉTRANGER

Disons alors que le but de l'action politique, qui est le croisement des caractères forts et des caractères modérés dans un tissu régulier, est atteint, quand l'art royal, les unissant en une vie commune par la concorde et l'amitié, après avoir ainsi formé le plus magnifique et le meilleur des tissus, en enveloppe dans chaque cité tout le peuple, esclaves et hommes libres, et les retient dans sa trame, et commande et dirige, sans jamais rien négliger de ce qui regarde le bonheur de la cité.

SOCRATE

Tu nous as parfaitement défini, à son tour, étranger, l'homme royal et l'homme politique.

PHILÈBE

NOTICE SUR LE PHILÈBE

ARGUMENT

Nous tombons, au début du *Philèbe,* sur une conversation qui vient de finir entre Socrate et Philèbe, où ils ont affronté leurs idées respectives sur ce qui doit être le but de la vie humaine, sur le souverain bien. Philèbe a soutenu qu'il consiste dans le plaisir, Socrate, dans la sagesse et l'intelligence. Comme Philèbe est buté à son idée, Socrate s'adresse à Protarque, ami de Philèbe, moins entêté que lui, pour continuer la discussion. Socrate et Protarque conviennent de ne pas l'abandonner avant d'avoir reconnu si c'est le plaisir ou la sagesse qui est la fin que nous devons nous proposer, ou si c'est dans un autre genre de vie qu'il faut chercher le vrai bien de l'homme.

LA MÉTHODE A SUIVRE

Pour en juger, il faut au préalable étudier la nature du plaisir et la nature de la science et de la sagesse. Tout en étant un, le plaisir est multiple, c'est-à-dire qu'il comprend plusieurs espèces, et il en est de même de la science. Les éristiques, il est vrai, nient que ce qui est un puisse être multiple; mais leurs arguties ne méritent pas qu'on s'y arrête. Toutes les choses qui existent sont issues de l'un et du multiple, et la nature a uni en elles le fini et l'infini. Il y a dans chacune une idée qu'il faut chercher d'abord : c'est le genre; puis dénombrer les espèces contenues dans le genre, pour arriver enfin aux individus qui sont une infinité. C'est ainsi que la voix, qui est une, comprend plusieurs espèces de sons, le grave, l'aigu, le moyen, et que ceux-ci à leur tour se décomposent en un grand nombre d'éléments. Cette manière de procéder est ce que nous appelons aujourd'hui la méthode analytique. Si, inversement, on remonte des individus à l'idée, c'est la synthèse. Dans la synthèse, comme dans l'analyse, il faut que les énumérations soient complètes, si l'on ne veut pas s'exposer à de graves erreurs. Ce n'est pas la première fois que Platon explique sa méthode. Il en avait déjà maintes fois exposé les principes, par exemple dans *la République* (454 a sqq. et 534 b sqq.), mais surtout dans le *Phèdre* (265 d-e), dans le *Parménide* (129 b sqq.), dans *le Sophiste* (253 d-e) et dans *le Politique* (262 b et 285 a). En particulier, les célèbres dichotomies du *Sophiste* et du *Politique* nous font voir avec quelle minutie on appliquait à l'école de Platon les principes relatifs à l'analyse des espèces.

LES TROIS CARACTÈRES DU SOUVERAIN BIEN

C'est suivant cette méthode qu'il faut chercher si le plaisir et la sagesse comportent des espèces, quel en est le nombre, quelle en est la nature. Mais Protarque ayant déclaré qu'une telle analyse est au-dessus de ses forces, Socrate confesse qu'elle n'est pas nécessaire, s'il est vrai, comme il l'a entendu dire, que le souverain bien ne réside ni dans le plaisir ni dans la sagesse, mais dans un autre genre de vie. En ce cas, le plaisir ne pourrait plus prétendre à la première place, et il n'y aurait plus besoin de le diviser en espèces.

Ainsi, après avoir expliqué tout au long sa méthode, Platon renonce aussitôt à l'appliquer. Il y a de quoi s'en étonner, d'autant plus qu'il la reprendra plus loin et en fera la stricte application au plaisir et à la science. Il a oublié de nous dire que cette application n'était que différée. C'est une négligence qui peut à peine s'excuser par la liberté d'allure de la conversation.

Si nous renonçons à analyser, du moins pour le moment, les différentes espèces du plaisir et de la science, entendons-nous, dit Socrate, sur les trois points suivants. Le bien, en lui-même, doit être parfait, se suffire à lui-même et être désirable pour tout le monde. On s'est étonné aussi que Platon se contente d'affirmer, sans autres preuves, que le bien doive réunir ces trois conditions. Il a sans doute considéré que la chose était évidente par elle-même. Aristote a fait de même, et, bien qu'il ne soit pas d'accord avec son maître sur la nature du souverain bien, il admet, lui aussi, que le bien doit être parfait, souhaitable par lui-même, et non en vue d'autre chose, et qu'il doit se suffire à lui seul. (*Ethique de Nicomaque*, I, 6, § 12.)

Ces trois conditions sont-elles remplies par le plaisir ou par la sagesse ? Pour nous en rendre compte, considérons-les en eux-mêmes, en les séparant de tout ce qui n'est pas eux et, en particulier, l'un de l'autre. Suppose maintenant, dit Socrate à Protarque, que tu n'aies ni mémoire, ni raison, ni intelligence : tu seras hors d'état de te rappeler un plaisir passé, d'anticiper aucun plaisir futur, de sentir même un plaisir présent, puisque tu n'en auras même pas conscience. Quant à la sagesse, si parfaite qu'elle soit, qui en voudrait, s'il était condamné à ne jamais goûter aucun plaisir ?

LES TROIS GENRES D'ÊTRE ET LA CAUSE

Ainsi, ni le plaisir, ni l'intelligence ne sont le bien. C'est dans le mélange des deux que nous le trouverons. Reste à savoir auquel des deux appartient la prééminence dans la combinaison. Pour en juger, il faut les rattacher aux grands principes auxquels toutes choses doivent leur naissance. Il y a dans l'univers deux éléments, l'infini ou indéterminé, et le fini ou déterminé, et un troisième, formé du mélange de l'un et de l'autre, et, au-dessus d'eux, un quatrième, la cause créatrice. Appartient à l'infini tout ce qui admet le plus ou le moins, comme le plus chaud et le plus froid, qui ne peuvent être limités sans périr. Appartient au fini tout ce qui admet le nombre et la mesure, comme l'égal, le double, et à la classe mixte tout ce qui vient à l'existence sous l'effet de la mesure et du fini. Quant à la cause, elle est ce qui donne l'existence à toutes choses.

Ces quatre principes métaphysiques sont, s'il faut en croire les témoignages des critiques anciens, un emprunt fait à Philolaos. C'est par ces quatre principes que Philolaos expliquait l'origine du monde. Platon les applique non seulement à la nature, mais encore à la vie des êtres animés. Il entend les trois premiers exactement comme Philolaos, mais le quatrième, la cause, diffère chez lui de la cause suprême, créatrice du monde, que le pythagoricien appelle l'un suprême. La cause, dans le *Philèbe*, est simplement l'idée du bien, source de toute perfection. Mais il faut dire que l'authenticité de ces textes est aujourd'hui fortement contestée.

Le but de cette classification était de déterminer le degré d'excellence du plaisir et de la sagesse. Il est clair que la vie mélangée fait partie du troisième genre, formé de tous les infinis liés par le fini, et que le plaisir fait partie de l'infini. Quant à l'intelligence, c'est elle qui gouverne le monde; car on ne peut admettre qu'il soit l'œuvre du hasard. Or comme nous avons pris à l'univers les éléments matériels dont notre corps est composé, nous lui avons pris aussi l'âme qui les régit, et l'intelligence inséparable de l'âme. Comme c'est la cause qui a créé l'âme, c'est de la cause qu'elle relève et l'intelligence avec elle. De là on peut conclure que dans le mélange qui constitue la vie heureuse, l'intelligence joue un rôle bien autrement relevé et important que le plaisir, qui est du genre infini, lequel n'a jamais ni commencement, ni milieu, ni fin.

LES DIVERSES ESPÈCES DE PLAISIR ET DE DOULEUR

Il nous faut examiner maintenant en quoi chacun d'eux se rencontre et par quelles affections ils sont produits. Commençons par le plaisir, et la douleur, qui en est inséparable. Le plaisir et la douleur, nous l'avons vu, naissent dans le genre mixte, c'est-à-dire dans les êtres animés, formés de l'union de l'infini et du fini. Lorsque, dans cette union, l'harmonie est détruite, il y a douleur; lorsqu'elle se rétablit, plaisir. Par exemple, la faim, qui est un vide, est une douleur, et le manger, qui produit la réplétion, un plaisir. Il faut rattacher à cette classe l'attente de ces sortes de sensations par l'âme elle-même, attente de plaisirs à venir, agréable et confiante, attente de chagrins, qui provoque la crainte et la douleur. Quand il n'y a ni dissolution, ni rétablissement, on ne ressent ni joie ni peine. C'est l'état du sage, c'est l'état de la divinité, qui n'est accessible ni au plaisir ni à la douleur.

Une deuxième espèce de plaisir et de douleur, celle de l'âme seule, doit entièrement sa naissance à la mémoire. Recherchons donc ce qu'est la mémoire et auparavant ce qu'est la sensation sur laquelle elle s'exerce. Parmi les affections que notre corps éprouve, les unes s'éteignent dans le corps même sans parvenir à l'âme, qui se trouve alors dans l'état d'insensibilité; les autres vont du corps à l'âme et y causent une sorte d'ébranlement propre à chacun et commun à l'un et à l'autre. Cet ébranlement est la sensation. La mémoire est la conservation de la sensation. Mais il faut distinguer la réminiscence de la mémoire : la mémoire est spontanée et vague, la réminiscence est l'acte volontaire de l'âme, qui ressaisit seule et par elle-même ce qu'elle a éprouvé autrefois avec le corps.

C'est par la mémoire que s'explique le désir. La faim et la soif, par exemple, sont des désirs. Quand nous disons de quelqu'un qu'il a soif, cela revient à dire : il est vide et il désire d'être rempli par la boisson. On désire donc le contraire de ce que le corps éprouve, puisque, étant vide, on désire être rempli. Or quand un homme est vide pour la première fois, qu'est-ce qui peut avoir en lui l'idée de la réplétion ? Ce n'est pas le corps, puisqu'il est vide. Il faut donc que ce soit l'âme et que l'idée lui en soit fournie par la mémoire. D'où il suit qu'il n'y a point de désir corporel, et que tous les désirs appartiennent à l'âme. Si, quand on souffre par le désir, on se souvient du plaisir dont l'arrivée ferait cesser la souffrance, on éprouve à la fois de la joie et de la peine. Si, au contraire, on n'a pas d'espoir d'arriver à la réplétion, on éprouve alors la double sensation de peine.

Y a-t-il des plaisirs faux ? — Non, dit Protarque, le plaisir est toujours le plaisir. — Sans doute, mais de même qu'une opinion, quoique toujours réelle, peut être fausse, le plaisir peut l'être aussi. Comme on peut se tromper sur l'objet de son opinion et s'en faire une idée fausse, on peut se tromper aussi sur la chose dont on s'afflige ou dont on se réjouit, et c'est ce qui fait qu'un plaisir peut être faux. Ces plaisirs faux, qui reposent sur des images inexactes que nous portons en nous, sont particulièrement fréquents en ce qui regarde l'avenir et les espérances que nous fondons sur lui. Et ce que nous disons de la fausseté des plaisirs peut se dire aussi de la crainte, de la colère et des autres passions semblables.

On peut démontrer encore d'une autre manière la fausseté de certains plaisirs et de certaines douleurs. Quand l'âme désire et que le corps souffre ou jouit, les plaisirs et les peines existent simultanément. De même qu'à voir les objets de trop loin et de trop près, on s'abuse sur leur taille et on en forme de faux jugements, de même, par le fait que les plaisirs et les peines semblent changer selon l'éloignement ou la proximité, les plaisirs vis-à-vis des douleurs paraissent plus grands et les douleurs à l'inverse. Les uns et les autres paraissent plus grands ou plus petits qu'ils ne sont. Si on en retranche ce qui paraît, mais n'est pas, personne ne peut prétendre que cette apparence retranchée soit vraie. Il y a donc de la fausseté dans une partie de ces plaisirs et de ces douleurs.

Il se peut aussi que, notre âme n'éprouvant pas de changement, il n'y ait en nous ni plaisir, ni peine. On objectera que les choses étant dans un perpétuel mouvement, notre âme aussi doit changer sans cesse. C'est vrai, mais il y a des changements si faibles que nous n'en avons pas conscience et qu'ils sont pour nous comme s'ils n'étaient pas.

Mais l'absence de douleur n'est pas le plaisir, comme le croient certaines gens d'humeur chagrine qui nient l'existence du plaisir. Platon fait ici allusion à Antisthène et aux Cyniques qui, par horreur du plaisir et de ses conséquences, le réduisaient à l'absence de douleur. Platon rejette leur doctrine, mais il y puise des arguments contre les sensualistes outrés. Si l'on veut, dit-il, connaître la nature d'une espèce quelconque, il faut prendre ce qu'il y a de plus grand dans cette espèce, par exemple, dans l'espèce de la dureté, ce qu'il y a de plus dur, pour mieux juger de sa nature. Si nous considérons l'espèce du plaisir, les plus grands plaisirs sont ceux qui viennent à la suite des désirs les plus violents et qui par conséquent se payent par les douleurs les plus vives. En outre, ils appartiennent plus à la vie de débauche qu'à la vie réglée et sage; car le sage est retenu par la maxime : Rien de trop, tandis que le débauché se livre au plaisir jusqu'à en perdre sa raison et sa réputation. Les plus grands plaisirs, comme les plus grandes douleurs, sont donc attachés à une sorte de méchanceté de l'âme et du corps.

Il y a des mélanges de plaisirs et de douleurs, dont les uns regardent le corps et se font dans le corps même, dont les autres se font dans l'âme seule, ou dans les deux, lorsque, dans le rétablissement ou dans l'altération de la constitution, on éprouve en même temps deux sensations contraires. Il y a dans ces sortes de mélanges tantôt une dose égale de peine et de plaisir, et tantôt prédominance de l'une ou de l'autre.

Il y a des mélanges de douleur que l'âme seule éprouve. Ils sont causés par les passions, comme la colère, la crainte, le désir, le deuil, l'amour, la jalousie, l'envie, soit dans la vie réelle, soit dans les représentations que nous en donne le théâtre tragique ou comique. Protarque s'étonne d'entendre nommer la comédie parmi les sources des plaisirs et des douleurs mélangés. Le double sentiment qu'elle fait naître en nous est en effet assez délicat à expliquer. Voici comment Socrate en fait l'analyse. L'envie est par elle-même un mal et une douleur ; c'est aussi un plaisir, puisque l'envieux rit du mal d'autrui. Ce mal, dans la comédie, consiste dans l'ignorance de soi-même. On s'ignore soi-même quand on se croit plus riche, plus fort et plus beau, et surtout plus vertueux qu'on n'est. Ceux qui s'illusionnent ainsi peuvent être puissants ; alors ils sont odieux. Ils peuvent être faibles et incapables de se venger ; alors ils sont ridicules. Il n'y a pas d'injustice ni d'envie à se réjouir des maux de ses ennemis ; mais c'est une chose injuste de se réjouir des maux de ses amis, au lieu de s'en affliger. Or l'ignorance de nos amis est un mal et nous avons du plaisir à en rire. Donc, en mêlant le plaisir à l'envie, nous mêlons le plaisir à la douleur, car nous avons reconnu que l'envie est une douleur de l'âme et le rire un plaisir, et que nous éprouvons l'une et l'autre dans la comédie, et non seulement au théâtre, mais dans la vie.

Après les plaisirs mélangés, abordons les plaisirs purs. Ce sont ceux qui viennent des figures, des couleurs, des sons et des odeurs. Mais il ne s'agit pas ici de figures d'êtres vivants ni de peintures, mais des figures idéales de la géométrie, de certaines couleurs et de sons qui ont le même caractère de pureté. Les odeurs sont d'un genre moins divin, mais elles nous procurent aussi des plaisirs qui ne sont ni précédés ni suivis d'aucune douleur. A ces plaisirs purs ajoutons enfin ceux de la science, s'ils ne sont pas joints à la soif de savoir, qui est une souffrance ; mais ces plaisirs sont à peu près inaccessibles à la foule.

Quels sont parmi tous ces plaisirs les plus vrais et les plus beaux ? Ce sont évidemment les plus purs, et non les plus grands. Il en est du plaisir comme, par exemple, de la blancheur. Un peu de blanc sans mélange est plus vrai et plus beau que beaucoup de blanc mélangé.

On a dit que le plaisir est toujours en voie de génération et jamais en état d'existence. Il y a en effet des choses qui n'existent qu'en vue d'une autre, et d'autres qui existent par elles-mêmes et pour elles-mêmes. Le plaisir, étant toujours en voie de génération, a lieu en vue d'un être. Or l'être appartenant à la classe du bien, le plaisir doit être mis dans une autre classe, et n'est donc pas un bien.

Enfin prétendre que le plaisir est le seul bien de l'âme, c'est avouer que le courage, la tempérance et les autres qualités de l'âme ne sont pas des biens, c'est affirmer que jouir, c'est être bon et souffrir être méchant. C'est donc abolir toute morale et toute vertu.

LES DIFFÉRENTES ESPÈCES DE SCIENCE

Passons maintenant à l'examen des sciences. Elles se divisent en deux classes, dont l'une a pour objet les arts mécaniques et l'autre l'éducation et la culture. Dans les arts mécaniques, il faut distinguer les arts directeurs, l'art de compter, de mesurer, de peser, qui se rattachent davantage à la science, et les arts inférieurs qui s'appuient sur la conjecture et la routine; c'est dans ces derniers que se rangent la musique, la médecine, l'agriculture, l'art militaire. L'architecture leur est supérieure en justesse, parce qu'elle use d'un grand nombre de mesures et d'instruments. Les sciences précises elles-mêmes sont plus ou moins pures, selon qu'elles sont appliquées par le vulgaire à des usages pratiques, ou traitées par les philosophes, qui n'opèrent que sur des quantités abstraites et idéales. Platon se borne ici à de brèves indications. Pour bien voir la différence capitale qu'il établit entre les sciences, arithmétique, géométrie, astronomie, selon qu'elles travaillent sur des objets concrets et s'appliquent à ce qui naît, ou qu'elles ne considèrent que des mouvements, des chiffres, des figures idéales, il faut se reporter au livre VII de *la République*, 521 d, 525-526 a, 527 a-b, 511 c.

Au-dessus de toutes les sciences, il faut placer la dialectique, parce que seule elle poursuit l'essence immuable des choses et qu'il n'y a science véritable que de ce qui est éternel et immuable. Les autres sciences, attachées à ce qui est transitoire et changeant, méritent à peine d'être appelées des sciences. Platon reprend ici encore des idées qu'il a plus amplement développées dans *la République* (511 c).

LA VIE MÉLANGÉE

L'intelligence, ouvrière de la science, est évidemment supérieure au plaisir et a beaucoup plus que lui part au bien. Malgré cela, elle ne suffit pas au bonheur de l'homme. Il ne peut le trouver que dans le mélange du plaisir avec l'intelligence ou la sagesse. La méthode la plus sûre pour faire ce mélange, c'est de mêler d'abord les portions les plus vraies du plaisir et de la science. Nous prendrons en premier lieu la dialectique et les sciences les plus pures. Mais ces sciences, accessibles à peu de personnes, sont de peu d'usage dans la vie du commun des hommes, et nous avons besoin de mille choses que les sciences et les arts vulgaires peuvent seuls nous fournir. Aussi sommes-nous obligés de laisser entrer toutes les sciences dans notre mélange.

Quant aux plaisirs, laissons entrer d'abord ceux qui sont purs et vrais, ensuite les plaisirs nécessaires. Nous avons admis toutes les sciences, parce qu'elles sont toutes indispensables; mais il n'en est pas de même des plaisirs : nous n'accepterons que ceux qui s'accordent avec la sagesse, qui doit toujours dominer dans le mélange. Nous rejetterons donc les plus grands et les plus violents, parce qu'ils troublent l'âme et détruisent la sagesse; mais nous donnerons accès à ceux qui vont avec la santé et la tempérance et ceux qui forment le cortège de la vertu, et nous fermerons la porte à ceux qui accompagnent le vice et la folie.

Les conditions essentielles pour que notre composé soit bon, c'est qu'il soit réglé sur la vérité, qu'il ait de la mesure et de la proportion, et par suite de la beauté. Voyons maintenant lequel des deux, du plaisir et de la sagesse, est le plus proche parent du souverain bien et des trois choses qui le conditionnent, la vérité, la mesure et la beauté. Si nous considérons d'abord la vérité, rien n'en est plus éloigné que le plaisir, qui est la chose du monde la plus menteuse. L'intelligence, au contraire, est, ou bien la même chose que la vérité, ou la chose qui lui ressemble le plus. Quant à la mesure, rien n'est plus démesuré que le plaisir; rien, au contraire, n'est plus mesuré que l'intelligence et la science. Enfin la beauté est un apanage de la sagesse qu'on n'a jamais nié, tandis que très souvent la honte et le ridicule accompagnent le plaisir.

Ainsi le plaisir n'est ni le premier, ni le second des biens. Le premier rang, dans la vie heureuse, appartient à la mesure, le deuxième à la proportion, au beau, au parfait, à ce qui se suffit à soi-même. Au troisième rang vient l'intelligence; au quatrième, les sciences, les arts et les opinions vraies, enfin au cinquième les plaisirs exempts de douleurs qui accompagnent, les uns les connaissances, les autres les sensations.

La discussion finie, Socrate la résume. Philèbe, dit-il, soutenait que le bien, c'est le plaisir sous toutes ses formes; moi, que l'intelligence est, pour la vie humaine, beaucoup plus avantageuse que le plaisir. J'ai ajouté que, s'il était prouvé qu'aucun des deux ne suffit au bonheur, et que la vie heureuse résulte d'une troisième chose, je soutiendrais l'intelligence contre le plaisir pour lui assurer le second prix. Nous avons alors montré que ni l'intelligence ni le plaisir ne sont suffisants par eux-mêmes, et un troisième compétiteur s'étant montré supérieur à chacun de ces deux-là, nous l'avons adopté. Puis nous avons démontré que l'intelligence a beaucoup plus d'affinité que le plaisir avec l'essence du vainqueur. Cependant la plupart des hommes donnent le premier rang au plaisir, et cèdent, comme les bêtes, à l'attrait du plaisir. Ils pensent que les appétits des bêtes sont des garants plus sûrs que les discours inspirés par une muse philosophe.

LA VALEUR PHILOSOPHIQUE DU « PHILÈBE »

Le *Philèbe* est d'abord une réfutation de la doctrine des sensualistes qui faisaient consister le bien dans le plaisir et ravalaient ainsi l'homme au rang des bêtes asservies à leurs appétits. A cette doctrine Socrate oppose la sienne, celle d'une morale tout humaine, d'où le plaisir n'est pas exclu, mais où il est strictement subordonné à la raison et à la science, morale très noble, qui donne l'empire aux plus hautes facultés de l'homme et réfrène les instincts grossiers et violents de sa nature. Pour fixer au plaisir et à la science la place exacte à laquelle ils ont droit dans l'idéal de bonheur qu'il nous propose, Platon s'est livré à une analyse approfondie du plaisir et de la sagesse. Conformément à la méthode de division qu'il a exposée au début de l'ouvrage, il a poursuivi cette analyse jusqu'à l'épuisement de toutes les espèces, de tous les caractères et de tous les degrés de l'un et l'autre. Mais avant d'aborder l'analyse psychologique, il fonde d'abord sa préférence pour la sagesse sur des raisons métaphysiques. Admettant avec les pythagoriciens que le monde est formé d'infini et de fini, et d'un mélange de fini et d'infini qui se produit sous l'empire d'une cause créatrice, il range le plaisir dans la classe inférieure, celle de l'infini, et la sagesse dans celle de la cause créatrice qui dirige l'univers. Puis il définit la douleur et le plaisir, qui résultent, selon lui, d'une rupture et d'un rétablissement de l'équilibre des éléments dont nous sommes composés; après quoi, il passe en revue les plaisirs et les douleurs qui naissent dans le corps seul, dans l'âme seule, dans l'un et l'autre ensemble; il les distingue selon leur vérité, leur fausseté, leur pureté, et, chemin faisant, il projette la lumière sur la sensation, sur la mémoire, sur le désir qu'il attribue à l'âme seule, sur le double sentiment que provoquent les spectacles du théâtre, en particulier sur le ridicule dans la comédie. A l'intérêt de ces belles analyses et des aperçus dont elles sont semées s'ajoute celui des allusions aux doctrines contemporaines, notamment à celle d'Antisthène, le philosophe chagrin qui nie l'existence du plaisir. Il le combat, tout en utilisant ses arguments en faveur de sa propre théorie. Et à cette occasion, il recourt encore une fois à la métaphysique pour démontrer par un argument nouveau l'infériorité du plaisir, qu'il rattache au genre de la génération ou devenir, et la supériorité de la science, qui a l'être pour objet. C'est d'après leur affinité plus ou moins grande avec l'être ou la génération qu'il classe les diverses sortes de sciences, et qu'il divise les mêmes sciences en deux espèces, selon qu'elles sont théoriques ou pratiques, qu'elles visent à atteindre l'être ou l'Idée, ou qu'elles se réduisent à des routines propres à la satisfaction des besoins ordinaires de la vie. C'est ainsi qu'il les avait déjà divisées au VIIe livre de *la République* lorsque, à propos de l'éducation du futur dialecticien, il distingue deux manières de traiter l'arithmétique, la géométrie, l'astronomie.

Après avoir reconnu ainsi toutes les variétés du plaisir et toutes les espèces de sciences, il compose son mélange, en y faisant entrer toutes les sciences, car elles sont toutes indispensables à l'homme, et tous les plaisirs purs et nécessaires. Mais ce dosage est une œuvre délicate qui doit être réglée sur la vérité, la mesure et la beauté.

Platon nous laisse ainsi entendre en finissant que le bonheur comporte bien des conditions difficiles à réaliser et qu'il n'est accessible qu'aux esprits modérés, doués d'une raison solide et d'un discernement délicat.

VALEUR LITTÉRAIRE DU « PHILÈBE »

C'est par la finesse et la perfection de ses analyses que le *Philèbe* est une œuvre de premier ordre. Il n'a pas en effet les agréments qui rendent la lecture du *Banquet*, du *Phédon*, du *Phèdre* si attrayante. D'abord il n'y a au début aucune de ces indications de lieu ni de temps, aucun de ces détails anecdotiques, aucune de ces descriptions qui donnent un charme si vif aux premières pages du *Protagoras*, du *Lysis*, du *Charmide* et des ouvrages que j'ai déjà cités. La cause en est que, comme dans le *Cratyle*, nous sommes immédiatement introduits au milieu d'une conversation. Cette manière de commencer ne manque d'ailleurs pas de piquant : elle nous change de la manière ordinaire de Platon, et elle est vive et dramatique.

Le *Philèbe* ne brille pas non plus par la peinture des caractères. Sans doute on y retrouve toujours la figure de Socrate et la courtoisie, la bonne humeur, les saillies, la subtilité, l'amour de la vérité, le zèle pour instruire la jeunesse qui sont les marques distinctives de son caractère. Mais ses deux interlocuteurs ne sont que de bien pâles esquisses à côté des Charmide, des Lysis, des Phèdre, et autres, qui font à Socrate un cortège si séduisant de jeunesse, de modestie, de curiosité, de respect et d'amour pour le maître qui les enseigne. Philèbe est un inconnu, sans doute un jeune homme riche, qui s'est mis à l'école des sophistes et qui, borné et têtu, ne démord plus de l'idée qu'ils ont mise dans son esprit. Protarque, fils de Callias, l'hôte attitré des sophistes, a l'esprit plus ouvert et plus souple. Il a pris les leçons de Gorgias, et il donne, comme lui, la première place à l'art de la rhétorique; mais il aime la vérité, il est modeste, et il plaît par son ingénuité. Se voyant dans l'incapacité de répondre à une question de Socrate, il a recours à Philèbe, qui refuse de venir à son aide; alors il avoue naïvement qu'il est embarrassé et il prie Socrate de répondre lui-même. Mais en dépit de quelques traits isolés qui sont à son honneur, Protarque n'a pas de personnalité bien marquée.

Cependant le *Philèbe* ne laisse pas d'être un dialogue animé et vivant. La discussion philosophique y est coupée à chaque instant de détails imprévus et naturels qui lui donnent l'aspect d'une conversation familière entre gens d'esprit. Ici c'est une menace badine qui rappelle celle du début de *la République :* « Ne vois-tu pas combien nous sommes et que nous sommes tous jeunes, Socrate ? Ne crains-tu pas que nous nous joignions à Philèbe pour tomber sur toi, si tu nous insultes ? » (16 a.) Là, c'est une réplique vive et plaisante : « Tu élèves bien haut ta déesse, Socrate. — Comme toi la tienne, camarade. » (28 a.) Tantôt c'est une plainte de Socrate : « Grands dieux, Protarque, quels longs discours il nous reste à faire et des discours vraiment difficiles cette fois! » (23 b.) Tantôt c'est un appel aux dieux, auxquels Socrate demande l'inspiration (25 b) et tantôt une conclusion faite sous une forme de proclamation *urbi et orbi :* « Tu proclameras partout, Protarque, aux absents par des messagers, aux présents par des discours, que le plaisir n'est pas le premier des biens. » (66 a.)

La grande difficulté dans un ouvrage composé par questions et par réponses est d'éviter la monotonie. Le répondant, qui se contente le plus souvent d'un simple acquiescement, est limité dans le choix de ses formules et il est bien forcé de se répéter. Mais le questionneur a plus de ressources, et la fertile imagination de Platon a jeté beaucoup de variété dans ses interrogations. Tantôt il pose une question nette et simple, qui attend une réponse du même genre. Tantôt, au contraire, il donne à ses questions un air énigmatique, qui force l'auditeur à demander des éclaircissements. Pour réveiller la curiosité qui pourrait languir, il invite lui-même son interlocuteur à lui prêter une grande attention, ou il interrompt un développement général pour en appeler à son témoignage (21 a). Au lieu de s'adresser à Protarque, il interpelle les plaisirs eux-mêmes ou la sagesse sur leurs sentiments réciproques : « Mes amis, dit-il aux plaisirs, n'aimeriez-vous pas mieux habiter avec toute la sagesse que sans elle ? » etc. (63 b). Il serait facile d'accumuler des exemples de cette variété ; ce qui est le plus étonnant dans ces divers procédés, c'est qu'on n'y sent jamais l'artifice, si originaux qu'ils soient, tant ils viennent naturellement et sont bien accommodés à la situation. C'est ainsi que le sujet, très intéressant par lui-même, car la question du souverain bien n'a pas cessé d'être actuelle, est devenu encore plus captivant par le choix des détails et la variété de l'exposition, qui donnent au *Philèbe* l'air d'une véritable conversation, mais d'une conversation entre des esprits supérieurs.

LA DATE DU « PHILÈBE »

Cette conversation est censée avoir eu lieu du vivant de Socrate, mais aucune indication ne permet de préciser à quelle époque.

Nous sommes réduits à la même indigence de renseignements sur la date de la composition. On peut cependant déterminer avec assez de vraisemblance la position chronologique de ce dialogue par l'étude de son contenu. Ce que Platon dit, au début du *Philèbe*, de la méthode philosophique rappelle, en le complétant, ce qu'il en a déjà dit dans *la République* (454 a sqq. et 534 b sqq.), dans le *Phèdre* (265 d), dans le *Parménide* (129 b sqq.), dans *le Sophiste* (253 d) et dans *le Politique* (262 a, 285 a). Le développement complet de la méthode sous ses deux formes analytique et synthétique, avec des exemples qui les illustrent et les expliquent, semble bien indiquer, sans parler d'autres rapprochements qu'on pourrait faire, que parmi ces ouvrages le *Philèbe* est le dernier composé.

D'autre part, il y a de nombreux points de contact entre le *Philèbe* et le *Timée*. On trouve dans les deux ouvrages les mêmes idées sur l'âme et le corps de l'homme formés des mêmes éléments que l'âme et le corps de l'univers, sur l'origine de la douleur et du plaisir, résultant d'une altération ou d'un rétablissement de l'ordre naturel, sur l'existence de sensations qui n'arrivent pas jusqu'à l'âme, sur la pureté des plaisirs de la vue et de l'odorat, sur la génération de l'être, etc. Ces rapprochements conduisent à placer le *Philèbe* entre *le Politique* et le *Timée*, à moins que le *Philèbe* et le *Timée* n'aient été composés dans le même temps. Quant à préciser la date, il y faut renoncer, faute d'indices extérieurs à la discussion philosophique.

La traduction du *Philèbe* a été faite sur le texte de Burnet, *Platonis Opera*, tome II, Oxford, 1910.

PHILÈBE

[ou **Du plaisir**; *genre éthique*]

PERSONNAGES DU DIALOGUE

SOCRATE, PROTARQUE, PHILÈBE

SOCRATE

I. — Vois donc, Protarque, ce qu'est la thèse de Philèbe, dont tu vas te charger à présent, et ce qu'est la nôtre, contre laquelle tu vas argumenter, si elle est contraire à ta façon de penser. Veux-tu que nous les résumions l'une et l'autre ?

PROTARQUE

Très volontiers.

SOCRATE

Or donc, Philèbe soutient que le bien, pour tous les êtres animés, consiste dans la joie, le plaisir, l'agrément et dans toutes les choses du même genre, et moi, je prétends que ce n'est pas cela, et que la sagesse, la pensée, la mémoire et ce qui leur est apparenté, comme l'opinion droite et les raisonnements vrais, sont meilleurs et plus précieux que le plaisir pour tous ceux qui sont capables d'y participer, et que cette participation est la chose du monde la plus avantageuse pour tous les êtres présents et à venir. N'est-ce pas à peu près cela, Philèbe, que nous disons l'un et l'autre ?

PHILÈBE

C'est exactement cela, Socrate.

SOCRATE

Eh bien, Protarque, te charges-tu de la thèse qu'on remet entre tes mains ?

PROTARQUE

Il le faut bien, puisque le beau Philèbe nous fait faux bond.

SOCRATE

Il faut donc employer tous les moyens pour atteindre la vérité sur cette matière.

PROTARQUE

Oui, il le faut.

SOCRATE

II. — Eh bien donc, puisque nous sommes d'accord là-dessus, convenons encore de ceci.

PROTARQUE

De quoi ?

SOCRATE

Que, dès ce moment, chacun de nous essayera de faire voir quel est l'état et la disposition de l'âme qui est capable de procurer à tous les hommes une vie heureuse. N'est-ce pas là ce que nous avons à faire ?

PROTARQUE

C'est bien cela.

SOCRATE

Vous avez à montrer, vous autres, que cet état consiste dans le plaisir; moi, qu'il consiste dans la sagesse.

PROTARQUE

C'est exact.

SOCRATE

Mais que ferons-nous, si nous découvrons un autre état préférable à ceux-là ? S'il nous paraît plus proche parent du plaisir, n'est-il pas vrai que nous aurons le dessous tous les deux vis-à-vis d'une vie assurée de cet avantage, mais que la vie de plaisir l'emportera sur la vie sage ?

PROTARQUE

Si.

SOCRATE

S'il nous paraît, au contraire, plus proche parent de la sagesse, c'est la sagesse qui triomphera du plaisir et celui-ci sera vaincu. Etes-vous d'accord avec moi là-dessus ? Autrement, quel est votre avis ?

PROTARQUE

Pour moi, j'en suis d'accord.

SOCRATE

Et toi, Philèbe, qu'en dis-tu ?

PHILÈBE

Moi, je suis et serai toujours convaincu que, de toute façon, la victoire appartient au plaisir. Mais c'est à toi d'en juger, Protarque.

PROTARQUE

Du moment que tu nous as remis le débat, Philèbe, tu n'es plus le maître d'accorder ou de refuser ton assentiment à Socrate.

PHILÈBE

Tu as raison. Ainsi me voilà quitte et, dès ce moment, j'en prends la déesse [61] elle-même à témoin.

PROTARQUE

Et nous, de notre côté, nous joindrons là-dessus notre témoignage au tien et nous attesterons que tu as bien dit ce que tu dis. Mais maintenant, Socrate, que Philèbe acquiesce à notre dessein ou qu'il fasse comme il le préfère, nous n'en devons pas moins poursuivre et mener à terme notre débat.

SOCRATE

III. — Il faut essayer et commencer par la déesse même qui s'appelle Aphrodite, à ce que dit Philèbe, mais dont le nom le plus authentique est Plaisir.

PROTARQUE

C'est très juste.

SOCRATE

J'ai toujours, à l'égard des noms des dieux, Protarque, une crainte plus qu'humaine et qui dépasse les craintes les plus fortes, et à présent aussi, j'appelle Aphrodite du nom qui lui agrée. Mais, pour le plaisir, je sais qu'il est varié, et, puisque, comme je l'ai dit, nous commençons par lui, il faut considérer et rechercher quelle est sa nature. A l'entendre ainsi simplement nommer, c'est une chose unique, mais il est certain qu'il revêt des formes de toute sorte et, à certains égards, dissemblables entre elles. Vois en effet : nous disons bien que l'homme débauché a du plaisir, mais que l'homme tempérant en trouve aussi dans sa tempérance même, que l'insensé aussi, plein d'opinions et d'espérances folles, a du plaisir, et que le sage lui-même en a du fait même de sa sagesse. Or peut-on soutenir que ces deux espèces de plaisirs se ressemblent, sans passer à juste titre pour un extravagant ?

PROTARQUE

En réalité, Socrate, ces plaisirs proviennent de choses opposées, mais ils ne sont pas eux-mêmes opposés les uns aux autres. Comment, en effet, le plaisir ne serait-il pas ce qu'il y a au monde de plus ressemblant au plaisir, c'est-à-dire à lui-même ?

SOCRATE

A ce compte, merveilleux homme, les couleurs aussi se ressemblent et, en tant que chacune d'elles est couleur, elles sont toutes les mêmes. Cependant nous savons tous que le noir n'est pas seulement différent du blanc, mais qu'il lui est encore tout à fait opposé. Il en est de même de la figure à l'égard de la figure. A ne considérer que le genre, les figures ne forment qu'un tout unique; mais si l'on compare les espèces aux espèces, les unes sont très opposées entre elles, et les autres diversifiées à l'infini, et nous trouverons beaucoup d'autres choses dans le même cas. Ne te fie donc pas à une argumentation qui rend identiques toutes les choses les plus opposées. Je crains que nous ne trouvions des plaisirs opposés à d'autres plaisirs.

PROTARQUE

C'est possible; mais quel tort cela fera-t-il à notre thèse ?

SOCRATE

C'est, dirons-nous, que, ces plaisirs étant dissemblables, tu les appelles d'un nom qui ne leur convient pas. Tu dis, en effet, que toutes les choses agréables sont bonnes. Or personne ne prétend que les choses agréables ne sont pas agréables; mais comme la plupart d'entre elles sont mauvaises et quelques-unes bonnes, comme nous le soutenons, tu leur donnes néanmoins à toutes le nom de bonnes, quoique tu conviennes, si l'on t'y contraint par le raisonnement, qu'elles sont dissemblables. Qu'y a-t-il donc d'identique dans les mauvaises comme dans les bonnes, pour que tu puisses dire que tous les plaisirs sont un bien ?

PROTARQUE

Comment dis-tu, Socrate ? Crois-tu donc qu'après avoir posé que le bien, c'est le plaisir, on consente à te laisser dire que certains plaisirs sont bons, et certains autres mauvais ?

SOCRATE

En tout cas, tu avoueras qu'ils sont dissemblables entre eux, et que certains sont opposés l'un à l'autre.

PROTARQUE

Non pas, du moins en tant qu'ils sont des plaisirs.

SOCRATE

Nous voilà revenus au même argument, Protarque, et nous allons dire qu'un plaisir ne diffère pas d'un autre, mais qu'ils sont tous semblables, et les exemples que je viens d'alléguer ne nous blessent en rien, et nous nous comporterons et nous parlerons comme les plus ineptes des hommes et les raisonneurs les plus novices.

PROTARQUE

Qu'entends-tu par là, Socrate ?

SOCRATE

C'est que si, pour t'imiter et te rendre la pareille, j'ai le front de dire que la chose la plus dissemblable est la plus semblable de toutes à celle dont elle diffère le plus, je pourrais faire valoir les mêmes raisons que toi, et nous paraîtrons plus novices qu'il ne convient et notre débat s'en ira à la dérive. Reprenons-le donc : peut-être, en nous offrant les mêmes prises, pourrons-nous arriver à un accord.

PROTARQUE

Comment ? parle.

SOCRATE

IV. — Suppose que c'est moi, Protarque, qui suis, à mon tour, questionné par toi.

PROTARQUE

Que dois-je te demander ?

SOCRATE

Si la sagesse, la science, l'intelligence et toutes les choses que j'ai mises en commençant au rang des biens, quand on m'a demandé ce que c'est que le bien, ne seront pas dans le même cas que ton plaisir ?

PROTARQUE

Comment cela ?

SOCRATE

Il apparaîtra que la science en général comprend plusieurs espèces et que certaines d'entre elles sont différentes les unes des autres. S'il s'en trouvait même qui fussent opposées, serais-je digne de discuter avec toi, si, dans la crainte de reconnaître cette opposition, je prétendais qu'aucune science n'est différente d'une autre, et si ensuite notre discussion s'évanouissait comme une fable et que nous ne nous sauvions que grâce à quelque absurdité ?

PROTARQUE

Mais non, il ne faut pas que cela nous arrive, sauf la chance de nous sauver. Quant à moi, j'aimerais que ta thèse et la mienne fussent traitées sur le pied de l'égalité. Admettons donc qu'il y a des plaisirs nombreux et dissemblables et qu'il y a de même des sciences nombreuses et différentes.

SOCRATE

Alors, Protarque, ne dissimulons pas les différences qu'il y a entre ton bien et le mien; mettons-les, au contraire, en évidence, et allons-y hardiment; il se peut que, soumises à l'examen, elles nous révèlent s'il faut dire que le bien est le plaisir, ou si c'est la sagesse ou une troisième chose. Car, si nous discutons à présent, ce n'est certainement pas pour faire triompher la thèse que je soutiens, ni celle que tu défends toi-même; ce que nous avons à faire tous les deux, c'est de nous allier en faveur de ce qui est le plus vrai.

PROTARQUE

C'est en effet notre devoir.

SOCRATE

V. — Alors fortifions encore davantage cette antinomie par des aveux mutuels.

PROTARQUE

Quelle antinomie ?

SOCRATE

L'antinomie qui met tout le monde dans l'embarras, quelquefois volontairement, quelquefois involontairement.

PROTARQUE

Explique-toi plus clairement.

SOCRATE

Je parle de l'antinomie qui vient de se présenter sur notre chemin et dont la nature est extraordinaire. Car c'est une chose étrange à dire que plusieurs sont un et un plusieurs, et il est facile de contester contre celui qui soutient l'un quelconque de ces deux points.

PROTARQUE

Parles-tu du cas où, par exemple, on dit de moi, Protarque, qui suis un par nature, que mes *moi* sont nombreux et contraires les uns aux autres, affirmant ainsi que le même homme est grand et petit, pesant et léger, et mille autres choses [62] ?

SOCRATE

Tu viens de dire, Protarque, ce que tout le monde sait des étrangetés relatives à l'un et au multiple, et presque tout le monde s'accorde à dire qu'il ne faut pas toucher à ces sortes de choses, qu'on regarde comme puériles, faciles et faisant obstacle à la discussion. On ne devrait même pas prêter attention à des choses comme celle-ci, quand, par exemple, un homme ayant séparé par la pensée les membres et aussi les parties d'une chose et reconnu que toutes ces parties sont cette chose unique, se moque ensuite de lui-même et se réfute, parce qu'il a été contraint d'avancer des assertions prodigieuses, à savoir que l'un est plusieurs et qu'il est infini, et que plusieurs ne sont qu'un.

PROTARQUE

Mais dis-moi, Socrate, à propos du même sujet, quels sont les autres prodiges dont tu parles, qui ne sont pas encore reconnus ni familiers au public ?

SOCRATE

Ce qui est prodigieux, mon enfant, c'est de considérer comme unités des choses qui ne sont pas sujettes à la génération et à la corruption, comme dans les exemples que nous venons de voir. Car, en ce cas, quand il s'agit de cette sorte d'unité, on est d'accord, comme nous venons de le dire, qu'il ne faut pas la soumettre à l'examen. Mais, quand on veut établir que l'homme est un, que le bœuf est un, que le beau est un, que le bon est un, c'est sur ces unités et celles du même genre que l'intense intérêt qu'elles excitent tourne en division et en dispute.

PROTARQUE

Comment cela ?

SOCRATE

On conteste d'abord s'il faut croire que de telles unités existent réellement. On se demande ensuite comment ces unités dont chacune est toujours la même et n'admet ni génération ni distinction, ne restent [63] pas inébranlablement les unités qu'elles sont, et enfin si, dans les choses qui sont soumises à la génération et qui sont en nombre infini, il faut admettre que cette unité est dispersée et devenue multiple, ou si elle y est tout entière séparée d'elle-même, ce qui paraît la chose du monde la plus impossible, puisque étant la même et une, elle serait à la fois dans une et dans plusieurs choses. Ce sont ces questions sur cette sorte d'un et de multiple, et non les autres, Protarque, qui causent le plus grand embarras, si l'on s'entend mal sur elles, et deviennent très claires, si l'on s'entend bien.

PROTARQUE

C'est donc à cela, Socrate, qu'il nous faut d'abord appliquer nos efforts à présent.

SOCRATE

C'est, en effet, mon avis.

PROTARQUE

Tu peux croire que tous, tant que nous sommes ici, nous sommes d'accord avec toi sur ce point. Quant à Philèbe, il vaut peut-être mieux ne pas lui demander son avis en ce moment et ne pas le déranger dans sa quiétude [64].

SOCRATE

VI. — Fort bien. Maintenant par où pourrait-on commencer cette controverse si vaste et si compliquée sur les matières en question ? Faut-il partir de ce point-ci ?

PROTARQUE

De quel point ?

SOCRATE

Je dis que l'un et le multiple, identifiés par le raisonnement, circulent partout et toujours, aujourd'hui comme autrefois, dans chaque pensée que nous exprimons. C'est une chose qui ne cessera jamais et qui ne date pas d'aujourd'hui : elle est en nous comme une qualité inhérente à la raison même, qualité immortelle et qui échappe à la vieillesse. Dès le moment où elle s'est éveillée chez un jeune homme, il est enchanté comme s'il avait découvert un trésor; sa joie le remplit d'enthousiasme et il n'est pas de sujet qu'il ne se plaise à remuer, tantôt roulant les choses d'un côté et les brouillant en une seule, tantôt les déroulant et les divisant, se jetant lui-même tout le premier et le plus gravement dans l'embarras, et, après lui, tous ceux qui l'approchent, soit plus jeunes, soit plus vieux, soit du même âge que lui, et n'épargnant ni père ni mère ni aucun de ceux qui l'écoutent, et non seulement aucun être humain, mais j'oserais presque dire les animaux; car il ne ferait quartier à aucun barbare, s'il trouvait seulement un interprète [65].

PROTARQUE

Est-ce que tu ne vois pas, Socrate, combien nous sommes et que nous sommes tous jeunes ? Ne crains-tu pas que nous nous joignions à Philèbe pour t'attaquer, si tu nous insultes ? Cependant, nous comprenons ta pensée; aussi, s'il y a quelque voie ou moyen d'écarter un tel désordre de notre discussion et de trouver un chemin plus beau que celui-là pour atteindre le but de nos recherches, tâche de nous le montrer et nous te suivrons, suivant nos forces; car le sujet que nous avons à traiter n'est pas, Socrate, de petite importance.

SOCRATE

Non, il ne l'est pas, mes enfants, comme vous appelle Philèbe. Or il n'y a pas, il ne saurait y avoir de plus belle voie que celle que j'ai toujours aimée, quoiqu'elle m'ait déjà souvent échappé, me laissant seul et dans l'embarras.

PROTARQUE

Quelle est-elle ? dis-le seulement.

SOCRATE

C'est une voie qu'il n'est pas bien difficile d'indiquer, mais qui est très difficile à suivre; c'est grâce à elle que toutes les découvertes de l'art ont été mises en lumière. Fais attention : voici la voie que je veux dire.

PROTARQUE

Tu n'as qu'à parler.

SOCRATE

C'est, j'en suis sûr, un présent des dieux aux hommes, qui leur a été apporté du ciel par quelque Prométhée avec un feu très brillant. Et les anciens, qui valaient mieux que nous et qui vivaient plus près des dieux, nous ont transmis cette tradition, que toutes les choses qu'on dit exister sont issues de l'un et du multiple et que la nature a uni en elles le fini et l'infini, que, telle étant la disposition des choses, nous devons toujours admettre qu'il y a en chacune une idée et nous devons la chercher, car nous trouverons qu'il y en a une. Quand nous l'aurons saisie, il nous faudra ensuite en chercher deux, s'il y en a deux, sinon, trois ou quelque autre nombre, puis faire la même chose pour chacune de ces idées, jusqu'à ce que l'on voie non seulement que l'unité primitive est une et plusieurs et une infinité, mais encore combien d'espèces elle contient. Et il ne faut pas appliquer à la pluralité l'idée de l'infini avant de s'être rendu compte de tous les nombres qui sont en elle entre l'infini et l'unité; alors seulement on peut laisser chaque unité de chaque chose se perdre en liberté dans l'infini. Ce sont, comme je l'ai dit, les dieux qui nous ont donné cet art d'examiner, d'apprendre et de nous instruire les uns les autres. Mais les sages de notre temps font l'un et le multiple à l'aventure plus vite ou plus lentement qu'il ne faudrait et ils passent tout de suite de l'unité à l'infini; les nombres intermédiaires leur échappent, et c'est ce qui distingue la dialectique de l'éristique dans les discussions que nous avons entre nous.

PROTARQUE

VII. — Il y a dans ce que tu dis, Socrate, des choses que je crois comprendre; mais il y en a d'autres où j'ai encore besoin d'éclaircissements.

SOCRATE

Ce que je dis est clair, Protarque, si tu l'appliques aux lettres de l'alphabet. Tu peux t'en rendre compte sur ces lettres qu'on t'a apprises dans ton enfance.

PROTARQUE

Comment ?

SOCRATE

La voix qui sort de notre bouche est une et en même temps infinie en nombre pour tous et pour chacun.

PROTARQUE

Sans contredit.

SOCRATE

Mais nous aurions beau connaître ces deux choses : nous ne serions pas encore savants, ni parce que nous savons que la voix est infinie, ni parce que nous savons qu'elle est seule; c'est la connaissance du nombre et de la nature des sons qui fait de chacun de nous un bon grammairien.

PROTARQUE

Rien de plus vrai.

SOCRATE

Et c'est la même chose qui fait le musicien.

PROTARQUE

Comment ?

SOCRATE

Considérée dans son rapport à l'art de la musique, la voix est une aussi.

PROTARQUE

Sans doute.

SOCRATE

Mais il faut reconnaître qu'il y a deux sons, le grave et l'aigu, et un troisième, intermédiaire. N'est-ce pas vrai ?

PROTARQUE

Si.

SOCRATE

Tu ne seras pas encore habile en musique, si tu ne sais que cela; mais, si tu l'ignores, tu seras pour ainsi dire nul en musique.

PROTARQUE

C'est vrai.

SOCRATE

Mais, mon ami, quand tu auras appris le nombre et la nature des intervalles de la voix, tant pour les sons aigus que pour les graves, les limites de ces intervalles et toutes les combinaisons qui en dérivent — combinaisons que les anciens ont trouvées et qu'ils nous ont transmises à nous, leurs successeurs, qui devions leur donner le nom d'harmonies, comme ils nous ont appris aussi qu'il y a dans les mouvements du corps des propriétés du même genre, qui, mesurées par des nombres, doivent, disent-ils, s'appeler rythmes et mesures, et en même temps qu'il faut songer que le même examen s'impose pour tout ce qui est un et multiple —, quand, dis-je, tu auras appris tout cela, alors tu seras savant, et lorsque, examinant de cette manière n'importe quelle autre chose une, tu l'auras saisie, tu seras devenu sage relativement à cette chose. Mais l'infinité des individus et la multitude qui est en eux sont cause que tu ne les comprends pas et qu'on ne fait de toi ni estime ni compte [66], parce que tu ne fixes jamais ta vue sur aucun nombre en aucune chose.

PROTARQUE

VIII. — Ce que Socrate vient de dire, Philèbe, me paraît à moi excellemment dit.

PHILÈBE

Pour ce qui est du discours même, je suis de ton avis; mais enfin pour quelle raison l'a-t-il fait et où veut-il en venir ?

SOCRATE

Philèbe a raison, Protarque, de nous poser cette question.

PROTARQUE

Assurément. Réponds-lui donc.

SOCRATE

Je le ferai quand j'aurai ajouté quelques détails sur cette matière même. Quand on a pris une unité quelconque, nous avons dit qu'il ne faut pas tourner aussitôt les yeux sur la nature de l'infini, mais sur un certain nombre. De même, quand on est, au contraire, forcé de commencer par l'infini, il ne faut pas passer immédiatement à l'unité, mais chercher à saisir un nombre qui contient, en chaque cas, une pluralité, et finir en passant de toutes les espèces à l'unité. Reprenons ce que nous disions tout à l'heure des lettres.

PROTARQUE

Comment ?

SOCRATE

On observa d'abord que la voix était infinie, découverte qui fut l'œuvre d'un dieu ou d'un homme divin, d'un certain Theuth, à ce que l'on rapporte en Egypte [67]. Celui-ci remarqua le premier les voyelles dans cette infinité et reconnut qu'elles n'étaient pas une, mais plusieurs, puis que d'autres lettres, sans être des voyelles, participaient du son *(semi-voyelles)* et qu'il y en avait aussi un certain nombre; enfin il distingua une troisième espèce de lettres, celles que nous appelons aujourd'hui des muettes [68]. Après cela, il divisa les lettres qui n'ont ni son ni voix, jusqu'à ce qu'il eût distingué chaque lettre individuelle, et il traita les voyelles et les moyennes *(semi-voyelles)* de la même façon, jusqu'à ce qu'ayant saisi leur nombre, il eût donné à chacune et à toutes le nom d'élément. Puis, s'apercevant qu'aucun de nous ne pourrait apprendre une lettre isolée sans les apprendre toutes, il vit là un lien qui était un et qui faisait d'elles toutes une unité et leur imposa le nom de grammaire, comme étant un art unique.

PHILÈBE

J'ai compris ces choses, Protarque, plus nettement encore que les précédentes, en les rapprochant les unes des autres. Mais je sens toujours dans ce discours le même manque que tout à l'heure.

SOCRATE

Tu veux savoir, Philèbe, quel rapport il y a entre ceci et notre sujet ?

PHILÈBE

Oui, c'est ce que nous cherchons depuis longtemps, Protarque et moi.

SOCRATE

Eh bien, ce que vous cherchez depuis longtemps, dis-tu, vous l'avez dès à présent sous les yeux.

PHILÈBE

Comment ?

SOCRATE

IX. — N'est-ce pas sur la sagesse et le plaisir que nous discutons depuis le commencement, pour savoir lequel des deux il faut préférer ?

PHILÈBE

Sans contredit.

SOCRATE

Et nous disons bien que chacun d'eux est un ?

PHILÈBE

Assurément.

SOCRATE

Eh bien, ce que demande notre discussion précédente, c'est précisément comment chacun d'eux est un et plusieurs, et comment ils ne sont pas tout de suite infinis, mais comment ils contiennent l'un et l'autre un nombre déterminé, avant que chacun d'eux parvienne à l'infini.

PROTARQUE

Ce n'est pas, Philèbe, une question facile que celle où Socrate nous a jetés, après nous avoir, je ne sais comment, fait tourner en cercle. Vois donc lequel de nous deux répondra à ce qu'il demande à présent. Peut-être est-il ridicule que moi, qui ai pris ta place et me suis entièrement chargé de l'argumentation, parce que je suis hors d'état de répondre à la question présente, je revienne à toi et te prie de le faire. Mais je pense qu'il serait beaucoup plus ridicule encore que nous ne pussions répondre ni l'un ni l'autre. Vois donc ce que nous avons à faire. Je crois que ce que Socrate nous demande en ce moment, c'est si le plaisir comporte ou non des espèces, combien il y en a et de quelle nature elles sont, et qu'il nous pose la même question à propos de la sagesse.

SOCRATE

C'est parfaitement exact, fils de Callias. Si en effet nous ne pouvons pas résoudre ces questions sur tout ce qui est un, semblable à soi et toujours le même, et sur son contraire, comme la discussion précédente nous l'a montré, jamais aucun de nous ne sera bon en rien.

PROTARQUE

Ce que tu dis paraît assez juste, Socrate. Mais, s'il est beau pour le sage de tout connaître, il semble qu'après cela le mieux est de ne pas se méconnaître soi-même. Pourquoi t'ai-je dit cela ? Je vais te l'expliquer. C'est toi, Socrate, qui nous a offert de t'entretenir avec nous tous et qui t'es engagé à déterminer quel est pour l'homme le bien par excellence. Or, Philèbe ayant dit que c'était le plaisir, l'agrément, la joie et toutes les choses de ce genre, toi, tu as soutenu, au contraire, que ce n'étaient pas ces choses-là, mais d'autres. Nous nous remémorons souvent tout cela exprès et nous avons de bonnes raisons de le faire : nous voulons avoir ces deux sortes de biens présents dans notre mémoire, afin de les soumettre à l'examen. Toi, à ce que je vois, tu affirmes que le bien qui méritera d'être proclamé supérieur au plaisir, c'est l'esprit, la science, l'intelligence, l'art et tous les autres biens de la même famille, et que ce sont ceux-là qu'il faut acquérir, non les autres. La dispute s'étant engagée sur ces deux assertions, nous t'avons menacé en badinant de ne pas te laisser rentrer chez toi, avant que la discussion de ces deux thèses fût parvenue à une conclusion satisfaisante. Tu y as consenti et tu t'es mis à notre disposition pour cela. Aussi, nous te disons, comme les enfants, qu'il ne faut pas reprendre ce qu'on a bien voulu donner. Cesse donc de t'opposer, comme tu fais, à ce que nous disons à présent.

SOCRATE

Que veux-tu dire ?

PROTARQUE

Que tu nous jettes dans l'embarras et que tu nous poses des questions auxquelles nous ne pouvons pas donner sur-le-champ de réponse satisfaisante. Il ne faut pas, en effet, nous imaginer que l'embarras où toute la compagnie se voit réduite en ce moment doive terminer la discussion; si nous sommes hors d'état de répondre, c'est à toi de le faire; car tu nous l'as promis. C'est à toi de décider ici si tu dois diviser le plaisir et la science en leurs espèces ou y renoncer, au cas que tu puisses et veuilles éclaircir de quelque autre façon l'objet de notre contestation.

SOCRATE

Je n'ai plus lieu d'appréhender aucun mauvais traitement de votre part, après ce que tu viens de dire; car les mots « au cas que tu le veuilles » me délivrent de toute crainte à cet égard. Et puis il me semble qu'une divinité a éveillé en moi le souvenir de certaines choses.

PROTARQUE

Comment et quelles choses ?

SOCRATE

X. — Je me souviens en ce moment d'avoir entendu dire autrefois, en songe ou peut-être même étant éveillé, à propos du plaisir et de la sagesse, que ni l'un ni l'autre n'est le bien, mais que c'est une troisième chose, différente de celles-ci et meilleure que toutes les deux. Or si l'on parvient à démontrer cela clairement, c'en est fait de la victoire du plaisir; car le bien ne pourra plus être confondu avec lui. N'est-ce pas vrai ?

PROTARQUE

Si.

SOCRATE

Et nous n'aurons plus besoin du tout de diviser le plaisir en ses espèces. Tel est mon avis, et c'est ce que nous verrons plus clairement en avançant.

PROTARQUE

C'est parfaitement dit : continue de même.

SOCRATE

Auparavant, mettons-nous d'accord aussi sur quelques détails.

PROTARQUE

Lesquels ?

SOCRATE

La nature du bien est-elle nécessairement parfaite ou imparfaite ?

PROTARQUE

Elle est certainement ce qu'il y a au monde de plus parfait, Socrate.

SOCRATE

Autre chose : le bien est-il suffisant ?

PROTARQUE

Sans aucun doute, et il l'emporte à cet égard sur tout le reste.

SOCRATE

Voici encore une chose qu'il est, je crois, absolument indispensable d'affirmer de lui, c'est que tout être intelligent le poursuit, le désire, veut le saisir et s'en assurer à lui-même la possession, sans s'inquiéter d'aucune autre chose, à moins qu'elle n'amène des biens avec elle.

PROTARQUE

Il n'y a rien à objecter à cela.

SOCRATE

Examinons maintenant et jugeons la vie de plaisir et la vie sage, en les prenant chacune à part.

PROTARQUE

Comment entends-tu cela ?

SOCRATE

Ne laissons entrer aucune sagesse dans la vie de plaisir, ni aucun plaisir dans la vie sage; car si l'un des deux est le bien, nécessairement il n'a plus aucun besoin de rien, et si l'un ou l'autre nous paraît avoir besoin de quelque chose, nous ne pouvons plus le regarder comme notre vrai bien.

PROTARQUE

Comment, en effet, le pourrions-nous ?

SOCRATE

Veux-tu que nous essayions de vérifier cela sur toi ?

PROTARQUE

Très volontiers.

SOCRATE

Réponds-moi donc.

PROTARQUE

Parle.

SOCRATE

Consentirais-tu, Protarque, à passer toute ta vie dans la jouissance des plus grands plaisirs ?

PROTARQUE

Pourquoi non ?

SOCRATE

Croirais-tu avoir encore besoin de quelque chose, si tu en avais la jouissance complète ?

PROTARQUE

Pas du tout.

SOCRATE

Examine bien si tu n'aurais pas besoin de penser, de comprendre, de calculer tes besoins, et de toutes les facultés de ce genre ?

PROTARQUE

En quoi en aurais-je besoin ? J'aurais tout, je pense, si j'avais le plaisir.

SOCRATE

Alors, en vivant ainsi, tu jouirais des plus grands plaisirs pendant toute ta vie ?

PROTARQUE

Sans doute.

SOCRATE

Mais, ne possédant ni intelligence, ni mémoire, ni science, ni opinion vraie, il est tout d'abord certain que tu ignorerais forcément si tu as du plaisir ou si tu n'en as pas, puisque tu es dénué de toute intelligence.

PROTARQUE

C'est forcé.

SOCRATE

Et de même, si tu n'avais pas de mémoire, tu ne pourrais même pas te rappeler que tu aies jamais eu du plaisir, ni garder le moindre souvenir du plaisir qui t'arrive dans le moment présent. Si, en outre, tu n'avais pas d'opinion vraie, tu ne pourrais pas penser que tu as du plaisir au moment où tu en as, et, si tu étais privé de raisonnement, tu ne serais même pas capable de calculer que tu auras du plaisir dans l'avenir. Ta vie ne serait pas celle d'un homme, mais d'un poumon marin ou de ces animaux de mer qui vivent dans des coquilles! Est-ce vrai, ou peut-on s'en faire quelque autre idée ?

PROTARQUE

Comment le pourrait-on ?

SOCRATE

Eh bien, une pareille vie est-elle désirable ?

PROTARQUE

Ton argumentation, Socrate, me réduit en ce moment au silence absolu.

SOCRATE

Alors ne mollissons pas; passons à la vie intelligente et considérons-la.

PROTARQUE

XI. — Quelle est cette sorte de vie dont tu parles ?

SOCRATE

Je demande si quelqu'un d'entre nous voudrait vivre, assuré d'avoir en toutes choses toute la sagesse, l'intelligence, la science et la mémoire qu'on peut avoir, mais sans avoir aucune part, ni petite ni grande, au plaisir, ni à la douleur non plus, et sans éprouver aucun sentiment de cette nature.

PROTARQUE

Aucun de ces deux genres de vie, Socrate, ne me paraît désirable, à moi, et je ne crois pas qu'ils paraissent jamais tels à personne.

SOCRATE

Mais si on les réunissait ensemble, Protarque, et qu'on mélangeât les deux pour n'en faire qu'un ?

PROTARQUE

Tu parles de l'union du plaisir avec l'intelligence et la sagesse ?

SOCRATE

Oui, c'est de l'union de ces éléments que je parle.

PROTARQUE

Tout le monde choisira certainement ce genre de vie plutôt que l'un quelconque des deux autres ; personne ne choisira autrement.

SOCRATE

Concevons-nous ce qui résulte de ce que nous venons de dire ?

PROTARQUE

Certainement. C'est que, sur les trois genres de vie qui nous ont été proposés, il y en a deux qui ne sont ni suffisants, ni désirables pour aucun homme ni pour aucun être vivant.

SOCRATE

Eh bien, n'est-il pas clair dès à présent qu'ils ne contenaient le bien ni l'un ni l'autre ; autrement, ils seraient suffisants, parfaits et désirables pour toutes les plantes et tous les animaux capables de vivre ainsi toute leur vie. Et si quelqu'un de nous choisissait une autre condition, son choix serait contraire à la nature de ce qui est véritablement désirable et un effet involontaire de l'ignorance ou de quelque fâcheuse nécessité.

PROTARQUE

Il semble, en effet, qu'il en est ainsi.

SOCRATE

Ainsi donc la déesse de Philèbe ne doit pas être confondue avec le bien : je crois l'avoir suffisamment démontré.

PROTARQUE

Ton intelligence non plus, Socrate, n'est pas le bien ; car elle est sujette aux mêmes reproches.

SOCRATE

La mienne, oui peut-être, Philèbe; mais non l'intelligence véritable et divine tout ensemble, qui est, je m'imagine, assez différente. Aussi je ne dispute pas encore la victoire à la vie mixte en faveur de l'intelligence; mais, pour le second prix, il faut voir et examiner ce que nous avons à faire. Car nous pourrions peut-être soutenir tous les deux, moi, que c'est l'intelligence, toi, que c'est le plaisir qui fait le bonheur de la vie mixte, et ainsi, ni l'une ni l'autre ne serait le bien, mais on pourrait admettre que l'une ou l'autre en est la cause. Sur ce point, je suis plus disposé que jamais à soutenir contre Philèbe que, quel que soit l'élément qui, présent dans la vie mélangée, la rend à la fois désirable et bonne, ce n'est pas le plaisir, mais l'intelligence qui a le plus d'affinité et de ressemblance avec lui. En se plaçant à ce point de vue, on peut dire avec vérité que le plaisir n'a droit ni au premier ni au second prix, et qu'il est même assez loin du troisième, si vous devez ajouter foi à mon intelligence à présent.

PROTARQUE

Oui, Socrate, je crois bien que tu as terrassé le plaisir, comme si tu l'avais frappé par les raisonnements que tu viens de brandir : il est mort en combattant pour la victoire. Quant à l'intelligence, il faut dire, à ce qu'il semble, qu'elle a été sage de ne pas disputer la victoire; car elle aurait eu le même sort. Maintenant si le plaisir était privé du second prix, il serait tout à fait disqualifié auprès de ses amants, qui ne lui trouveraient plus la même beauté.

SOCRATE

Mais voyons : ne vaudrait-il pas mieux le laisser tranquille désormais et ne pas lui faire de la peine en lui appliquant la critique la plus rigoureuse et en lui prouvant son erreur ?

PROTARQUE

C'est comme si tu ne disais rien, Socrate.

SOCRATE

Est-ce parce que j'ai dit une chose impossible : faire de la peine au plaisir ?

PROTARQUE

Ce n'est pas seulement pour cela, c'est aussi parce que tu ne te rends pas compte qu'aucun de nous ne te laissera partir que tu n'aies mené à bonne fin cette discussion.

SOCRATE

Grands dieux, Protarque, quels longs discours il nous reste à faire, et des discours vraiment difficiles cette fois!

Car pour marcher à la conquête du second prix pour l'intelligence, il faut évidemment d'autres moyens, d'autres traits que ceux des discours précédents, bien que certains d'entre eux puissent encore servir. Faut-il continuer ?

PROTARQUE

Naturellement, il le faut.

SOCRATE

XII. — Tâchons d'être très attentifs en ouvrant ce débat.

PROTARQUE

Comment veux-tu l'ouvrir ?

SOCRATE

Divisons tout ce qui existe dans l'univers en deux, ou plutôt, si tu veux, en trois classes.

PROTARQUE

D'après quel principe ? explique-le.

SOCRATE

Prenons quelques-unes des choses que nous venons de discuter.

PROTARQUE

Lesquelles ?

SOCRATE

Nous avons bien dit que Dieu a révélé dans l'univers deux éléments, l'un infini, l'autre fini ?

PROTARQUE

Certainement.

SOCRATE

Posons donc ces deux éléments comme deux de nos classes, et admettons-en une troisième formée du mélange de ces deux-là. Mais je suis, à ce qu'il me semble, ridicule avec mes divisions en espèces et ma manière de les nombrer.

PROTARQUE

Que veux-tu dire, mon bon Socrate ?

SOCRATE

Il me paraît que j'ai encore besoin d'un quatrième genre.

PROTARQUE

Lequel ? dis-moi.

SOCRATE

Considère la cause du mélange mutuel des deux premiers et ajoute-la aux trois premiers pour en faire un quatrième genre.

PROTARQUE

Mais alors n'aurons-nous pas encore besoin d'un cinquième qui puisse en faire la séparation ?

SOCRATE

Peut-être, mais pas en ce moment, je crois. En tout cas, si j'ai besoin d'un cinquième genre, tu ne trouveras pas mauvais que je me mette à sa poursuite.

PROTARQUE

Certainement non.

SOCRATE

Commençons maintenant par en prendre à part trois sur les quatre; puis remarquons que, de ces trois, les deux premiers sont chacun divisés et partagés en beaucoup d'espèces, et tâchons, après les avoir ramenés tous deux à l'unité, de concevoir comment l'un et l'autre est à la fois un et plusieurs.

PROTARQUE

Si tu voulais bien t'expliquer plus clairement sur ce sujet, peut-être pourrais-je te suivre.

SOCRATE

Eh bien, je dis que les deux genres que je mets en avant sont précisément ceux dont je parlais tout à l'heure, l'infini et le fini, et je vais essayer de montrer qu'en un sens l'infini est plusieurs; pour le fini, qu'il nous attende.

PROTARQUE

Il attendra.

SOCRATE

Vois donc. Ce que je te prie de considérer est difficile et sujet à contestation; considère-le pourtant. Prends d'abord ce qui est plus chaud et ce qui est plus froid et vois si tu pourrais les concevoir comme limités, ou si le plus et le moins qui résident dans ces genres mêmes ne les empêchent pas, tant qu'ils y résident, d'avoir une fin; car aussitôt qu'ils sont finis, leur fin est venue.

PROTARQUE

C'est très vrai.

SOCRATE

Mais il y a toujours, nous l'affirmons, du plus et du moins dans ce qui est plus chaud et ce qui est plus froid.

PROTARQUE

Certainement.

SOCRATE

La raison nous montre donc toujours que ces deux genres n'ont pas de fin; n'ayant pas de fin, il est certain qu'ils sont absolument infinis.

PROTARQUE

C'est fort exact, Socrate.

SOCRATE

Tu m'as bien compris, cher Protarque, et tu m'as fait souvenir que ce mot fort que tu viens de prononcer et celui de doucement ont la même vertu que plus et moins; car, partout où ils se trouvent, ils excluent l'existence d'une quantité définie; ils introduisent dans chaque action du plus violent relativement à du plus tranquille et réciproquement, et par là y produisent du plus et du moins, et font disparaître la quantité définie. Car si, comme il a été dit tout à l'heure, ils n'excluaient pas la quantité définie et la laissaient, elle et la mesure, prendre la place du plus et du moins, du violent et du tranquille, ils s'en iraient eux-mêmes de la place où ils se trouvaient; car ils ne seraient plus ni plus chauds ni plus froids, une fois qu'ils auraient admis la quantité définie, puisque le plus chaud progresse toujours sans s'arrêter, et le plus froid de même, tandis que la quantité définie est fixe et cesse d'être dès qu'elle avance. D'après ce raisonnement ce qui est plus chaud est infini et son contraire aussi.

PROTARQUE

Il y a du moins toute apparence, Socrate; mais comme tu le disais, ces choses-là ne sont pas faciles à suivre; cependant peut-être qu'en y revenant encore et encore, le questionneur et le questionné pourront se mettre suffisamment d'accord.

SOCRATE

Oui, tu as raison, et c'est ce qu'il faut essayer de faire. Mais, pour le présent, vois si nous accepterons ceci comme signe distinctif de la nature de l'infini, pour ne pas trop nous étendre en passant en revue tous les cas individuels.

PROTARQUE

De quel signe parles-tu ?

SOCRATE

Tout ce qui nous paraît devenir plus ou moins et admettre le violent et le tranquille, le trop et toutes les autres qualités du même genre, il faut ranger tout cela dans le genre de l'infini, en le ramenant à l'unité, suivant ce qui a été dit plus haut, qu'il fallait, autant que possible, rassembler les choses séparées et partagées en plusieurs espèces et les marquer du sceau de l'unité, si tu t'en souviens.

PROTARQUE

Oui, je m'en souviens.

SOCRATE

Ce qui n'admet pas ces qualités et qui reçoit toutes les qualités contraires, d'abord l'égal et l'égalité, et ensuite le double, et tout ce qui est comme un nombre est à un autre nombre, une mesure à une autre mesure, tout cela, nous pouvons le rapporter au fini et passer pour de bons juges en le faisant. Qu'en penses-tu, toi ?

PROTARQUE

Que ce sera très bien fait, Socrate.

SOCRATE

XIII. — Voilà qui est entendu. Quant au troisième genre, celui qui est formé du mélange de ces deux-là, sous quelle idée nous le représenterons-nous ?

PROTARQUE

C'est toi qui me le diras, j'espère.

SOCRATE

Non, mais un dieu, si du moins l'un des dieux écoute mes prières.

PROTARQUE

Prie donc et réfléchis.

SOCRATE

Je réfléchis, et je crois, Protarque, qu'un d'eux nous est devenu favorable à l'instant même.

PROTARQUE

Que veux-tu dire et quelle preuve en as-tu ?

SOCRATE

Je vais te le dire, naturellement. Suis seulement mon raisonnement.

PROTARQUE

Tu n'as qu'à parler.

SOCRATE

Nous avons parlé tout à l'heure du plus chaud et du plus froid, n'est-ce pas ?

PROTARQUE

Oui.

SOCRATE

Ajoutes-y maintenant ce qui est plus sec et plus humide, plus nombreux et moins nombreux, plus vite et plus lent, plus grand et plus petit et tout ce que nous avons précédemment mis dans une seule classe, celle qui admet le plus et le moins.

PROTARQUE

C'est la classe de l'infini que tu veux dire ?

SOCRATE

Oui. A présent mêle à cette classe la progéniture du fini.

PROTARQUE

Quelle progéniture ?

SOCRATE

Celle du fini que nous aurions dû tout à l'heure ramener à l'unité, comme nous avons fait celle de l'infini. Nous ne l'avons pas fait; mais peut-être cela reviendra-t-il au même à présent, si la réunion des deux autres fait apparaître celle que nous cherchons.

PROTARQUE

Quelle est-elle et que veux-tu dire ?

SOCRATE

Celle de l'égal et du double et de tout ce qui met fin à l'opposition naturelle des contraires et produit entre eux la proportion et l'accord en y introduisant le nombre.

PROTARQUE

Je comprends. Il me paraît que tu veux dire que, si l'on mêle ces éléments, il résultera certaines générations de chaque mélange.

SOCRATE

Tu as raison.

PROTARQUE

Continue donc.

SOCRATE

N'est-ce pas, dans les cas de maladie, le juste mélange de ces éléments qui produit la santé ?

PROTARQUE

Si, assurément.

SOCRATE

Et dans l'aigu et le grave, dans le rapide et le lent, qui sont infinis, est-ce qu'en s'y mélangeant, les mêmes éléments ne les rendent pas finis, et ne donnent-ils pas la forme la plus parfaite à toute la musique ?

PROTARQUE

Parfaitement.

SOCRATE

Et, en s'introduisant dans le froid et dans la chaleur, n'en ôtent-ils pas le trop et l'infini, en y substituant la mesure et la proportion ?

PROTARQUE

Sans contredit.

SOCRATE

N'est-ce pas de ce mélange de l'infini et du fini que naissent les saisons et tout ce que nous trouvons de beau dans l'univers ?

PROTARQUE

Sans doute.

SOCRATE

Et il y a mille autres choses que j'omets de citer, comme la beauté et la force avec la santé, et dans l'âme une foule d'admirables qualités. En effet, la déesse, mon beau Philèbe, en voyant la violence et l'universelle méchanceté, qui viennent de ce que les hommes ne mettent pas de bornes à leurs plaisirs et à leur gourmandise, a établi la loi et l'ordre, qui contiennent une limite. Tu prétends, toi, qu'elle fait du mal; moi, au contraire, je dis qu'elle est notre salut. Et toi, Protarque, qu'en dis-tu ?

PROTARQUE

Je suis tout à fait d'accord avec toi, Socrate.

SOCRATE

Telles sont les trois classes dont j'avais à parler, si tu me comprends bien.

PROTARQUE

Oui, je crois te comprendre. Tu dis, ce me semble, que l'infini est une classe et que le fini en est une deuxième dans les choses existantes; mais je ne saisis pas très bien ce que tu entends par la troisième.

SOCRATE

Cela vient, étonnant jeune homme, de ce que tu as été confondu par la multitude des productions de la troisième. Cependant l'infini aussi présente beaucoup d'espèces; mais parce qu'elles portaient toutes l'empreinte du plus et du moins, elles nous ont apparu comme un seul genre.

PROTARQUE

C'est vrai.

SOCRATE

Pour le fini, il ne contenait pas beaucoup d'espèces, et nous n'avons pas contesté qu'il ne fût un de sa nature.

PROTARQUE

Comment aurions-nous pu le contester ?

SOCRATE

En aucune façon. Quant à la troisième classe, dis-toi que j'y mets tout ce qui est issu des deux premières, tout ce qui vient à l'existence sous l'effet de la mesure et du fini.

PROTARQUE

J'ai compris.

SOCRATE

XIV. — Mais nous avons dit qu'outre ces trois genres, il y en avait un quatrième à examiner. Nous allons le faire ensemble. Vois s'il te paraît nécessaire que tout ce qui vient à l'existence y vienne nécessairement par une cause.

PROTARQUE

Oui, nécessairement, car comment y viendrait-il sans cela ?

SOCRATE

N'est-il pas vrai que la nature de ce qui crée ne diffère en rien de la cause, si ce n'est par le nom, et ne peut-on pas dire avec raison que ce qui crée et la cause sont une seule et même chose ?

PROTARQUE

On le peut.

SOCRATE

Nous trouverons de même, comme tout à l'heure, que ce qui est créé et ce qui vient à l'existence ne diffèrent entre eux que de nom. Qu'en penses-tu ?

PROTARQUE

Je pense comme toi.

SOCRATE

Et ce qui crée ne précède-t-il pas naturellement toujours, tandis que ce qui est créé le suit toujours en venant à l'existence ?

PROTARQUE

Certainement.

SOCRATE

Ce sont par conséquent deux choses, et non la même, que la cause et ce qui est au service de la cause en vue de la génération ?

PROTARQUE

Naturellement.

SOCRATE

Or les choses qui viennent à l'existence et toutes celles dont elles naissent nous ont fourni les trois premiers genres ?

PROTARQUE

Certainement.

SOCRATE

Et nous disons que ce qui produit toutes ces choses, la cause, forme le quatrième; car il a été suffisamment démontré qu'il diffère des autres.

PROTARQUE

Il en diffère en effet.

SOCRATE

Il serait bon, maintenant que nous avons distingué ces quatre genres, de les énumérer par ordre, pour nous rappeler chacun d'eux en particulier.

PROTARQUE

Certainement.

SOCRATE

Je dis donc que le premier est l'infini, le second le fini, puis le troisième l'essence mêlée et née des deux premiers;

enfin, si je citais comme le quatrième la cause du mélange et de la génération, serais-je à côté de la vérité ?

PROTARQUE

Certainement non.

SOCRATE

Voyons, que nous reste-t-il à dire après cela et qu'est-ce que nous voulions en faisant cette digression ? N'était-ce pas ceci ? Nous cherchions si le second prix revenait au plaisir ou à la sagesse, n'est-ce pas ?

PROTARQUE

Oui, en effet.

SOCRATE

Eh bien, maintenant que nous avons fait ces distinctions, nous serons peut-être mieux à même de porter un jugement décisif sur le premier et le second rang, point de départ de notre discussion.

PROTARQUE

Peut-être.

SOCRATE

Voyons donc : nous avons accordé la victoire à la vie mêlée de plaisir et de sagesse. N'est-ce pas vrai ?

PROTARQUE

Si.

SOCRATE

Eh bien, cette vie-là, ne voyons-nous pas quelle elle est et à quel genre elle se rattache ?

PROTARQUE

Comment ne pas le voir ?

SOCRATE

Nous dirons, je pense, qu'elle fait partie du troisième genre; car ce genre n'est pas formé du mélange de deux choses particulières, mais de tous les infinis liés par le fini, et voilà pourquoi cette vie victorieuse fait justement partie de ce genre.

PROTARQUE

Très justement, en effet.

SOCRATE

XV. — Voilà qui est entendu. Mais ta vie de plaisir sans mélange, Philèbe, dans lequel des genres énumérés faut-il la placer pour la mettre à sa vraie place ? Cependant, avant de le dire, réponds à cette question.

PHILÈBE

Parle seulement.

SOCRATE

Le plaisir et la douleur ont-ils des bornes, ou sont-ils parmi les choses susceptibles du plus ou du moins ?

PHILÈBE

Oui, Socrate, ils sont parmi les choses susceptibles du plus; car le plaisir ne serait pas le bien absolu, s'il n'était pas de sa nature infini en nombre et en grandeur.

SOCRATE

La peine non plus, Philèbe, ne serait pas le mal absolu. Aussi faut-il chercher, en dehors de la nature de l'infini, quelque autre chose qui communique une parcelle du bien aux plaisirs. J'accorde que cette chose appartienne à la classe de l'infini. Mais alors la sagesse, la science et l'intelligence, Protarque et Philèbe, dans laquelle des classes précitées les placerons-nous pour ne pas commettre d'impiété ? car il me paraît que nous risquons gros, suivant que nous répondrons juste ou non à la question que je fais.

PHILÈBE

Tu élèves bien haut ta déesse, Socrate.

SOCRATE

Comme toi la tienne, camarade. Il nous faut cependant répondre à la question.

PROTARQUE

Socrate a raison, Philèbe : il faut le satisfaire.

PHILÈBE

Ne t'es-tu pas chargé, Protarque, de parler à ma place ?

PROTARQUE

Oui; mais en ce moment je suis un peu embarrassé, et je te prie, Socrate, d'être notre interprète, pour que nous ne commettions aucune faute à l'égard de notre adversaire et qu'il ne nous échappe pas quelque mot malsonnant.

SOCRATE

Il faut t'obéir, Protarque : aussi bien ce que tu demandes n'offre aucune difficulté. Mais je vois bien que je t'ai troublé, lorsque j'ai, en badinant, élevé si haut ma déesse, comme a dit Philèbe, et t'ai demandé à quelle classe appartiennent l'intelligence et la science.

PROTARQUE

J'en conviens, Socrate.

SOCRATE

C'était pourtant facile; car tous les sages s'accordent à dire, et en cela ils élèvent réellement bien haut leur mérite, que l'intelligence est pour nous la reine du ciel et de la terre; et peut-être ont-ils raison. Mais recherchons plus longuement, si tu veux, dans quelle classe il faut la placer.

PROTARQUE

Parle comme il te plaira, et ne crains pas pour nous d'être long : tu ne nous ennuieras pas.

SOCRATE

XVI. — C'est bien dit. Commençons donc par nous poser cette question.

PROTARQUE

Laquelle ?

SOCRATE

Dirons-nous, Protarque, que l'ensemble des êtres et ce qu'on appelle l'univers est gouverné par une puissance irrationnelle et fortuite, et comme il plaît au hasard, ou, au contraire, dirons-nous, comme nos devanciers, que c'est l'intelligence et une sagesse admirable qui l'ordonnent et le dirigent ?

PROTARQUE

Il n'y a rien, merveilleux Socrate, de plus contraire que ces deux opinions. Professer la première me semble même un crime contre les dieux. Au contraire, affirmer que l'intelligence ordonne tout, c'est une assertion digne de l'aspect de l'univers, du soleil, de la lune, des astres et de tous les mouvements du ciel et, pour ma part, je ne parlerai ni ne penserai jamais autrement sur ce sujet.

SOCRATE

Alors veux-tu que nous affirmions, d'accord avec nos prédécesseurs, qu'il en est ainsi, et qu'au lieu de croire qu'il suffit de répéter sans risque pour soi-même ce que disent les autres, nous partagions avec eux le risque et le blâme, quand un homme habile soutiendra qu'il n'en est pas ainsi et qu'il n'y a pas d'ordre dans l'univers ?

PROTARQUE

Comment ne le voudrais-je pas ?

SOCRATE

Alors observe l'argument qui se présente maintenant à nous sur cette matière.

PROTARQUE

Parle seulement.

SOCRATE

Si nous considérons la nature des corps de tous les êtres vivants, nous voyons dans leur composition le feu, l'eau, l'air, et la terre, comme disent les navigateurs ballottés par la tempête.

PROTARQUE

C'est juste : car nous sommes réellement ballottés par les difficultés de la discussion.

SOCRATE

Eh bien, écoute ce que je vais dire de chacun des éléments dont nous sommes composés.

PROTARQUE

Qu'est-ce ?

SOCRATE

C'est que chacun de ces éléments présents en nous est petit et de pauvre qualité, qu'il n'est pur nulle part, et n'a pas un pouvoir digne de sa nature; et, quand tu auras vérifié cela sur l'un d'eux, applique-le à tous. Par exemple, il y a du feu en nous, il y en a aussi dans l'univers.

PROTARQUE

Sans doute.

SOCRATE

Or celui qui est en nous est petit, faible et pauvre; mais celui qui est dans l'univers est admirable pour la quantité, la beauté et toute la force naturelle au feu.

PROTARQUE

C'est tout à fait vrai, ce que tu dis.

SOCRATE

Eh bien, le feu de l'univers est-il formé, nourri, gouverné par le feu qui est en nous, ou n'est-ce pas, au contraire, de celui de l'univers que le mien, le tien et celui de tous les autres êtres vivants tiennent tout ce qu'ils sont ?

PROTARQUE

Cette question ne mérite même pas de réponse.

SOCRATE

C'est juste. Tu diras, je pense, la même chose de la terre d'ici-bas, dont les animaux sont composés, et de celle qui est dans l'univers et, à propos de tous les autres éléments sur lesquels je t'interrogeais il y a un instant, tu feras la même réponse, n'est-ce pas ?

PROTARQUE

Qui pourrait répondre autrement sans passer pour un fou ?

SOCRATE

Personne, ce semble. Mais fais attention à ce qui suit. Quand nous voyons tous ces éléments dont nous venons de parler assemblés en un tout unique, ne l'appelons-nous pas un corps ?

PROTARQUE

Sans doute.

SOCRATE

Fais-toi la même idée de ce que nous appelons l'univers. C'est un corps au même titre que le nôtre, puisqu'il est composé des mêmes éléments.

PROTARQUE

Ce que tu dis est très juste.

SOCRATE

Maintenant est-ce de ce corps de l'univers que notre corps tire sa nourriture, ou est-ce du nôtre que celui de l'univers tire la sienne et reçoit et détient tout ce que nous venons de dire à propos d'eux ?

PROTARQUE

Voilà encore une question, Socrate, qui ne valait pas la peine d'être posée.

SOCRATE

Et celle-ci, le mérite-t-elle ? Qu'en vas-tu dire ?

PROTARQUE

De quoi s'agit-il ?

SOCRATE

Ne dirons-nous pas que notre corps a une âme ?

PROTARQUE

Evidemment, nous le dirons.

SOCRATE

D'où l'aurait-il prise, mon cher Protarque, si le corps de l'univers n'était pas animé et n'avait pas les mêmes éléments que le nôtre, et plus beaux encore à tous points de vue ?

PROTARQUE

Il est clair, Socrate, qu'il ne l'a prise de nulle part ailleurs.

SOCRATE

Nous ne pensons sans doute pas, Protarque, que, de ces quatre genres, le fini, l'infini, le mixte et le genre de la cause qui se rencontre comme quatrième en toutes choses, cette cause qui fournit une âme à nos corps, qui dirige leurs exercices, qui les guérit quand ils sont malades, qui forme mille autres assemblages et les répare, soit qualifiée de sagesse pleine et entière, et que dans le ciel entier, où les mêmes choses se retrouvent sous un plus grand volume et sous une forme belle et pure, on ne trouve pas réalisée la nature la plus belle et la plus précieuse.

PROTARQUE

Le penser ne serait pas du tout raisonnable.

SOCRATE

Aussi, puisque cela est impossible, nous ferions mieux de suivre l'autre opinion et de dire, comme nous l'avons fait souvent, qu'il y a dans l'univers beaucoup d'infini, une quantité suffisante de fini, auxquels préside une cause fort importante, qui ordonne et arrange les années, les saisons et les mois, laquelle mérite à très juste titre d'être appelée sagesse et intelligence.

PROTARQUE

A très juste titre certainement.

SOCRATE

Mais il n'y a pas de sagesse et d'intelligence, s'il n'y a pas d'âme.

PROTARQUE

Non, en effet.

SOCRATE

En conséquence tu diras que dans la nature de Zeus il y a une âme royale, une intelligence royale formées par la puissance de la cause, et chez d'autres dieux d'autres belles qualités, désignées du nom qui plaît à chacun d'eux.

PROTARQUE

Certainement.

SOCRATE

Ne t'imagine pas, Protarque, que j'aie tenu ce discours pour rien. Il vient à l'appui de ceux qui jadis ont avancé que le monde est toujours gouverné par l'intelligence.

PROTARQUE

En effet.

SOCRATE

Puis il fournit la réponse à ma question, en montrant que l'intelligence appartient à la classe que nous avons dite être la cause de tout, et qui est une des quatre que nous avons reconnues. Tu le vois, tu as maintenant ma réponse.

PROTARQUE

Oui, et elle me satisfait entièrement; mais je ne m'étais pas aperçu que tu me répondais.

SOCRATE

Le badinage, Protarque, repose parfois du sérieux.

PROTARQUE

C'est bien dit.

SOCRATE

Ainsi nous voyons, camarade, à quel genre appartient l'intelligence et quelle sorte de pouvoir elle possède : nous venons de le montrer d'une manière assez probante.

PROTARQUE

Parfaitement.

SOCRATE

Quant à la classe du plaisir, nous l'avons déjà déterminée.

PROTARQUE

Oui.

SOCRATE

Souvenons-nous donc, à propos des deux, que l'intelligence est parente de la cause et qu'elle est à peu près du même genre, et que le plaisir est par lui-même infini, et qu'il est du genre qui n'a et n'aura jamais, en lui-même et par lui-même, ni commencement, ni milieu, ni fin.

PROTARQUE

Nous nous en souviendrons, je t'en réponds.

SOCRATE

XVII. — Nous avons à examiner après cela en quoi chacun d'eux se rencontre et par quelle affection ils sont produits, quand ils se produisent. Prenons d'abord le plaisir. Comme c'est lui dont nous avons d'abord recherché le genre, nous commencerons aussi par lui. Mais nous ne pourrons jamais réussir à le connaître, si nous le séparons de la douleur.

PROTARQUE

Si c'est le chemin qu'il faut suivre, suivons-le.

SOCRATE

Es-tu du même avis que moi sur leur origine ?

PROTARQUE

Quel est ton avis ?

SOCRATE

Il me paraît que c'est dans le genre mixte que naissent naturellement la douleur et le plaisir.

PROTARQUE

Puisque tu parles de genre mixte, rappelle-nous, cher Socrate, à quelle place tu veux qu'on le mette dans les genres précités.

SOCRATE

Je vais le faire de mon mieux, étonnant jeune homme.

PROTARQUE

Bien.

SOCRATE

Par genre mixte entendons celui que nous avons mis le troisième des quatre.

PROTARQUE

Celui que tu as nommé après l'infini et le fini et dans lequel tu as placé aussi la santé et aussi l'harmonie, si je ne me trompe.

SOCRATE

C'est fort bien dit. Maintenant prête-moi toute ton attention.

PROTARQUE

Tu n'as qu'à parler.

SOCRATE

Je dis donc que, quand l'harmonie se dissout dans nous autres animaux, il y a du même coup dissolution de la nature et génération de douleurs à ce moment même.

PROTARQUE

Ce que tu dis est très vraisemblable.

SOCRATE

Qu'ensuite, lorsque l'harmonie se rétablit et revient à son état naturel, il faut dire que le plaisir naît alors, si je puis trancher si brièvement et si vite une matière si importante.

PROTARQUE

Je pense que tu as raison, Socrate; mais essayons d'exprimer la même chose d'une manière plus claire encore.

SOCRATE

Il est très facile, je crois, de comprendre ce qui est banal et connu de tous ?

PROTARQUE

Qu'entends-tu par là ?

SOCRATE

La faim, par exemple, est bien une dissolution et une douleur ?

PROTARQUE

Oui.

SOCRATE

Au contraire, le manger, qui produit la réplétion, est un plaisir ?

PROTARQUE

Oui.

SOCRATE

De même la soif est une destruction et une douleur et, au contraire, l'action de l'humide remplissant ce qui a été desséché est un plaisir. De même la désagrégation et la dissolution contre nature que la chaleur produit en nous, sont une douleur, mais le retour à l'état naturel et le rafraîchissement sont un plaisir [69] ?

PROTARQUE

Certainement.

SOCRATE

De même encore, la congélation contre nature que le froid opère sur les humeurs de l'animal est une douleur; mais, lorsque ces humeurs reviennent à leur premier état et se réparent, ce retour conforme à la nature est un plaisir. En un mot, vois s'il te paraît raisonnable de dire que, dans la classe des êtres animés, formés, comme je l'ai dit précédemment, de l'union naturelle de l'infini et du fini, lorsque cette union est détruite, cette destruction est une douleur, et qu'au contraire, quand ils reviennent à leur nature, ce retour est chez tous un plaisir.

PROTARQUE

Admettons-le; car cela paraît être vrai en général.

SOCRATE

Posons donc ce qui se passe en ces deux sortes d'affection comme une première espèce de douleur et de plaisir.

PROTARQUE

Posons-le.

SOCRATE

XVIII. — Pose aussi l'espèce relative à l'attente de ces sensations par l'âme elle-même, attente des plaisirs à venir, agréable et pleine de confiance, attente des chagrins à venir, qui provoque la crainte et la douleur.

PROTARQUE

C'est en effet une autre espèce de plaisir et de douleur, que celle qui vient de l'attente de l'âme elle-même sans participation du corps.

SOCRATE

Tu as bien compris. Je pense, en effet, autant que j'en puis juger, que dans ces deux sentiments, qui sont purs l'un et l'autre, à ce qu'il semble, et ne sont pas un mélange de plaisir et de douleur, nous verrons clairement, en ce qui regarde le plaisir, si le genre entier mérite d'être recherché, ou si cet avantage doit être attribué à un autre des genres énumérés plus haut, ou si le plaisir et la douleur, comme le chaud, le froid et toutes les choses analogues, sont tantôt désirables, tantôt indésirables, parce que ce ne sont pas des biens, quoique certains d'entre eux, en certaines rencontres, participent à la nature des biens.

PROTARQUE

Tu as parfaitement raison de dire que c'est sur cette voie qu'il faut donner la chasse à l'objet que nous poursuivons en ce moment.

SOCRATE

Commençons donc par considérer ce point. S'il est vrai, comme nous l'avons dit, qu'il y a douleur quand les animaux se corrompent, et plaisir quand ils reviennent à la santé, demandons-nous, lorsqu'il n'y a ni corruption ni rétablissement, quel doit être, dans ces conditions, l'état de tout animal. Fais bien attention à ce que tu vas répondre. N'est-il pas de toute nécessité qu'aucun être vivant, tant qu'il reste dans ces conditions, ne ressente ni douleur, ni plaisir, ni petit, ni grand [70] ?

PROTARQUE

C'est de toute nécessité, certainement.

SOCRATE

N'avons-nous pas là un troisième état, différent de celui où l'on jouit et de celui où l'on souffre ?

PROTARQUE

Sans contredit.

SOCRATE

Eh bien, maintenant, tâche de t'en souvenir. Car, pour juger du plaisir, il ne sera pas sans importance que nous nous en souvenions ou non. Encore un mot, si tu veux bien, pour en finir avec la question.

PROTARQUE

Dis ce que tu as à dire.

SOCRATE

Tu sais que, quand un homme a choisi la vie sage, rien ne l'empêche de vivre de cette manière.

PROTARQUE

Tu veux dire la vie exempte de plaisir et de douleur ?

SOCRATE

Nous avons dit, en effet, au moment où nous comparions les genres de vie, qu'on ne devait éprouver aucun plaisir, soit grand, soit petit, quand on avait pris le parti de vivre selon la raison et la sagesse.

PROTARQUE

Oui, nous l'avons dit.

SOCRATE

Cet état serait donc le sien; et peut-être ne serait-il pas surprenant que, de tous les genres de vie, ce fût là le plus divin.

PROTARQUE

Il n'y a dès lors pas apparence que les dieux connaissent le plaisir ni son contraire.

SOCRATE

Non, assurément, il n'y a pas apparence; car ni l'un ni l'autre ne sied aux dieux. Mais nous reviendrons une autre fois sur ce point, si cela peut servir à notre propos, et nous mettrons cela au compte de l'intelligence pour le second prix, si nous ne pouvons pas le porter en compte pour le premier.

PROTARQUE

Tu ne dis rien que de très juste.

SOCRATE

XIX. — La seconde classe de plaisirs, qui, nous l'avons dit, est propre à l'âme seule, doit entièrement sa naissance à la mémoire.

PROTARQUE

Comment cela ?

SOCRATE

Il faut d'abord, semble-t-il, rechercher ce qu'est la mémoire, et peut-être même, avant la mémoire, ce qu'est la sensation, si nous voulons élucider comme il faut la question.

PROTARQUE

Comment dis-tu ?

SOCRATE

Pose comme certain que, parmi toutes les affections que notre corps éprouve, les unes s'éteignent dans le corps avant de parvenir à l'âme et la laissent impassible, et que les autres vont du corps à l'âme et y causent une sorte d'ébranlement propre à chacun et commun à l'un et à l'autre.

PROTARQUE

Soit, posons.

SOCRATE

Et si nous disons que celles qui ne passent point par les deux échappent à notre âme et que celles qui passent par les deux ne lui échappent pas, ne parlerons-nous pas très congrument ?

PROTARQUE

Sans contredit.

SOCRATE

Mais ne va pas t'imaginer qu'en disant qu'elles lui échappent, j'entende expliquer par là la naissance de l'oubli. L'oubli est la sortie de la mémoire. Or, dans le cas présent, la mémoire n'est pas encore née, et il est absurde de dire qu'il y a perte de ce qui n'est pas encore venu à l'existence.

PROTARQUE

Assurément.

SOCRATE

Change donc seulement les noms.

PROTARQUE

Comment ?

SOCRATE

Au lieu de dire, quand l'âme ne ressent rien des vibrations du corps, que ces vibrations lui échappent, et, au lieu d'appeler cela oubli, appelle-le insensibilité.

PROTARQUE

J'ai compris.

SOCRATE

Mais quand l'âme et le corps, affectés tous deux par la même chose, sont aussi ébranlés en même temps, tu peux appeler ce mouvement sensation : le terme sera juste.

PROTARQUE

C'est parfaitement vrai.

SOCRATE

A présent, nous savons, n'est-ce pas, ce que nous voulons appeler sensation ?

PROTARQUE

Certainement.

SOCRATE

Donc, en disant que la mémoire est la conservation de la sensation, on parlerait juste, du moins à mon avis ?

PROTARQUE

Oui, on parlerait juste.

SOCRATE

Mais ne disons-nous pas que la réminiscence diffère de la mémoire ?

PROTARQUE

Peut-être.

SOCRATE

N'est-ce point en ceci ?

PROTARQUE

En quoi ?

SOCRATE

Quand ce que l'âme a autrefois éprouvé avec le corps, elle le ressaisit seule en elle-même, sans le corps, autant que possible, voilà ce que nous appelons se ressouvenir, n'est-ce pas ?

PROTARQUE

Parfaitement.

SOCRATE

Et lorsque ayant perdu le souvenir soit d'une sensation, soit d'une connaissance, l'âme la rappelle à nouveau, seule en elle-même, nous appelons tout cela réminiscences et souvenirs.

PROTARQUE

Tu parles juste.

SOCRATE

En vue de quoi ai-je dit tout cela ? Le voici.

PROTARQUE

Quoi ?

SOCRATE

C'est en vue de concevoir de la manière la plus parfaite et la plus claire ce qu'est le plaisir de l'âme sans le corps et en même temps ce que c'est que le désir. Je crois que ce que j'ai dit les a rendus clairs tous les deux.

PROTARQUE

XX. — Maintenant, Socrate, passons à ce qui suit.

SOCRATE

Nous avons, ce semble, beaucoup de choses à dire, pour nous rendre compte de l'origine et de toutes les formes du plaisir; car il nous faut encore au préalable voir ce qu'est le désir et où il naît.

PROTARQUE

Faisons donc cet examen; aussi bien nous n'avons rien à y perdre.

SOCRATE

Nous y perdrons, au contraire, Protarque, et voici quoi : quand nous aurons trouvé ce que nous cherchons, nous perdrons l'embarras où nous sommes à cet égard.

PROTARQUE

Bien riposté. Mais essayons de traiter la suite.

SOCRATE

Eh bien, n'avons-nous pas dit tout à l'heure que la faim, la soif et beaucoup d'autres choses analogues sont des désirs ?

PROTARQUE

Certainement.

SOCRATE

Que voyons-nous d'identique dans ces affections si différentes, pour les désigner par un seul nom ?

PROTARQUE

Par Zeus, cela ne doit pas être facile à expliquer; il faut le faire pourtant.

SOCRATE

Reprenons la chose de ce point, avec les mêmes exemples.

PROTARQUE

De quel point ?

SOCRATE

Toutes les fois que nous disons : « Il a soif », nous disons bien quelque chose.

PROTARQUE

Bien sûr.

SOCRATE

Cela revient à dire : « Il est vide ».

PROTARQUE

Sans doute.

SOCRATE

Or la soif n'est-elle pas un désir ?

PROTARQUE

Oui, un désir de boire.

SOCRATE

De boire et d'être rempli par la boisson.

PROTARQUE

Oui, d'en être rempli, ce me semble.

SOCRATE

Ainsi, quand l'un d'entre nous est vide, il désire, à ce qu'il paraît, le contraire de ce qu'il éprouve, puisque, étant vide, il désire être rempli.

PROTARQUE

C'est parfaitement clair.

SOCRATE

Mais voyons. Quand un homme est vide pour la première fois, est-il possible qu'il arrive à saisir, soit par la sensation, soit par le souvenir, une réplétion qu'il n'éprouve pas dans le moment présent et qu'il n'a jamais éprouvée dans le passé ?

PROTARQUE

Et comment le pourrait-il ?

SOCRATE

Cependant celui qui désire, désire quelque chose, disons-nous.

PROTARQUE

Sans contredit.

SOCRATE

Ce n'est donc pas ce qu'il éprouve qu'il désire; car il a soif, et la soif est un vide, et il désire être rempli.

PROTARQUE

Oui.

SOCRATE

Alors il y a quelque chose chez celui qui a soif qui peut d'une manière ou d'une autre avoir l'idée de la réplétion.

PROTARQUE

Nécessairement.

SOCRATE

Or le corps ne le peut pas, puisqu'il est vide.

PROTARQUE

Oui.

SOCRATE

Il reste donc que ce soit l'âme qui ait l'idée de la réplétion, par la mémoire, évidemment; car par quelle autre voie le pourrait-elle ?

PROTARQUE

Par aucune, que je sache.

SOCRATE

XXI. — S'il en est ainsi, comprenons-nous ce qui s'ensuit de notre raisonnement ?

PROTARQUE

Qu'est-ce qui s'ensuit ?

SOCRATE

Ce raisonnement déclare qu'il n'y a pas de désir corporel.

PROTARQUE

Comment cela ?

SOCRATE

Parce qu'il montre que l'effort de tout être animé se porte toujours vers le contraire de ce que le corps éprouve.

PROTARQUE

C'est certain.

SOCRATE

Or cet appétit qui le pousse vers le contraire de ce qu'il éprouve montre qu'il porte en lui la mémoire des choses opposées à celles qu'il éprouve.

PROTARQUE

Assurément.

SOCRATE

Donc en nous faisant voir que ce qui nous pousse vers les objets de nos désirs, c'est la mémoire, le raisonnement nous révèle que tous les élans, les désirs et le commandement de tout être animé appartiennent à l'âme.

PROTARQUE

C'est parfaitement juste.

SOCRATE

On prouve donc rigoureusement que notre corps n'a pas faim, ni soif et n'éprouve rien de semblable.

PROTARQUE

C'est très vrai.

SOCRATE

Encore une remarque à propos de ces mêmes affections. Il me paraît que le raisonnement vise à nous découvrir en ces affections un genre de vie particulier.

PROTARQUE

En quelles affections ? et de quelle sorte de vie parles-tu ?

SOCRATE

Dans la réplétion, la vacuité et tout ce qui a trait à la conservation et à la destruction des êtres vivants, et dans le cas où l'un de nous, se trouvant dans l'un ou l'autre de ces états, tantôt souffre, tantôt jouit en passant de l'un à l'autre.

PROTARQUE

C'est vrai.

SOCRATE

Mais qu'arrive-t-il, quand il est entre les deux ?

PROTARQUE

Comment, entre les deux ?

SOCRATE

Quand il souffre par ce qu'il éprouve et qu'il se souvient des plaisirs dont l'arrivée ferait cesser la douleur, mais sans être encore rempli, qu'arrive-t-il alors ? Dirons-nous, ne dirons-nous pas qu'il est entre les deux affections ?

PROTARQUE

Disons-le hardiment.

SOCRATE

Est-il tout entier dans la douleur ou dans la joie ?

PROTARQUE

Non, par Zeus, mais il ressent en quelque sorte une douleur double, dans son corps par ce qu'il éprouve et dans son âme par l'attente et le désir.

SOCRATE

Comment peux-tu parler de double peine, Protarque ? Est-ce qu'il n'arrive pas qu'un de nous, étant vide, soit à même d'espérer sûrement qu'il sera rempli et que parfois, au contraire, il soit sans espoir ?

PROTARQUE

Certainement si.

SOCRATE

Ne vois-tu donc pas qu'en espérant être rempli, il a du plaisir par la mémoire et qu'en même temps, parce qu'il est vide, il souffre en ce moment-là ?

PROTARQUE

C'est forcé.

SOCRATE

Alors donc l'homme et les autres êtres vivants sont à la fois dans la douleur et dans la joie.

PROTARQUE

Il y a chance qu'ils y soient.

SOCRATE

Mais si, étant vide, on n'a pas d'espoir d'arriver à la réplétion ? n'est-ce pas alors que se produit le double sentiment de peine que tu as vu tout à l'heure et que tu as cru double dans tous les cas ?

PROTARQUE

C'est très vrai, Socrate.

SOCRATE

Profitons de l'examen que nous venons de faire de ces affections pour nous assurer d'une chose.

PROTARQUE

Laquelle ?

SOCRATE

Dirons-nous que ces peines et ces plaisirs sont vrais, ou qu'ils sont faux, ou bien que les uns sont vrais, les autres non ?

PROTARQUE

Comment, Socrate, peut-il y avoir de faux plaisirs ou de fausses douleurs ?

SOCRATE

Comment, Protarque, peut-il y avoir des craintes vraies ou fausses, des attentes vraies ou non, des opinions vraies ou fausses ?

PROTARQUE

Pour les opinions, je puis, quant à moi, te l'accorder; mais pour le reste, je ne saurais.

SOCRATE

Comment dis-tu ? Nous allons, j'en ai peur, réveiller là une discussion qui ne sera pas peu de chose.

PROTARQUE

Tu dis vrai.

SOCRATE

Mais aurait-elle rapport à ce qui a été dit précédemment ? voilà, fils de cet homme [71], ce qu'il faut considérer.

PROTARQUE

Oui, sans doute.

SOCRATE

Il faut donc renoncer à toutes les longueurs et à tout ce qui serait sans rapport au sujet.

PROTARQUE

C'est juste.

SOCRATE

Dis-moi donc : car je reste toujours confondu devant ces difficultés que nous avons soulevées tout à l'heure.

PROTARQUE

Que veux-tu dire ?

SOCRATE

N'y a-t-il pas des plaisirs faux et d'autres vrais ?

PROTARQUE

Comment cela pourrait-il être ?

SOCRATE

Donc, ni en dormant, ni en veillant, à ce que tu prétends, ni dans les accès de folie, ni dans aucune aberration d'esprit, il n'y a personne qui croie goûter du plaisir, quoiqu'il n'en goûte aucun, ni qui croie ressentir de la douleur, quoiqu'il n'en ressente pas ?

PROTARQUE

Nous avons toujours pensé, Socrate, qu'il en est là-dessus comme tu dis.

SOCRATE

Mais est-ce avec raison ? Ne faut-il pas examiner si l'on a tort ou raison de le dire ?

PROTARQUE

XXII. — Il le faut, c'est mon avis.

SOCRATE

Expliquons donc plus clairement encore ce que nous avons dit tout à l'heure du plaisir et de l'opinion. Nous admettons bien qu'avoir une opinion est quelque chose ?

PROTARQUE

Oui.

SOCRATE

Et aussi d'avoir du plaisir ?

PROTARQUE

Oui.

SOCRATE

Et l'objet de l'opinion est bien aussi quelque chose ?

PROTARQUE

Sans contredit.

SOCRATE

Ainsi que l'objet du plaisir ?

PROTARQUE

Assurément.

SOCRATE

Et si quelqu'un a une opinion, que son opinion soit juste ou qu'elle ne le soit pas, ce n'en est pas moins une opinion réelle ?

PROTARQUE

Sans contredit.

SOCRATE

De même, si quelqu'un a du plaisir, qu'il ait raison ou qu'il ait tort de se réjouir, il est évident que son plaisir n'en sera pas moins réel.

PROTARQUE

Oui, c'est vrai.

SOCRATE

Comment se fait-il donc que nous formons des opinions tantôt fausses, tantôt vraies, et qu'en fait de plaisirs nous n'en ayons que de vrais, alors que le fait d'opiner et celui de jouir sont également réels l'un et l'autre ?

PROTARQUE

Il faut nous en rendre compte.

SOCRATE

Veux-tu dire que la fausseté et la vérité s'ajoutent à l'opinion, et que par là elle devient, non pas seulement opinion, mais opinion d'une certaine qualité, soit vraie, soit fausse ? Est-ce de cela que tu veux qu'on se rende compte ?

PROTARQUE

Oui.

SOCRATE

En outre, alors que certaines choses ont certainement telle ou telle qualité, le plaisir et la douleur ne sont-ils que ce qu'ils sont, sans avoir aucune qualité ? Voilà aussi une question sur laquelle il faut nous mettre d'accord.

PROTARQUE

Evidemment.

SOCRATE

Mais il n'est pas du tout difficile de voir qu'ils ont des qualités; car il y a longtemps que nous avons dit que les douleurs et les plaisirs sont, les uns et les autres, grands et petits à des degrés très différents.

PROTARQUE

Parfaitement.

SOCRATE

Et si la méchanceté s'ajoute à quelqu'un d'eux, nous dirons de l'opinion qu'elle devient mauvaise, et du plaisir qu'il le devient aussi.

PROTARQUE

Nous le dirons certainement, Socrate.

SOCRATE

Et si c'est la rectitude ou son contraire qui s'ajoute à l'un d'eux, ne dirons-nous pas de l'opinion qu'elle est droite, si elle a de la rectitude, et du plaisir la même chose ?

PROTARQUE

Nécessairement.

SOCRATE

Mais si l'on se trompe sur l'objet de son opinion, ne faut-il pas convenir que l'opinion qui porte alors à faux n'est pas droite et qu'on n'opine pas droitement ?

PROTARQUE

Comment serait-ce possible ?

SOCRATE

Et si nous voyons de même une peine ou un plaisir qui se trompent sur l'objet à propos duquel on s'afflige ou l'on se réjouit, les qualifierons-nous de droits et de bons, ou de quelque autre belle dénomination ?

PROTARQUE

Cela ne se peut, si le plaisir doit se tromper.

SOCRATE

Il semble bien certain que souvent le plaisir vient à nous à la suite, non d'une opinion, mais d'une opinion fausse.

PROTARQUE

Sans aucun doute, et en ce cas, Socrate, nous disons que l'opinion est fausse; mais personne ne dira jamais que le plaisir lui-même soit faux.

SOCRATE

Quelle ardeur tu mets, Protarque, à défendre en ce moment la cause du plaisir!

PROTARQUE

Tu te trompes : je ne fais que répéter ce que j'entends dire.

SOCRATE

N'y a-t-il pour nous, camarade, aucune différence entre le plaisir lié à l'opinion droite et à la science et celui qui naît souvent en chacun de nous accompagné du mensonge et de l'ignorance ?

PROTARQUE

Selon toute apparence, la différence n'est pas mince.

SOCRATE

XXIII. — Voyons donc en quoi diffèrent ces deux sortes de plaisir.

PROTARQUE

Conduis cet examen comme tu l'entendras.

SOCRATE

Je vais donc le conduire de cette manière.

PROTARQUE

De quelle manière ?

SOCRATE

Nos opinions, disons-nous, sont, les unes fausses, les autres vraies ?

PROTARQUE

Oui.

SOCRATE

Et souvent, comme nous le disions tout à l'heure, le plaisir et la peine marchent à leur suite, j'entends à la suite de la vraie et de la fausse opinion?

PROTARQUE

On ne peut le nier.

SOCRATE

N'est-ce pas la mémoire et la sensation qui donnent toujours naissance à l'opinion et aux efforts que nous faisons pour en discerner les objets ?

PROTARQUE

Certainement si.

SOCRATE

Or ne faut-il pas reconnaître que, dans la formation de nos opinions, les choses se passent de la manière suivante ?

PROTARQUE

De quelle manière ?

SOCRATE

Il arrive souvent, quand un homme a aperçu de loin quelque objet qu'il ne distingue pas nettement, qu'il veuille juger ce qu'il voit. Ne le crois-tu pas ?

PROTARQUE

Je le crois.

SOCRATE

Alors ne s'interroge-t-il pas ainsi ?

PROTARQUE

Comment ?

SOCRATE

Qu'est-ce que peut bien être ce qui apparaît debout près du rocher sous un arbre ? N'est-ce pas, à ton avis, la question qu'il se pose à lui-même, en apercevant certains objets de cette nature qui frappent ainsi la vue ?

PROTARQUE

Certainement.

SOCRATE

Est-ce qu'ensuite notre homme, se répondant à lui-même, ne pourrait pas se dire : « C'est un homme », et tomber juste ?

PROTARQUE

Assurément si.

SOCRATE

Il pourrait aussi se tromper et, croyant que c'est l'œuvre de certains bergers, appeler image ce qu'il aperçoit.

PROTARQUE

Parfaitement.

SOCRATE

Et s'il avait quelqu'un près de lui, il exprimerait par la parole ce qu'il s'est dit à lui-même et le répéterait à haute voix à son compagnon, et ce que nous avons appelé opinion deviendrait ainsi discours.

PROTARQUE

Naturellement.

SOCRATE

Mais supposé qu'il soit seul, quand il a cette idée en lui-même; il se peut qu'il marche assez longtemps avec cette idée dans la tête.

PROTARQUE

Assurément.

SOCRATE

Mais voyons : es-tu du même avis que moi sur ce qui arrive en pareil cas ?

PROTARQUE

Quel est ton avis ?

SOCRATE

Mon avis, c'est que notre âme ressemble alors à un livre.

PROTARQUE

Comment cela ?

SOCRATE

La mémoire, d'accord avec les sensations, et les sentiments qui en dépendent, me paraissent alors écrire pour ainsi dire des discours dans nos âmes, et, quand le sentiment écrit la vérité, il en résulte qu'une opinion vraie et des discours vrais se forment en nous; mais quand ce secrétaire intérieur y écrit des choses fausses, c'est l'opposé du vrai qui se produit.

PROTARQUE

Je suis tout à fait de ton avis, et j'admets ce que tu viens de dire.

SOCRATE

Alors admets encore un autre ouvrier qui se trouve en même temps dans notre âme.

PROTARQUE

Quel ouvrier ?

SOCRATE

Un peintre, qui, après le secrétaire, peint dans l'âme les images des choses exprimées par la parole.

PROTARQUE

Comment et quand cela se produit-il, selon nous ?

SOCRATE

Quand, à la suite d'une vision ou de quelque autre sensation, on emporte alors avec soi une opinion, pensée ou parlée, et qu'on voit en quelque sorte en soi-même les images de ce que l'on a pensé ou dit. N'est-ce pas là ce qui se passe en nous ?

PROTARQUE

Si vraiment.

SOCRATE

Est-ce que les images des opinions vraies et des discours vrais ne sont pas vraies, et celles des faux, fausses ?

PROTARQUE

Parfaitement.

SOCRATE

Et maintenant, si ce que nous avons dit est juste, examinons encore ceci.

PROTARQUE

Quoi ?

SOCRATE

Si les choses présentes et passées produisent nécessairement de tels effets en nous, mais non les choses futures.

PROTARQUE

Ils se produisent de même dans tous les temps.

SOCRATE

N'avons-nous pas dit précédemment que les plaisirs et les peines qui nous viennent par l'âme seule pouvaient avoir lieu avant les plaisirs et les peines qui nous viennent par le corps, en sorte qu'il nous arrive de nous réjouir et de nous chagriner d'avance par rapport au temps à venir ?

PROTARQUE

C'est très vrai.

SOCRATE

Est-ce que ces lettres et ces peintures dont nous avons un peu plus haut admis l'existence en nous, se rapportent au passé et au présent, mais non à l'avenir ?

PROTARQUE

Elles se rapportent spécialement à l'avenir.

SOCRATE

En disant spécialement, entends-tu qu'elles sont toutes des espérances relatives à l'avenir et que nous sommes toujours pleins d'espérances durant toute notre vie ?

PROTARQUE

Oui, cela même.

SOCRATE

XXIV. — Allons maintenant, outre ce qui vient d'être dit, réponds encore à ceci.

PROTARQUE

A quoi ?

SOCRATE

L'homme juste et pieux et parfaitement bon n'est-il pas aimé des dieux ?

PROTARQUE

Sans contredit.

SOCRATE

Et n'est-ce pas le contraire pour l'homme injuste et absolument méchant ?

PROTARQUE

Naturellement.

SOCRATE

Or, comme nous le disions il y a un instant, tout homme est rempli d'une foule d'espérances.

PROTARQUE

Sans doute.

SOCRATE

Et ce que nous appelons espérances, ce sont des discours que chacun se tient à lui-même ?

PROTARQUE

Oui.

SOCRATE

Et aussi des images qui se peignent en nous. Il arrive ainsi assez souvent qu'un homme voit l'or affluer chez lui, et, à sa suite, une foule de plaisirs, et même qu'il se voit peint lui-même et jouit vivement de sa personne.

PROTARQUE

Sans doute.

SOCRATE

Dirons-nous que celles de ces images qui se présentent aux gens de bien sont généralement vraies, parce qu'ils sont aimés des dieux, et que, pour les méchants, c'est généralement le contraire ? Le dirons-nous, ou non ?

PROTARQUE

Il faut certainement le dire.

SOCRATE

Les méchants aussi ont des plaisirs peints, tout comme les gens de bien ; mais ces plaisirs sont faux, n'est-ce pas ?

PROTARQUE

J'en conviens.

SOCRATE

Donc c'est généralement de plaisirs faux que les méchants se réjouissent, et les bons de plaisirs vrais.

PROTARQUE

C'est une conclusion nécessaire.

SOCRATE

Ainsi, suivant ce que nous venons de dire, il y a dans les âmes des hommes des plaisirs faux, mais qui contrefont les vrais d'une manière ridicule, et de même pour les peines.

PROTARQUE

Oui.

SOCRATE

Or nous avons vu que celui qui se forme une opinion quelconque a bien réellement une opinion, mais qu'elle porte parfois sur des objets qui n'existent pas, qui n'ont pas existé et qui n'existeront jamais.

PROTARQUE

Certainement.

SOCRATE

Et que c'est cela, j'imagine, qui fait qu'une opinion est fausse et qu'on opine faussement. Est-ce vrai ?

PROTARQUE

Oui.

SOCRATE

Eh bien, ne faut-il pas accorder aussi aux douleurs et aux plaisirs une façon d'être qui réponde à celle des opinions ?

PROTARQUE

Comment ?

SOCRATE

En disant qu'il est possible qu'un homme qui se réjouit n'importe comment et à propos de n'importe quel objet, si vain qu'il soit, goûte bien toujours un plaisir réel, mais parfois à propos de choses qui ne sont pas et n'ont jamais été, et souvent, peut-être même ordinairement, ne doivent jamais exister.

PROTARQUE

C'est encore une chose qu'il faut t'accorder, Socrate.

SOCRATE

N'en peut-on pas dire autant de la crainte, de la colère et des autres passions semblables, que tout cela aussi est quelquefois faux?

PROTARQUE

Assurément.

SOCRATE

Et maintenant pouvons-nous dire que des opinions deviennent mauvaises autrement qu'en devenant fausses ?

PROTARQUE

Elles ne peuvent le devenir autrement.

SOCRATE

Et de même pour les plaisirs, nous ne concevons pas qu'ils soient mauvais autrement que parce qu'ils sont faux.

PROTARQUE

Ce que tu dis là, Socrate, est certainement au rebours de la vérité. J'ose dire que ce n'est pas du tout à cause de leur fausseté qu'on peut qualifier de mauvais les peines et les plaisirs, c'est à cause qu'ils coïncident avec d'autres vices graves et nombreux.

SOCRATE

Pour ces plaisirs mauvais qui sont tels à cause d'un vice, nous en parlerons un peu plus tard, si nous persistons dans ce sentiment. A présent, occupons-nous des plaisirs faux qui sont et se forment souvent et en grand nombre dans notre âme d'une autre manière. Peut-être cela nous servira-t-il pour les jugements que nous avons à porter.

PROTARQUE

Comment éviter d'en parler, s'il est vrai que de tels plaisirs existent ?

SOCRATE

Oui, Protarque, ils existent, du moins à mon jugement, et tant que cette opinion restera ferme dans mon esprit, il est absolument indispensable de la soumettre à la critique.

PROTARQUE

Bien.

SOCRATE

XXV. — Approchons donc, comme des athlètes, et attaquons ce sujet.

PROTARQUE

Approchons.

SOCRATE

Nous avons dit un peu plus haut, s'il nous en souvient, que, lorsque les désirs, comme on les appelle, existent en nous, les affections du corps sont à part et complètement étrangères à l'âme.

PROTARQUE

Je m'en souviens : cela a été dit.

SOCRATE

Nous soutenions, n'est-ce pas, que ce qui désire des états contraires à celui du corps, c'est l'âme, et que c'est le corps qui cause la douleur ou une sorte de plaisir issu de l'affection qu'il éprouve ?

PROTARQUE

Oui, en effet.

SOCRATE

Rends-toi compte de ce qui arrive en ces cas-là.

PROTARQUE

Continue.

SOCRATE

Eh bien, voici ce qui a lieu, dans ces cas-là : c'est que les plaisirs et les peines existent en même temps et que les sensations de ces plaisirs et de ces peines qui sont opposés sont présentes côte à côte et simultanément, comme nous l'avons montré tout à l'heure.

PROTARQUE

Nous l'avons montré en effet.

SOCRATE

N'avons-nous pas dit encore autre chose, dont nous avons reconnu la vérité d'un commun accord ?

PROTARQUE

Quelle chose ?

SOCRATE

Que le plaisir et la douleur admettent tous deux le plus et le moins et appartiennent au genre de l'infini ?

PROTARQUE

Nous l'avons dit. Et après ?

SOCRATE

Eh bien, quel est le moyen de bien juger de ces objets ?

PROTARQUE

Par où et comment en juger ?

SOCRATE

Quand nous voulons en juger, ne nous proposons-nous pas toujours de discerner en ces sortes de choses laquelle est comparativement la plus grande ou la plus petite, la plus intense et la plus violente, en opposant peine à plaisir, peine à peine et plaisir à plaisir ?

PROTARQUE

Oui, ces différences-là existent et c'est bien de quoi nous voulons juger.

SOCRATE

Mais quoi ! s'il s'agit de la vue, à voir les objets de trop loin ou de trop près, on s'abuse sur leur taille réelle, et on en forme de faux jugements. Mais s'il s'agit de peines et de plaisirs, la même chose n'arrive-t-elle pas ?

PROTARQUE

Beaucoup plus encore, Socrate.

SOCRATE

Alors ce que nous disons à présent est le contraire de ce que nous disions tout à l'heure.

PROTARQUE

Que veux-tu dire ?

SOCRATE

Là, ces opinions, selon qu'elles étaient fausses ou vraies, communiquaient ces mêmes qualités aux douleurs et aux plaisirs.

PROTARQUE

Cela est très vrai.

SOCRATE

Ici, par le fait que les plaisirs et les douleurs semblent changer selon l'éloignement ou la proximité, si on les compare les uns aux autres, les plaisirs vis-à-vis des douleurs paraissent plus grands et plus violents, et les douleurs à leur tour, par comparaison avec les plaisirs, varient à l'inverse d'eux.

PROTARQUE

C'est forcé, pour les raisons que tu en as données.

SOCRATE

Tous les deux apparaissent donc plus grands ou plus petits qu'ils ne sont en réalité. Or, si tu leur retranches à l'un et à l'autre ce qui paraît, mais n'est pas, tu ne prétendras pas que cette apparence est vraie, et tu n'auras pas non plus le front de soutenir que la partie du plaisir et de la douleur qui en résulte est vraie et réelle.

PROTARQUE

Non, en effet.

SOCRATE

Nous allons voir, après cela, si, en suivant cette route, nous ne rencontrerons pas des plaisirs et des douleurs encore plus faux que ceux qui paraissent et existent dans les êtres vivants.

PROTARQUE

Quels plaisirs et quelle route veux-tu dire ?

SOCRATE

XXVI. — Nous avons dit souvent, n'est-ce pas, que lorsque la nature d'un animal s'altère par des concrétions et des dissolutions, par des réplétions et des évacuations, par la croissance et le dépérissement, on ressent alors des peines, des douleurs, des souffrances et tout ce qu'on désigne par les noms du même genre.

PROTARQUE

Oui, nous l'avons dit plus d'une fois.

SOCRATE

Mais, quand l'animal revient à sa nature première, nous sommes tombés d'accord que ce rétablissement est un plaisir.

PROTARQUE

Et nous avons eu raison.

SOCRATE

Mais qu'arrive-t-il, quand notre corps n'éprouve aucun de ces changements ?

PROTARQUE

Mais quand est-ce que cet état se produit, Socrate ?

SOCRATE

La question que tu me poses, Protarque, n'a rien à voir à notre sujet.

PROTARQUE

Comment cela ?

SOCRATE

Parce que cela ne m'empêchera pas de renouveler la mienne.

PROTARQUE

Laquelle ?

SOCRATE

En t'accordant que cet état ne se produise pas, Protarque, je te demanderai : qu'en résulterait-il nécessairement s'il existait ?

PROTARQUE

Tu veux dire si le corps ne change dans aucun sens ?

SOCRATE

Oui.

PROTARQUE

Il est évident, Socrate, que, dans ce cas, il ne saurait y avoir ni plaisir ni douleur.

SOCRATE

Très bien répondu. Mais en réalité tu crois, si je ne me trompe, que nous devons toujours éprouver quelque changement, comme les philosophes le prétendent; car tout se meut perpétuellement de bas en haut et de haut en bas [72].

PROTARQUE

C'est en effet ce qu'ils disent, et leurs raisons ne paraissent pas méprisables.

SOCRATE

Comment le seraient-elles, puisque eux-mêmes ne le sont pas ? Mais je veux esquiver cette question qui se jette à la traverse de notre discours. Voici par où je songe à fuir, en te priant de fuir avec moi.

PROTARQUE

Dis-moi par où.

SOCRATE

Disons à ces philosophes que nous leur accordons tout cela. Et toi, Protarque, réponds-moi. Est-ce que les êtres animés ont toujours conscience de tout ce qu'ils éprouvent, et nous apercevons-nous des accroissements que prend notre corps ou de quelque autre affection de même nature, ou est-ce tout le contraire ?

PROTARQUE

Tout le contraire, assurément; car presque toutes les choses de ce genre nous échappent.

SOCRATE

Alors nous avons eu tort de dire tout à l'heure que les changements dans les deux sens occasionnent des peines et des plaisirs.

PROTARQUE

Sans doute.

SOCRATE

Nous ferions mieux et nous soulèverions moins d'objections en disant ceci.

PROTARQUE

Quoi ?

SOCRATE

Que les grands changements nous causent des douleurs et des plaisirs, mais que les médiocres et les petits ne nous causent aucune douleur ni plaisir.

PROTARQUE

Cette assertion, Socrate, est plus juste que l'autre.

SOCRATE

Mais si cela est, le genre de vie dont j'ai parlé tout à l'heure va revenir.

PROTARQUE

Quel genre de vie ?

SOCRATE

Celui que nous disions exempt de douleur et de joie.

PROTARQUE

Rien de plus vrai.

SOCRATE

En conséquence, admettons qu'il y a trois genres de vie, une vie agréable, une douloureuse et une qui n'est ni l'un ni l'autre. Qu'en penses-tu, toi ?

PROTARQUE

Moi ? Je pense tout comme toi qu'il faut compter trois genres de vie.

SOCRATE

Ainsi l'absence de douleur ne saurait jamais être la même chose que le plaisir.

PROTARQUE

Certainement non.

SOCRATE

Lors donc que tu entends dire que ce qu'il y a de plus agréable au monde, c'est de passer toute sa vie sans douleur, que crois-tu qu'on veut dire par là ?

PROTARQUE

On veut dire, à ce qu'il me semble, que l'absence de douleur est une chose agréable.

SOCRATE

Prenons donc trois choses telles qu'il te plaira, soit, pour nous servir de noms plus beaux, de l'or, de l'argent et une troisième qui n'est ni l'un ni l'autre.

PROTARQUE

Soit.

SOCRATE

Se peut-il que celle qui n'est ni l'un ni l'autre devienne l'un ou l'autre, or ou argent ?

PROTARQUE

Comment le pourrait-elle ?

SOCRATE

Il en est de même de la vie moyenne. Juger ou dire qu'elle est agréable ou douloureuse, c'est mal juger et mal parler, du moins à consulter la droite raison.

PROTARQUE

Sans contredit.

SOCRATE

Cependant, camarade, nous connaissons des gens qui parlent et jugent de la sorte [73].

PROTARQUE

C'est vrai.

SOCRATE

Croient-ils donc aussi qu'ils ont du plaisir dès lors qu'ils ne sentent pas de douleur ?

PROTARQUE

Ils le disent en tout cas.

SOCRATE

Ils croient donc avoir du plaisir; autrement, ils ne le diraient pas.

PROTARQUE

C'est ce qui me semble.

SOCRATE

Ils ont donc une fausse opinion du plaisir, s'il est vrai que l'absence de douleur et le plaisir soient différents de nature.

PROTARQUE

Ils sont, en effet, différents, nous l'avons vu.

SOCRATE

Alors admettons-nous qu'il y a, comme nous le disions à l'instant, trois états, ou qu'il n'y en a que deux, la douleur qui est un mal pour l'humanité, et l'absence de douleur qui est par elle-même un bien et que nous appellerons plaisir ?

PROTARQUE

XXVII. — A quel propos nous faisons-nous cette question, Socrate ? Je ne le saisis pas.

SOCRATE

C'est qu'en effet, Protarque, tu ne connais pas les adversaires de notre ami Philèbe.

PROTARQUE

De quels adversaires parles-tu ?

SOCRATE

De gens qui passent pour très habiles dans la connaissance de la nature et qui dénient toute existence au plaisir.

PROTARQUE

Comment cela ?

SOCRATE

Ils disent que ce que Philèbe et son école appellent plaisir consiste uniquement à échapper à la douleur.

PROTARQUE

Est-ce que tu nous conseilles de les croire ? Quelle est ton opinion, Socrate ?

SOCRATE

Je ne vous conseille pas de les croire, mais de nous servir d'eux comme de devins qui vaticinent, non par art, mais par une mauvaise humeur naturelle qui n'est pas sans noblesse, qui haïssent le pouvoir du plaisir et, n'apercevant en lui rien de sain, prennent son attrait même pour un prestige, et non pour un plaisir. C'est dans cet esprit qu'on peut se servir d'eux, après avoir examiné encore ce que leur fait dire leur humeur chagrine. Je te dirai ensuite quels sont les plaisirs qui me paraissent vrais à moi, afin qu'après avoir considéré de ces deux points de vue la nature du plaisir, nous les rapprochions pour en juger.

PROTARQUE

Voilà qui est parler juste.

SOCRATE

Considérons-les donc comme des alliés et suivons-les à la trace de leur humeur chagrine. Voici, j'imagine, ce qu'ils diraient, en remontant assez haut : si nous voulions connaître la nature d'une espèce quelconque, par exemple celle de la dureté, ne la comprendrions-nous pas mieux en considérant les objets les plus durs plutôt que les moins durs ? Il faut donc, Protarque, que tu répondes à ces philosophes chagrins, comme tu le fais avec moi.

PROTARQUE

J'y consens volontiers et je leur réponds que c'est les objets les plus grands qu'il faut considérer.

SOCRATE

En conséquence, si nous voulons connaître le genre du plaisir et sa nature, ce n'est pas sur les plaisirs les plus petits qu'il faut jeter les yeux, mais sur ceux qui passent pour les plus grands et les plus violents.

PROTARQUE

C'est là un point que chacun peut t'accorder.

SOCRATE

Eh bien, les plaisirs qui sont les plus à notre portée et qui, suivant le dicton, sont aussi les plus grands, est-ce que ce ne sont pas les plaisirs du corps ?

PROTARQUE

Sans contredit.

SOCRATE

Sont-ils et deviennent-ils plus grands pour ceux qui souffrent d'une maladie que pour ceux qui se portent bien. Prenons garde, en répondant précipitamment, de tomber dans l'erreur; car nous pourrions peut-être bien dire qu'ils sont plus grands pour les gens bien portants.

PROTARQUE

Il y a apparence.

SOCRATE

Mais les plaisirs les plus vifs ne sont-ils pas ceux qui viennent à la suite des désirs les plus violents ?

PROTARQUE

Cela est vrai.

SOCRATE

Mais les gens qui ont la fièvre ou sont atteints de maladies semblables ne sentent-ils pas plus fortement la soif, le froid et tout ce qu'ils ont coutume de souffrir par le corps ? ne sont-ils pas en butte à de plus grands besoins, et, lorsqu'ils les satisfont, n'éprouvent-ils pas de plus grands plaisirs ? ou bien dirons-nous que cela n'est pas vrai ?

PROTARQUE

Maintenant que tu l'as dit, cela paraît certainement vrai.

SOCRATE

Alors, trouverons-nous que l'on parle juste quand on dit que, si l'on veut connaître quels sont les plaisirs les plus vifs, il faut porter les yeux, non vers la santé, mais vers la maladie ? Ne va pas t'imaginer que mon intention est de te demander si les gens qui sont gravement malades ont plus de plaisirs que les gens en bonne santé. Dis-toi que c'est sur la grandeur du plaisir que porte ma recherche et sur l'endroit où il se fait sentir violemment. Ce qu'il faut faire, selon nous, c'est comprendre sa nature et ce qu'en disent ceux qui prétendent qu'il n'existe même en aucune manière.

PROTARQUE

Je suis assez bien ton raisonnement.

SOCRATE

XXVIII. — C'est ce que tu vas faire voir à l'instant, Protarque, en répondant à cette question. Vois-tu des plaisirs plus grands, je ne dis pas en nombre, mais en vivacité et en intensité, dans une vie de débauche que dans une vie de tempérance ? Fais attention à ce que tu vas répondre.

PROTARQUE

Je conçois ta pensée, et la différence me paraît considérable. Les tempérants, en effet, sont retenus en toute occasion par la maxime *rien de trop*, qui est une recommandation à laquelle ils se conforment, au lieu que les insensés et les violents s'abandonnent à l'excès du plaisir jusqu'à en perdre la raison et leur réputation.

SOCRATE

Fort bien; mais s'il en est ainsi, il est évident que c'est dans une sorte de méchanceté de l'âme et du corps, et non dans la vertu que se rencontrent les plus grands plaisirs, comme aussi les plus grandes douleurs.

PROTARQUE

Certainement.

SOCRATE

Il nous faut donc choisir certains d'entre eux et voir en vertu de quel caractère nous les avons proclamés les plus grands.

PROTARQUE

Il le faut.

SOCRATE

Examine donc le caractère des plaisirs causés par des maladies comme celles-ci.

PROTARQUE

Quelles maladies ?

SOCRATE

Les plaisirs des maladies honteuses, à l'égard desquelles nos philosophes d'humeur chagrine ont une extrême répulsion.

PROTARQUE

Quels plaisirs ?

SOCRATE

Par exemple la guérison par frictions de la gale et d'autres maux pareils, qui n'ont pas besoin d'autres remèdes. Car, au nom des dieux, que dirons-nous qu'est l'impression qui naît alors en nous, plaisir ou douleur ?

PROTARQUE

Je crois, Socrate, que c'est une espèce de mal mêlé de plaisir.

SOCRATE

Par égard pour Philèbe [74], je n'avais pas mis ce sujet en avant; mais si nous n'examinons à fond ces plaisirs et ceux du même genre, je ne crois pas que nous arrivions jamais à voir clair dans cette question.

PROTARQUE

Il faut donc nous attaquer à cette famille de plaisirs.

SOCRATE

Tu veux dire aux plaisirs mélangés.

PROTARQUE

Parfaitement.

SOCRATE

Parmi ces mélanges, les uns regardent le corps et se font dans les corps mêmes, les autres regardent l'âme seule et se font dans l'âme; mais nous trouverons aussi des mélanges de douleurs et de plaisirs qui se font à la fois dans l'âme et dans le corps, et à chacun desquels on donne tantôt le nom de plaisirs, tantôt celui de douleurs.

PROTARQUE

Comment cela ?

SOCRATE

Toutes les fois que dans le rétablissement ou l'altération de la constitution, on éprouve en même temps deux sensations contraires, lorsque, par exemple, ayant froid, on est réchauffé, ou qu'ayant chaud, on est rafraîchi, et que, j'imagine, on cherche à se procurer une de ces sensations et à se délivrer de l'autre, alors le mélange de l'amer et du doux, comme on dit, joint à la difficulté de se débarrasser de l'amer, produit de l'impatience et ensuite une excitation sauvage.

PROTARQUE

Ce que tu dis est parfaitement vrai.

SOCRATE

N'y a-t-il pas dans ces sortes de mélanges tantôt une dose égale des douleurs et des plaisirs et tantôt prédominance des uns sur les autres ?

PROTARQUE

Sans doute.

SOCRATE

Mets donc au nombre des mélanges où la douleur l'emporte sur le plaisir les sensations mixtes mentionnées tout à l'heure de la gale et des démangeaisons, quand le point bouillant et enflammé est à l'intérieur et qu'en se frictionnant et se grattant on n'arrive pas jusqu'à lui, mais qu'on n'en dissout que ce qui affleure à la peau, que tantôt, en mettant au feu la partie malade ou, changeant d'idée, parce qu'on ne sait plus que faire, en l'exposant au froid, on y trouve d'inexprimables plaisirs, et que tantôt, au contraire, quand le mal est externe, on fait naître à l'intérieur un mélange de douleurs et de plaisirs, où la balance peut pencher soit d'un côté, soit de l'autre, parce qu'on sépare de force les éléments concrétisés, ou qu'on rassemble les éléments divisés, et qu'on juxtapose ensemble les douleurs et les plaisirs.

PROTARQUE

C'est très vrai.

SOCRATE

N'est-il pas vrai aussi que, lorsque le plaisir domine dans ces sortes de mélanges, la douleur qui s'y trouve à dose plus légère cause une démangeaison et une douce irritation, tandis que la diffusion beaucoup plus abondante du plaisir est un excitant qui fait quelquefois sauter de joie et qui fait passer un homme par toute sorte de couleurs, d'attitudes, de palpitations, le met entièrement hors de lui et lui fait pousser des cris comme un fou ?

PROTARQUE

Oui, assurément.

SOCRATE

Et elle lui fait dire de lui-même, camarade, et fait dire aux autres qu'il se meurt pour ainsi dire, tant il est charmé de ces plaisirs, et il s'y adonne sans cesse tout entier, d'autant plus qu'il est plus débauché et plus insensé; il les appelle les plus grands et il tient pour l'homme le plus heureux celui qui en jouit le plus complètement durant toute sa vie.

PROTARQUE

Tu as fort bien décrit, Socrate, tout ce qui vient à l'esprit de la plupart des hommes.

SOCRATE

Sans doute, Protarque, en ce qui concerne les plaisirs purement corporels, où les sensations externes et internes se mêlent. Quant à ceux où l'âme et le corps contribuent, en opposant à la fois douleur contre plaisir et plaisir contre douleur, de manière à former un mélange unique, nous les avons décrits précédemment, en disant que, lorsqu'un homme est vide, il désire être rempli, que l'espoir de l'être le réjouit et que le vide le fait souffrir. Nous n'avons apporté alors aucun témoignage à l'appui de nos assertions, mais nous déclarons à présent que dans tous ces cas innombrables où l'âme s'oppose au corps, il en résulte un mélange unique de douleur et de plaisir.

PROTARQUE

Il me semble que tu as tout à fait raison.

SOCRATE

XXIX. — Il nous reste encore un mélange de douleur et de plaisir.

PROTARQUE

Lequel veux-tu dire ?

SOCRATE

Celui que nous avons dit que l'âme seule éprouvait en elle-même.

PROTARQUE

Et en quoi le faisons-nous consister ?

SOCRATE

Ne regardes-tu pas la colère, la crainte, le désir, le deuil, l'amour, la jalousie, l'envie et toutes les passions de ce genre comme des douleurs de l'âme seule?

PROTARQUE

Si.

SOCRATE

Ne les trouverons-nous pas remplies de plaisirs inexprimables, ou faut-il nous rappeler la colère, *qui pousse l'homme, si sage qu'il soit, à se fâcher, et qui est plus douce que le miel qui dégoutte du rayon* [75],

et que les plaisirs sont mêlés aux douleurs dans les lamentations et les regrets ?

PROTARQUE

Non : je reconnais que les choses sont bien comme tu le dis, et non autrement.

SOCRATE

Tu te rappelles aussi les représentations tragiques, où le plaisir se mêle aux pleurs ?

PROTARQUE

Sans doute.

SOCRATE

Et dans la comédie, sais-tu quel est notre état d'âme, et qu'ici aussi il y a mélange de douleur et de plaisir ?

PROTARQUE

Je ne vois pas cela bien clairement.

SOCRATE

C'est que vraiment, Protarque, il n'est pas facile de s'expliquer le sentiment qu'on éprouve à cette occasion.

PROTARQUE

C'est ce qui me semble, à moi.

SOCRATE

Considérons-le donc avec d'autant plus d'attention qu'il est plus obscur. Cela nous servira pour d'autres cas, où nous découvrirons plus aisément le mélange de la douleur et du plaisir.

PROTARQUE

Parle.

SOCRATE

Admettras-tu que l'envie, dont le nom a été prononcé il y a un instant, est une douleur de l'âme ? Qu'en penses-tu ?

PROTARQUE

Je l'admets.

SOCRATE

Cependant nous voyons l'envieux prendre plaisir aux malheurs de ses voisins.

PROTARQUE

Un grand plaisir même.

SOCRATE

C'est certainement un mal que l'ignorance et ce que nous appelons la bêtise.

PROTARQUE

Sans contredit.

SOCRATE

Base-toi là-dessus pour voir la nature du ridicule.

PROTARQUE

Tu n'as qu'à parler.

SOCRATE

C'est en somme une espèce de vice qui tire son nom d'une habitude particulière, et cette partie du vice en général est une disposition contraire à celle que recommande l'inscription de Delphes.

PROTARQUE

C'est du précepte : Connais-toi toi-même, que tu parles, Socrate ?

SOCRATE

Oui, et le contraire de ce précepte, dans le langage de l'inscription, serait de ne pas se connaître du tout.

PROTARQUE

Naturellement.

SOCRATE

Allons, Protarque, essaye de diviser ceci en trois.

PROTARQUE

Comment veux-tu que je le fasse ? Je n'en suis certainement pas capable.

SOCRATE

Veux-tu donc dire qu'il faut que ce soit moi qui fasse cette division ?

PROTARQUE

Non seulement je le dis, mais je t'en prie.

SOCRATE

N'est-ce pas une nécessité que tous ceux qui ne se connaissent pas eux-mêmes soient dans cet état d'ignorance par rapport à trois choses ?

PROTARQUE

Comment cela ?

SOCRATE

En premier lieu, par rapport aux richesses, quand ils se croient plus riches qu'ils ne sont réellement.

PROTARQUE

Il y a en effet beaucoup de gens qui ont cette illusion.

SOCRATE

Il y en a davantage encore qui se croient plus grands et plus beaux qu'ils ne sont et qui, pour tout ce qui regarde le corps, s'attribuent des qualités supérieures à celles qu'ils possèdent réellement.

PROTARQUE

Assurément.

SOCRATE

Mais les plus nombreux de beaucoup sont, à mon avis, ceux qui s'illusionnent sur la troisième espèce d'ignorance, celle qui a trait aux qualités de l'âme, et qui se figurent être plus vertueux que les autres, alors qu'ils ne le sont pas.

PROTARQUE

Cela est certain.

SOCRATE

Et parmi les vertus, n'est-ce pas à la sagesse que la foule s'attache de toute manière et se remplit par là de querelles et d'illusions sur ses lumières ?

PROTARQUE

Sans contredit.

SOCRATE

Si l'on appelle cet état d'âme un mal, l'expression sera juste.

PROTARQUE

Très juste.

SOCRATE

Maintenant, Protarque, il faut encore diviser ceci en deux, si nous voulons nous faire une idée exacte de ce puéril sentiment qu'est l'envie et de l'étrange mélange de plaisir et de douleur qui s'y fait. Comment le couper en deux ? demanderas-tu. Tous ceux qui conçoivent sottement cette fausse opinion d'eux-mêmes doivent nécessairement, comme le reste des hommes, avoir en partage, les uns la force et la puissance, et les autres, j'imagine, le contraire.

PROTARQUE

Nécessairement.

SOCRATE

Fais donc la division sur ce principe, et, si tu appelles ridicules tous ceux d'entre eux qui, avec une telle opinion d'eux-mêmes, sont faibles et incapables de se venger, quand on se moque d'eux, tu ne diras que la vérité. Pour ceux qui sont forts et capables de se venger, tu les jugeras très exactement en les qualifiant de redoutables et d'ennemis; car l'ignorance, chez les forts, est haïssable et honteuse, parce que, soit par elle-même, soit par ses images [76], elle est nuisible aux voisins, et, chez les faibles, elle est naturellement au rang des choses ridicules.

PROTARQUE

C'est tout à fait juste; mais je ne vois pas encore nettement en ceci le mélange des plaisirs et des douleurs.

SOCRATE

Conçois d'abord la nature de l'envie.

PROTARQUE

Parle seulement.

SOCRATE

Il y a bien des douleurs et des plaisirs injustes ?

PROTARQUE

C'est incontestable.

SOCRATE

Il n'y a ni injustice ni envie à se réjouir des maux de ses ennemis, n'est-ce pas ?

PROTARQUE

Non, certainement.

SOCRATE

Mais, quand parfois on est témoin des maux de ses amis, n'est-ce pas une chose injuste de ne pas s'en chagriner et, au contraire, de s'en réjouir ?

PROTARQUE

Sans contredit.

SOCRATE

N'avons-nous pas dit que l'ignorance est un mal pour tous les hommes ?

PROTARQUE

Et avec raison.

SOCRATE

Quant à l'illusion que nos amis se font sur leur sagesse, leur beauté et toutes les qualités que nous avons énumérées tout à l'heure, en disant qu'elles se rangent en trois classes et que le ridicule se trouve où est la faiblesse et l'odieux là où est la force, affirmerons-nous, n'affirmerons-nous pas que, comme je le disais tout à l'heure, cet état d'esprit de nos amis, lorsqu'il est inoffensif, est ridicule ?

PROTARQUE

Il l'est certainement.

SOCRATE

Et n'avouerons-nous pas que c'est un mal, puisque c'est un état d'ignorance ?

PROTARQUE

Oui, un grand mal.

SOCRATE

Et avons-nous du plaisir ou du chagrin, quand nous en rions ?

PROTARQUE

Du plaisir, évidemment.

SOCRATE

Mais de la joie des maux de nos amis, n'avons-nous pas dit que c'est l'envie qui la cause ?

PROTARQUE

C'est l'envie forcément.

SOCRATE

Donc quand nous rions des ridicules de nos amis, l'argument déclare qu'en mêlant le plaisir à l'envie, nous mêlons le plaisir à la douleur; car nous avons reconnu précédemment que l'envie est une douleur de l'âme et le rire un plaisir, et que ces deux choses se rencontrent ensemble dans cette circonstance.

PROTARQUE

C'est vrai.

SOCRATE

L'argument nous fait donc voir à présent que, dans les lamentations, dans les tragédies et dans les comédies, et non pas seulement au théâtre, mais encore dans toute la tragédie et la comédie de la vie humaine, et dans mille autres choses encore, les douleurs sont mêlées aux plaisirs.

PROTARQUE

Il est impossible de ne pas en convenir, Socrate, quelque désir qu'on ait de plaider pour le contraire.

SOCRATE

XXX. — Nous nous étions proposé de passer en revue la colère, le désir, les lamentations, la crainte, l'amour, la jalousie, l'envie et toutes les passions analogues où nous pensions trouver mélangés les deux éléments si souvent mentionnés, n'est-ce pas vrai ?

PROTARQUE

Si.

SOCRATE

Et nous nous rendons compte que la discussion que nous venons de terminer se rapporte exclusivement aux lamentations, à l'envie et à la colère ?

PROTARQUE

Bien certainement nous nous en rendons compte.

SOCRATE

Alors il nous reste encore beaucoup de passions à passer en revue.

PROTARQUE

Assurément.

SOCRATE

Pour quelle raison principalement penses-tu que je t'ai montré le mélange qu'offre la comédie ? N'est-ce pas pour te convaincre qu'il est facile de faire voir le même mélange dans les craintes, les amours et le reste et pour que, ayant bien saisi cet exemple, tu me laisses libre, sans m'obliger, en entrant dans l'examen de ces passions, à allonger la discussion, et que tu admettes simplement ceci, que le corps sans l'âme et l'âme sans le corps et tous les deux en commun éprouvent mille affections où la douleur est mêlée au plaisir. Dis-moi donc, à présent, si tu me tiens quitte, ou si tu veux me tenir jusqu'à minuit. Encore quelques mots et j'espère obtenir de toi que tu me laisses aller. Je m'engage à te rendre compte de tout cela demain. Mais, pour le moment, je voudrais cingler vers les points qui restent, pour en venir au jugement que Philèbe exige de moi.

PROTARQUE

C'est bien parlé, Socrate, et tu peux achever à ta guise ce qui te reste encore.

SOCRATE

XXXI. — Après les plaisirs mélangés, l'ordre naturel exige que nous abordions à leur tour les plaisirs sans mélange.

PROTARQUE

Très bien.

SOCRATE

Je vais donc me tourner vers eux et tâcher de les mettre sous nos yeux; car je ne partage pas du tout l'opinion de ceux qui prétendent que tous les plaisirs ne sont qu'une cessation de la douleur. Cependant, comme je l'ai dit, je me sers de leur témoignage pour prouver qu'il y a des plaisirs qui paraissent être réels, mais qui ne le sont en aucune manière, et qu'il y en a d'autres qui apparaissent à la fois grands et nombreux, mais qui sont mêlés à la fois de douleurs et de cessations de douleurs, dans les crises les plus violentes du corps et de l'âme.

PROTARQUE

Mais quels sont, Socrate, les plaisirs qu'on peut, à juste titre, regarder comme vrais ?

SOCRATE

Ce sont ceux qui ont trait à ce qu'on appelle les belles couleurs, aux figures, à la plupart des odeurs et des sons et à toutes les choses dont la privation n'est ni sensible ni douloureuse, mais qui procurent des jouissances sensibles, agréables, pures de toute souffrance.

PROTARQUE

Comment faut-il encore entendre ce que tu dis, Socrate ?

SOCRATE

J'avoue qu'à première vue, ma pensée n'est pas claire, mais je vais essayer de l'éclaircir. Quand je parle de la beauté des figures, je ne veux pas dire ce que la plupart des gens entendent sous ces mots, des êtres vivants par exemple, ou des peintures; j'entends, dit l'argument, la ligne droite, le cercle, les figures planes et solides formées sur la ligne et le cercle au moyen des tours, des règles, des équerres, si tu me comprends. Car je soutiens que ces figures ne sont pas, comme les autres, belles sous quelque rapport, mais qu'elles sont toujours belles par elles-mêmes et de leur nature, qu'elles procurent certains plaisirs qui leur sont propres et n'ont rien de commun avec les plaisirs du chatouillement. J'ajoute qu'il y a des couleurs qui offrent des beautés et des plaisirs empreints du même caractère. Comprends-tu maintenant ? ou qu'as-tu à dire ?

PROTARQUE

J'essaye de comprendre; essaye, toi aussi, de t'expliquer encore plus clairement.

SOCRATE

Je dis donc, pour en venir aux sons, qu'il y en a de coulants et de clairs, qui rendent une simple note pure, et qu'ils sont beaux, non point relativement, mais absolument, par eux-mêmes, ainsi que les plaisirs qui en sont une suite naturelle.

PROTARQUE

Cela aussi est vrai.

SOCRATE

Le plaisir que donnent les odeurs est d'un genre moins divin que les précédents; mais, dès lors que la douleur ne s'y mêle pas nécessairement, par quelque voie et en quelque objet qu'il nous arrive, je le tiens toujours pour un genre qui fait le pendant avec eux et je dis, si tu me comprends bien, qu'il y a là deux espèces de plaisir.

PROTARQUE

Je comprends.

SOCRATE

Ajoutons-y encore les plaisirs de la science, s'il nous paraît qu'ils ne sont pas joints à la soif de savoir, et si la source n'en est pas une douleur occasionnée par cette soif.

PROTARQUE

Je suis sur ce point d'accord avec toi.

SOCRATE

Mais si, quand on est rempli de connaissances, on vient par la suite à les perdre par l'oubli, vois-tu que cette perte cause quelque douleur ?

PROTARQUE

De par sa nature, aucune; mais, à la réflexion, on peut se chagriner d'avoir perdu quelque connaissance, à cause du besoin qu'on en a.

SOCRATE

Oui, bienheureux homme; mais, en ce moment, nous nous occupons des affections naturelles en elles-mêmes, indépendamment de toute réflexion.

PROTARQUE

Alors tu as raison de dire que nous ne sentons aucune douleur quand l'oubli nous fait perdre des connaissances.

SOCRATE

En conséquence, il faut dire que les plaisirs de la science sont des plaisirs sans mélange et qu'ils ne sont pas accessibles à la plupart des hommes, mais à un très petit nombre.

PROTARQUE

Certainement, il faut le dire.

SOCRATE

XXXII. — Maintenant que nous avons assez bien distingué et séparé les plaisirs purs et ceux qu'on pourrait, assez justement, appeler impurs, ajoutons à ce discours que les plaisirs violents sont démesurés et que ceux qui n'ont pas de violence sont, au contraire, mesurés, et disons que ceux qui sont grands et forts et qui se font sentir, tantôt souvent, tantôt rarement, se rangent dans la classe de l'infini, qui agit plus ou moins sur le corps et sur l'âme, et que les autres appartiennent à la classe du fini.

PROTARQUE

Rien de plus juste que ce que tu dis, Socrate.

SOCRATE

Il y a encore une autre question à considérer à propos de ces plaisirs.

PROTARQUE

Laquelle ?

SOCRATE

Que doit-on dire qui approche le plus de la vérité, ce qui est pur et sans mélange, ou ce qui est violent, nombreux, grand, suffisant ?

PROTARQUE

En vue de quoi, Socrate, me fais-tu cette question ?

SOCRATE

C'est que, Protarque, je ne veux rien laisser de côté dans l'examen du plaisir et de la science. Je veux distinguer ce qui, dans chacun des deux, est pur et ce qui ne l'est pas, afin que l'un et l'autre se présentant dans leur pureté devant notre tribunal, à moi, à toi et à tous les assistants, nous rendent le jugement plus facile.

PROTARQUE

C'est très juste.

SOCRATE

Et maintenant, allons, prenons de tout ce que nous appelons des genres purs l'idée que je vais dire. Choisissons d'abord l'un d'eux et soumettons-le à l'examen.

PROTARQUE

Lequel faut-il choisir ?

SOCRATE

Considérons d'abord, si tu veux, le genre de la blancheur.

PROTARQUE

Très volontiers.

SOCRATE

Comment un objet peut-il être blanc et en quoi faisons-nous consister la blancheur ? Est-ce dans la grandeur et la quantité, ou bien est-ce dans ce qui est le plus exempt de mélange et ne porte aucune trace de couleur différente ?

PROTARQUE

Il est évident que c'est dans ce qui est le moins mélangé.

SOCRATE

C'est juste. Ne dirons-nous pas, en conséquence, que ce blanc est le plus vrai, Protarque, et en même temps le plus beau de tous les blancs, et que ce n'est pas le plus nombreux et le plus grand ?

PROTARQUE

Si, et avec beaucoup de raison.

SOCRATE

Ainsi donc, en disant qu'un peu de blanc pur est à la fois plus blanc, plus beau et plus vrai que beaucoup de blanc mélangé, nous n'avancerons rien que de très juste.

PROTARQUE

Très juste, en effet.

SOCRATE

Mais quoi! Nous n'aurons sans doute pas besoin de beaucoup d'exemples semblables pour notre discussion sur le plaisir; il nous suffit de celui-ci pour voir que tout plaisir pur de douleur, fût-il petit et rare, est plus agréable, plus vrai et plus beau qu'un autre qui serait grand et fréquent.

PROTARQUE

C'est bien certain et ton exemple suffit.

SOCRATE

Autre question : n'avons-nous pas entendu dire que le plaisir est toujours en voie de génération et jamais dans l'état d'existence ? Il y a, en effet, des gens habiles [77] qui essayent de nous démontrer cette théorie, et il faut leur en savoir gré.

PROTARQUE

Pourquoi donc ?

SOCRATE

Je vais t'expliquer tout cela, en t'interrogeant, mon cher Protarque.

PROTARQUE

Tu n'as qu'à parler et à me questionner.

SOCRATE

XXXIII. — Il y a deux sortes de choses, l'une qui existe pour elle-même, l'autre qui en désire sans cesse une autre.

PROTARQUE

Comment ? Et quelles sont ces deux choses ?

SOCRATE

L'une est très noble de nature, l'autre lui est inférieure.

PROTARQUE

Parle encore plus clairement.

SOCRATE

Nous avons vu, n'est-ce pas, de beaux et bons enfants, et de vaillants hommes qui en étaient épris ?

PROTARQUE

Assurément.

SOCRATE

Eh bien, cherche maintenant deux choses qui ressemblent à ces deux-là sous tous les rapports que nous reconnaissons entre elles.

PROTARQUE

Je te le dis pour la troisième fois [78] : explique ta pensée plus clairement, Socrate.

SOCRATE

Ce n'est pas une énigme; mais le discours s'amuse à nous taquiner. Ce qu'il veut dire, c'est que, de ces deux choses, l'une existe toujours en vue de quelque chose, et que l'autre est celle en vue de laquelle se fait toujours ce qui se fait en vue de quelque chose.

PROTARQUE

J'ai compris, mais à grand-peine et en te faisant répéter.

SOCRATE

Peut-être comprendras-tu mieux, mon enfant, à mesure que la discussion avancera.

PROTARQUE

C'est possible.

SOCRATE

Prenons maintenant deux autres choses.

PROTARQUE

Lesquelles ?

SOCRATE

L'une est tout ce qui est soumis à la génération, et l'autre l'être.

PROTARQUE

J'admets tes deux choses, l'être et la génération.

SOCRATE

Fort bien. Lequel des deux dirons-nous qui est fait en vue de l'autre, la génération en vue de l'être, ou l'être en vue de la génération ?

PROTARQUE

Me demandes-tu cette fois si ce qu'on appelle l'être est ce qu'il est en vue de la génération ?

SOCRATE

Apparemment.

PROTARQUE

Au nom des dieux, quelle question est-ce là ?

SOCRATE

Voici ce que je veux dire, mon cher Protarque : est-ce que, selon toi, la construction des vaisseaux se fait en vue des vaisseaux plutôt que les vaisseaux en vue de la construction ? et je te fais la même question, Protarque, pour toutes les choses du même genre.

PROTARQUE

Pourquoi ne te réponds-tu pas toi-même, Socrate ?

SOCRATE

Rien ne m'en empêche. Néanmoins, prends part avec moi à la discussion.

PROTARQUE

Très volontiers.

SOCRATE

Je dis donc que c'est en vue de la génération que les remèdes, tous les instruments et tous les matériaux sont toujours employés, et que chaque génération se fait, l'une en vue d'un être, l'autre en vue d'un autre, et que la génération en général se fait en vue de l'être en général.

PROTARQUE

Voilà qui est très clair.

SOCRATE

Par conséquent, si le plaisir est soumis à la génération, c'est forcément en vue d'un être.

PROTARQUE

Certainement.

SOCRATE

Or, la chose en vue de laquelle se fait toujours ce qui est fait en vue de quelque chose appartient à la classe du bien, mais ce qui est fait en vue de quelque chose doit être, excellent Protarque, mis dans une autre classe.

PROTARQUE

De toute nécessité.

SOCRATE

Si donc le plaisir est soumis à la génération, en le plaçant dans une autre classe que celle du bien, ne le placerons-nous pas à sa vraie place ?

PROTARQUE

A sa vraie place, en effet.

SOCRATE

Ainsi, comme je l'ai dit en entamant ce propos, celui qui nous a fait voir que le plaisir est soumis à la génération et qu'il n'a aucune espèce d'être, a droit à notre reconnaissance, car il est évident que cet homme-là se moque de ceux qui prétendent que le plaisir est un bien.

PROTARQUE

Assurément.

SOCRATE

Et le même homme ne manquera pas non plus de se moquer de ceux qui trouvent leur satisfaction dans la génération.

PROTARQUE

Comment, et de qui parles-tu ?

SOCRATE

De ceux qui, se délivrant de la faim, ou de la soif, ou de quelque autre besoin semblable que la génération satisfait, se réjouissent à cause de la génération, comme si elle était par elle-même un plaisir, et qui disent qu'ils ne voudraient pas de la vie s'ils n'étaient pas sujets à la faim, et s'ils n'éprouvaient pas toutes les autres sensations qu'on peut dire qui sont la suite de ces besoins.

PROTARQUE

Telle est bien, semble-t-il, leur façon de penser.

SOCRATE

Ne pouvons-nous pas dire tous que le contraire de la génération est la destruction ?

PROTARQUE

C'est indéniable.

SOCRATE

Ainsi, choisir la vie de plaisir, c'est choisir la destruction et la génération, et non cette troisième vie, où il n'y a ni plaisir, ni peine, mais où l'on peut avoir en partage la sagesse la plus pure.

PROTARQUE

C'est, à ce que je vois, Socrate, une grande absurdité de croire que le plaisir est un bien pour nous.

SOCRATE

Oui, et nous pouvons le prouver encore d'une autre manière.

PROTARQUE

De quelle manière ?

SOCRATE

N'est-il pas absurde, alors qu'il n'y a rien de bon ni de beau, ni dans les corps, ni dans mainte autre chose, mais seulement dans l'âme, de dire que le plaisir est le seul bien de cette âme, et que le courage, la tempérance, l'intelligence et tous les autres biens que l'âme a reçus en partage ne sont pas des biens, et, outre cela, d'être obligé de convenir que celui qui ne goûte point de plaisir, mais qui souffre, est méchant au moment où il souffre, fût-il le meilleur des hommes, et qu'au contraire un homme qui a du plaisir est, au moment où il le ressent, d'autant supérieur en vertu que son plaisir est plus grand.

PROTARQUE

Tout cela, Socrate, est de la dernière absurdité.

SOCRATE

XXXIV. — Cependant il ne faudrait pas, après avoir essayé de soumettre le plaisir à un examen approfondi et complet, avoir l'air d'en exempter totalement l'intelligence et la science. Frappons-les plutôt hardiment de tous côtés, pour voir s'il n'y aurait pas quelque part en elles quelque fêlure, afin de découvrir ce qu'il y a de plus pur dans la nature et de nous servir de ce qu'il y a de plus vrai à la fois dans l'intelligence et dans le plaisir, pour porter notre jugement sur les deux.

PROTARQUE

C'est juste.

SOCRATE

Admettons-nous que les sciences se divisent en deux classes, dont l'une a, je pense, pour objet les arts mécaniques et l'autre l'éducation et la culture ? Qu'en dis-tu ?

PROTARQUE

Je l'admets.

SOCRATE

Considérons d'abord si, dans les arts mécaniques, il n'y a pas une partie qui dépende davantage de la science et une autre moins, et s'il faut regarder la première comme la plus pure et l'autre comme moins pure.

PROTARQUE

Oui, c'est une chose à considérer.

SOCRATE

Ne faut-il pas distinguer des autres les arts directeurs et les mettre à part ?

PROTARQUE

Quels arts et comment ?

SOCRATE

Par exemple, si on sépare de tous les arts l'art de compter, de mesurer, de peser, on peut dire que ce qui restera de chacun d'eux n'aura pas grande valeur.

PROTARQUE

Il n'en aura guère, en effet.

SOCRATE

En effet, il ne restera plus après cela qu'à recourir à la conjecture et à exercer ses sens par l'expérience et la routine, en y adjoignant ces facultés divinatoires auxquelles beaucoup de gens donnent le nom d'arts, lorsqu'elles ont acquis de la force par l'exercice et le travail.

PROTARQUE

C'est indéniable.

SOCRATE

N'est-ce pas d'abord le cas de la musique, elle qui règle ses accords, non point par la mesure, mais par des conjectures fondées sur la pratique ? C'est par conjecture que toute une partie de la musique, l'art de la flûte [79], cherche la juste mesure de chaque note qu'elle lance, de sorte qu'il se mêle à cet art beaucoup d'obscurité et que la certitude n'y a qu'une faible part.

PROTARQUE

Rien de plus vrai.

SOCRATE

Et nous trouverons qu'il en est de même de la médecine, de l'agriculture, du pilotage et de l'art du général d'armée.

PROTARQUE

Certainement.

SOCRATE

Mais l'architecture, qui fait usage d'un très grand nombre de mesures et d'instruments, en retire, je crois, cet avantage qu'elle a beaucoup de justesse et qu'elle est plus scientifique que la plupart des arts.

PROTARQUE

En quoi ?

SOCRATE

Dans la construction des vaisseaux et des maisons et dans beaucoup d'autres ouvrages en bois; car elle se sert, je pense, de la règle, du tour, du compas, du cordeau et d'un instrument finement imaginé pour redresser le bois.

PROTARQUE

Ce que tu dis, Socrate, est parfaitement juste.

SOCRATE

Divisons donc ce qu'on appelle les arts en deux classes : les uns, qui se rapprochent de la musique, et qui ont moins de précision dans leurs ouvrages, et les autres, qui ressemblent à l'architecture, et qui sont plus précis.

PROTARQUE

Soit.

SOCRATE

Et disons que, parmi ces derniers, les plus exacts sont ceux que nous avons tout à l'heure mentionnés les premiers.

PROTARQUE

Je pense que tu veux parler de l'arithmétique et de tous les arts que tu as cités avec elle il y a un instant.

SOCRATE

Parfaitement. Mais, Protarque, ne faut-il pas dire que ceux-ci aussi se partagent en deux classes ? Qu'en penses-tu ?

PROTARQUE

Quelles sont ces classes ?

SOCRATE

Prenons d'abord l'arithmétique. Ne faut-il pas reconnaître qu'il y a une arithmétique vulgaire et une autre, propre aux philosophes ?

PROTARQUE

Sur quelle différence peut-on se fonder pour admettre deux sortes d'arithmétique ?

SOCRATE

La différence n'est pas petite, Protarque. Car les uns font entrer dans le même calcul des unités numériques inégales, par exemple, deux armées, deux bœufs, les deux unités les plus petites et les deux unités les plus grandes de toutes, tandis que les autres refusent de les suivre, si l'on n'admet pas que, dans le nombre infini des unités, il n'y a aucune unité qui diffère d'aucune autre unité [80].

PROTARQUE

Tu as certainement raison de dire qu'il y a une grande différence entre ceux qui s'adonnent à la science des nombres, et il est logique de distinguer deux espèces d'arithmétique.

SOCRATE

Mais quoi! L'art de calculer et de mesurer dans l'architecture et le commerce ne diffère-t-il pas de la géométrie et des calculs qu'élaborent les philosophes ? Faut-il dire que les deux ne font qu'un art ou qu'ils en font deux ?

PROTARQUE

D'après ce qui vient d'être dit, j'affirmerais qu'ils en font deux.

SOCRATE

Bien. Mais pourquoi ai-je mis cette question sur le tapis ? Le conçois-tu ?

PROTARQUE

Peut-être. Néanmoins je serais bien aise d'entendre ta réponse à cette question.

SOCRATE

Eh bien, il me semble à moi que cette argumentation, tout comme lorsque nous l'avons entamée, a pour objet de chercher un pendant à la discussion sur les plaisirs, et d'examiner si telle science est plus pure qu'une autre, de même qu'il y a des plaisirs plus purs que d'autres.

PROTARQUE

Il est très clair assurément que c'est dans ce but que la discussion s'est engagée.

SOCRATE

XXXV. — Eh bien, n'a-t-elle pas découvert que les différents arts s'appliquent à des objets variés et qu'ils sont, les uns plus clairs, les autres plus confus ?

PROTARQUE

Certainement.

SOCRATE

Et après avoir alors donné à un art un nom unique et nous avoir fait croire qu'il était un, l'argumentation n'admet-elle pas que cet art est double, lorsqu'elle demande si ce qu'il y a de précis et de pur dans chacun se trouve au plus haut degré dans l'art de ceux qui cultivent la philosophie ou de ceux qui y sont étrangers ?

PROTARQUE

C'est bien cela, je crois, qu'elle demande.

SOCRATE

Alors, Protarque, quelle réponse allons-nous lui faire ?

PROTARQUE

Ah! Socrate, nous avons trouvé, en avançant, que les sciences différaient étonnamment sous le rapport de la précision.

SOCRATE

Eh bien, cela facilitera notre réponse, n'est-ce pas ?

PROTARQUE

Sans doute, et nous dirons que la différence est grande entre les arts dont nous avons parlé et les autres arts et que, parmi les premiers mêmes, ceux qui reçoivent l'impulsion des vrais philosophes sont infiniment supérieurs en précision et en vérité en ce qui regarde les mesures et les nombres.

SOCRATE

Nous sommes d'accord avec toi là-dessus, et, confiants dans ton jugement, nous répondons hardiment à ces gens habiles à traîner la dispute en longueur...

PROTARQUE

Quoi ?

SOCRATE

Qu'il y a deux arithmétiques et deux arts de mesurer et beaucoup d'autres arts dépendants de ceux-là, qui sont doubles comme eux, quoiqu'ils aient un seul nom en commun.

PROTARQUE

Faisons cette réponse à ces hommes que tu dis si habiles, Socrate, et souhaitons qu'elle les satisfasse.

SOCRATE

Nous dirons donc que ces sciences sont les plus exactes ?

PROTARQUE

Certainement.

SOCRATE

Mais la faculté dialectique nous désavouera, Protarque, si nous lui préférons une autre science.

PROTARQUE

Mais que faut-il entendre par cette faculté ?

SOCRATE

Chacun peut évidemment reconnaître la faculté dont je parle. Car je suis bien sûr que tous ceux à qui la nature a départi tant soit peu d'intelligence conviendront que la connaissance qui a pour objet l'être, la réalité et ce qui est immuable par nature est la connaissance la plus vraie de beaucoup. Mais toi, Protarque, quel jugement en portes-tu ?

PROTARQUE

J'ai souvent entendu répéter à Gorgias, Socrate, que l'art de persuader l'emporte de beaucoup sur tous les arts, parce qu'il se soumet tout, non par la force, mais de plein gré, et qu'il est de beaucoup le meilleur de tous les arts. Mais à présent je ne voudrais combattre ni ton sentiment ni le sien.

SOCRATE

Tu voulais parler, et c'est, je crois, par modestie que tu as déposé les armes.

PROTARQUE

Prends la chose comme il te plaira.

SOCRATE

Est-ce ma faute si tu ne m'as pas bien compris ?

PROTARQUE

Qu'est-ce que j'ai mal compris ?

SOCRATE

Ce que j'ai cherché jusqu'ici, mon cher Protarque, ce n'est pas quel art ou quelle science l'emporte sur tous les autres en grandeur, en excellence et en utilité pour nous. Mais quelle est la science qui recherche la clarté, la précision et la vérité suprême — peu importe qu'elle soit petite et peu utile — voilà ce que nous cherchons à présent. Mais vois : tu n'offenseras pas Gorgias en accordant que son art est supérieur aux autres par l'utilité qui en revient aux hommes, tandis que pour l'étude dont je parle en ce moment, comme je disais tout à l'heure à propos de la blancheur, qu'un peu de blanc, pourvu qu'il soit pur, l'emporte sur beaucoup de blanc impur, du fait même qu'il est le plus vrai, de même ici, après avoir beaucoup réfléchi et suffisamment discuté la chose, sans avoir égard à l'utilité des sciences, ni à leur réputation, et en nous bornant à considérer s'il y a dans notre âme une faculté naturellement éprise du vrai et prête à tout faire pour l'atteindre, examinons à fond cette faculté et disons si c'est elle qui vraisemblablement possède au plus haut degré la pureté de l'intelligence et de la pensée, ou s'il faut en chercher une autre qui y prétende à plus juste titre.

PROTARQUE

Eh bien, j'examine et il me paraît difficile d'accorder que quelque autre science ou art s'attache plus à la vérité que la dialectique.

SOCRATE

Pour quelle raison dis-tu cela ? N'est-ce point d'abord parce que la plupart des arts et ceux qui les exercent donnent beaucoup à l'opinion et s'appliquent à chercher des choses qui dépendent de l'opinion ? ensuite, lorsqu'un homme se propose d'étudier la nature, tu sais qu'il passe sa vie à chercher comment cet univers est né et quels sont les effets et les causes de ce qui s'y passe. Est-ce bien cela, ou es-tu d'un autre avis ?

PROTARQUE

C'est bien cela.

SOCRATE

Ce n'est donc pas à ce qui existe toujours, mais à ce qui devient, deviendra, est devenu que notre homme consacre son travail ?

PROTARQUE

C'est très vrai.

SOCRATE

Pouvons-nous dire qu'il y ait quelque chose de clair, selon la plus exacte vérité, dans ces choses dont aucune ne fut jamais, ni ne sera, ni n'est à présent dans le même état ?

PROTARQUE

Naturellement, non.

SOCRATE

Dès lors comment pourrions-nous avoir la moindre connaissance fixe sur des choses qui n'ont aucune espèce de fixité ?

PROTARQUE

Je n'en vois aucun moyen.

SOCRATE

Donc aucune intelligence ou science qui s'occupe de ces choses ne possède la vérité parfaite.

PROTARQUE

Il est à présumer que non.

SOCRATE

XXXVI. — Il faut donc ici mettre à quartier et toi et moi et Gorgias et Philèbe, et faire cette déclaration au nom de la raison.

PROTARQUE

Quelle déclaration ?

SOCRATE

Que la fixité, la pureté, la vérité et ce que nous appelons l'essence sans mélange se rencontrent dans les choses qui sont toujours dans le même état, sans changement ni alliage, ensuite dans les choses qui s'en rapprochent le plus, et que tout le reste doit être tenu pour secondaire et inférieur.

PROTARQUE

C'est parfaitement vrai.

SOCRATE

Pour ce qui est des noms qui se rapportent à ces choses, n'est-il pas de toute justice d'assigner les plus beaux aux plus belles ?

PROTARQUE

C'est naturel.

SOCRATE

Or l'intelligence et la sagesse ne sont-ce pas les noms qu'on honore le plus ?

PROTARQUE

Si.

SOCRATE

Donc, si on les applique aux pensées qui ont pour objet l'être véritable, l'application en sera parfaitement juste ?

PROTARQUE

Certainement.

SOCRATE

Or c'est précisément ces noms-là que j'ai produits plus haut pour le jugement que nous avons à faire.

PROTARQUE

Ce sont bien ceux-là, Socrate.

SOCRATE

Bon. Quant à la sagesse et au plaisir que nous avons à mélanger ensemble, si l'on disait que nous ressemblons à des artisans à qui l'on servirait ces matériaux pour les ouvrer, la comparaison serait juste ?

PROTARQUE

Très juste.

SOCRATE

Et maintenant ne faut-il pas essayer de faire ce mélange ?

PROTARQUE

Sans doute.

SOCRATE

Ne serait-il pas mieux de nous dire d'abord et de nous rappeler certaines choses ?

PROTARQUE

Lesquelles ?

SOCRATE

Des choses dont nous avons déjà fait mention. Mais c'est, à mon avis, une bonne maxime que celle qui veut qu'on répète deux ou trois fois ce qui est bien.

PROTARQUE

Sans doute.

SOCRATE

Ecoute donc, au nom de Zeus : voici, je crois, ce que nous avons dit précédemment.

PROTARQUE

Quoi ?

SOCRATE

Philèbe soutient que le plaisir est le vrai but de tous les êtres vivants et la fin à laquelle ils doivent tendre tous; il ajoute qu'il est le bien pour tous tant qu'ils sont, et que les deux mots bon et agréable, à parler exactement, se rapportent à un seul objet et à la même idée. Socrate, au contraire, prétend qu'ils ne sont pas une seule chose et que, comme le bon et l'agréable sont deux noms différents, ils sont aussi différents de nature, et que la sagesse a plus de part que le plaisir à la condition du bien. N'est-ce pas là, Protarque, ce que nous disons à présent et ce que nous avons dit alors ?

PROTARQUE

C'est bien cela.

SOCRATE

Ne sommes-nous pas aussi d'accord sur ce point à présent comme alors ?

PROTARQUE

Sur quel point ?

SOCRATE

Que la nature du bien diffère du reste en ceci ?

PROTARQUE

En quoi ?

SOCRATE

En ce qu'un être vivant qui en aurait constamment et sans interruption la possession pleine et entière n'aurait plus besoin d'aucune autre chose et que le bien lui suffirait parfaitement. N'est-ce pas vrai ?

PROTARQUE

Si, assurément.

SOCRATE

N'avons-nous pas essayé de séparer l'un de l'autre par la pensée et de les mettre dans la vie des individus, d'une part le plaisir sans mélange de sagesse, de l'autre la sagesse privée de même de tout élément de plaisir ?

PROTARQUE

C'est ce que nous avons fait.

SOCRATE

Est-ce que l'une ou l'autre vie nous a paru suffisante pour aucun de nous ?

PROTARQUE

Comment l'aurait-elle paru ?

SOCRATE

XXXVII. — Si nous nous sommes alors écartés de la vérité en quelque chose, que celui qui voudra reprenne la question à présent, et la traite plus correctement. Qu'il mette dans la même classe la mémoire, la sagesse, la science et l'opinion vraie, et qu'il examine si quelqu'un, privé de tout cela, voudrait avoir ou acquérir quoi que ce soit, même le plaisir le plus grand et le plus vif, s'il n'avait pas une opinion vraie touchant la joie qu'il ressent, s'il n'avait aucune connaissance de ce qu'il éprouve, et n'en gardait pas le souvenir même un instant. Qu'il pose la même question au sujet de la sagesse et demande si quelqu'un voudrait l'avoir sans aucun plaisir, si petit qu'il soit, plutôt qu'avec quelques plaisirs, ou tous les plaisirs sans sagesse plutôt qu'avec quelque sagesse.

PROTARQUE

Personne ne le voudrait, Socrate. Mais il est inutile de répéter la même question.

SOCRATE

Donc ni le plaisir ni la sagesse ne sont le bien parfait, le bien désirable pour tous, le souverain bien ?

PROTARQUE

Evidemment non.

SOCRATE

Il faut donc nous former du bien une idée claire ou au moins quelque image, pour savoir, comme nous l'avons dit, à quoi attribuer le second prix.

PROTARQUE

C'est très juste.

SOCRATE

N'avons-nous pas rencontré une voie qui conduit au bien ?

PROTARQUE

Quelle voie ?

SOCRATE

Si l'on cherchait un homme et qu'on apprît d'abord exactement où il demeure, on aurait, n'est-ce pas, un bon moyen de trouver celui qu'on cherche ?

PROTARQUE

Certainement.

SOCRATE

Or un raisonnement particulier nous a fait voir, comme au début, qu'il ne faut pas chercher le bien dans la vie sans mélange, mais dans la vie mélangée.

PROTARQUE

C'est vrai.

SOCRATE

Il y a certainement plus d'espoir que ce que nous cherchons apparaîtra plus clairement dans une vie bien mélangée que dans une qui l'est mal.

PROTARQUE

Beaucoup plus.

SOCRATE

Faisons donc ce mélange, Protarque, en invoquant les dieux, soit Dionysos, soit Hèphaistos, ou tout autre dieu qui préside au mélange.

PROTARQUE

Oui, faisons-le.

SOCRATE

Nous sommes des espèces d'échansons qui avons deux fontaines à notre disposition, celle du plaisir qu'on peut assimiler à une fontaine de miel, et celle de la sagesse, sobre et sans vin, qui donne une eau austère et salutaire; ce sont ces deux fontaines dont il faut mêler les eaux du mieux que nous pourrons.

PROTARQUE

Sans doute.

SOCRATE

Voyons d'abord : est-ce en mêlant toute espèce de plaisir à toute espèce de sagesse que nous avons le plus de chance de faire un bon mélange ?

PROTARQUE

Peut-être.

SOCRATE

Mais cela n'est pas sûr, et je crois pouvoir te donner une idée pour faire ce mélange avec moins de risque.

PROTARQUE

Laquelle ? parle.

SOCRATE

N'avons-nous pas vu des plaisirs qui sont, pensons-nous, plus véritables que d'autres et des arts qui sont plus exacts que d'autres ?

PROTARQUE

Sans doute.

SOCRATE

Et qu'il y avait deux sciences différentes, l'une tournée vers les choses qui naissent et qui périssent, et l'autre vers celles qui ne naissent ni ne périssent, mais qui restent toujours et immuablement dans le même état ? En les considérant sous le rapport de la vérité, nous avons jugé que cette dernière était plus vraie que l'autre.

PROTARQUE

Et avec raison indubitablement.

SOCRATE

Eh bien, si, mêlant d'abord les portions les plus vraies du plaisir et de la science, nous examinions si ce mélange est suffisant pour réaliser et nous procurer la vie la plus désirable, ou si nous avons encore besoin de quelque chose de plus et de différent ?

PROTARQUE

C'est ce qu'il faut faire, du moins à mon avis.

SOCRATE

XXXVIII. — Supposons un homme qui sache ce qu'est la justice en elle-même et qui ait une raison en accord avec son intelligence, et qui connaisse de la même façon toutes les autres réalités.

PROTARQUE

Soit.

SOCRATE

Or cet homme possédera-t-il une science suffisante, s'il connaît théoriquement le cercle et la sphère divine elle-même, mais ignore notre sphère humaine et nos cercles humains, bien que, dans la construction d'une maison ou dans tout autre ouvrage, il ait à se servir également de règles et de cercles ?

PROTARQUE

Notre situation serait ridicule, Socrate, si nous n'avions que ces connaissances divines.

SOCRATE

Comment dis-tu ? Faut-il donc mettre dans notre mélange l'art mobile et impur de la fausse règle et du faux cercle ?

PROTARQUE

C'est indispensable, si l'on veut que nous trouvions tous les jours ne fût-ce que le chemin de notre maison.

SOCRATE

Faut-il y ajouter la musique, dont nous avons dit un peu plus haut qu'elle était pleine de conjecture et d'imitation et qu'elle manquait de pureté ?

PROTARQUE

Cela me paraît indispensable, à moi, si nous voulons que notre vie soit tant soit peu supportable.

SOCRATE

Veux-tu donc que, comme un portier bousculé et forcé par la foule, je cède et ouvre les portes toutes grandes et laisse toutes les sciences entrer à flots, et les impures se mêler avec les pures ?

PROTARQUE

Je ne vois pas, Socrate, quel mal il y aurait à prendre toutes les autres sciences, si l'on possédait les premières.

SOCRATE

Faut-il donc les laisser toutes ensemble couler dans le sein de la poétique vallée d'Homère où se mélangent les eaux [81] ?

PROTARQUE

Certainement.

SOCRATE

XXXIX. — Les voilà lâchées. Et maintenant il faut aller à la source des plaisirs; car il ne nous a pas été possible de faire notre mélange, comme nous l'avions projeté, en commençant par les parties vraies; mais à cause de la haute estime où nous tenons toutes les sciences, nous leur avons ouvert le même accès à toutes à la fois et avant les plaisirs.

PROTARQUE

C'est parfaitement exact.

SOCRATE

En conséquence, il est temps de nous consulter aussi au sujet des plaisirs et de décider s'il faut aussi les lâcher tous en masse, ou ne laisser entrer d'abord que ceux qui sont vrais.

PROTARQUE

Il est très important pour notre sécurité de lâcher les vrais les premiers.

SOCRATE

Eh bien, lâchons-les. Mais après ? Ne faut-il pas, s'il y en a de nécessaires, comme certaines espèces de sciences, les mêler aussi avec les vrais ?

PROTARQUE

Pourquoi pas ? les nécessaires, cela va de soi.

SOCRATE

Mais si, comme nous avons dit qu'il était sans danger et utile de connaître tous les arts tant qu'on est en vie, nous tenons le même langage à propos des plaisirs, je veux dire s'il est sans danger et avantageux pour tous les hommes de jouir, durant leur vie, de tous les plaisirs, il faudra les faire entrer tous dans le mélange.

PROTARQUE

Que pouvons-nous donc dire de ces plaisirs mêmes ? Qu'allons-nous faire ?

SOCRATE

Ce n'est pas à nous, Protarque, qu'il faut demander cela; c'est aux plaisirs eux-mêmes et à la sagesse qu'il faut poser la question suivante sur leurs sentiments mutuels.

PROTARQUE

Quelle question ?

SOCRATE

« Mes amis, soit qu'il faille vous appeler du nom de plaisirs ou de n'importe quel autre nom, n'aimeriez-vous pas mieux habiter avec toute la sagesse que sans elle ? » Je pense qu'à cette question ils ne pourraient faire autrement que de répondre ceci.

PROTARQUE

Quoi ?

SOCRATE

Ce que nous avons dit précédemment : « Il n'est pas du tout possible qu'un genre pur reste seul et solitaire. Entre tous les genres, si nous les comparons l'un à l'autre, nous croyons que le meilleur pour habiter avec nous, c'est celui qui connaît tout le reste et chacun de nous aussi parfaitement que possible. »

PROTARQUE

Voilà, leur dirons-nous, une excellente réponse.

SOCRATE

Bien. Après cela, passons à la sagesse et à l'intelligence et interrogeons-les. « Avez-vous besoin d'autres plaisirs pour le mélange ? » Telle est la question que nous leur faisons. Elles vont peut-être répliquer : « De quels plaisirs ? »

PROTARQUE

Vraisemblablement.

SOCRATE

Après cela, nous leur poserons cette question : « Outre ces plaisirs vrais, dirons-nous, avez-vous encore besoin de la compagnie des plaisirs les plus grands et les plus violents ? — Et comment, Socrate, répondront-elles peut-être, aurions-nous affaire de plaisirs qui nous apportent une infinité d'obstacles, qui troublent les âmes où nous habitons par leur frénésie, qui nous empêchent absolument d'exister et qui d'ordinaire gâtent complètement les enfants qui naissent de nous par la négligence et l'oubli qu'ils engendrent ? Mais pour les plaisirs vrais et purs dont tu as parlé, tiens qu'ils sont presque de notre famille; joins-y ceux qui vont avec la santé et la tempérance et aussi tous ceux qui forment le cortège de la vertu en général comme celui d'une déesse, et marchent partout à sa suite : ceux-là, fais-les entrer dans le mélange. Quant à ceux qui sont les compagnons inséparables de la folie et du vice, il faudrait être dénué de bon sens pour les associer à l'intelligence, quand, après avoir découvert le mélange ou le composé le plus beau et le moins sujet aux séditions, on veut essayer d'y trouver ce que peut être le bien naturel dans l'homme et dans l'univers et deviner quelle idée il faut se faire de son essence. » N'avouerons-nous pas qu'en parlant comme elle vient de le faire, l'intelligence a répondu sagement et d'une manière digne d'elle, pour elle-même, pour la mémoire et pour l'opinion droite ?

PROTARQUE

Assurément si.

SOCRATE

Mais voici encore un point indispensable, sans lequel pas une seule chose ne serait jamais arrivée à l'existence.

PROTARQUE

Qu'est-ce ?

SOCRATE

Aucune chose où nous ne mêlerons pas la vérité n'existera jamais et n'a jamais existé véritablement.

PROTARQUE

Comment le pourrait-elle ?

SOCRATE

XL. — En aucune manière. Mais s'il manque encore quelque chose à notre mélange, dites-le, toi et Philèbe. Pour moi, il me semble que notre argumentation est achevée et qu'on peut la regarder comme une sorte d'ordre incorporel, propre à bien gouverner un corps animé.

PROTARQUE

Tu peux dire, Socrate, que c'est aussi mon avis, à moi.

SOCRATE

Et si nous disions que nous sommes à présent parvenus au vestibule du bien et à la demeure où il habite, peut-être en un sens parlerions-nous justement.

PROTARQUE

En tout cas, il me le semble, à moi.

SOCRATE

Quel est donc, selon nous, l'élément le plus précieux qui soit dans notre mélange et qui soit le plus capable de rendre une pareille situation désirable à tout le monde ? Quand nous l'aurons découvert, nous examinerons ensuite si c'est avec le plaisir ou avec l'intelligence qu'il a le plus d'affinité naturelle et de parenté dans l'univers.

PROTARQUE

Bien ; cela nous sera d'un grand secours pour nous aider à juger.

SOCRATE

Et il n'est pas difficile de voir la cause qui fait qu'un mélange quelconque a la plus haute valeur ou n'en a pas du tout.

PROTARQUE

Que veux-tu dire ?

SOCRATE

Il n'est personne, je pense, qui ne sache ceci.

PROTARQUE

Quoi ?

SOCRATE

Que tout composé, quel qu'il soit et de quelque manière qu'il soit formé, s'il manque de mesure et de proportion, ruine nécessairement les éléments qui le composent, et lui-même tout le premier. Ce n'est plus un composé, mais un entassement pêle-mêle, qui est toujours un véritable mal pour ses possesseurs.

PROTARQUE

C'est très vrai.

SOCRATE

Voilà maintenant l'essence du bien qui vient de chercher un asile dans la nature du beau. Car c'est dans la mesure et la proportion que se trouvent partout la beauté et la vertu.

PROTARQUE

Certainement.

SOCRATE

Or nous avons dit que la vérité entrait avec elles dans le mélange.

PROTARQUE

Oui.

SOCRATE

Dès lors, si nous ne pouvons saisir le bien à l'aide d'une seule idée, appréhendons-le avec trois, celles de la beauté, de la proportion et de la vérité, et disons que ces trois choses, comme si elles n'en faisaient qu'une, peuvent à juste titre être regardées comme les créatrices du mélange et que c'est parce qu'elles sont bonnes que le mélange est bon.

PROTARQUE

C'est très juste.

SOCRATE

XLI. — Maintenant, Protarque, nous pouvons croire que le premier venu est en état de juger du plaisir et de la sagesse et de décider lequel des deux est le plus proche parent du souverain bien et le plus honoré chez les hommes et chez les dieux.

PROTARQUE

La chose parle d'elle-même. Malgré cela, il vaudrait mieux pousser la discussion jusqu'à la fin.

SOCRATE

Jugeons donc successivement chacune de ces trois choses par rapport au plaisir et à l'intelligence. Car il faut voir auquel des deux nous attribuerons chacune d'elles, selon son degré de parenté avec eux.

PROTARQUE

Tu parles de la beauté, de la vérité et de la mesure ?

SOCRATE

Oui. Mais prends d'abord la vérité, Protarque, prends-la et jette les yeux sur ces trois choses, l'intelligence, la vérité et le plaisir, et, après y avoir longuement réfléchi, réponds-toi à toi-même lequel des deux, le plaisir ou l'intelligence, est le plus proche parent de la vérité.

PROTARQUE

A quoi bon perdre du temps à cela ? Il y a entre les deux, je pense, une grande différence. En effet, le plaisir est la chose du monde la plus menteuse, et l'on dit communément que, dans les plaisirs de l'amour, qui passent pour être les plus grands, le parjure même trouve grâce auprès des dieux, les plaisirs étant, comme les enfants, dénués de toute intelligence. L'intelligence, au contraire, est, ou bien la même chose que la vérité, ou la chose qui lui ressemble le plus et qui est la plus vraie.

SOCRATE

Après cela, considère de même la mesure, et vois si le plaisir en a plus que la sagesse, ou la sagesse plus que le plaisir.

PROTARQUE

L'examen que tu me proposes n'offre pas non plus de difficulté. Je pense, en effet, qu'on ne peut rien trouver dans la nature de plus démesuré que le plaisir et la joie extrême, ni rien de plus mesuré que l'intelligence et la science.

SOCRATE

Bien dit. Achève néanmoins le troisième parallèle. L'intelligence a-t-elle, à notre avis, plus de part à la beauté que le genre du plaisir, en sorte qu'on la puisse dire plus belle que le plaisir, ou bien est-ce le contraire ?

PROTARQUE

Mais jamais personne, Socrate, ni éveillé ni en songe, n'a ni vu ni imaginé nulle part, ni en aucune manière, que la sagesse et l'intelligence aient été laides, ou le soient, ou puissent le devenir.

SOCRATE

C'est juste.

PROTARQUE

Au contraire, quand nous voyons un homme, quel qu'il soit, s'abandonner aux plaisirs, surtout à ceux qu'on peut dire les plus grands, et que nous observons le ridicule ou la honte sans égale qui les accompagne, nous en rougissons nous-mêmes, nous les dérobons aux regards et les cachons de notre mieux, et nous confinons à la nuit tous les plaisirs de ce genre, comme s'ils devaient être soustraits à la lumière.

SOCRATE

Alors tu proclameras partout, Protarque, aux absents par des messagers, aux présents par tes discours, que le plaisir n'est pas le premier des biens, ni le second non plus, mais que le premier est la mesure, ce qui est mesuré et à propos et toutes les autres qualités semblables, qu'on doit regarder comme ayant en partage une nature éternelle.

PROTARQUE

C'est en effet une conséquence évidente de ce qui vient d'être dit.

SOCRATE

Le second bien est la proportion, le beau, le parfait, le suffisant et tout ce qui appartient à cette famille.

PROTARQUE

Il y a apparence en effet.

SOCRATE

Et maintenant, si tu mets au troisième rang, comme je le présume, l'intelligence et la sagesse, tu ne t'écarteras pas beaucoup de la vérité.

PROTARQUE

Sans doute.

SOCRATE

Ne mettrons-nous pas au quatrième rang ce que nous avons dit appartenir à l'âme seule, les sciences, les arts et ce que nous avons appelé les opinions vraies ? Ces choses sont bien après les trois premières, et par conséquent les quatrièmes, s'il est vrai qu'elles sont plus étroitement apparentées au bien que le plaisir.

PROTARQUE

C'est possible.

SOCRATE

Et au cinquième rang, les plaisirs que nous avons définis comme exempts de douleur, que nous avons nommés les plaisirs purs de l'âme elle-même et qui accompagnent, les uns les connaissances, les autres les sensations.

PROTARQUE

Peut-être.

SOCRATE

Mais à la sixième génération, dit Orphée, *mettez fin à votre chant rythmé*. Il semble que notre discussion aussi a pris fin au sixième jugement. Il ne nous reste plus qu'à mettre le couronnement à ce que nous avons dit.

PROTARQUE

C'est ce qu'il faut faire.

SOCRATE

XLII. — Allons maintenant, faisons notre troisième libation à Zeus sauveur [82], et finissons en appelant le même discours à témoigner.

PROTARQUE

Quel discours ?

SOCRATE

Philèbe soutenait que le bien n'était autre chose que le plaisir sous toutes ses formes.

PROTARQUE

A ce que je vois, Socrate, tu viens de dire qu'il fallait reprendre la discussion dès le début pour la troisième fois.

SOCRATE

Oui; mais écoutons ce qui suit. Comme j'avais dans l'esprit tout ce que je viens d'exposer et que j'étais choqué de l'opinion soutenue non seulement par Philèbe, mais par une infinité d'autres, j'ai dit que l'intelligence était pour la vie humaine une chose beaucoup meilleure et plus avantageuse que le plaisir.

PROTARQUE

Cela est vrai.

SOCRATE

Mais comme je soupçonnais qu'il y avait encore plusieurs autres biens, j'ai ajouté que, si nous en trouvions un meilleur que ces deux-là, je soutiendrais l'intelligence contre le plaisir dans la lutte pour le second prix et que le plaisir ne l'obtiendrait pas.

PROTARQUE

Tu l'as dit en effet.

SOCRATE

Ensuite nous avons donné des preuves parfaitement suffisantes qu'aucun des deux n'était suffisant.

PROTARQUE

C'est rigoureusement exact.

SOCRATE

Notre discussion a entièrement débouté l'une et l'autre, l'intelligence et le plaisir, de leur prétention à être le bien absolu, parce qu'ils sont privés du pouvoir de se suffire par eux-mêmes et qu'ils sont incomplets en même temps qu'insuffisants.

PROTARQUE

C'est très juste.

SOCRATE

Mais un troisième compétiteur s'étant montré supérieur à chacun de ces deux-là, l'intelligence nous a paru avoir une parenté et une affinité cent fois plus grande que le plaisir avec l'essence du vainqueur.

PROTARQUE

Comment en douter ?

SOCRATE

C'est donc le cinquième rang, d'après le jugement que notre argumentation a prononcé, qu'il faut assigner au pouvoir du plaisir.

PROTARQUE

Il semble.

SOCRATE

Mais non pas le premier, quand bien même tous les bœufs, les chevaux et toutes les bêtes du monde le réclameraient pour le plaisir, parce qu'elles ne poursuivent que lui. La plupart des hommes s'en rapportent à elles, comme les augures aux oiseaux, et jugent que les plaisirs sont ce que notre vie a de meilleur, et ils pensent que les appétits des bêtes sont des garants plus sûrs que les discours inspirés par une muse philosophe.

PROTARQUE

Rien n'est plus vrai que ce que tu viens de dire, nous en convenons tous.

SOCRATE

Alors laissez-moi aller.

PROTARQUE

Il reste encore quelque petite chose, Socrate. Je suis sûr que tu ne quitteras pas la partie avant nous, et je te ferai souvenir de ce qui reste.

TIMÉE

NOTICE SUR LE TIMÉE

ARGUMENT

Outre une introduction dialoguée, le *Timée* comprend trois sections. La première est le mythe de l'Atlantide (19 a-27 c); les deux autres ont pour objet la formation du monde (27 c-69 a) et celle de l'âme et du corps de l'homme (69 a-fin).

INTRODUCTION

Socrate s'était entretenu la veille avec Timée, Hermocrate et un autre personnage qui n'est pas nommé. L'entretien avait roulé sur la politique : Socrate leur avait exposé quelle était, d'après lui, la constitution la plus parfaite. On a cru longtemps que cet entretien est celui qui fait l'objet de *la République*, et il paraît bien certain que c'est à sa doctrine politique que Platon a voulu rattacher le *Timée ;* mais ce n'est pas le dialogue de *la République* qu'il a voulu rappeler ici. Un assez long intervalle s'est écoulé entre les deux ouvrages. En outre, le résumé de l'entretien de la veille que Socrate donne pour complet est loin de comprendre tous les sujets traités dans *la République ;* il a lieu aux Panathénées, et non aux Bendidies, et les interlocuteurs ne sont pas les mêmes. On peut en conclure qu'il s'agit dans le *Timée* d'un entretien fictif sur la politique, sujet sur lequel Platon revint certainement bien des fois au cours de son enseignement.

PREMIÈRE SECTION : L'ATLANTIDE

Socrate se demande ensuite si l'Etat qu'il a décrit correspond à quelque chose de réel. Il appartient d'en décider à des hommes comme Timée, Critias et Hermocrate, qui sont à la fois des philosophes et des politiques rompus aux affaires. C'est Critias qui donne la réponse. La constitution que tu proposes, dit-il à Socrate, a existé autrefois à Athènes. Je le tiens de mon ancêtre Critias, ami de Solon. Solon, à son retour d'Egypte, lui raconta qu'un vieux prêtre égyptien lui avait appris que, neuf mille ans auparavant, Athènes avait eu les plus belles institutions politiques et qu'elles avaient servi de modèle à celles des Egyptiens, chez qui se retrouve encore aujourd'hui la séparation des classes que tu recommandes dans ta république. En ce temps-là, Athènes produisit des hommes héroïques, qui défendirent l'Europe et l'Asie contre les rois de l'Atlantide, grande île qui émergeait au-delà des colonnes d'Héraclès. Ces rois entreprirent de soumettre à leur domination tous les peuples riverains de la Méditerranée. Ils furent battus par les seuls Athéniens, et leur défaite fut suivie d'un cataclysme qui engloutit subitement leur île, et avec elle l'armée des Athéniens.

Le mythe de l'Atlantide a soulevé d'innombrables controverses. Les uns ont cru que l'Atlantide avait réellement existé, d'autres que le récit était une invention de Platon, mais reposait sur des données véritables, d'autres l'ont considéré comme une allégorie. De son côté, un savant géologue, P. Termier, a prouvé qu'un vaste effondrement s'était produit à l'ouest du détroit de Gibraltar. Mais l'antiquité ne s'en est certainement pas doutée, et Platon lui-même n'a pu le deviner. Il se trouve qu'il a jadis existé une terre là où Platon a placé son mythe et que son invention n'est pas dénuée de fondement, du moins en ce qui concerne l'existence d'un continent en face des côtes du Maroc et du Portugal. Mais si Platon est tombé juste en imaginant le continent de l'Atlantide, c'est sans doute par un pur hasard. En tout cas, le fait était trop ancien pour qu'il en fût resté quelque trace, même dans les plus anciennes traditions de l'Egypte.

DEUXIÈME SECTION : LA COSMOLOGIE DE PLATON

En terminant, Critias se déclarait prêt à compléter son récit et à montrer en détail que la cité idéale de Socrate avait bien réellement existé au temps des Atlantes. Mais l'exposition de Critias est remise à plus tard. Auparavant, Timée, le plus savant d'entre eux en astronomie, va exposer la formation de l'univers, puis celle de l'homme. Pourquoi, entre le premier récit de Critias et celui qu'il fera plus tard dans l'ouvrage qui porte son nom, Platon a-t-il intercalé une exposition du système du monde et de la création de l'homme ? Il semble que l'exposition de Timée déborde infiniment le sujet proposé par Socrate et qu'elle ne s'y rattache que par un lien très lâche. C'est qu'avant d'aborder le problème politique et social, Platon a tenu à montrer la place que l'homme tient dans l'univers et ce qu'est l'univers lui-même; car l'homme est un univers en réduction, un microcosme assujetti aux mêmes lois que le macrocosme. Et ainsi cette question préliminaire a pris une place prépondérante, et Platon en a pris occasion de présenter une explication générale du monde. Il ne s'est jamais piqué d'une stricte logique dans le plan de ses ouvrages ni d'y mettre l'unité rigoureuse que les modernes requièrent dans les leurs.

La base du système que Timée va exposer est la théorie des Idées. Il faut d'abord, dit Timée, se poser cette double question : en quoi consiste ce qui existe toujours, et ce qui devient toujours et n'est jamais ? Ce qui existe toujours, ce sont les Idées, appréhensibles à l'intelligence, et ce qui devient toujours est l'univers, qui ne peut être connu que par conjecture. Aussi n'y a-t-il pas de science de la nature. On n'en peut donner que des explications plus ou moins vraisemblables.

Partons de ce principe que l'auteur de l'univers, étant bon et sans envie, a voulu que toutes choses fussent autant que possible semblables à lui-même, c'est-à-dire bonnes. C'est pour cela qu'il a fait passer le monde du désordre chaotique à l'ordre. Pour cela, il mit l'intelligence dans l'âme et l'âme dans le corps et fit du monde un animal doué d'une âme et d'une intelligence, et il forma cet animal sur un modèle qui embrasse en lui tous les animaux intelligibles. Ce qui a commencé d'être est nécessairement corporel et ainsi visible et tangible; mais, sans feu, rien ne saurait être visible, ni tangible sans quelque chose de solide, ni solide sans terre. Aussi le dieu prit d'abord, pour former l'univers, du feu et de la terre. Pour les unir, il prit deux moyens termes formant une proportion avec ces deux éléments. Si le corps de la terre eût été une surface, un seul moyen terme aurait suffi; mais c'était un corps solide, et, comme les solides sont joints par deux médiétés et jamais par une seule, le dieu a mis l'eau et l'air entre le feu et la terre et les a fait proportionnés l'un à l'autre, en sorte que ce que le feu est à l'air, l'air le fut à l'eau, et que ce que l'air est à l'eau, l'eau le fut à la terre. Chacun des quatre éléments est entré tout entier dans la composition du monde : son auteur l'a composé de tout le feu, de toute l'eau, de tout l'air et de toute la terre, pour qu'il fût un, qu'il ne restât rien d'où aurait pu naître quelque chose de semblable et qu'il échappât ainsi à la vieillesse et à la maladie, rien ne pouvant l'attaquer du dehors.

Il donna au monde la forme sphérique, qui est la plus parfaite de toutes, et il en arrondit et polit la surface extérieure, parce que le monde n'avait besoin ni d'yeux, puisqu'il ne restait rien de visible en dehors de lui, ni d'oreilles, puisqu'il n'y avait plus rien à entendre, ni d'aucun organe, puisque rien n'en sortait ni n'y entrait de nulle part, n'y ayant rien en dehors de lui. Il lui donna un mouvement approprié à son corps, un mouvement de rotation sur lui-même, sans changer de place.

L'AME DU MONDE

Au centre, il mit une âme, qui s'étend partout et enveloppe même le corps de l'univers. Pour la former, il prit la substance indivisible et toujours la même et la substance divisible qui devient toujours, et, en les combinant, il en fit une troisième substance intermédiaire, qui participe à la fois de la nature du Même et de celle de l'Autre; il la plaça entre les deux premières et les combina toutes en une forme unique, qu'il divisa en sept parties; puis il remplit les intervalles en coupant encore des parties sur le mélange primitif et en les plaçant dans les intervalles, de manière qu'il y eût dans chacun deux médiétés, l'une surpassant les extrêmes et surpassées par eux de la même fraction de chacun d'eux, l'autre surpassant un extrême du même nombre dont elle est surpassée par l'autre. De ces liens introduits dans les premiers intervalles résultèrent de nouveaux intervalles de un plus un demi, de un plus un tiers, de un plus un huitième, que Dieu remplit à nouveau, épuisant ainsi tout son mélange.

Cette description de l'âme ne paraîtra pas claire au lecteur. C'est que le texte non plus n'est pas clair. On peut croire que Platon résume ici des leçons, développées devant ses auditeurs, sans se soucier assez de les rendre intelligibles à ses lecteurs. Quand il présente ses idées sous forme de mythe, il semble prendre plaisir à les dérober sous une forme énigmatique. Souvenons-nous du fameux nombre nuptial de *la République*, qui a fait couler des flots d'encre, sans qu'on soit encore bien sûr aujourd'hui qu'on l'a découvert exactement. Platon avait appris des pythagoriciens que les nombres auxquels se réduisent les lois de la nature sont la seule chose fixe et certaine dans le changement perpétuel de toutes choses. Aussi est-ce au nombre qu'il a recours pour expliquer le monde et l'âme du monde. Il faut se figurer la composition des trois ingrédients qui la constituent comme une bande de matière souple que le démiurge divise en parties exprimées par des nombres qui forment deux proportions géométriques de quatre termes chacune : 1, 2, 4, 8 et 1, 3, 9, 27. Il faut se représenter ces nombres comme placés sur un seul rang, dans l'ordre : 1, 2, 3, 4, 8, 9, 27. Les intervalles qui séparent ces nombres sont remplis par d'autres nombres jusqu'à ce qu'on arrive à une série composée de notes musicales aux intervalles d'un ton ou d'un demi-ton. La série qui en résulte comprend quatre octaves, plus une sixte majeure, et ne va pas plus loin, parce que Platon l'a arrêtée au chiffre 27, cube de 3. Nous ne pouvons entrer ici dans les calculs compliqués qu'a faits Platon, et dont la clé a été donnée par Bœckh (*Kleine Schriften*, 3, 1866). Son travail a été complété par H. Martin, Zeller, Dupuis, Archer-Hind, Fraccaroli, Rivaud, Taylor dans son commentaire du *Timée* (1928) et Cornford dans son édition commentée (1937) du même ouvrage. Nous renvoyons à ces auteurs ceux qui voudront pénétrer exactement la pensée de Platon et résoudre toutes les difficultés qu'elle présente à des lecteurs modernes.

Ayant ainsi composé l'âme, le démiurge coupa sa composition en deux dans le sens de la longueur ; il croisa chaque moitié sur le milieu de l'autre, les courba en cercle, imprima au cercle extérieur le mouvement de la nature du Même, au cercle intérieur le mouvement de la nature de l'Autre, et donna la prééminence à la révolution du Même. Seule, il la laissa sans la diviser. Au contraire, il divisa la révolution extérieure en six endroits et en fit sept cercles inégaux, correspondant à chaque intervalle du double et du triple, de façon qu'il y en eût trois de chaque sorte. Il ordonna à ces cercles d'aller en sens contraire les uns des autres, trois avec la même vitesse, les quatre autres avec des vitesses différentes, tant entre eux qu'avec les trois premières, mais suivant une proportion réglée.

Les cercles dont il vient d'être question sont ceux que décrivent les sept planètes. La durée de leurs révolutions était, pour les platoniciens, d'un mois pour la lune, d'un an pour le soleil, Vénus et Mercure, d'un peu moins de deux ans pour Mars, d'un peu moins de douze ans pour Jupiter, d'un peu moins de trente ans pour Saturne.

Lorsqu'il eut achevé la composition de l'âme, Dieu disposa au-dedans d'elle tout ce qui est corporel, et les ajusta ensemble en les liant centre à centre. Or l'âme, étant à la fois de la nature du Même, de l'Autre et de la nature intermédiaire, peut ainsi se former des opinions solides et véritables, si elle entre en contact avec des objets sensibles, et parvenir à l'intellection et à la science, si elle entre en contact avec des objets rationnels.

LE TEMPS

Le modèle du monde étant un animal éternel, le démiurge s'efforça de rendre le monde éternel aussi, dans la mesure du possible, et lui donna le temps, image mobile de l'immobile éternité. C'est pour cela qu'il fit naître le soleil, la lune et les cinq planètes. Quand chacun des êtres qui devaient coopérer à la création du temps eut été placé dans son orbite appropriée, ils se mirent à tourner dans l'orbite de l'Autre, qui est oblique (c'est l'écliptique), qui passe au travers de l'orbite du Même (l'équateur) et qui est dominée par lui *. Et pour qu'il y eût une mesure claire de la lenteur et de la vitesse relatives avec laquelle ils opèrent leurs huit révolutions, le dieu alluma dans le cercle qui occupe le second rang en partant de la terre une lumière que nous appelons le soleil. C'est ainsi que naquirent le jour et la nuit.

LES QUATRE ESPÈCES D'ÊTRES VIVANTS

A la naissance du temps, le monde ne contenait pas tous les animaux qui sont dans le modèle éternel. Dieu y mit alors toutes les formes que l'intelligence aperçoit dans l'animal éternel. Elles sont au nombre de quatre : la première est la race céleste des dieux, la seconde la race ailée, la troisième la race aquatique, la quatrième celle des animaux qui marchent. Il composa l'espèce divine presque entière de feu, pour qu'elle fût brillante et belle; il la fit ronde, afin qu'elle ressemblât à l'univers, et la mit dans l'intelligence du Meilleur, afin qu'elle l'accompagnât. Il la distribua dans toute l'étendue du ciel et assigna à tous ces dieux deux mouvements, l'un à la même place, l'autre en avant. Quant aux dieux adorés du vulgaire, Platon en parle avec une ironie non déguisée : il faut, dit-il, s'en rapporter à ceux qui en ont parlé avant nous.

Pour les autres espèces d'animaux, comme il ne pouvait les façonner lui-même sans les rendre égales aux dieux, il chargea les dieux subalternes de les former, en mêlant le mortel à l'immortel. Reprenant alors le cratère où il avait d'abord mélangé et fondu l'âme de l'univers, il y versa ce qui restait des mêmes éléments et le partagea en autant d'âmes qu'il y a d'astres. Toutes ces âmes, à leur première incarnation, furent traitées de même; mais, suivant leur conduite, elles devaient être réintégrées dans leur astre, ou passer dans des corps de femmes ou d'animaux. Les dieux subalternes empruntèrent donc au monde des parcelles de feu, de terre, d'eau et d'air et ils formèrent pour chaque individu un corps unique, où ils enchaînèrent les cercles de l'âme immortelle. Ceux-ci ne pouvant d'abord maîtriser le corps ou être maîtrisés par lui, il s'ensuit que l'intelligence n'y apparaît que lorsque l'accord se fait, avec l'âge. Lorsqu'une bonne éducation s'y joint, l'homme devient complet et parfaitement sain. Les dieux enchaînèrent les deux révolutions divines dans un corps sphérique, la tête, à laquelle ils donnèrent pour véhicule tout le corps. A la partie antérieure de la tête ils adaptèrent le visage et les

* Sur les questions astronomiques que soulève le *Timée*, voyez Rivaud, *Notice sur le Timée*, p. 52-63, et Cornford, *Edition du Timée*, p. 105-115.

yeux. Des yeux s'écoule un feu qui ne brûle pas, la lumière, et ce feu, rencontrant celui qui vient des objets, donne la sensation de la vue. C'est par la combinaison de ces deux feux se rencontrant sur une surface polie que s'expliquent les images formées par les miroirs. De tous les présents des dieux, la vue est le plus précieux : ils nous l'ont fait, afin qu'en contemplant les révolutions de l'intelligence dans le ciel, nous réglions sur elles les révolutions de notre propre pensée. L'ouïe et la voix nous ont été données aussi pour la même fin.

Jusqu'ici, nous n'avons considéré dans la formation du monde que l'action de l'intelligence : il faut y ajouter celle de la nécessité; car la génération de ce monde est le résultat de l'action combinée de la nécessité et de l'intelligence.

LE LIEU

Reprenons donc notre explication. Nous avons jusqu'à présent distingué le modèle intelligible et toujours le même, et la copie visible et soumise au devenir. Il faut y ajouter une troisième espèce, qui est comme le réceptacle et la nourrice de tout ce qui naît. Les quatre éléments se changent sans cesse l'un dans l'autre; mais ce en quoi chacun d'eux naît et apparaît successivement pour s'évanouir ensuite, c'est quelque chose qui demeure identique, une forme invisible qui reçoit toutes choses, sans revêtir elle-même une seule forme semblable à celles qui entrent en elles, et qui participe de l'intelligible d'une manière fort obscure, saisissable seulement par une sorte de raison bâtarde. On peut l'appeler le lieu.

LES CORPS COMPOSÉS DE TRIANGLES

Avant la formation du monde, tous les éléments étaient secoués au hasard, mais occupaient déjà des places différentes. Dieu commença par leur donner une configuration distincte au moyen des idées et des nombres. D'abord il est évident que le feu, la terre, l'eau et l'air sont des corps. Or les corps ont pour éléments des triangles d'une infinie petitesse. Ces triangles sont scalènes ou isocèles. Les scalènes engendrent en se combinant trois solides, la pyramide, l'octaèdre, l'icosaèdre; les isocèles un seul, le cube. De ces solides dérivent les quatre corps élémentaires : le cercle est le germe de la terre, la pyramide celui du feu, l'octaèdre celui de l'air et l'icosaèdre celui de l'eau. La terre ne peut pas se transformer en une autre espèce, mais les trois autres éléments le peuvent. Comment se fait-il que les éléments ne cessent pas de se mouvoir et de se traverser les uns les autres ? C'est que le circuit de l'univers, comprenant en lui les diverses espèces, est circulaire et tend naturellement à revenir sur lui-même. Aussi comprime-t-il tous les corps et il ne permet pas qu'il reste aucun espace vide, et cette compression pousse les petits corps dans les intervalles des plus grands et fait que les plus grands forcent les petits à se combiner, et ainsi tous se déplacent pour gagner la place qui leur convient.

DIVERSES ESPÈCES DE CORPS

Il y a diverses espèces de feu, d'air et d'eau. L'or, le cuivre, le vert-de-gris sont des variétés d'eau ; la grêle, la glace, la neige en sont d'autres, les sucs aussi ; le vin, l'huile, le miel, le verjus sont formés de feu et d'eau. La terre comprimée par l'air forme la pierre, la soude et le sel.

LES SENSATIONS

Les différents corps entrant en contact avec le nôtre y font naître des impressions accompagnées ou non de sensations. L'impression que cause le feu est quelque chose d'acéré ; car il est tranchant et réduit les corps en morceaux et par là produit la chaleur. L'impression contraire à celle de la chaleur vient des liquides qui entourent notre corps et s'efforcent d'y pénétrer ; ils compriment l'humidité qui est en nous ; celle-ci se défend en se poussant en sens contraire : de là le frisson et le tremblement.

La dureté est la qualité des objets auxquels notre chair cède, et la mollesse celle de ceux qui cèdent à notre chair. Ceux-là cèdent qui reposent sur une petite base ; ceux-là résistent qui ont des bases quadrangulaires et sont par là solidement assis. Le lourd est ce qui, d'après l'opinion vulgaire, tombe vers le bas, et le léger ce qui monte vers le haut. Mais, en réalité, il n'y a ni haut ni bas, puisque le monde est sphérique. Ce qui est vrai, c'est que le semblable attire son semblable, et que, lorsque deux corps sont soulevés en même temps par la même force, nécessairement le plus petit cède plus facilement à la contrainte, tandis que le plus grand résiste et cède difficilement. On dit alors qu'il est lourd et se porte vers le bas, et que le petit est léger et se porte vers le haut. Pour les impressions de lisse et de rugueux, c'est la dureté jointe à l'inégalité des parties qui produit la dernière, et l'égalité des parties unie à la densité qui produit la première. Quant aux impressions communes à tout le corps, elles arrivent à la conscience, quand un organe facile à mouvoir les transmet tout autour de lui. S'il est difficile à mouvoir, l'impression reste en lui et le sujet n'en a pas la sensation. Quand l'impression est contre nature et violente, il y a douleur ; plaisir, quand il y a retour à l'état normal. L'impression qui se produit avec aisance ne cause ni douleur, ni plaisir.

LES SAVEURS, LES ODEURS, LES SONS, LES COULEURS

Les saveurs paraissent résulter de certaines contractions et de certaines divisions, mais aussi dépendre particulièrement des qualités rugueuses ou lisses des corps.

Pour les odeurs, il n'y a pas d'espèce bien définie. Elles naissent de substances en train de se mouiller, de se putréfier ou de s'évaporer. La seule distinction nette qui soit en elles est celle du plaisir ou de la peine qu'elles produisent.

Le son est un coup donné par l'air à travers les oreilles au cerveau et au sang et arrivant jusqu'à l'âme. Le mouvement qui s'ensuit, lequel commence à la tête et se termine dans la région du foie, est l'ouïe. Ce mouvement est-il rapide, le son est aigu ; s'il est plus lent, le son est plus grave.

La couleur est une flamme qui s'échappe des corps et dont les parties sont proportionnées à la vue de manière à produire une sensation. Parmi les particules qui se détachent des corps, et qui viennent frapper la vue, les unes sont plus petites, les autres plus grandes que celles du rayon visuel, et les autres de même dimension. Ces dernières ne produisent pas de sensation, ce sont celles que nous appelons transparentes. Ce qui dilate le rayon visuel donne le blanc, ce qui le contracte, le noir. Lorsqu'une autre sorte de feu plus rapide heurte le rayon visuel et le dilate jusqu'aux yeux, il en fait couler du feu et de l'eau que nous appelons larmes. La combinaison de certains feux du dehors et du dedans donne un mélange de couleurs qui éblouit, et c'est de l'amalgame de ces couleurs que naissent les autres couleurs.

TROISIÈME SECTION : FORMATION DE L'HOMME

Dieu, ayant ainsi ordonné le monde et engendré les animaux divins, chargea ceux-ci de former les animaux mortels. Prenant modèle sur son œuvre, ils façonnèrent autour de l'âme un corps mortel et dans ce corps ils construisirent une autre espèce d'âme, l'âme mortelle avec ses passions de toutes sortes, mais ils logèrent séparément l'âme divine et l'âme mortelle : ils mirent l'une dans la tête et l'autre dans la poitrine et placèrent entre elles l'isthme du cou. Et parce qu'une partie de l'âme mortelle est meilleure que l'autre, ils logèrent la meilleure entre le diaphragme et le cou, plus près de la tête, afin qu'elle fût plus à portée d'entendre la raison et de se joindre à elle pour contenir de force les appétits réfractaires à la raison.

LES DIFFÉRENTS ORGANES

Le cœur, nœud des veines et source du sang qui circule dans les bronches, est placé comme un corps de garde pour transmettre aux organes les commandements de la raison. Sur le cœur les dieux greffèrent le poumon pour le rafraîchir et en amortir les battements. Quant à la partie de l'âme qui a l'appétit du boire et du manger, ils la reléguèrent entre le diaphragme et le nombril, où ils lui bâtirent une sorte de mangeoire pour la nourriture du corps. Pour contenir les appétits déraisonnables, ils firent le foie, compact, lisse et brillant, pour que les pensées de l'intelligence vinssent s'y réfléchir comme dans un miroir, et que, faisant usage de la bile, qui lui est congénère, il effrayât l'âme appétitive, en lui causant des douleurs et des nausées. Mais lorsqu'un souffle doux venu de l'intelligence peint sur le foie des images contraires, il rend joyeuse et sereine la partie de l'âme logée autour du foie et la rend capable pendant le sommeil de la divination, dont les prédictions sont interprétées par les prophètes. Près du foie, se trouve la rate, dont la substance poreuse absorbe les impuretés qui s'amassent autour du foie, qu'elle maintient ainsi pur et brillant. Le bas-ventre sert de réceptacle au superflu des aliments : les dieux y enroulèrent les intestins pour les retenir plus longtemps et empêcher le corps d'en réclamer sans cesse et de distraire ainsi l'homme de l'étude de la philosophie.

Les os, la chair et toutes les substances de cette sorte ont leur origine dans la génération de la moelle. Les dieux formèrent la moelle en allongeant les triangles réguliers et polis des quatre éléments et ils y attachèrent les liens vitaux qui unissent l'âme au corps. Une partie de la moelle, qui devait recevoir en elle la semence divine, prit la forme ronde : nous la désignons sous le nom d'encéphale. L'autre partie, qui devait contenir l'élément mortel de l'âme, fut divisée en figures rondes et allongées, et les dieux construisirent l'ensemble de notre corps autour de cette moelle, qu'ils avaient au préalable enveloppée dans un tégument osseux.

Ils composèrent les os de terre pure et lisse trempée dans de l'eau et passée au feu et s'en servirent pour enfermer le cerveau et la moelle du cou et du dos.

Ils lièrent tous les membres ensemble au moyen des nerfs. Entendons ici les tendons, que Platon confond avec les nerfs, qu'il n'a pas connus. En se tendant et en se relâchant, les tendons rendent le corps flexible et extensible. Ils imaginèrent la chair pour être un rempart contre la chaleur et une protection contre le froid et les chutes. Elle est composée d'un mélange d'eau, de feu et de terre auquel s'ajoute un levain formé d'acide et de sel, tandis que les tendons sont un mélange d'os et de chair sans levain. La chair servit à envelopper les os et la moelle. Ceux des os qui renferment le moins d'âme ont une épaisse enveloppe de chair; ceux qui en contiennent le plus ont une enveloppe plus mince, parce que des chairs épaisses rendraient le corps insensible et paralyseraient l'intelligence.

La peau de la tête est une sorte d'écorce de la chair qui, arrosée par l'humidité qui sort des sutures du cerveau, s'est étendue tout autour du crâne. Elle est trouée de piqûres de feu, d'où il sort des fils qui sont les cheveux, destinés à protéger le cerveau. La peau, les cheveux et les ongles sont en effet autant de moyens de protection.

Quand ils eurent formé le corps, les dieux créèrent les plantes, pour le nourrir. Les plantes sont des êtres vivants, mais qui n'ont que la troisième âme.

LA CIRCULATION ET LA NUTRITION

Platon décrit ensuite l'appareil de la circulation du sang et de la nutrition. Les dieux, dit-il, ont creusé des canaux au travers de notre corps, comme on fait des conduits dans les jardins : ce sont les veines qui transportent le sang à travers le corps. Pour irriguer le corps, ils ont tissé d'air et de feu un treillis pareil à une nasse. L'entrée en est formée par deux tuyaux, dont l'un est divisé en forme de fourche. A partir de ces tuyaux, ils ont étendu des sortes de joncs circulairement à travers tout le treillis jusqu'à ses extrémités. Tout l'intérieur du treillis est composé de feu, les tuyaux et l'enveloppe sont composés d'air. Les dieux ont mis en haut dans la bouche toute la partie formée de tuyaux, et, comme elle était double, ils ont fait descendre un tuyau par la trachée-artère dans le poumon, et l'autre dans le ventre le long de la trachée-artère. Tantôt tout le treillis de la nasse passe dans les tuyaux composés d'air, et tantôt les tuyaux refluent vers la nasse, dont le treillis pénètre au travers du corps, qui est poreux, et en sort tour à tour, les rayons du feu intérieur suivant le double mouvement de l'air auquel ils sont mêlés, et cela se reproduisant tant que l'animal subsiste. Ce phénomène porte le nom d'inspiration et d'expiration, et tout ce mécanisme sert à nourrir et à faire vivre notre corps en l'arrosant et en le rafraîchissant. Car, lorsque le feu qui est au-dedans de nous suit le courant respiratoire qui entre ou qui sort, et que, dans ces perpétuelles oscillations, il passe à travers le ventre, il prend les aliments et les disperse à travers les conduits par où il passe, et, au moyen des veines, les fait couler par tout le corps.

LA RESPIRATION

Comment se produit la respiration ? L'air que nous exhalons et qui vient des parties chaudes qui entourent le sang et les veines pousse en cercle l'air avoisinant et le fait pénétrer dans les chairs poreuses de notre corps. Là, il s'échappe à son tour et sort en refoulant l'air extérieur.

L'effet des ventouses, la déglutition, la trajectoire des projectiles et tous les sons s'expliquent de même, comme aussi le cours du sang, la chute de la foudre et l'attraction de l'aimant : il n'y a pas de vide; tous les corps se choquent en cercle et, se divisant ou se contractant, ils échangent leurs places pour regagner chacun celle qui lui est propre. Pour en revenir à la respiration, le feu divise les aliments, il s'élève au-dedans de nous du même mouvement que le souffle et, en s'élevant avec lui, il remplit les veines en y versant les parcelles divisées qu'il puise dans le ventre, et c'est ainsi que des courants de nourriture se répandent dans le corps entier des animaux. Ces particules deviennent du sang et sont colorées en rouge, parce que le feu y domine. Le mode de réplétion et d'évacuation est le même que celui qui a donné naissance à tous les mouvements qui se font dans l'univers et qui portent chaque substance vers sa propre espèce. Les éléments qui nous environnent ne cessent de se dissoudre et d'envoyer à chaque espèce de substance ce qui est de même nature qu'elle. Il en est de même du sang. Quand la perte est plus grande que l'apport, l'individu dépérit et la vieillesse arrive; quand elle est plus petite, il s'accroît. Dans la jeunesse, quand les triangles qui constituent le corps sont encore neufs, ils maîtrisent ceux qui viennent du dehors et l'animal grandit, nourri de beaucoup d'éléments semblables aux siens. Quand l'animal vieillit, les triangles constitutifs ne peuvent plus diviser et s'assimiler les triangles nourriciers qui entrent; alors l'animal dépérit. Enfin, lorsque les liens qui tiennent assemblés les triangles de la moelle ne tiennent plus, c'est la mort.

Cette théorie de la respiration, de la circulation, de la nutrition semble fort embrouillée. Elle diffère d'ailleurs de celles de Démocrite, d'Anaxagore, d'Empédocle et de l'école hippocratique, et semble être propre à Platon. Elle confond les voies respiratoires, les voies sanguines et les voies digestives; elle ignore la distinction des veines et des artères et les mouvements du cœur. L'auteur du *De respiratione*, faussement attribué à Aristote, lui reproche de placer l'expiration avant l'inspiration. Enfin ce treillis qui traverse le corps pour y rentrer ensuite est d'une invraisemblance choquante.

LES MALADIES DU CORPS

Comment naissent les maladies ? Elles naissent lorsque les quatre éléments qui composent nos corps sont en excès ou en défaut, lorsqu'ils prennent une place qui n'est pas la leur, ou lorsque l'un d'eux reçoit en lui une variété qui ne lui convient pas. C'est seulement lorsque la même chose s'ajoute à la même chose ou s'en sépare dans le même sens et en due proportion qu'elle peut, restant identique à elle-même, rester saine et bien portante. Une seconde classe naît des compositions secondaires, moelle, os, chairs, nerfs. Quand ces compositions se forment à rebours de l'ordre naturel, elles engendrent les maladies les plus graves. Alors le sang se corrompt et il s'y forme des humeurs connues sous le nom commun de bile. Une maladie grave a lieu, lorsque la densité de la chair ne permet pas à l'os de respirer suffisamment, que l'os s'effrite dans le suc nourricier, que le suc nourricier va dans les chairs et que les chairs, tombant dans le sang, aggravent le mal. La pire de toutes les maladies, c'est quand la moelle souffre d'un manque ou d'un excès d'aliments : alors toute la substance du corps s'écoule à rebours. Une troisième espèce de maladies comprend les maladies dues à l'air, à la pituite et à la bile. Quand le poumon est obstrué et que l'air pénètre dans la chair et n'en peut sortir, il s'ensuit deux maladies, le tétanos et l'opisthotonos. Lorsque l'air qui forme les bulles de la pituite blanche est intercepté, c'est le mal sacré. La pituite aigre et salée est la source des maladies catarrhales. Enfin la bile est la cause de toutes les inflammations.

LES MALADIES DE L'AME

Quant aux maladies de l'âme, elles naissent de nos dispositions corporelles. Il y a deux sortes de maladies de l'âme : la folie et l'ignorance. Les plaisirs et les douleurs sont les maladies les plus graves, parce qu'elles nous mettent hors d'état d'écouter la raison. C'est ce qui arrive à l'homme dont la semence est trop abondante. Mais on a tort de critiquer son intempérance, comme si les hommes étaient volontairement méchants. Ceux qui sont méchants le sont par suite d'une mauvaise disposition du corps et d'une mauvaise éducation. Par exemple, quand les humeurs de la pituite ne trouvent pas d'issue pour sortir du corps, elles produisent la morosité et l'abattement, l'audace ou la lâcheté, l'oubli, la paresse intellectuelle.

Comment conserver la santé ? En gardant la proportion entre l'âme et le corps. Quand l'âme est plus forte que le corps, elle le secoue et le remplit de maladies; si c'est le corps qui est le plus fort, il engendre dans l'âme l'ignorance. Il faut donc exercer à la fois l'âme et le corps, l'une par la musique et la philosophie, l'autre par la gymnastique, la promenade, enfin par les purgations médicales, mais seulement dans les cas d'absolue nécessité. Mais le premier des devoirs, c'est de rendre la partie qui gouverne aussi belle et bonne que possible. Comme nous avons trois âmes, il faut veiller à ce que leurs mouvements soient proportionnés les uns aux autres et donner à chacune la nourriture et les mouvements qui lui sont propres. L'âme divine, en particulier, doit se nourrir des pensées de l'univers et des révolutions circulaires, afin de modeler et de corriger d'après elles les pensées relatives au devenir.

CRÉATION DES ANIMAUX

Il ne nous reste plus à traiter que la création des animaux. Les animaux ne sont autre chose que des hommes châtiés et dégradés. Les hommes lâches et malfaisants furent changés en femmes à leur seconde incarnation. Ce fut alors que les dieux créèrent le désir de la génération entre les deux sexes. Les hommes légers qui discourent des choses d'en haut et s'imaginent que les preuves les plus solides en cette matière s'obtiennent par le sens de la vue furent métamorphosés en oiseaux. Les animaux pédestres sont issus des hommes qui ne prêtent aucune attention à la philosophie et qui n'ont pas d'yeux pour observer le ciel. Ils appuient leurs quatre pieds sur la terre, parce qu'ils sont fortement attirés par la terre. Les plus inintelligents, les reptiles, n'ont même pas de pieds. Enfin la quatrième espèce, l'aquatique, la plus stupide de toutes, n'a qu'une respiration impure et trouble dans l'eau. C'est ainsi que les animaux se métamorphosent les uns dans les autres, suivant qu'ils gagnent ou perdent en intelligence et en stupidité.

VALEUR SCIENTIFIQUE DU « TIMÉE »

Qu'un lecteur moderne qui n'est pas initié à la philosophie ancienne vienne à lire le *Timée*, il sera saisi d'un étonnement profond. Un monde composé d'assemblages de triangles, les quatre éléments pris pour des corps simples qui se transforment les uns dans les autres, une âme triple logée en trois endroits différents du corps, le foie réfléchissant l'intelligence et menaçant ou calmant l'âme appétitive, une explication des maladies d'une fantaisie déconcertante, la métamorphose des hommes en femmes et en animaux de toute sorte, un Dieu qui ne crée pas le monde, mais qui ordonne un monde coéternel avec lui, qui prend modèle sur des Formes ou êtres éternels et immuables qui existent en dehors de lui, égales, sinon supérieures à lui, qui se fait aider dans sa tâche par des dieux subalternes, des astres qui sont des dieux, des âmes où l'intelligence tourne en cercle comme les astres, tout cela lui paraîtra extravagant et l'auteur un rêveur en délire.

Cependant, ce système du monde est l'œuvre d'un des esprits les plus profonds et les plus brillants qui aient honoré l'humanité. Il résume toute la science contemporaine; car Platon emprunte à toutes mains, aux philosophes, aux mathématiciens, aux astronomes, aux médecins, aux orphiques, aux croyances et aux superstitions populaires; mais il a fondu tous ces emprunts en un système original, d'après sa propre philosophie. Ce système, en effet, repose sur la théorie des Formes ou Idées. Ces Idées sont, dans sa pensée, les seuls êtres réels et les seuls connaissables, parce qu'ils sont éternels et immuables. Elles forment une hiérarchie dominée par l'Idée du Bien. C'est sur le modèle des Idées et en vue de réaliser l'Idée du Bien que Dieu a organisé le monde; mais la copie est nécessairement imparfaite. Elle est sujette à un perpétuel changement, où le nombre qui le mesure est la seule notion fixe que nous puissions en avoir. Les pythagoriciens faisaient du nombre le principe des choses. Platon prend comme eux le nombre, exprimé par des proportions et des figures géométriques, pour en faire le fond même des choses, et, comme le triangle et le cercle sont les figures les plus simples et les plus parfaites, il compose tous les éléments de triangles et donne à l'ensemble la forme sphérique. Il accepte d'autre part la doctrine courante de son temps que l'univers est formé des quatre éléments, terre, eau, air et feu.

Sa méthode ne pouvait donc pas le conduire à la vérité. Si l'on peut connaître l'univers, ce n'est point par la méthode déductive qu'il emploie, c'est par l'observation, l'expérimentation, l'induction. Il pose en principe dans *la République* (III, 529) que les constellations visibles sont bien inférieures aux constellations vraies, perceptibles seulement par la raison et l'intelligence, et que c'est de ces constellations invisibles qu'il faut partir pour connaître les autres. Que peut-on espérer d'une pareille méthode pour la connaissance de l'astronomie ? C'est pourtant celle qu'il applique dans son exposé de la formation du monde. Il suppose démontré que le démiurge n'a rien fait qu'en vue du bien et il voit partout la présence du divin. Or, si nous observons le monde, au lieu de ces astres qui sont des dieux, nous voyons l'espace infini rempli de masses de feu d'une chaleur effroyable allumées dans un but qui nous échappe, des planètes, éclaboussures de ces masses, qui circulent autour d'elles comme d'inutiles satellites, sur la terre des êtres infimes qui se détruisent tous les uns les autres, et le meilleur d'entre eux, l'homme, qui naît avec une foule de vices, qui tue pour sa nourriture ou pour son plaisir tous les êtres de la terre et qui se détruit lui-même par des guerres insensées, sans attendre la mort infaillible qui est la plus grande de ses misères. On pourrait croire que le démiurge qui s'est amusé à construire un pareil monde est un fou, un assassin affamé de meurtre, en tout cas un esprit méchant. Cependant Platon ne voit en lui qu'un Dieu juste et bon, et il a été suivi en cela par une foule de philosophes qui ont déclaré que tout est pour le mieux dans le meilleur des mondes. C'est que Platon est un idéaliste qui détourne les yeux du mal pour ne voir que le bien. Cet être chétif qu'est l'homme, sujet à tant de misères et de vices, s'est fait néanmoins une haute idée de la justice et de la science : c'est là ce que Platon considère comme divin en lui. C'est le désir d'établir le règne de la justice parmi les hommes qui a fait de Socrate un apôtre; c'est le même désir qui anime Platon et qui a fait de lui, malgré les erreurs de sa cosmologie et de sa politique, un guide de l'humanité.

LES PERSONNAGES DU « TIMÉE »

Les interlocuteurs du *Timée* sont au nombre de quatre : Socrate, Critias, Timée et Hermocrate.

Socrate ne paraît dans le *Timée* que pour résumer l'exposé qu'il a fait la veille sur la meilleure constitution politique et pour tracer le programme des entretiens qui doivent compléter cet exposé. Critias se charge d'abord de montrer que la constitution de Socrate s'est trouvée jadis réalisée à Athènes, neuf mille ans plus tôt. Ce Critias, petit-fils du Critias qui avait recueilli le récit de Solon, était fils de Callaischros, lequel était frère de Glaucon, qui fut le père de Platon. Il était donc l'oncle de Platon à la mode de Bretagne. On sait le rôle politique qu'il joua après la chute d'Athènes et comment il fut tué à la bataille du Pirée en ~ 403. Il passait pour un philosophe, et c'est en cette qualité qu'il figure dans le *Charmide*. Homme politique et philosophe, il était donc qualifié pour donner son avis sur le plan de constitution élaboré par Platon. Nous avons déjà vu que Platon prend habilement soin de rappeler sa noble origine en faisant place à toute sa parenté dans ses dialogues.

Timée de Locres ne nous est connu que par Platon, qui nous apprend qu'il avait rempli des fonctions importantes dans sa patrie et qu'il était savant dans les sciences de la nature, et particulièrement en astronomie. Parce qu'il était de Locres et que c'est dans la Grande-Grèce que le pythagorisme s'est développé, on a voulu en faire un pythagoricien. Le *Timée de Locres*, ouvrage qui lui a été attribué, est un ouvrage apocryphe, composé sur les données du *Timée* de Platon. On a supposé, non sans vraisemblance, qu'il n'était qu'un prête-nom, dissimulant Platon lui-même.

Hermocrate est généralement identifié avec Hermocrate, fils d'Hermon, qui fut pendant l'expédition de Sicile (~ 415 à ~ 413) le meilleur conseiller et le meilleur général des Syracusains. Au témoignage de Thucydide, « il joignait à l'intelligence la plus rare les plus grands talents militaires et une éclatante valeur ». Dès avant la guerre, député à l'assemblée de Géla, il avait persuadé aux Siciliens de mettre fin à leurs querelles et de renvoyer les Athéniens qui proposaient leur alliance aux ennemis de Syracuse (Thucydide, *Histoire de la guerre du Péloponnèse*, IV, 58-66). C'est lui qui releva le courage de ses compatriotes à l'annonce de l'arrivée de la flotte athénienne (*ibid.*, VI, 32-35) et qui, après leurs premières défaites, les consola et les ranima (*ibid.*, VI, 72-73), leur assura la neutralité de Camarine (*ibid.*, VI, 75-80) et les décida, avec l'aide de Gylippe, à livrer une bataille navale (*ibid.*, VII, 20). Après la défaite des Athéniens, il se joignit aux Spartiates pour combattre les Athéniens dans la mer Egée (*ibid.*, VIII, 26, 45, 85). Destitué de son commandement par le parti démocratique (Xénophon, *Helléniques*, I, 1,27), il se réfugia à Sparte, au dire de Diodore, puis auprès de Pharnabaze. Il essaya ensuite de rentrer de force à Syracuse, mais il fut tué dans sa tentative (cf. Diodore, XIII, 18-19, 34, 38, 63 et Plutarque, *Nicias*, 26, 540 et 27, 541). On voit par ce court résumé de sa carrière qu'Hermocrate était tout à fait désigné par son intelligence et son expérience politique et militaire pour apprécier la constitution de Socrate et montrer les applications qu'on pouvait en faire à l'humanité. Que Platon l'ait choisi, bien qu'il fût ennemi d'Athènes, il ne faut pas s'en étonner. Il se tient au-dessus de la mêlée et fait place dans ses ouvrages aux Grecs les plus illustres, quelle que soit leur origine.

Il est encore question dans le *Timée* d'un cinquième personnage qu'une indisposition a retenu chez lui. On a conjecturé que c'était un étranger, parce que c'est à un étranger, Timée, que Socrate s'adresse pour savoir la raison de son absence. C'est tout ce qu'on peut dire de cet inconnu.

LA TRILOGIE DU « TIMÉE », DU « CRITIAS », DE L'« HERMOCRATE »

Après avoir retracé les traits essentiels de sa constitution, Socrate demande aux trois personnages qui l'ont écouté la veille d'apprécier et de compléter ce qu'il a dit. Tous les trois sont qualifiés par leur science et leur expérience des affaires pour juger de ce qu'il y a de réalisable dans les idées de Socrate et pour proposer à leur tour les réformes propres à améliorer la société actuelle. Critias répond le premier. Il montre, par le mythe de l'Atlantide, que la constitution de Socrate est réalisable, puisqu'elle a déjà été réalisée à Athènes dans le passé. Mais, avant de développer ce qu'était cette constitution athénienne d'il y a neuf mille ans, il cède la parole à Timée.

Pour faire voir ce que doit être l'homme, s'il veut remplir sa destinée, Timée remonte à la formation de l'univers. C'est sur l'ordre et l'harmonie de l'univers que l'homme doit se modeler pour atteindre le bonheur et la vertu. Dans *la République*, Socrate avait montré la correspondance qui existe entre l'Etat et l'individu. Timée, remontant plus haut, montre la correspondance qui existe entre l'âme du monde et l'âme de l'homme, entre le macrocosme et le microcosme. Quelles sont les conséquences qui en résultent pour la formation des sociétés humaines, le savant astronome qu'est Timée ne les a pas indiquées et s'est arrêté à la formation de l'homme.

Critias prend la parole après lui et revient au mythe de l'Atlantide. Après avoir exposé la constitution politique des Athéniens de jadis et décrit leur pays et leur ville, il dépeint la civilisation des Atlantes et leur bonheur, tant qu'ils restèrent fidèles à la justice. Mais le jour vint où ils abandonnèrent la vertu de leurs ancêtres. Zeus, résolu de les châtier, assembla les dieux et leur dit : ... L'ouvrage finit à ces derniers mots. Le reste devait être le récit de la guerre contre les Atlantes, dont Athènes sortit victorieuse. Ainsi la trilogie projetée par Platon n'a été exécutée qu'à moitié. Il avait déjà laissé inachevée la trilogie du *Sophiste*, du *Politique* et du *Philosophe*. Quel sujet comptait-il mettre dans la bouche d'Hermocrate ? On a fait à ce propos bien des suppositions. Peut-être voulait-il charger Hermocrate de proposer une constitution idéale en rapport avec l'exposition de Timée, et de même que Critias avait dépeint la cité parfaite dans le passé, Hermocrate aurait dépeint la cité idéale des temps futurs. Dès l'antiquité on a supposé que Platon avait abandonné sa trilogie à mi-chemin pour composer *les Lois* et que c'est dans les huit derniers livres des *Lois* qu'il faut chercher ce qu'Hermocrate devait dire. La supposition est vraisemblable.

LES DATES DE L'ENTRETIEN ET DE LA COMPOSITION

A quelle époque faut-il placer l'entretien ? Si Hermocrate est jamais venu à Athènes pour assister à la fête des Panathénées, c'est probablement entre la paix de Nicias (~ 421) et l'expédition de Sicile (~ 415). C'est donc dans cet intervalle que Platon a dû réunir à Athènes les interlocuteurs du *Timée*, si tant est qu'il se soit préoccupé en cela de la vraisemblance.

Quant à la date de la composition, on pense généralement que le *Timée* et le *Critias* sont postérieurs à tous les autres dialogues, sauf *les Lois*, qui sont le dernier ouvrage de Platon. Les particularités du vocabulaire et du style patiemment étudiées rendent cette date à peu près certaine, mais elle est élastique, et nous n'avons aucune indication qui nous permette de préciser davantage et de fixer l'année, même approximativement, où ces dialogues furent composés.

Nous avons suivi le texte de Rivaud dans la collection Budé.

TIMÉE

PERSONNAGES DU DIALOGUE

SOCRATE, TIMÉE, HERMOCRATE, CRITIAS

SOCRATE

I. — Un, deux, trois. Mais le quatrième de ceux qui ont été mes hôtes hier et qui me régalent aujourd'hui, où est-il, ami Timée ?

TIMÉE

Il a dû se trouver indisposé, Socrate; car il n'aurait pas manqué volontairement cette réunion.

SOCRATE

C'est donc à toi et à ces messieurs de tenir aussi la partie de l'absent.

TIMÉE

Certainement; nous n'y manquerons pas et nous ferons de notre mieux; car il ne serait pas juste qu'après l'accueil si honnête que tu nous as fait hier, ceux de nous qui restent n'aient pas à cœur de te rendre la politesse.

SOCRATE

Eh bien, vous rappelez-vous toutes les questions sur lesquelles je vous avais proposé de parler ?

TIMÉE

En partie, oui. Pour celles que nous aurons oubliées, tu es là pour nous les remettre en mémoire. Ou plutôt, si cela ne t'ennuie pas, repasse-les en revue brièvement à partir du commencement, pour les mieux fixer dans nos esprits.

SOCRATE

C'est ce que je vais faire. Ce que j'ai dit hier au sujet de l'Etat revenait en somme à définir quelle est, à mon sentiment, la constitution la plus parfaite et par quels hommes elle doit être appliquée.

TIMÉE

Et je puis t'assurer, Socrate, que ta constitution nous a plu à tous.

SOCRATE

N'avons-nous pas commencé par séparer, dans l'Etat, la classe des laboureurs et de tous les autres artisans de celle des guerriers chargés de le défendre [83] ?

TIMÉE

Si.

SOCRATE

N'avons-nous pas assigné à chacun une seule profession en rapport avec sa nature, et un seul art, et n'avons-nous pas dit que ceux qui sont chargés de combattre pour tous ne doivent pas avoir d'autre fonction que de garder la cité contre ceux du dehors ou du dedans qui voudraient lui faire du mal, et qu'ils doivent rendre la justice avec douceur à ceux qu'ils gouvernent, parce qu'ils sont leurs amis naturels, et traiter sans pitié les ennemis qui leur tombent sous la main dans les batailles [84] ?

TIMÉE

Certainement.

SOCRATE

Aussi disions-nous que les gardiens doivent avoir une nature, à mon avis, éminemment courageuse et philosophe tout à la fois, pour qu'ils puissent, comme il le faut, être doux aux uns, rudes aux autres [85].

TIMÉE

Oui.

SOCRATE

Quant à l'éducation, n'avons-nous pas dit qu'il fallait les élever dans la gymnastique et la musique et dans toutes les sciences qui leur conviennent [86] ?

TIMÉE

Certainement.

SOCRATE

Nous avons ajouté que ces gardiens ainsi élevés devaient se persuader qu'ils n'ont en propre ni or, ni argent, ni aucun autre bien, mais que, recevant, à titre d'auxiliaires, de ceux qui sont sous leur protection, un salaire de leur garde, salaire modeste, comme il convient à des hommes tempérants, ils doivent le dépenser en commun et vivre en communauté les uns avec les autres, dans le constant exercice de la vertu, à l'exclusion de toute autre occupation [87].

TIMÉE

On l'a dit aussi, et dans ces termes mêmes.

SOCRATE

En outre, nous avons fait aussi mention des femmes et dit comment il faut mettre leurs natures en harmonie avec celles des hommes et les rendre pareilles, et leur donner à toutes les mêmes occupations qu'aux hommes, et à la guerre et dans toutes les circonstances de la vie [88].

TIMÉE

Cela aussi a été dit et de cette façon.

SOCRATE

Et sur la procréation des enfants ? Il est aisé de se rappeler, vu sa nouveauté, ce que nous en avons dit. Nous avons décidé que toutes les femmes et tous les enfants seraient communs entre tous et nous avons pris des mesures pour que personne ne reconnaisse jamais ses propres enfants, que tous se considèrent comme de la même famille et voient des frères et des sœurs en tous ceux qui se trouvent dans les limites d'âge requises pour cela, des pères et des aïeux dans ceux qui remontent à des générations antérieures, et des enfants et des petits-enfants dans ceux qui appartiennent à des générations postérieures [89].

TIMÉE

Oui, et cela est facile à retenir par la raison que tu viens d'en donner.

SOCRATE

Et, pour obtenir, si possible, des enfants doués dès leur naissance du meilleur naturel, ne nous souvenons-nous pas d'avoir dit que les magistrats de l'un et de l'autre sexe doivent, pour assortir les époux, s'arranger secrètement, en les faisant tirer au sort, pour que les méchants d'un côté et les bons de l'autre soient unis à des femmes qui leur ressemblent, sans que personne leur en veuille pour cela, parce qu'on attribuera ces unions au hasard [90] ?

TIMÉE

Nous nous en souvenons.

SOCRATE

N'avons-nous pas dit encore qu'il faudrait élever les enfants des bons et reléguer ceux des méchants dans les autres ordres de l'Etat, puis les observer sans cesse dans leur croissance, afin de faire revenir ceux qui en seraient dignes et d'envoyer à leur place ceux qui seraient indignes de rester parmi les bons [91] ?

TIMÉE

C'est exact.

SOCRATE

Et maintenant n'avons-nous pas, en le reprenant sommairement, repassé ce que nous avons dit hier ? Ou avons-nous encore, cher Timée, à regretter quelque omission [92] ?

TIMÉE

Non pas, c'est exactement cela que nous avons dit, Socrate.

SOCRATE

II. — Écoutez maintenant, à propos de l'Etat que j'ai décrit, quelle sorte de sentiment j'éprouve à son égard. Mon sentiment est à peu près celui d'un homme qui, ayant vu de beaux êtres vivants, soit représentés en peinture, soit réellement en vie, mais en repos, se prendrait à désirer de les voir entrer en mouvement et se livrer aux exercices qui paraissent convenir à leurs corps. Voilà précisément ce que j'éprouve à l'égard de l'Etat que j'ai dépeint. J'aurais plaisir à entendre raconter que ces luttes que soutient un Etat, il les affronte contre d'autres Etats, en marchant noblement au combat et se comportant pendant la guerre d'une manière qui réponde à l'instruction et à l'éducation des citoyens, soit dans l'action sur les champs de bataille, soit dans les négociations avec les autres Etats. Or sur ce terrain, Critias et Hermocrate, je me rends bien compte que je ne serai jamais capable de louer dignement de tels hommes et une telle république. Et pour ce qui est de moi, il n'y a pas là de quoi s'étonner; mais je m'imagine qu'il en est de même des poètes, aussi bien de ceux d'aujourd'hui que de ceux d'autrefois. Ce n'est pas que je méprise le moins du monde la race des poètes; mais il saute aux yeux que la tribu des imitateurs imitera très aisément et fort bien les choses au milieu desquelles elle a été élevée, et que ce qui est étranger à l'éducation qu'ils ont reçue est difficile à bien imiter par des actions, plus difficile encore par des discours. Quant à l'espèce des sophistes, je la tiens pour très experte en plusieurs sortes de discours et en d'autres belles choses, mais j'ai peur qu'errant comme ils le font de ville en ville et n'ayant nulle part de domicile à eux, ils ne soient hors d'état de comprendre tout ce que font et disent des hommes à la fois philosophes et politiques, qui payent de leur personne à la guerre et dans les combats et discutent les affaires avec tout le monde. Reste l'espèce des gens comme vous, qui, par leur naturel et leur éducation, tiennent à la fois du philosophe et du politique. Notre ami Timée, par exemple, qui est citoyen de la ville si bien policée de Locres en Italie, et qui dans son pays ne le cède à personne ni pour la fortune ni pour la naissance, a exercé les plus grandes charges et joui des plus grands honneurs dans sa patrie, et il s'est élevé de même au faîte de la philosophie dans toutes ses branches. Quant à Critias, nous savons tous ici qu'il n'est étranger à rien de ce qui nous occupe. Pour Hermocrate, de nombreux témoignages nous forcent à croire qu'il est, de par son naturel et son éducation, à la hauteur de toutes ces questions. C'est en pensant à vos talents qu'hier, quand vous m'avez prié de vous exposer mes vues sur l'État, j'y ai consenti de grand cœur. Je savais que personne ne serait plus capable que vous autres, si vous le vouliez, de poursuivre un pareil propos. Car après avoir engagé la cité dans une guerre honorable, il n'y a que vous parmi les hommes de notre temps qui puissiez achever de lui donner tout ce qui lui convient. Maintenant que j'ai traité la question dont vous m'aviez chargé, je vous prie à mon tour de traiter celle que je vous propose à présent. Après vous être concertés entre vous, vous êtes convenus d'un commun accord de reconnaître mon hospitalité en me rendant discours pour discours. J'ai fait toilette pour recevoir la vôtre et vous m'y voyez tout disposé.

HERMOCRATE

Sois sûr, Socrate, que, comme l'a dit notre ami Timée, nous y mettrons tout notre empressement et que nous n'alléguerons aucun prétexte pour te refuser. Dès hier même, en sortant d'ici, pour gagner la chambre où nous logeons chez Critias, nous avons, à peine arrivés, et même avant, tout le long de la route, réfléchi à ce que tu demandes. Critias nous a fait alors un récit reposant sur une ancienne tradition. Redis-le-lui, Critias, pour qu'il nous aide à juger si elle répond ou non à ce qu'il requiert de nous.

CRITIAS

C'est ce qu'il faut faire, si notre troisième compagnon, Timée, est aussi de cet avis.

TIMÉE

Oui, j'en suis.

CRITIAS

Écoute donc, Socrate, une histoire à la vérité fort étrange, mais exactement vraie, comme l'a jadis affirmé Solon, le plus sage des sept sages. Il était parent et grand ami de Dropidès, mon bisaïeul, comme il le dit lui-même en maint endroit de ses poésies [93]. Or il raconta à Critias, mon grand-père, comme ce vieillard me le redit à son tour, que notre ville avait autrefois accompli de grands et admirables exploits, effacés aujourd'hui par le temps et les destructions d'hommes. Mais il en est un qui les surpasse tous, et qu'il convient de rappeler aujourd'hui, à la fois pour te payer de retour et pour rendre à la déesse, à l'occasion de cette fête, un juste et véritable hommage, comme si nous chantions un hymne à sa louange.

SOCRATE

C'est bien dit. Mais quel est donc cet antique exploit dont on ne parle plus, mais qui fut réellement accompli par notre ville, et que Critias a rapporté sur la foi de Solon ?

CRITIAS

Je vais redire cette vieille histoire, comme je l'ai entendu raconter par un homme qui n'était pas jeune. Car Critias était alors, à ce qu'il disait, près de ses quatre-vingt-dix ans, et moi j'en avais dix tout au plus. C'était justement le jour de Couréotis pendant les Apaturies [94]. La fête se passa comme d'habitude pour nous autres enfants. Nos pères nous proposèrent des prix de déclamation poétique. On récita beaucoup de poèmes de différents poètes, et comme ceux de Solon étaient alors dans leur nouveauté, beaucoup d'entre nous les chantèrent. Un membre de notre phratrie dit alors, soit qu'il le pensât réellement, soit qu'il voulût faire plaisir à Critias, qu'il regardait Solon non seulement comme le plus sage des hommes, mais encore, pour ses dons poétiques, comme le plus noble des poètes. Le vieillard, je m'en souviens fort bien, fut ravi de l'entendre et lui dit en souriant : « Oui, Amymandre, s'il n'avait pas fait de la poésie en passant et qu'il s'y fût adonné sérieusement, comme d'autres l'ont fait, s'il avait achevé l'ouvrage qu'il avait rapporté d'Egypte, et si les factions et les autres calamités qu'il trouva ici à son retour ne l'avaient pas contraint de la négliger complètement, à mon avis, ni Hésiode, ni Homère, ni aucun autre poète ne fût jamais devenu plus célèbre que lui. — Quel était donc cet ouvrage, Critias ? dit Amymandre. — C'était le récit de l'exploit le plus grand et qui mériterait d'être le plus renommé de tous ceux que cette ville ait jamais accomplis ; mais le temps et la mort de ses auteurs n'ont pas permis que ce récit parvînt jusqu'à nous. — Raconte-moi dès le début, reprit l'autre, ce qu'en disait Solon et comment et à qui il l'avait ouï conter comme une histoire véritable. »

« Il y a en Egypte, dit Critias, dans le Delta, à la pointe duquel le Nil se partage [95], un nome appelé saïtique, dont la principale ville est Saïs, patrie du roi Amasis [96]. Les habitants honorent comme fondatrice de leur ville une déesse dont le nom égyptien est Neith et le nom grec, à ce qu'ils disent, Athèna. Ils aiment beaucoup les Athéniens et prétendent avoir avec eux une certaine parenté. Son voyage l'ayant amené dans cette ville, Solon m'a raconté qu'il y fut reçu avec de grands honneurs, puis qu'ayant un jour interrogé sur les antiquités les prêtres les plus versés dans cette matière, il avait découvert que ni lui, ni aucun autre Grec n'en avait pour ainsi dire aucune connaissance. Un autre jour, voulant engager les prêtres à parler de l'antiquité, il se mit à leur raconter ce que l'on sait chez nous de plus ancien. Il leur parla de Phoroneus [97], qui fut, dit-on, le premier homme, et de Niobè [98], puis il leur conta comment Deucalion et Pyrrha survécurent au déluge; il fit la généalogie de leurs descendants et il essaya, en distinguant les générations, de compter combien d'années s'étaient écoulées depuis ces événements.

Alors un des prêtres, qui était très vieux, lui dit : « Ah! Solon, Solon, vous autres Grecs, vous êtes toujours des enfants, et il n'y a point de vieillard en Grèce. » A ces mots : « Que veux-tu dire par là ? demanda Solon. — Vous êtes tous jeunes d'esprit, répondit le prêtre; car vous n'avez dans l'esprit aucune opinion ancienne fondée sur une vieille tradition et aucune science blanchie par le temps. Et en voici la raison. Il y a eu souvent et il y aura encore souvent des destructions d'hommes causées de diverses manières, les plus grandes par le feu et par l'eau, et d'autres moindres par mille autres choses. Par exemple, ce qu'on raconte aussi chez vous de Phaéton, fils du Soleil, qui, ayant un jour attelé le char de son père et ne pouvant le maintenir dans la voie paternelle, embrasa tout ce qui était sur la terre et périt lui-même frappé de la foudre, a, il est vrai, l'apparence d'une fable; mais la vérité qui s'y recèle, c'est que les corps qui circulent dans le ciel autour de la terre dévient de leur course et qu'une grande conflagration qui se produit à de grands intervalles détruit ce qui est sur la surface de la terre. Alors tous ceux qui habitent dans les montagnes et dans les endroits élevés et arides périssent plutôt que ceux qui habitent au bord des fleuves et de la mer. Nous autres, nous avons le Nil, notre sauveur ordinaire, qui, en pareil cas aussi, nous préserve de cette calamité par ses débordements. Quand, au contraire, les dieux submergent la terre sous les eaux pour la purifier, les habitants des montagnes, bouviers et pâtres, échappent à la mort, mais ceux qui résident dans vos villes sont emportés par les fleuves dans la mer, tandis que chez nous, ni dans ce cas, ni dans d'autres, l'eau ne dévale jamais des hauteurs dans les campagnes; c'est le contraire, elles montent naturellement toujours d'en bas. Voilà comment et pour quelles raisons on dit que c'est chez nous que se sont conservées les traditions les plus anciennes. Mais en réalité, dans tous les lieux où le froid ou la chaleur excessive ne s'y oppose pas, la race humaine subsiste toujours plus ou moins nombreuse. Aussi tout ce qui s'est fait de beau, de grand ou de remarquable sous tout autre rapport, soit chez vous, soit ici, soit dans tout autre pays dont nous ayons entendu parler, tout cela se trouve ici consigné par écrit dans nos temples depuis un temps immémorial et s'est ainsi conservé. Chez vous, au contraire, et chez les autres peuples, à peine êtes-vous pourvus de l'écriture et de tout ce qui est nécessaire aux cités que de nouveau, après l'intervalle de temps ordinaire, des torrents d'eau du ciel fondent sur vous comme une maladie et ne laissent survivre de vous que les illettrés et les ignorants, en sorte que vous vous retrouvez au point de départ comme des jeunes, ne sachant rien de ce qui s'est passé dans les temps anciens, soit ici, soit chez vous. Car ces généalogies de tes compatriotes que tu récitais tout à l'heure, Solon, ne diffèrent pas beaucoup de contes de nourrices. Tout d'abord vous ne vous souvenez que d'un seul déluge terrestre, alors qu'il y en a eu beaucoup auparavant; ensuite vous ignorez que la plus belle et la meilleure race qu'on ait vue parmi les hommes a pris naissance dans votre pays, et que vous en descendez, toi et toute votre cité actuelle, grâce à un petit germe échappé au désastre. Vous l'ignorez, parce que les survivants, pendant beaucoup de générations, sont morts sans rien laisser par écrit. Oui, Solon, il fut un temps où, avant la plus grande des destructions opérées par les eaux, la cité qui est aujourd'hui Athènes fut la plus vaillante à la guerre et sans comparaison la mieux policée à tous égards : c'est elle qui, dit-on, accomplit les plus belles choses et inventa les plus belles institutions politiques dont nous ayons entendu parler sous le ciel. »

Solon m'a rapporté qu'en entendant cela, il fut saisi d'étonnement et pria instamment les prêtres de lui raconter exactement et de suite tout ce qui concernait ses concitoyens d'autrefois. Alors le vieux prêtre lui répondit : « Je n'ai aucune raison de te refuser, Solon, et je vais t'en faire un récit par égard pour toi et pour ta patrie, et surtout pour honorer la déesse qui protège votre cité et la nôtre et qui les a élevées et instruites, la vôtre, qu'elle a formée la première, mille ans avant la nôtre, d'un germe pris à la terre et à Hèphaistos, et la nôtre par la suite. Depuis l'établissement de la nôtre, il s'est écoulé huit mille années : c'est le chiffre que portent nos livres sacrés. C'est donc de tes concitoyens d'il y a neuf mille ans que je vais t'exposer brièvement les institutions et le plus glorieux de leurs exploits. Nous reprendrons tout en détail et de suite, une autre fois, quand nous en aurons le loisir, avec les textes à la main. Compare d'abord leurs lois avec les nôtres. Tu verras qu'un bon nombre de nos lois actuelles ont été copiées sur celles qui étaient alors en vigueur chez vous. C'est ainsi d'abord que la classe des prêtres est séparée des autres; de même celle des artisans, où chaque profession a son travail spécial, sans se mêler à une autre, et celle des bergers, des chasseurs, des laboureurs. Pour la classe des guerriers, tu as sans doute remarqué qu'elle est chez nous également séparée de toutes les autres; car la loi leur interdit de s'occuper d'aucune autre chose que de la guerre. Ajoute à cela la forme des armes, boucliers et lances, dont nous nous sommes servis, avant tout autre peuple de l'Asie, en ayant appris l'usage de la déesse qui vous l'avait d'abord enseigné. Quant à la science, tu vois sans doute avec quel soin la loi s'en est occupée ici dès le commencement, ainsi que de l'ordre du monde. Partant de cette étude des choses divines, elle a découvert tous les arts utiles à la vie humaine, jusqu'à la divination et à la médecine, qui veille à notre santé, et acquis toutes les connaissances qui s'y rattachent.

C'est cette constitution même et cet ordre que la déesse avait établis chez vous d'abord, quand elle fonda votre ville, ayant choisi l'endroit où vous êtes nés, parce qu'elle avait prévu que son climat heureusement tempéré y produirait des hommes de haute intelligence. Comme elle aimait à la fois la guerre et la science, elle a porté son choix sur le pays qui devait produire les hommes les plus semblables à elle-même et c'est celui-là qu'elle a peuplé d'abord. Et vous vous gouverniez par ces lois et de meilleures encore, surpassant tous les hommes dans tous les genres de mérite, comme on pouvait l'attendre de rejetons et d'élèves des dieux. Nous gardons ici par écrit beaucoup de grandes actions de votre cité qui provoquent l'admiration, mais il en est une qui les dépasse toutes en grandeur et en héroïsme. En effet, les monuments écrits disent que votre cité détruisit jadis une immense puissance qui marchait insolemment sur l'Europe et l'Asie tout entières, venant d'un autre monde situé dans l'océan Atlantique. On pouvait alors traverser cet Océan; car il s'y trouvait une île devant ce détroit que vous appelez, dites-vous, les colonnes d'Hèraclès. Cette île était plus grande que la Libye et l'Asie réunies. De cette île on pouvait alors passer dans les autres îles et de celles-ci gagner tout le continent qui s'étend en face d'elles et borde cette véritable mer. Car tout ce qui est en deçà du détroit dont nous parlons ressemble à un port dont l'entrée est étroite, tandis que ce qui est au-delà forme une véritable mer et que la terre qui l'entoure a vraiment tous les titres pour être appelée continent. Or dans cette île Atlantide, des rois avaient formé une grande et admirable puissance, qui étendait sa domination sur l'île entière et sur beaucoup d'autres îles et quelques parties du continent. En outre, en deçà du détroit, de notre côté, ils étaient maîtres de la Libye jusqu'à l'Egypte, et de l'Europe jusqu'à la Tyrrhénie. Or, un jour, cette puissance, réunissant toutes ses forces, entreprit d'asservir d'un seul coup votre pays, le nôtre et tous les peuples en deçà du détroit. Ce fut alors, Solon, que la puissance de votre cité fit éclater aux yeux du monde sa valeur et sa force. Comme elle l'emportait sur toutes les autres par le courage et tous les arts de la guerre, ce fut elle qui prit le commandement des Hellènes; mais, réduite à ses seules forces par la défection des autres et mise ainsi dans la situation la plus critique, elle vainquit les envahisseurs, éleva un trophée, préserva de l'esclavage les peuples qui n'avaient pas encore été asservis, et rendit généreusement à la liberté tous ceux qui, comme nous, habitent à l'intérieur des colonnes d'Hèraclès. Mais dans le temps qui suivit, il y eut des tremblements de terre et des inondations extraordinaires, et, dans l'espace d'un seul jour et d'une seule nuit néfastes, tout ce que vous aviez de combattants fut englouti d'un seul coup dans la terre, et l'île Atlantide, s'étant abîmée dans la mer, disparut de même. Voilà pourquoi, aujourd'hui encore, cette mer-là est impraticable et inexplorable, la navigation étant gênée par les bas fonds vaseux que l'île a formés en s'affaissant. »

Voilà, Socrate, brièvement résumé, ce que m'a dit Critias, qui le tenait de Solon. Hier, quand tu parlais de ta république et que tu en dépeignais les citoyens, j'étais émerveillé, en me rappelant ce que je viens de dire. Je me demandais par quel merveilleux hasard tu te rencontrais si à propos sur la plupart des points avec ce que Solon en avait dit. Je n'ai pas voulu vous en parler sur le moment; car, après si longtemps, mes souvenirs n'étaient pas assez nets. J'ai pensé qu'il fallait n'en parler qu'après les avoir tous bien ressaisis dans mon esprit. C'est pour cela que j'ai si vite accepté la tâche que tu nous as imposée hier, persuadé que, si la grande affaire, en des entretiens comme le nôtre, est de prendre un thème en rapport au dessein que l'on a, nous trouverions dans ce que je propose le thème approprié à notre plan. C'est ainsi qu'hier, comme l'a dit Hermocrate, je ne fus pas plus tôt sorti d'ici que, rappelant mes souvenirs, je les rapportai à ces messieurs, et qu'après les avoir quittés, en y songeant la nuit, j'ai à peu près tout ressaisi. Tant il est vrai, comme on dit, que ce que nous avons appris étant enfants se conserve merveilleusement dans notre mémoire! Pour ma part, ce que j'ai entendu hier, je ne sais si je pourrais me le rappeler intégralement; mais ce que j'ai appris il y a très longtemps, je serais bien surpris qu'il m'en fût échappé quelque chose. J'avais alors tant de plaisir, une telle joie d'enfant à entendre le vieillard, et il me répondait de si bon cœur, tandis que je ne cessais de l'interroger, que son récit est resté fixé en moi, aussi indélébile qu'une peinture à l'encaustique. De plus, ce matin même, j'ai justement conté tout cela à nos amis, pour leur fournir à eux aussi des matières pour la discussion.

Et maintenant, car c'est à cela que tendait tout ce que je viens de dire, je suis prêt, Socrate, à rapporter cette histoire non pas sommairement, mais en détail, comme je l'ai entendue. Les citoyens et la cité que tu nous as représentés hier comme dans une fiction, nous allons les transférer dans la réalité; nous supposerons ici que cette cité est Athènes et nous dirons que les citoyens que tu as imaginés sont ces ancêtres réels dont le prêtre a parlé. Entre les uns et les autres la concordance sera complète et nous ne dirons rien que de juste en affirmant qu'ils sont bien les hommes réels de cet ancien temps. Nous allons essayer tous, en nous partageant les rôles, d'accomplir aussi bien que nous le pourrons la tâche que tu nous as imposée. Reste à voir, Socrate, si ce sujet est à notre gré, ou s'il faut en chercher un autre à sa place.

SOCRATE

Et quel autre, Critias, pourrions-nous choisir de préférence à celui-là ? C'est celui qui convient le mieux, parce que c'est le mieux approprié au sacrifice qu'on offre en ce jour à la déesse, et le fait qu'il ne s'agit pas d'une fiction, mais d'une histoire vraie est d'un intérêt capital. Comment et où trouverons-nous d'autres sujets si nous rejetons celui-là ? Ce n'est pas possible. Parlez donc, et bonne chance à vos discours! Pour moi, en échange de mes discours d'hier, j'ai droit à me reposer et à vous écouter à mon tour.

CRITIAS

Vois maintenant, Socrate, comment nous avons réglé le festin d'hospitalité que nous voulons t'offrir. Nous avons décidé que Timée, qui est le plus savant d'entre nous en astronomie et qui a fait de la nature du monde sa principale étude, serait le premier à parler, et qu'il commencerait par la formation de l'univers pour finir par la nature de l'homme. C'est moi qui prendrai la suite, et, après avoir reçu de ses mains l'humanité dont il aura décrit l'origine, et des tiennes certains hommes spécialement instruits par toi, je les ferai comparaître devant nous, comme devant des juges, et, suivant le récit et la législation de Solon, je ferai d'eux des citoyens de notre cité, les considérant comme ces Athéniens d'autrefois, dont la tradition des récits sacrés nous a révélé la disparition, et dès lors je parlerai d'eux comme étant des citoyens d'Athènes.

SOCRATE

C'est, à ce que je vois, un régal intellectuel complet et brillant que vous allez me rendre. C'est maintenant, paraît-il, à toi, Timée, de prendre la parole, après avoir, suivant l'usage, invoqué les dieux.

TIMÉE

Quant à cela, Socrate, tu as raison : tous les hommes qui ont quelque grain de sagesse, ne manquent jamais au début de toute entreprise petite ou grande, d'implorer une divinité. Pour nous, qui allons discourir sur l'univers, dire comment il est né, ou s'il n'a pas eu de naissance, nous sommes tenus, à moins d'avoir entièrement perdu le sens, d'appeler à notre aide les dieux et les déesses et de les prier que tous nos propos soient avant tout à leur gré, puis, en ce qui nous concerne, logiquement déduits. Que telle soit donc notre invocation, en ce qui regarde les dieux; quant à nous, invoquons-les pour que vous me compreniez facilement et que je vous expose très clairement ma pensée sur le sujet qui nous occupe.

Il faut d'abord, à mon avis, se poser cette double question : en quoi consiste ce qui existe toujours, sans avoir eu de naissance ? En quoi consiste ce qui devient toujours et n'est jamais ? Le premier est appréhensible à la pensée aidée du raisonnement, parce qu'il est toujours le même, tandis que le second est conjecturé par l'opinion accompagnée de la sensation irraisonnée, parce qu'il naît et périt, mais n'existe jamais réellement. De plus, tout ce qui naît procède nécessairement d'une cause; car il est impossible que quoi que ce soit prenne naissance sans cause. Lors donc que l'ouvrier, l'œil toujours fixé sur l'être immuable, travaille d'après un tel modèle et en reproduit la forme et la vertu, tout ce qu'il exécute ainsi est nécessairement beau. Si, au contraire, il fixe les yeux sur ce qui est né et prend un modèle de ce genre, il ne fait rien de beau.

Quant au ciel entier, ou monde, ou s'il y a quelque autre nom qui lui soit mieux approprié, donnons-le-lui, il faut, en ce qui le touche, se poser d'abord la question qu'on doit se poser dès le début pour toute chose. A-t-il toujours existé, sans avoir aucun commencement de génération, ou est-il né, et a-t-il eu un commencement ? Il est né; car il est visible, tangible et corporel, et toutes les choses de ce genre sont sensibles, et les choses sensibles, appréhensibles à l'opinion accompagnée de la sensation, sont, nous l'avons vu, sujettes au devenir et à la naissance. Nous disons d'autre part que ce qui est né doit nécessairement sa naissance à quelque cause. Quant à l'auteur et père de cet univers, il est difficile de le trouver, et, après l'avoir trouvé, de le faire connaître à tout le monde.

Il est une autre question qu'il faut examiner à propos de l'univers, à savoir d'après lequel des deux modèles son architecte l'a construit, d'après le modèle immuable et toujours le même, ou d'après celui qui est né. Or, si ce monde est beau et son auteur excellent, il est évident qu'il a eu les yeux sur le modèle éternel; s'ils sont au contraire ce qu'il n'est même pas permis de dire, c'est sur le modèle qui est né. Il est donc clair pour tout le monde qu'il a eu les yeux sur le modèle éternel. Car le monde est la plus belle des choses qui sont nées, et son auteur la meilleure des causes. Donc, si le monde a été produit de cette manière, il a été formé sur le modèle de ce qui est compris par le raisonnement et l'intelligence et qui est toujours identique à soi-même.

Dans ces conditions, il est aussi absolument nécessaire que ce monde-ci soit l'image de quelque chose. Or en toute matière, il est de la plus haute importance de commencer par le commencement naturel. En conséquence, à propos de l'image et de son modèle, il faut faire les distinctions suivantes : les paroles ont une parenté naturelle avec les choses qu'elles expriment. Expriment-elles ce qui est stable, fixe et visible à l'aide de l'intelligence, elles sont stables et fixes, et, autant qu'il est possible et qu'il appartient à des paroles d'être irréfutables et invincibles, elles ne doivent rien laisser à désirer à cet égard. Expriment-elles au contraire ce qui a été copié sur ce modèle et qui n'est qu'une image, elles sont vraisemblables et proportionnées à leur objet, car ce que l'être est au devenir, la vérité l'est à la croyance. Si donc, Socrate, il se rencontre maint détail en mainte question touchant les dieux et la genèse du monde, où nous soyons incapables de fournir des explications absolument et parfaitement cohérentes et exactes, n'en sois pas étonné; mais si nous en fournissons qui ne le cèdent à aucune autre en vraisemblance, il faudra nous en contenter, en nous rappelant que moi qui parle et vous qui jugez nous ne sommes que des hommes et que sur un tel sujet il convient d'accepter le mythe vraisemblable, sans rien chercher au-delà.

SOCRATE

C'est parfait, Timée, et l'on ne peut qu'approuver ta demande. Nous avons accueilli ton prélude avec admiration; exécute à présent ton morceau sans t'interrompre.

TIMÉE

Disons donc pour quelle cause celui qui a formé le devenir et l'univers l'a formé. Il était bon, et, chez celui qui est bon, il ne naît jamais d'envie pour quoi que ce soit. Exempt d'envie, il a voulu que toutes choses fussent, autant que possible, semblables à lui-même. Que ce soit là le principe le plus effectif du devenir et de l'ordre du monde, c'est l'opinion d'hommes sages, qu'on peut admettre en toute sûreté. Le dieu, en effet, voulant que tout fût bon et que rien ne fût mauvais, autant que cela est possible, prit toute la masse des choses visibles, qui n'était pas en repos, mais se mouvait sans règle et sans ordre, et la fit passer du désordre à l'ordre, estimant que l'ordre était préférable à tous égards.

Or il n'était pas et il n'est pas possible au meilleur de faire une chose qui ne soit pas la plus belle. Ayant donc réfléchi, il s'aperçut que des choses visibles par nature il ne pourrait jamais sortir un tout privé d'intelligence qui fût plus beau qu'un tout intelligent, et, en outre, que dans aucun être il ne pouvait y avoir d'intelligence sans âme. En conséquence, il mit l'intelligence dans l'âme, et l'âme dans le corps, et il construisit l'univers de manière à en faire une œuvre qui fût naturellement la plus belle possible et la meilleure. Ainsi, à raisonner suivant la vraisemblance, il faut dire que ce monde, qui est un animal, véritablement doué d'une âme et d'une intelligence, a été formé par la providence du dieu.

Ceci posé, il nous faut dire ensuite à la ressemblance de quel être vivant il a été formé par son auteur. Ne croyons pas que ce fut à la ressemblance d'aucun de ces objets qui par leur nature ne sont que des parties; car rien de ce qui ressemble à un être incomplet ne peut jamais être beau. Mais ce qui comprend comme des parties tous les autres animaux, pris individuellement ou par genres, posons en principe que c'est à cela que le monde ressemble par-dessus tout. Ce modèle, en effet, embrasse et contient en lui-même tous les animaux intelligibles, comme ce monde contient et nous-mêmes et tout ce qu'il a produit d'animaux visibles. Car Dieu, voulant lui donner la plus complète ressemblance avec le plus beau des êtres intelligibles et le plus parfait à tous égards, a formé un seul animal visible, qui renferme en lui tous les animaux qui lui sont naturellement apparentés.

Mais avons-nous eu raison d'ajouter qu'il n'y a qu'un ciel, ou était-il plus juste de dire qu'il y en a beaucoup et même un nombre infini ? Il n'y en a qu'un, s'il doit être construit suivant le modèle. Car ce qui contient tout ce qu'il y a d'animaux intelligibles ne pourrait jamais coexister avec un autre et occuper la seconde place, autrement il faudrait admettre, outre ces deux-là, un troisième animal, où ils seraient enfermés comme des parties; et ce ne serait plus sur ces deux-là, mais sur celui qui les contiendrait qu'on pourrait dire à juste titre que notre monde a été modelé. Afin donc que notre monde fût semblable en unité à l'animal parfait, l'auteur n'en a fait ni deux, ni un nombre infini; il n'est né que ce ciel unique et il n'en naîtra plus d'autre.

Or ce qui a commencé d'être doit nécessairement être corporel et ainsi visible et tangible; mais, sans feu, rien ne saurait être visible, ni tangible sans quelque chose de solide, ni solide sans terre. Aussi est-ce du feu et de la terre que le dieu prit d'abord, quand il se mit à composer le corps de l'univers. Mais, si l'on n'a que deux choses, il est impossible de les combiner convenablement sans une troisième; car il faut qu'il y ait entre les deux un lien qui les unisse. Or, de tous les liens, le meilleur est celui qui, de lui-même et des choses qu'il unit, forme une unité aussi parfaite que possible, et cette unité, c'est la proportion qui est de nature à le réaliser complètement. Lorsqu'en effet, de trois nombres quelconques, cubiques ou carrés, le moyen est au dernier ce que le premier est au moyen et qu'inversement le moyen est au premier ce que le dernier est au moyen, le moyen devenant tour à tour le premier et le dernier, et le dernier et le premier devenant l'un et l'autre les moyens, il s'ensuivra nécessairement que tous les termes seront les mêmes et qu'étant les mêmes les uns que les autres, ils formeront à eux tous un tout. Si donc le corps de l'univers avait dû être une simple surface, sans profondeur, un seul terme moyen aurait suffi pour lier ensemble les deux extrêmes et lui-même. Mais, en fait, il convenait que ce fût un corps solide. Aussi, comme les solides sont toujours joints par deux médiétés [99], et jamais par une seule, le dieu a mis l'eau et l'air entre le feu et la terre et les a fait proportionnés l'un à l'autre, autant qu'il était possible, de sorte que ce que le feu est à l'air, l'air le fût à l'eau et que ce que l'air est à l'eau, l'eau le fût à la terre et c'est ainsi qu'il a lié ensemble et composé un ciel visible et tangible. C'est de cette manière et de ces éléments, au nombre de quatre, que le corps du monde a été formé. Accordé par la proportion, il tient de ces conditions l'amitié, si bien que, parvenu à l'unité complète, il est devenu indissoluble par tout autre que celui qui l'a uni.

Chacun des quatre éléments est entré tout entier dans la composition du monde, car son auteur l'a composé de tout le feu, de toute l'eau, de tout l'air et de toute la terre sans laisser en dehors de lui aucune portion ni puissance d'aucun de ces éléments. Son dessein était en premier lieu qu'il y eût, autant que possible, un animal entier, parfait et formé de parties parfaites, et en outre qu'il fût un, vu qu'il ne restait rien dont aurait pu naître quelque chose de semblable, et, en dernier lieu, pour qu'il échappât à la vieillesse et à la maladie. Il savait en effet que, lorsqu'un corps composé est entouré du dehors et attaqué à contretemps par le chaud, le froid et tout autre agent énergique, ils le dissolvent, y introduisent les maladies et la vieillesse et le font périr. Voilà pourquoi et pour quelle raison le dieu a construit avec tous les touts ce tout unique, parfait et inaccessible à la vieillesse et à la maladie.

Pour la forme, il lui a donné celle qui lui convenait et avait de l'affinité avec lui. Or la forme qui convenait à l'animal qui devait contenir en lui tous les animaux, c'était celle qui renferme en elle toutes les autres formes. C'est pourquoi le dieu a tourné le monde en forme de sphère, dont les extrémités sont partout à égale distance du centre, cette forme circulaire étant la plus parfaite de toutes et la plus semblable à elle-même, car il pensait que le semblable est infiniment plus beau que le dissemblable. En outre, il arrondit et polit toute sa surface extérieure pour plusieurs raisons. Il n'avait en effet besoin ni d'yeux, puisqu'il ne restait rien de visible en dehors de lui, ni d'oreilles, puisqu'il n'y avait non plus rien à entendre. Il n'y avait pas non plus d'air environnant qui exigeât une respiration. Il n'avait pas non plus besoin d'organe, soit pour recevoir en lui la nourriture, soit pour la rejeter, après en avoir absorbé le suc. Car rien n'en sortait et rien n'y entrait de nulle part, puisqu'il n'y avait rien en dehors de lui. L'art de son auteur l'a fait tel qu'il se nourrit de sa propre perte et que c'est en lui-même et par lui-même que se produisent toutes ses affections et ses actions. Celui qui l'a composé a pensé qu'il serait meilleur, s'il se suffisait à lui-même, que s'il avait besoin d'autre chose. Quant aux mains, qui ne lui serviraient ni pour saisir ni pour repousser quoi que ce soit, il jugea qu'il était inutile de lui en ajouter, pas plus que des pieds ou tout autre organe de locomotion. Il lui attribua un mouvement approprié à son corps, celui des sept mouvements [100] qui s'ajuste le mieux à l'intelligence et à la pensée. En conséquence, il le fit tourner uniformément sur lui-même à la même place et c'est le mouvement circulaire qu'il lui imposa; pour les six autres mouvements, il les lui interdit et l'empêcha d'errer comme eux. Comme il n'était pas besoin de pieds pour cette rotation, il l'enfanta sans jambes et sans pieds.

C'est par toutes ces raisons que le dieu qui est toujours, songeant au dieu qui devait être un jour, en fit un corps poli, partout homogène, équidistant de son centre, complet, parfait, composé de corps parfaits. Au centre, il mit une âme; il l'étendit partout et en enveloppa même le corps à l'extérieur. Il forma de la sorte un ciel circulaire et qui se meut en cercle, unique et solitaire, mais capable, en raison de son excellence, de vivre seul avec lui-même, sans avoir besoin de personne autre, et, en fait de connaissances et d'amis, se suffisant à lui-même. En lui donnant toutes ces qualités il engendra un dieu bienheureux.

Mais cette âme, dont nous entreprenons de parler après le corps, ne fut pas formée par le dieu après le corps;

car, en les unissant, il n'aurait pas permis que le plus vieux reçût la loi du plus jeune. Nous autres, qui participons grandement du hasard et de l'accidentel, il est naturel que nous parlions aussi au hasard. Mais le dieu a fait l'âme avant le corps et supérieure au corps en âge et en vertu, parce qu'elle était destinée à dominer et à commander, et le corps à obéir.

Voici de quels éléments et de quelle manière il la composa. Avec la substance indivisible et toujours la même et avec la substance divisible qui naît dans les corps, il forma, en combinant les deux, une troisième espèce de substance intermédiaire, laquelle participe à la fois de la nature du Même et de celle de l'Autre, et il la plaça en conséquence au milieu de la substance indivisible et de la substance corporelle divisible. Puis, prenant les trois, il les combina toutes en une forme unique, harmonisant de force avec le Même la nature de l'Autre qui répugne au mélange. Quand il eut mélangé les deux premières avec la troisième et des trois fait un seul tout, il le divisa en autant de parties qu'il était convenable, chacune étant un mélange du Même, de l'Autre et de la troisième substance. Voici comment il s'y prit. Du tout il sépara d'abord une partie; après celle-là, il en retira une autre, double, puis une troisième, une fois et demie plus grande que la seconde, et triple de la première, puis une quatrième, double de la seconde, puis une cinquième, triple de la troisième, puis une sixième, octuple de la première, et enfin une septième, vingt-sept fois plus grande que la première [101]. Cela fait, il remplit les intervalles doubles et triples, en coupant encore des portions du mélange primitif et les plaçant dans ces intervalles de manière qu'il y eût dans chaque intervalle deux médiétés, l'une surpassant les extrêmes et surpassée par eux de la même fraction de chacun d'eux, l'autre surpassant un extrême du même nombre dont elle est surpassée par l'autre. De ces liens introduits dans les premiers intervalles résultèrent de nouveaux intervalles de un plus un demi, un plus un tiers, un plus un huitième. Alors le dieu remplit tous les intervalles de un plus un tiers à l'aide de l'intervalle de un plus un huitième, laissant dans chacun d'eux une fraction telle que l'intervalle restant fût défini par le rapport du nombre deux cent cinquante-six au nombre deux cent quarante-trois. De cette façon le mélange sur lequel il avait coupé ces parties se trouva employé tout entier [102].

Alors il coupa toute cette composition en deux dans le sens de la longueur, et croisant chaque moitié sur le milieu de l'autre en forme d'un χ, il les courba en cercle et unit les deux extrémités de chacune avec elle-même et celles de l'autre au point opposé à leur intersection. Il les enveloppa dans le mouvement qui tourne uniformément à la même place et il fit un de ces cercles extérieur et l'autre intérieur. Il désigna le mouvement du cercle extérieur pour être le mouvement de la nature du Même, et celui du cercle intérieur le mouvement de la nature de l'Autre. Il fit tourner le mouvement du Même suivant le côté vers la droite et celui de l'Autre suivant la diagonale vers la gauche [103], et il donna la prééminence à la révolution du Même et du Semblable; car, seule, il la laissa sans la diviser. Au contraire, il divisa la révolution intérieure en six endroits et en fit sept cercles inégaux, correspondant à chaque intervalle du double et du triple, de façon qu'il y en eût trois de chaque sorte. Il ordonna à ces cercles d'aller en sens contraire les uns des autres, trois avec la même vitesse, les quatre autres avec des vitesses différentes tant entre eux qu'avec les trois premiers, mais suivant une proportion réglée [104].

Lorsque la composition de l'âme fut achevée au gré de son auteur, il disposa au-dedans d'elle tout ce qui est corporel et il les ajusta ensemble en les liant centre à centre. Alors l'âme, tissée à travers tout le ciel, du centre à l'extrémité, l'enveloppant en cercle du dehors et tournant sur elle-même, inaugura le divin début d'une vie perpétuelle et sage pour toute la suite des temps. Ainsi naquirent d'une part le corps visible du ciel, et de l'autre, l'âme invisible, mais participant à la raison et à l'harmonie, la meilleure des choses engendrées par le meilleur des êtres intelligibles et qui sont éternellement.

Or, parce que l'âme est de la nature du Même, de l'Autre et de l'essence intermédiaire, qu'elle est un mélange de ces trois principes, qu'elle a été divisée et unifiée en due proportion, qu'en outre elle tourne sur elle-même, toutes les fois qu'elle entre en contact avec un objet qui a une substance divisible ou avec un objet dont la substance est indivisible, elle déclare par le mouvement de tout son être à quoi cet objet est identique et de quoi il diffère, et par rapport à quoi précisément, dans quel sens, comment et quand il arrive aux choses qui deviennent d'être et de pâtir chacune par rapport à chacune, et par rapport aux choses qui sont toujours immuables. Or quand un discours, lequel est également vrai, soit qu'il se rapporte à l'Autre ou au Même, emporté sans voix ni son dans ce qui se meut par soi-même, se rapporte à ce qui est sensible et que le cercle de l'Autre va d'une marche droite le transmettre dans toute son âme, il se forme des opinions et des croyances solides et vraies. Quand, au contraire, le discours se rapporte à ce qui est rationnel, et que le cercle du Même, tournant régulièrement, le lui révèle, il y a nécessairement intelligence et science. Et ce en quoi ces deux sortes de connaissance se produisent, si quelqu'un prétend que c'est autre chose que l'âme, il ne saurait être plus loin de la vérité.

Quand le père qui l'avait engendré s'aperçut que le monde qu'il avait formé à l'image des dieux éternels se mouvait et vivait, il en fut ravi et, dans sa joie, il pensa à le rendre encore plus semblable à son modèle. Or, comme ce modèle est un animal éternel, il s'efforça de rendre aussi tout cet univers éternel, dans la mesure du possible. Mais cette nature éternelle de l'animal, il n'y avait pas moyen de l'adapter complètement à ce qui est engendré. Alors il songea à faire une image mobile de l'éternité et, en même temps qu'il organisait le ciel, il fit de l'éternité qui reste dans l'unité cette image éternelle qui progresse suivant le nombre, et que nous avons appelé le temps. En effet les jours, les nuits, les mois, les années n'existaient pas avant la naissance du ciel, et c'est en construisant le ciel qu'il imagina de leur donner naissance; ils sont tous des parties du temps, et le passé et le futur sont des espèces engendrées du temps que, dans notre ignorance, nous transportons mal à propos à la substance éternelle. Nous disons d'elle qu'elle était, qu'elle est, qu'elle sera, alors qu'*elle est* est le seul terme qui lui convienne véritablement, et que *elle était* et *elle sera* sont des expressions propres à la génération qui s'avance dans le temps; car ce sont là des mouvements. Mais ce qui est toujours identique et immuable ne saurait devenir ni plus vieux, ni plus jeune avec le temps, ni être jamais devenu, ni devenir actuellement, ni devenir plus tard, ni en général subir aucun des accidents que la génération a attachés aux choses qui se meuvent dans l'ordre des sens et qui sont des formes du temps qui imite l'éternité et progresse en cercle suivant le nombre. En outre, les expressions comme celles-ci : ce qui est devenu *est* devenu, ce qui devient *est* en train de devenir, ce qui est à venir *est* à venir, le non-être *est* non-être, toutes ces expressions sont inexactes. Mais ce n'est peut-être pas le lieu ni le moment de traiter ce sujet en détail.

Quoi qu'il en soit, le temps est né avec le ciel [105], afin que, nés ensemble, ils soient aussi dissous ensemble, s'ils doivent jamais être dissous, et il a été fait sur le modèle de la nature éternelle, afin de lui ressembler dans toute la mesure possible. Car le modèle est existant durant toute l'éternité, tandis que le ciel a été, est et sera continuellement pendant toute la durée du temps. C'est en vertu de ce raisonnement et en vue de donner l'existence au temps que Dieu fit naître le soleil, la lune et les cinq autres astres qu'on appelle planètes, pour distinguer et conserver les nombres du temps. Après avoir formé le corps de chacun d'eux, le dieu les plaça tous les sept dans les sept orbites où tourne la substance de l'Autre, la lune dans la première, la plus proche de la terre, le soleil dans la seconde, au-dessus de la terre, puis l'astre du matin et celui qui est consacré à Hermès, qui tournent avec une vitesse égale à celle du soleil, mais sont doués d'un pouvoir contraire au sien [106]. De là vient que le soleil, l'astre d'Hermès et l'astre du matin se rattrapent et sont rattrapés de même les uns par les autres. Quant aux autres planètes, si l'on voulait exposer en détail où et pour quelles raisons Dieu les a placées, ce sujet, qui n'est qu'accessoire, nous demanderait plus de travail que le sujet en vue duquel nous le traiterions. Plus tard peut-être, quand nous aurons du loisir, nous reprendrons cette question avec tous les développements qu'elle mérite.

Quand donc chacun des êtres qui devaient coopérer à la création du temps fut arrivé dans son orbite appropriée et qu'ils furent devenus vivants, avec des corps maintenus dans des liens animés, et qu'ils eurent appris la tâche qui leur était imposée, ils se mirent à tourner dans l'orbite de l'Autre, qui est oblique, qui passe au travers de l'orbite du Même et qui est dominée par lui. Les uns décrivirent un cercle plus grand, les autres un cercle plus petit, et ceux qui décrivaient le plus petit tournaient plus vite, et ceux qui décrivaient le plus grand plus lentement. Aussi, à cause du mouvement du Même, ceux qui vont le plus vite semblaient être rattrapés par ceux qui vont plus lentement, tandis qu'en réalité ce sont eux qui les rattrapent. Car ce mouvement faisant tourner tous leurs cercles en spirale [107], du fait qu'ils s'avançaient en même temps dans deux directions opposées, faisait que le corps qui s'éloigne le plus lentement de ce mouvement qui est le plus rapide de tous semblait le suivre de plus près que les autres. Or, pour qu'il y eût une mesure claire de la lenteur et de la vitesse relatives suivant lesquelles ils opèrent leurs huit révolutions, le dieu alluma dans le cercle qui occupe le second rang en partant de la terre, une lumière que nous appelons à présent le soleil, pour qu'il éclairât autant que possible tout le ciel et que tous les êtres vivants à qui cela convenait pussent participer du nombre, en l'apprenant de la révolution du Même et du Semblable. C'est ainsi et dans ce dessein que furent engendrés la nuit et le jour, qui forment la révolution du cercle unique, le plus intelligent de tous, ensuite le mois, après que la lune, ayant parcouru son circuit, rattrape le soleil, enfin l'année, lorsque le soleil a fait le tour de sa carrière. Quant aux autres planètes, les hommes, à l'exception d'un petit nombre, ne se sont pas préoccupés de leurs révolutions, ne leur ont pas donné de noms, et, quand ils les considèrent, ils ne mesurent pas par des nombres leur vitesse relative; aussi peut-on dire qu'ils ne savent pas que ces courses errantes, dont le nombre est prodigieux et la variété merveilleuse, constituent le temps. Il est néanmoins possible de concevoir que le nombre parfait du temps remplit l'année parfaite, au moment où ces huit révolutions, avec leurs vitesses respectives mesurées par le circuit et le mouvement uniforme du Même, ont toutes atteint leur terme et sont revenues à leur point de départ. C'est ainsi et pour ces raisons qu'ont été engendrés ceux des astres qui, dans leur course à travers le ciel, sont assujettis à des conversions [108], afin que cet univers fût le plus semblable possible à l'animal parfait et intelligible et imitât sa nature éternelle.

A la naissance du temps, le monde se trouvait déjà construit à la ressemblance du modèle; mais il ne contenait pas encore tous les animaux qui sont nés en lui; il lui manquait encore ce trait de ressemblance. C'est pourquoi Dieu acheva ce qui restait, en le façonnant sur la nature du modèle. Aussi, toutes les formes que l'intelligence aperçoit dans l'animal qui existe réellement, quels qu'en soient la nature et le nombre, le dieu jugea que ce monde devait les recevoir, les mêmes et en même nombre. Or il y en a quatre : la première est la race céleste des dieux, la deuxième, la race ailée qui circule dans les airs, la troisième, l'espèce aquatique, la quatrième, celle qui marche sur la terre ferme. Il composa l'espèce divine presque tout entière de feu, afin qu'elle fût aussi brillante et aussi belle à voir que possible, et, la modelant sur l'univers, il la fit parfaitement ronde, et la plaça dans l'intelligence du Meilleur, pour qu'elle le suivît dans sa marche. Il la distribua dans toute l'étendue du ciel, afin qu'elle en fût véritablement l'ornement par la variété répandue partout. A chacun de ces dieux il assigna deux mouvements, dont l'un se produit uniformément à la même place, parce que le dieu a toujours les mêmes pensées sur les mêmes objets, et dont l'autre est un mouvement en avant, parce qu'il est dominé par la révolution du Même et du Semblable. Quant aux cinq autres mouvements [109], ils furent complètement refusés à ces dieux, afin que chacun d'eux acquît toute la perfection dont il est capable. C'est pour cette raison que naquirent les astres qui n'errent pas, animaux divins et éternels qui tournent toujours uniformément à la même place. Quant à ceux qui errent et sont soumis à des conversions, ils ont été faits comme nous l'avons exposé précédemment. Pour la terre, notre nourrice, enroulée autour de l'axe qui traverse tout l'univers, Dieu la disposa pour être la gardienne et l'ouvrière de la nuit et du jour, la première et la plus ancienne des divinités qui sont nées à l'intérieur du ciel. Mais les chœurs de danse de ces dieux, leurs juxtapositions, leurs retours ou leurs avances dans leurs orbites, lesquels, dans les conjonctions, se rencontrent, et lesquels sont en opposition, derrière lesquels et en quel temps ils se dépassent les uns les autres et se cachent à nos yeux pour réapparaître ensuite et envoyer aux hommes incapables de raisonner des craintes et des signes de ce qui doit arriver par la suite, exposer tout cela sans en faire voir des modèles imités, ce serait prendre une peine inutile. En voilà assez sur ce sujet; mettons fin ici à notre exposé sur la nature des dieux visibles et engendrés.

Quant aux autres divinités, exposer et connaître leur génération est une tâche au-dessus de nos forces : il faut s'en rapporter à ceux qui en ont parlé avant nous. Ils prétendaient descendre des dieux; aussi devaient-ils connaître leurs ancêtres. Il est donc impossible de refuser créance à des fils de dieux, quoique leurs affirmations ne se fondent pas sur des raisons vraisemblables ni certaines. Mais, comme c'est l'histoire de leurs familles qu'ils prétendent rapporter, il faut se conformer à l'usage et les croire. Admettons donc sur leur parole et disons que la génération de ces dieux fut celle-ci. De la Terre et du Ciel naquirent l'Océan et Téthys, de ceux-ci Phorkys, Cronos, Rhéa et tous ceux qui vont avec eux; de Cronos et de Rhéa, Zeus, Hèra et tous leurs frères et sœurs dont nous savons les noms, et de ceux-ci encore d'autres rejetons. Or, lorsque tous ces dieux, ceux qui circulent sous nos yeux et ceux qui ne se montrent que quand ils le veulent bien, eurent reçu l'existence, l'auteur de cet univers leur tint ce discours.

« Dieux de dieux [110], les ouvrages dont je suis le créateur et le père, parce qu'ils ont été engendrés par moi, sont indissolubles sans mon consentement. Il est vrai que ce qui a été lié peut toujours être délié; mais il n'y a qu'un méchant qui puisse consentir à dissoudre ce qui a été bien ajusté et qui est en bon état. Par conséquent, puisque vous avez été engendrés, vous n'êtes pas immortels et vous n'êtes pas absolument indissolubles. Néanmoins vous ne serez pas dissous et vous n'aurez point part à la mort, parce que ma volonté est pour vous un lien plus fort et plus puissant que ceux dont vous avez été liés au moment de votre naissance. Maintenant, écoutez ce que j'ai à vous dire et à vous montrer. Il reste encore à naître trois races mortelles. Si elles ne naissent pas, le ciel sera inachevé, car il ne contiendra pas en lui toutes les espèces d'animaux, et il faut qu'il les contienne pour être suffisamment parfait. Si je leur donnais moi-même la naissance et la vie, elles seraient égales aux dieux. Afin donc qu'elles soient mortelles et que cet univers soit réellement complet, appliquez-vous, selon votre nature, à former ces animaux, en imitant l'action de ma puissance lors de votre naissance. Et comme il convient qu'il y ait en eux quelque chose qui porte le même nom que les immortels, quelque chose qu'on appelle divin et qui commande à ceux d'entre eux qui sont disposés à suivre toujours la justice et vous-mêmes, je vous en donnerai moi-même la semence et le principe. Pour le reste, c'est à vous de fabriquer, en tissant ensemble le mortel et l'immortel, des animaux auxquels vous donnerez la naissance, que vous ferez croître en leur donnant de la nourriture et que vous recevrez de nouveau, quand ils mourront. »

Il dit, et, reprenant le cratère où il avait d'abord mélangé et fondu l'âme de l'univers, il y versa ce qui restait des mêmes éléments et les mêla à peu près de la même manière, mais ils n'étaient plus aussi purs : ils l'étaient même deux ou trois fois moins. Quand il eut composé le tout, il le partagea en autant d'âmes qu'il y a d'astres, il assigna chacune d'elles à un astre, les y plaça comme dans un char, leur montra la nature de l'univers et leur fit connaître les lois de la destinée : tous devaient être traités de même à leur première incarnation, afin que nul ne fût désavantagé par lui; semées chacune dans l'organe du temps fait pour elle, elles devaient devenir l'animal le plus religieux de tous; mais, la nature humaine étant double, le sexe supérieur serait celui qui serait dans la suite appelé mâle. Lorsque les âmes seraient, en vertu de la nécessité, implantées dans des corps, et que ces corps s'accroîtraient de certaines parties et en perdraient d'autres, il en résulterait d'abord qu'elles auraient nécessairement toutes la même sensibilité naturelle à la suite d'impressions violentes, puis l'amour avec son mélange de plaisir et de peine, et en outre la crainte, la colère et toutes les passions connexes à celles-là ou celles qui leur sont naturellement contraires; que ceux qui les domineraient vivraient dans la justice, et ceux qui s'en laisseraient dominer, dans l'injustice; que celui qui aurait fait bon usage du temps qui lui est accordé, retournerait habiter l'astre auquel il est affecté et vivrait heureux en sa compagnie, mais que celui qui aurait manqué ce but serait transformé en femme à sa seconde naissance, et si, en cet état, il ne cessait pas d'être méchant, il serait, suivant la nature de sa méchanceté, transformé, à chaque naissance nouvelle, en l'animal auquel il ressemblerait par ses mœurs, et ses métamorphoses et ses tribulations ne finiraient point avant d'avoir soumis à la révolution du Même et du Semblable en lui cette grosse masse de feu, d'eau, d'air et de terre qui s'est ajoutée à son être par la suite; qu'il ne retrouverait l'excellence de son premier état qu'après avoir maîtrisé par la raison cette masse turbulente et déraisonnable.

Lorsque Dieu leur eut fait connaître tous ces décrets, pour qu'on ne le tînt pas responsable de leur méchanceté future, il les sema, les uns sur la terre, les autres dans la lune, les autres dans tous les autres instruments du temps. Après ces semailles, il confia aux jeunes dieux le soin de façonner des corps mortels, de compléter leur œuvre en ajoutant tout ce qu'il fallait encore ajouter à l'âme humaine et tous les accessoires qu'elle exigeait, puis de commander et de gouverner aussi sagement et aussi bien qu'ils le pourraient cet être mortel, à moins qu'il ne fût lui-même la cause de son malheur.

Après avoir réglé tout cela, le dieu reprit le cours de son existence habituelle. Tandis qu'il gardait le repos, ses enfants, qui avaient saisi l'organisation que projetait leur père, s'y conformèrent. Ils prirent le principe immortel de l'animal mortel, et, à l'imitation de l'artisan de leur être, ils empruntèrent au monde des parcelles de feu, de terre, d'eau et d'air, qui devaient lui être rendues un jour, les unirent ensemble, non par des liens indissolubles, comme ceux dont eux-mêmes étaient liés, mais par une multitude de chevilles invisibles à cause de leur petitesse, et, en les assemblant ainsi, ils composèrent de tous ces éléments un corps unique pour chaque individu, et dans ce corps, sujet au flux et au reflux, ils enchaînèrent les cercles de l'âme immortelle; mais, enchaînés dans ce grand flot, les cercles ne pouvaient ni le maîtriser, ni être maîtrisés par lui, mais tantôt ils étaient entraînés de force et tantôt l'entraînaient, de sorte que l'animal tout entier se mouvait, mais avançait sans ordre, au hasard, d'une manière irrationnelle. Soumis à tous les six mouvements, il allait en avant, en arrière, puis à droite et à gauche, en bas et en haut, et il errait en tout sens suivant les six lieux. Car, si violent que fût le flot qui, apportant la nourriture au corps, le submergeait et refluait ensuite, plus grand encore était le trouble causé par les impressions des objets qui le heurtaient, quand, par exemple, le corps d'un individu venait se choquer contre un feu étranger, extérieur à lui, contre une terre dure, contre des eaux glissantes, ou qu'il était assailli par une tempête de vents poussés par l'air, et que les mouvements dus à toutes ces causes allaient, en traversant le corps, jusqu'à l'âme et la heurtaient. C'est pour cela que tous ces mouvements furent ensuite et sont encore aujourd'hui appelés sensations [111]. En outre, comme ces sensations, au temps dont je parle, produisaient sur le moment une ample et violente commotion, en se mouvant avec la masse qui ne cesse de s'écouler et en secouant fortement les cercles de l'âme, elles entravèrent complètement la révolution du Même, en coulant au rebours d'elle, et l'empêchèrent de commander et de suivre son cours. Elles troublèrent aussi la révolution de l'Autre, en sorte que chacun des trois intervalles du double et du triple et les médiétés et liens d'un plus un demi, d'un plus un tiers, d'un plus un huitième, ne pouvant être complètement dissous, sinon par celui qui les a noués, furent au moins tordus de toutes manières et produisirent dans les cercles toutes les cassures et toutes les déformations possibles. Il en résultait qu'à peine liés entre eux, ils se mouvaient, mais ils se mouvaient sans loi, tantôt à rebours, tantôt obliquement, tantôt sens dessus dessous, comme un homme qui se renverse en posant sa tête sur le sol et lançant ses jambes en l'air et les appuyant contre quelque chose. Dans la situation où cet homme se trouve par rapport à ceux qui le voient, la droite paraît être la gauche, et la gauche, la droite à chacun d'eux. C'est la même confusion et d'autres du même genre qui affectent gravement les révolutions de l'âme, et lorsque ces révolutions rencontrent quelque objet extérieur du genre du Même ou de l'Autre, elles donnent à cet objet le nom de Même et d'Autre, à l'encontre de la vérité, et elles deviennent menteuses et folles, et il n'y a plus alors parmi elles de révolution qui commande et dirige. Par contre, lorsque des sensations venant du dehors se jettent sur ces révolutions et tombent sur elles et entraînent après elles tout le vaisseau qui contient l'âme, ces révolutions, quoique maîtrisées, paraissent avoir la maîtrise. Par suite de tous ces accidents, aujourd'hui comme au début, l'âme commence par être dénuée d'intelligence, quand elle est enchaînée dans un corps mortel. Mais lorsque le courant qui apporte la croissance et la nourriture diminue de volume, que les révolutions, revenant au calme, suivent leur propre voie et deviennent plus stables au cours du temps, à partir de ce moment les révolutions se corrigent suivant la forme de chacun des cercles qui suivent leur cours naturel, elles donnent à l'Autre et au Même leurs noms exacts et font éclore l'intelligence chez leur possesseur. Si cette disposition est fortifiée par une bonne méthode d'éducation, l'homme devient complet et parfaitement sain, et il échappe à la plus grave des maladies. Si, au contraire, on a négligé son âme, après avoir mené une existence boiteuse, il retourne chez Hadès, imparfait et insensé. Mais ceci n'arrive que plus tard. Il faut revenir à notre sujet présent et le traiter avec plus de précision. Attachons-nous à la question préliminaire de la génération des corps, partie par partie, et voyons pour quels motifs et en vertu de quelle prévoyance les dieux ont donné naissance à l'âme, en nous tenant aux opinions les plus vraisemblables; car c'est ainsi et suivant ce principe que doit marcher notre exposition.

A l'imitation de la forme de l'univers qui est ronde, les dieux enchaînèrent les révolutions divines, qui sont au nombre de deux, dans un corps sphérique, que nous appelons maintenant la tête, laquelle est la partie la plus divine de nous et commande toutes les autres. Puis, après avoir assemblé le corps, ils le mirent tout entier à son service, sachant qu'elle participerait à tous les mouvements qui pourraient exister. Enfin, craignant qu'en roulant sur la terre, qui est semée d'éminences et de cavités, elle ne fût embarrassée pour franchir les unes et se tirer des autres, ils lui donnèrent le corps comme véhicule pour faciliter sa marche. C'est pour cela que le corps a reçu une taille élevée et qu'il a poussé quatre membres extensibles et flexibles, que le dieu imagina pour qu'il pût avancer. Par la prise et l'appui que ces membres lui donnent, il est devenu capable de passer par des lieux de toute sorte, portant en haut de nous l'habitacle de ce que nous avons de plus divin et de plus sacré. Voilà comment et pourquoi des jambes et des mains ont poussé à tous les hommes.

Puis, jugeant que la partie antérieure est plus noble et plus propre à commander que la partie postérieure, les dieux nous ont donné la faculté de marcher en avant plutôt qu'en arrière. Il fallait donc que le devant du corps humain fût distinct et dissemblable de la partie postérieure. C'est pour cela que, sur le globe de la tête, ils placèrent d'abord le visage du côté de l'avant et qu'ils fixèrent sur le visage les organes utiles à toutes les prévisions de l'âme, et ils décidèrent que la partie qui se trouve naturellement en avant aurait part à la direction.

Les premiers organes qu'ils fabriquèrent furent les yeux porteurs de lumière; ils les fixèrent sur le visage dans le but que je vais dire. De cette sorte de feu qui a la propriété de ne pas brûler et de fournir une lumière douce, ils imaginèrent de faire le propre corps de chaque jour, et le feu pur qui est en nous, frère de celui-là, ils le firent couler par les yeux en un courant de parties lisses et pressées, et ils comprimèrent l'œil tout entier, mais surtout le centre, de manière qu'il retînt tout autre feu plus épais et ne laissât filtrer que cette espèce de feu pur. Lors donc que la lumière du jour entoure le courant de la vision [112], le semblable rencontrant son semblable, se fond avec lui, pour former dans la direction des yeux un seul corps, partout où le rayon sorti du dedans frappe un objet qu'il rencontre à l'extérieur.

Ce corps, soumis tout entier aux mêmes affections par la similitude de ses parties, touche-t-il quelque objet ou en est-il touché, il en transmet les mouvements à travers tout le corps jusqu'à l'âme et nous procure cette sensation qui nous fait dire que nous voyons. Mais quand le feu parent du feu intérieur se retire à la nuit, celui-ci se trouve coupé de lui; comme il tombe en sortant sur des êtres d'une nature différente, il s'altère lui-même et s'éteint, parce qu'il n'est plus de même nature que l'air ambiant, lequel n'a point de feu. Il cesse alors de voir, et, en outre, il amène le sommeil. Car lorsque les paupières, que les dieux ont imaginées pour préserver la vue, sont fermées, elles retiennent en dedans la puissance du feu. Celle-ci, à son tour, calme et apaise les mouvements intérieurs, et cet apaisement produit le repos. Quand le repos est profond, un sommeil presque sans rêve s'abat sur nous; mais s'il reste des mouvements un peu violents, ces mouvements, suivant leur nature et le lieu où ils restent, suscitent en dedans de nous autant d'images de même nature, qui, dans le monde extérieur, nous reviennent à la mémoire, quand nous sommes éveillés.

Quant à l'origine des images produites par les miroirs et par toutes les surfaces brillantes et polies, il n'est plus difficile de s'en rendre compte. C'est de la combinaison des deux feux, intérieur et extérieur, chaque fois que l'un d'eux rencontre la surface polie et subit plusieurs changements, que naissent nécessairement toutes ces images, parce que le feu de la face réfléchie se fond avec le feu de la vue sur la surface polie et brillante. Mais ce qui est à gauche apparaît à droite, parce qu'un contact a lieu entre les parties opposées du courant visuel et les parties opposées de l'objet [113], contrairement à ce qui se passe d'habitude dans la rencontre. Au contraire, la droite paraît à droite et la gauche à gauche, quand le rayon visuel change de côté, en se fondant avec la lumière avec laquelle il se fond, et cela arrive quand la surface polie des miroirs, se relevant de part et d'autre, renvoie la partie droite du courant visuel vers la gauche et la gauche vers la droite. Si le miroir est tourné de façon que la courbure soit placée suivant la longueur du visage, il le fait paraître tout entier renversé, parce qu'alors il renvoie le rayon visuel du bas vers le haut et celui du haut vers le bas.

Tout cela se classe parmi les causes secondaires dont Dieu se sert pour réaliser, autant qu'il est possible, l'idée du meilleur. Mais la plupart des hommes les tiennent, non pour des causes secondaires, mais pour les causes primaires de toutes choses, parce qu'elles refroidissent et échauffent, condensent et dilatent et produisent tous les effets du même genre. Or elles sont incapables d'agir jamais avec raison et intelligence. Car il faut reconnaître que l'âme est le seul de tous les êtres qui soit capable d'acquérir l'intelligence, et l'âme est invisible, tandis que le feu, l'eau, la terre et l'air sont tous des corps visibles. Or quiconque a l'amour de l'intelligence et de la science doit nécessairement chercher d'abord les causes qui sont de nature intelligente, et en second lieu celles qui sont mues par d'autres causes et qui en meuvent nécessairement d'autres à leur tour. C'est ainsi que nous devons procéder, nous aussi. Il faut parler des deux espèces de causes, mais traiter à part celles qui agissent avec intelligence et produisent des effets bons et beaux, puis celles qui, destituées de raison, agissent toujours au hasard et sans ordre.

En voilà assez sur les causes secondaires qui ont contribué à donner aux yeux le pouvoir qu'ils possèdent à présent. Il nous reste à parler de l'office le plus important qu'ils remplissent pour notre utilité, office pour lequel Dieu nous en a fait présent. La vue est pour nous, à mon sens, la cause du plus grand bien, en ce sens que pas un mot des explications qu'on propose aujourd'hui de l'univers n'aurait jamais pu être prononcé, si nous n'avions pas vu les astres, ni le soleil, ni le ciel. Mais, en fait, c'est la vue du jour et de la nuit, des mois, des révolutions des années, des équinoxes, des solstices qui nous a fait trouver le nombre, qui nous a donné la notion du temps et les moyens d'étudier la nature du tout. C'est de la vue que nous tenons la philosophie, le bien le plus précieux que le genre humain ait reçu et puisse recevoir jamais de la munificence des dieux. Voilà ce que je déclare être le plus grand bienfait de la vue. A quoi bon vanter les autres, de moindre importance ? Seul, celui qui n'est pas philosophe peut gémir et se lamenter vainement d'en être privé par la cécité. Pour nous, disons que la cause de ce grand bien est celle-ci : Dieu a inventé et nous a donné la vue, afin qu'en contemplant les révolutions de l'intelligence dans le ciel, nous les appliquions aux révolutions de notre propre pensée, qui, bien que désordonnées, sont parentes des révolutions imperturbables du ciel, et qu'après avoir étudié à fond ces mouvements célestes et participé à la rectitude naturelle des raisonnements, nous puissions, en imitant les mouvements absolument invariables de la divinité, stabiliser les nôtres, qui sont sujets à l'aberration.

Il faut répéter la même chose au sujet de la voix et de l'ouïe : c'est en vue du même objet et pour les mêmes raisons que les dieux nous les ont données. En effet la parole nous a été octroyée pour la même fin et elle contribue dans la plus large mesure à nous la faire atteindre, et toute cette partie de la musique consacrée à l'audition de la voix nous a été donnée en vue de l'harmonie. Et l'harmonie, dont les mouvements sont apparentés aux révolutions de l'âme en nous, a été donnée par les Muses à l'homme qui entretient avec elles un commerce intelligent, non point en vue d'un plaisir irraisonné, seule utilité qu'on lui trouve aujourd'hui, mais pour nous aider à régler et à mettre à l'unisson avec elle-même la révolution déréglée de l'âme en nous. Les mêmes déités nous ont donné aussi le rythme pour remédier au défaut de mesure et de grâce dans le caractère de la plupart des hommes.

Dans ce que nous avons dit jusqu'ici, sauf quelques détails, il n'a été question que des opérations de l'intelligence. Il faut ajouter à notre exposition ce qui naît par l'action de la nécessité; car la génération de ce monde est le résultat de l'action combinée de la nécessité et de l'intelligence. Toutefois l'intelligence a pris le dessus sur la nécessité en lui persuadant de diriger au bien la plupart des choses qui naissent. C'est ainsi et sur ce principe que cet univers fut façonné dès le commencement par la nécessité cédant à la persuasion de la sagesse. Si donc nous voulons réellement dire comment il est né d'après ce principe, il faut faire intervenir l'espèce de la cause errante et sa propriété de produire du mouvement. Il faut donc reprendre le sujet comme je vais dire : il faut trouver un autre point de départ qui convienne à ce sujet spécial et, comme nous l'avons fait pour ce qui précède, remonter à l'origine. Il faut examiner quelle était, avant la naissance du ciel, la nature même du feu, de l'eau, de l'air et de la terre, et quelles étaient leurs propriétés avant ce temps. Car jusqu'ici personne ne nous a expliqué leur génération, mais comme si nous savions ce que peuvent être le feu et chacun de ces corps, nous les appelons principes et nous les considérons comme un alphabet de l'univers, alors qu'ils ne devraient pas même, si l'on veut observer la vraisemblance, être assimilés à la classe des syllabes par un homme tant soit peu intelligent. Pour moi, voici ce que je compte faire aujourd'hui. Le principe ou les principes de toutes choses, ou quel que soit le nom qu'on préfère, je n'en parlerai pas à présent, par la simple raison qu'il me serait difficile d'expliquer mon opinion, en suivant le plan de cette exposition. Ne croyez donc pas que je doive vous en parler. Moi-même je ne saurais me persuader que j'aurais raison d'aborder une si grande tâche. Mais je m'en tiendrai à ce que j'ai dit en commençant, à la valeur des explications probables, et j'essayerai, comme je l'ai fait dès le début, de donner, sur chaque matière et sur l'ensemble, des explications aussi vraisemblables, plus vraisemblables même que toutes celles qui ont été proposées. Invoquons donc encore une fois, avant de prendre la parole, la divinité, pour qu'elle nous guide dans cette exposition étrange et insolite vers des doctrines vraisemblables et reprenons notre discours.

Pour commencer cette nouvelle explication de l'univers, il faut pousser nos divisions plus loin que nous ne l'avons fait jusqu'ici. Nous avions alors distingué deux espèces; il faut à présent en faire voir une troisième. Les deux premières nous ont suffi pour notre première exposition : l'une, intelligible et toujours la même, était supposée être le modèle, la deuxième, soumise au devenir et visible, était la copie de ce modèle. Nous n'avons pas alors distingué de troisième espèce, ces deux-là semblant nous suffire. Mais, à présent, la suite du discours semble nous contraindre à tenter de mettre en lumière par des paroles une espèce difficile et obscure. Quelle propriété naturelle faut-il lui attribuer ? Celle-ci avant tout : elle est le réceptacle et pour ainsi dire la nourrice de tout ce qui naît. Voilà la vérité; mais elle demande à être expliquée plus clairement, et c'est une tâche difficile, spécialement parce qu'il faut pour cela résoudre d'abord une question embarrassante sur le feu et les autres corps qui vont avec lui; car il est malaisé de dire de chacun de ces corps lequel il faut réellement appeler eau plutôt que feu, et lequel il faut appeler de tel nom plutôt que de tous à la fois ou de chacun en particulier, pour user d'un terme fidèle et sûr. Comment donc y parviendrons-nous, par quel moyen, et, dans ces difficultés, que pouvons-nous dire de vraisemblable sur ces corps ? D'abord nous voyons que ce que nous appelons eau à présent, devient, croyons-nous, en se condensant, des pierres et de la terre, et qu'en fondant et se dissolvant, ce même élément devient souffle et air; que l'air enflammé devient feu, et qu'au rebours, le feu contracté et éteint revient à la forme d'air, que l'air condensé et épaissi se transforme en nuage et en brouillard, et que ceux-ci, comprimés encore davantage, donnent de l'eau courante, que l'eau devient de nouveau de la terre et des pierres, de sorte que les éléments, à ce qu'il semble, se transmettent en cercle la naissance les uns aux autres. Ainsi, puisque nul d'entre eux ne se montre jamais sous la même figure, duquel d'entre eux pouvons-nous affirmer positivement qu'il est telle ou telle chose et non une autre, sans rougir de nous-mêmes ? Personne ne le peut. Il est beaucoup plus sûr de s'exprimer à leur sujet de la façon suivante. Voyons-nous un objet passer sans cesse d'un état à un autre, le feu, par exemple, ce n'est point cet objet, mais ce qui a toujours cette qualité qu'il faut appeler feu; ne disons pas non plus que ceci est de l'eau, mais ce qui a toujours cette qualité, et ne parlons jamais d'aucun de ces éléments comme ayant de la stabilité, ce que nous faisons, quand nous les désignons par les termes ceci et cela, nous imaginant indiquer quelque chose de déterminé. Car ces éléments sont fuyants et n'attendent pas qu'on puisse les désigner par ceci et cela et cet être ou par toute autre expression qui les représente comme permanents. Il ne faut appliquer ces termes à aucun d'eux, mais les réserver à ce qui est toujours tel et circule toujours pareil, quand on parle, soit de l'un d'eux, soit de tous ensemble. Ainsi, par exemple, nous appellerons feu ce qui a partout cette qualité, et de même pour tout ce qui est soumis à la génération. Mais ce en quoi chacun des éléments naît et apparaît successivement pour s'évanouir ensuite, cela seul peut être désigné par les expressions cela et ceci. Au contraire, ce qui est de telle ou telle qualité, chaud, blanc, ou de toute autre qualité contraire, et tout ce qui en est dérivé, ne sera jamais désigné par le terme cela.

Tâchons de mettre encore plus de clarté dans notre exposition. Supposons qu'un artiste modèle avec de l'or des figures de toute sorte, et qu'il ne cesse pas de changer chacune d'elles en toutes les autres, et que, montrant une de ces figures, on lui demande ce que c'est, la réponse de beaucoup la plus sûre, au point de vue de la vérité, serait : c'est de l'or. Quant au triangle et à toutes les autres figures que cet or pourrait revêtir, il n'en faudrait pas parler comme d'êtres réels, puisqu'elles changent au moment même où on les produit; et s'il y a quelque sûreté à admettre qu'elles sont « ce qui est de telle qualité », il faut s'en contenter. Il faut dire la même chose de la nature qui reçoit tous les corps : il faut toujours lui donner le même nom; car elle ne sort jamais de son propre caractère : elle reçoit toujours toutes choses sans revêtir jamais en aucune façon une seule forme semblable à aucune de celles qui entrent en elle. Sa nature est d'être une matrice pour toutes choses; elle est mise en mouvement et découpée en figures par ce qui entre en elle, et c'est ce qui la fait paraître tantôt sous une forme, tantôt sous un autre. Quant aux choses qui entrent en elle et en sortent, ce sont des copies des êtres éternels, façonnés sur eux d'une manière merveilleuse et difficile à exprimer; nous en reparlerons une autre fois.

Quoi qu'il en soit, il faut, pour le moment, se mettre dans l'esprit trois genres, ce qui devient, ce en quoi il devient et le modèle sur lequel ce qui devient est produit. En outre, on peut justement assimiler le réceptacle à une mère, le modèle à un père et la nature intermédiaire entre les deux à un enfant. Il faut observer encore que, si l'empreinte doit présenter toutes les variétés qu'il est possible de voir, le réceptacle où se forme cette empreinte serait malpropre à ce but, s'il n'était dépourvu de toutes les formes qu'il doit recevoir d'ailleurs. Si, en effet, il avait de la ressemblance aux choses qui entrent en lui, quand les choses de nature opposée ou totalement différentes viendraient s'imprimer en lui, il les reproduirait mal, parce que ses propres traits paraîtraient au travers. Il faut donc que ce qui doit recevoir en lui toutes les espèces soit en dehors de toutes les formes. Il en est ici comme dans la fabrication des onguents odorants, où le premier soin de l'artisan est justement de rendre aussi inodore que possible l'excipient humide destiné à recevoir les parfums. C'est ainsi encore que, pour imprimer des figures dans quelque substance molle, on n'y laisse subsister absolument aucune figure visible et qu'au contraire on l'aplanit et la rend aussi lisse que possible. Il en est de même de ce qui doit recevoir fréquemment, dans de bonnes conditions et dans toute son étendue, les images de tous les êtres éternels : il convient que cela soit, par nature, en dehors de toutes les formes. C'est pourquoi il ne faut pas dire que la mère et le réceptacle de tout ce qui est né visible ou sensible d'une manière ou d'une autre, c'est la terre, ou l'air ou le feu ou l'eau, ou aucune des choses qui en sont formées ou qui leur ont donné naissance. Mais si nous disons que c'est une espèce invisible et sans forme qui reçoit tout et qui participe de l'intelligible d'une manière fort obscure et très difficile à comprendre, nous ne mentirons pas. Autant qu'on peut, d'après ce que nous venons de dire, atteindre la nature de cette espèce, voici ce qu'on en peut dire de plus exact : la partie d'elle qui est en ignition paraît toujours être du feu, la partie liquéfiée de l'eau, et de la terre et de l'air, dans la mesure où elle reçoit des images de ces éléments.

Mais il faut, en poursuivant notre enquête sur les éléments, éclaircir la question que voici par le raisonnement. Y a-t-il un feu qui soit le feu en soi et toutes les choses dont nous répétons sans cesse qu'elles existent ainsi en soi ont-elles réellement une existence idinviduelle ? Ou bien toutes les choses que nous voyons et toutes celles que nous percevons par le corps sont-elles les seules qui aient une telle réalité et n'y en a-t-il absolument pas d'autre nulle part ? Parlons-nous en l'air, quand nous affirmons qu'il y a toujours de chaque objet une forme intelligible et n'est-ce donc là que du verbiage ? Il est certain que nous ne pouvons pas affirmer qu'il en est ainsi, sans avoir discuté la question et prononcé notre jugement, ni insérer dans notre discours déjà long une longue digression. Mais si nous trouvions une distinction importante, exprimable en peu de mots, rien ne serait plus à propos. Pour ma part, voici le jugement que j'en porte. Si l'intelligence et l'opinion vraie sont deux genres distincts, ces idées existent parfaitement en elles-mêmes : ce sont des formes que nous ne pouvons percevoir par les sens, mais seulement par l'esprit. Si, au contraire, comme il semble à quelques-uns, l'opinion vraie ne diffère en rien de l'intelligence, il faut admettre que tout ce que nous percevons par le corps est ce qu'il y a de plus certain. Mais il faut reconnaître que ce sont deux choses distinctes, parce qu'elles ont une origine séparée et n'ont aucune ressemblance. Car l'une est produite en nous par l'instruction, l'autre par la persuasion; la première va toujours avec le discours vrai, l'autre ne raisonne pas; l'une est inébranlable à la persuasion, l'autre s'y laisse fléchir. Ajoutons que tous les hommes ont part à l'opinion, mais que l'intelligence est le privilège des dieux et d'un petit nombre d'hommes.

S'il en est ainsi, il faut reconnaître qu'il y a d'abord la forme immuable qui n'est pas née et qui ne périra pas, qui ne reçoit en elle rien d'étranger, et qui n'entre pas elle-même dans quelque autre chose, qui est invisible et insaisissable à tous les sens, et qu'il appartient à la pensée seule de contempler. Il y a une seconde espèce, qui a le même nom que la première et qui lui ressemble, mais qui tombe sous les sens, qui est engendrée, toujours en mouvement, qui naît dans un lieu déterminé pour le quitter ensuite et périr, et qui est saisissable par l'opinion jointe à la sensation. Enfin il y a toujours une troisième espèce, celle du lieu, qui n'admet pas de destruction et qui fournit une place à tous les objets qui naissent. Elle n'est elle-même perceptible que par un raisonnement bâtard où n'entre pas la sensation; c'est à peine si l'on y peut croire. Nous l'entrevoyons comme dans un songe, en nous disant qu'il faut nécessairement que tout ce qui est soit quelque part dans un lieu déterminé, occupe une certaine place, et que ce qui n'est ni sur la terre ni en quelque lieu sous le ciel n'est rien. A cause de cet état de rêve, nous sommes incapables à l'état de veille de faire toutes ces distinctions et d'autres du même genre, même à l'égard de la nature éveillée et vraiment existante, et ainsi d'exprimer ce qui est vrai, à savoir que l'image, parce que cela même en vue de quoi elle est façonnée ne lui appartient pas et qu'elle est comme le fantôme toujours changeant d'une autre chose, doit, pour cette raison, naître dans autre chose et s'attacher ainsi en quelque manière à l'existence, sous peine de n'être rien du tout, tandis que l'être réel peut compter sur le secours du raisonnement exact et vrai, lequel établit que, tant que les deux choses sont différentes, aucune des deux ne pouvant jamais naître dans l'autre, elles ne deviendront pas à la fois une seule et même chose et deux choses [114]. Prenez donc ceci pour le résumé de la doctrine que j'ai établie d'après mon propre jugement : l'être, le lieu, la génération sont trois principes distincts et antérieurs à la formation du monde.

Or, la nourrice de ce qui naît, humectée et enflammée, recevant les formes de la terre et de l'air et subissant toutes les modifications qui s'ensuivent, apparaissait sous des aspects de toute espèce. Et parce que les forces dont elle était remplie n'étaient ni égales ni en équilibre, elle n'était en équilibre en aucune de ses parties; mais ballottée inégalement dans tous les sens, elle était secouée par ces forces et leur rendait secousse pour secousse. Emportés sans cesse les uns dans un sens, les autres dans l'autre, les objets ainsi remués se séparaient, de même que, lorsqu'on agite des grains et qu'on les vanne avec des cribles et des instruments propres à nettoyer le blé, ce qui est épais et pesant va d'un côté, ce qui est mince et léger est emporté d'un autre, où il se tasse. Il en était alors de même des quatre genres secoués par leur réceptacle; remué lui-même comme un crible, il séparait très loin les uns des autres les plus dissemblables, et réunissait autant que possible sur le même point les plus semblables; aussi occupaient-ils déjà des places différentes avant que le tout formé d'eux eût été ordonné. Jusqu'à ce moment, tous ces éléments ne connaissaient ni raison ni mesure. Lorsque Dieu entreprit d'ordonner le tout, au début, le feu, l'eau, la terre et l'air portaient des traces de leur propre nature, mais ils étaient tout à fait dans l'état où tout se trouve naturellement en l'absence de Dieu. C'est dans cet état qu'il les prit, et il commença par leur donner une configuration distincte au moyen des idées et des nombres. Qu'il les ait tirés de leur désordre pour les assembler de la manière la plus belle et la meilleure possible, c'est là le principe qui doit nous guider constamment dans toute notre exposition. Ce qu'il me faut essayer maintenant, c'est de vous faire voir la structure et l'origine de chacun de ces éléments par une explication nouvelle; mais, comme vous êtes familiers avec les méthodes scientifiques que mon exposition requiert, vous me suivrez.

D'abord il est évident pour tout le monde que le feu, la terre, l'eau et l'air sont des corps. Or, le genre corporel a toujours de la profondeur, et la profondeur est, de toute nécessité, enclose par la nature de la surface, et toute surface de formation rectiligne est composée de triangles. Or, tous les triangles dérivent de deux triangles, dont chacun a un angle droit et les deux autres aigus. L'un de ces triangles a de chaque côté une partie de l'angle droit divisée par des côtés égaux; l'autre, des parties inégales d'un angle droit divisées par des côtés inégaux. Telle est l'origine que nous assignons au feu et aux autres corps, suivant la méthode qui combine la vraisemblance avec la nécessité. Quant aux origines plus lointaines encore, elles ne sont connues que de Dieu et des hommes qu'il favorise.

Maintenant, il faut expliquer comment peuvent se former les plus beaux corps, qui sont au nombre de quatre, et dissemblables entre eux, mais tels que certains d'entre eux peuvent être engendrés les uns des autres en se dissolvant. Si nous y réussissons, nous tiendrons la vérité sur l'origine de la terre et du feu et des corps qui leur servent de termes moyens. Car nous n'accorderons à personne qu'on puisse voir des corps plus beaux que ceux-là, chacun d'eux formant un genre unique. Appliquons-nous donc à constituer harmoniquement ces quatre espèces de corps supérieurs en beauté, afin de pouvoir dire que nous en avons bien compris la nature.

Or, de nos deux triangles, celui qui est isocèle n'admet qu'une forme; celui qui est scalène, un nombre infini. Dans ce nombre infini, il nous faut encore choisir le plus beau, si nous voulons commencer correctement. Maintenant, si quelqu'un peut en choisir et en indiquer un plus beau pour en former ces corps, je lui cède le prix et le tiens non pour un ennemi, mais pour un ami. Pour nous, parmi ces nombreux triangles, il en est un que nous regardons comme le plus beau à l'exclusion des autres : c'est celui dont est formé le troisième triangle, le triangle équilatéral. Pourquoi ? Ce serait trop long à dire. Mais si quelqu'un, soumettant le cas à sa critique, en découvre la raison, je lui accorderai volontiers le prix. Choisissons donc deux triangles dont le corps du feu et celui des autres corps ont été constitués, l'un isocèle, l'autre dans lequel le carré du grand côté est triple du carré du petit. Ce que nous avons dit là-dessus était obscur : c'est le moment de préciser davantage. Les quatre espèces de corps nous paraissaient toutes naître les unes des autres : c'était une apparence trompeuse. En effet, les triangles que nous avons choisis donnent naissance à quatre types, et, tandis que trois sont construits d'un même triangle, celui qui a les côtés inégaux, le quatrième seul a été formé du triangle isocèle. Il n'est, par suite, pas possible qu'en se dissolvant, ils naissent tous les uns des autres, par la réunion de plusieurs petits triangles en un petit nombre de grands et réciproquement; ce n'est possible que pour les trois premiers. Comme ils sont tous trois formés d'un même triangle, quand les plus grands corps se désagrègent, un grand nombre de petits peuvent se former des mêmes triangles, en prenant la figure qui leur convient; et inversement, quand beaucoup de petits corps se désagrègent en leurs triangles, leur nombre total peut former une autre espèce de corps d'un seul volume et de grande taille. Voilà ce que j'avais à dire sur leur génération mutuelle.

La première chose à expliquer ensuite, c'est la forme que chacun d'eux a reçue et la combinaison de nombres dont elle est issue. Je commencerai par la première espèce, qui est composée des éléments les plus petits. Elle a pour élément le triangle dont l'hypoténuse est deux fois plus longue que le plus petit côté. Si l'on accouple une paire de ces triangles par la diagonale et qu'on fasse trois fois cette opération, de manière que les diagonales et les petits côtés coïncident en un même point comme centre, ces triangles, qui sont au nombre de six, donnent naissance à un seul triangle, qui est équilatéral [115]. Quatre de ces triangles équilatéraux réunis selon trois angles plans forment un seul angle solide, qui vient immédiatement après le plus obtus des angles plans. Si l'on compose quatre angles solides, on a la première forme de solide, qui a la propriété de diviser la sphère dans laquelle il est inscrit en parties égales et semblables. La seconde espèce est composée des mêmes triangles. Quand ils ont été combinés pour former huit triangles équilatéraux, ils composent un angle solide unique, fait de quatre angles plans. Quand on a construit six de ces angles solides, le deuxième corps se trouve achevé. Le troisième est formé de la combinaison de deux fois soixante triangles élémentaires, c'est-à-dire de douze angles solides, dont chacun est enclos par cinq triangles plans équilatéraux, et il y a vingt faces qui sont des triangles équilatéraux. Après avoir engendré ces solides, l'un des triangles élémentaires a été déchargé de sa fonction, et c'est le triangle isocèle qui a engendré la nature du quatrième corps. Groupés par quatre, avec leurs angles droits se rencontrant au centre, ces isocèles ont formé un quadrangle unique équilatéral. Six de ces quadrangles, en s'accolant, ont donné naissance à huit angles solides, composés chacun de trois angles plans droits, et la figure obtenue par cet assemblage est le cube, qui a pour faces six tétragones de côtés égaux. Il restait encore une cinquième combinaison [116]. Dieu s'en est servi pour achever le dessin de l'univers.

En réfléchissant à tout cela, on pourrait justement se demander s'il faut affirmer qu'il y a des mondes en nombre infini ou en nombre limité [117]. Or croire qu'ils sont infinis, c'est, on peut le dire, l'opinion d'un homme qui n'est pas versé dans les choses qu'il faut savoir. Mais n'y en a-t-il qu'un ou y en a-t-il en réalité cinq [118] ? La question ainsi limitée, le doute est plus raisonnable. Quant à nous, nous déclarons que, selon toute vraisemblance, il n'y a qu'un seul monde, bien qu'on puisse, d'après d'autres considérations, être d'un autre avis. Mais laissons ce point de côté, et assignons les espèces que notre argumentation vient de mettre au jour au feu, à la terre, à l'eau et à l'air. Donnons à la terre la forme cubique; car des quatre espèces la terre est la plus difficile à mouvoir et le plus tenace des corps, et ces qualités-là sont celles que doit particulièrement posséder le corps qui a les bases les plus stables. Or, dans les triangles que nous avons supposés à l'origine, la base formée par des côtés égaux est naturellement plus stable que celle qui est formée par des côtés inégaux, et des deux figures planes composées par les deux triangles, le tétragone équilatéral est nécessairement une base plus stable, soit dans ses parties, soit dans sa totalité, que le triangle équilatéral. Par suite, en attribuant cette forme à la terre, nous restons dans la vraisemblance, de même qu'en attribuant à l'eau la moins mobile de celles qui restent, la plus mobile au feu, et la figure intermédiaire à l'air, et aussi le plus petit corps au feu et par contre le plus grand à l'eau et l'intermédiaire à l'air, et encore le plus aigu au feu, le second sous ce rapport à l'air et le troisième à l'eau. Or de toutes ces figures, celle qui a le moins grand nombre de bases doit nécessairement avoir la nature la plus mobile; c'est, de toutes, la plus coupante et la plus aiguë dans tous les sens, comme aussi la plus légère, puisqu'elle est composée du plus petit nombre des mêmes parties; la seconde sous le rapport de ces qualités doit tenir la seconde place, et la troisième, la troisième place. Disons donc que, selon la droite raison et la vraisemblance, le solide qui a pris la forme de la pyramide est l'élément et le germe du feu, que celui que nous avons construit en second lieu est l'élément de l'air, et le troisième, celui de l'eau.

Or il faut se représenter ces éléments comme si petits qu'aucun d'eux, pris à part dans chaque genre, n'est visible à nos yeux, à cause de sa petitesse, et qu'ils ne le deviennent qu'en s'agrégeant en grand nombre pour former des masses. En outre, en ce qui regarde les proportions relatives à leur nombre, à leurs mouvements et à leurs autres propriétés, il faut penser que le dieu, dans la mesure où la nature de la nécessité s'y prêtait volontairement et cédait à la persuasion, les a partout réalisées avec exactitude et a ainsi tout ordonné dans une harmonieuse proportion.

D'après tout ce que nous avons dit plus haut sur les genres, voici, selon toute probabilité, ce qui se pr-

Quand la terre rencontre le feu et qu'elle est divisée par ses pointes aiguës, soit qu'elle se dissolve dans le feu lui-même ou qu'elle se trouve dans une masse d'air ou d'eau, elle est emportée çà et là, jusqu'à ce que ses parties, se rencontrant quelque part, se réunissent de nouveau et redeviennent terre; car elles ne peuvent jamais se transformer en une autre espèce [119]. Au contraire, l'eau, divisée par le feu ou même par l'air, peut en se recomposant, devenir un corpuscule de feu et deux d'air. Quant à l'air, les fragments qui viennent de la dissolution d'une seule de ses parties peuvent devenir deux corpuscules de feu. Inversement, quand une petite quantité de feu enveloppée dans une masse d'air, d'eau ou de terre et emportée dans le mouvement de cette masse, est vaincue dans la lutte et réduite en morceaux, deux corpuscules de feu se combinent en une seule forme d'air; et quand l'air est vaincu et brisé en menus morceaux, deux corpuscules entiers d'air, plus un demi, se condensent en un seul corpuscule complet d'eau [120].

Considérons encore les faits d'une autre manière. Quand une des autres espèces, prise dans du feu, est coupée par le tranchant de ses angles et de ses arêtes, si elle a, en se recomposant, pris la nature du feu, elle cesse d'être coupée; car aucune espèce homogène et identique à elle-même ne peut causer aucun changement dans ce qui est comme elle identique et homogène, ni subir de sa part aucune altération. Au contraire, aussi longtemps qu'en passant dans une autre espèce, elle lutte contre plus fort qu'elle, elle ne cesse de se dissoudre. D'un autre côté, quand un petit nombre de corpuscules plus petits, enveloppés dans un grand nombre de corpuscules plus gros, sont mis en pièces et éteints, s'ils consentent à se réunir sous la forme du vainqueur, ils cessent de s'éteindre et le feu devient de l'air, et l'air, de l'eau. Mais si, les petits corpuscules se rendant vers ces éléments, une des autres espèces les rencontre et entre en lutte avec eux, ils ne cessent pas de se diviser jusqu'à ce que, entièrement dissous par la poussée qu'ils subissent, ils se réfugient vers un corps de même nature qu'eux, ou que, vaincus, beaucoup se réunissent en un seul corps semblable à leur vainqueur, et demeurent avec lui. Un autre effet de ces modifications, c'est que toutes choses changent de place; car, tandis que les grosses masses de chaque espèce ont chacune leur place séparée par l'effet du mouvement du réceptacle, les corps qui deviennent dissemblables à eux-mêmes pour ressembler à d'autres sont toujours portés par la secousse qu'ils en reçoivent vers le lieu occupé par ceux dont ils ont pris la ressemblance.

Telles sont les causes qui ont donné naissance aux corps simples et primitifs. Quant aux autres espèces qui se sont formées dans chaque genre, il en faut chercher la cause dans la construction de chacun des deux éléments. Les deux triangles construits au début ne furent pas d'une grandeur unique : il y en eut de grands et de petits, en aussi grand nombre qu'il y a d'espèces dans chaque genre. C'est pourquoi, lorsque ces triangles se mêlent entre eux et les uns avec les autres, il en résulte une variété infinie, qu'il faut étudier si l'on veut discourir de la nature avec vraisemblance.

En ce qui regarde le mouvement et le repos, de quelle manière et dans quelles conditions se produisent-ils ? Si l'on ne s'entend pas là-dessus, bien des difficultés se mettront en travers du raisonnement qui va suivre. Nous avons déjà touché ce sujet; il faut encore en dire ceci : c'est que le mouvement ne consentira jamais à se trouver dans ce qui est homogène. Car il est difficile ou, pour mieux dire, impossible qu'il y ait une chose mue sans moteur ou un moteur sans une chose mue. Il n'y a pas de mouvement quand ces deux choses manquent, et il est impossible qu'elles soient jamais homogènes. Plaçons donc toujours le repos dans ce qui est homogène et le mouvement dans ce qui est hétérogène. Et la cause de la nature hétérogène est l'inégalité. Nous avons déjà indiqué l'origine de l'inégalité; mais nous n'avons pas expliqué comment il se fait que les éléments, qui ont été séparés suivant leurs espèces, ne cessent pas de se mouvoir et de se traverser les uns les autres. Nous allons reprendre notre explication comme il suit. Le circuit de l'univers comprenant en lui les diverses espèces est circulaire et tend naturellement à revenir sur lui-même; aussi comprime-t-il tous les corps et il ne permet pas qu'il reste aucun espace vide. De là vient que le feu principalement s'est infiltré dans tous les corps, et, en second lieu, l'air, parce qu'il occupe naturellement le second rang pour la ténuité, et de même pour les autres éléments. Car les corps composés des particules les plus grandes laissent le plus grand vide dans leur arrangement, et les plus petits le plus petit. Or la compression qui resserre les corps pousse les petits dans les intervalles des grands. Alors les petits se trouvant à côté des grands, et les plus petits divisant les plus grands et les plus grands forçant les plus petits à se combiner, tous se déplacent, soit en haut, soit en bas, pour gagner la place qui leur convient; car, en changeant de dimension, chacun change aussi de position dans l'espace. C'est ainsi et par ces moyens que se maintient la perpétuelle naissance de la diversité qui cause maintenant et causera toujours le mouvement incessant de ces corps.

Il faut ensuite observer qu'il y a plusieurs espèces de feu, par exemple la flamme, puis ce qui s'échappe de la flamme, et, sans brûler, procure la lumière aux yeux, et ce qui reste du feu dans les corps en ignition, lorsque la flamme s'est éteinte. De même dans l'air il y a l'espèce la plus translucide, qu'on appelle éther, et la plus trouble qu'on appelle brouillard et obscurité, et d'autres qui n'ont pas de nom et qui résultent de l'inégalité des triangles. Pour l'eau, il y a d'abord deux espèces, la liquide et la fusible. La première, formée des éléments de l'eau qui sont petits et inégaux, se meut par elle-même et sous une impulsion étrangère, à cause de son manque d'uniformité et de la nature de sa forme. L'autre espèce, composée d'éléments plus grands et uniformes, est plus stable que la première et elle est pesante et compacte du fait de son homogénéité. Mais quand le feu la pénètre et la dissout, elle perd son uniformité, et quand elle l'a perdue, elle participe davantage au mouvement, et devenue facile à mouvoir, elle se répand sur la terre sous la poussée de l'air adjacent, et chacune de ses modifications a reçu un nom, celui de fonte quand ses masses se dissolvent, et celui de courant quand elles s'étendent sur le sol. Quand, au contraire, le feu s'en échappe, comme il ne s'échappe point dans le vide, l'air voisin, poussé par lui, pousse ensemble la masse liquide, encore facile à mouvoir, dans les places laissées par le feu et se mêle avec elle. Le liquide, ainsi comprimé et recouvrant son uniformité par la retraite du feu qui l'avait rendu hétérogène, rentre dans son état originel. Le départ du feu a été appelé refroidissement et la contraction qui suit sa retraite, congélation.

De toutes les eaux que nous avons appelées fusibles la plus dense, formée des particules les plus ténues et les plus égales, n'a qu'une seule variété, teintée d'un jaune brillant. C'est le plus précieux de tous les biens, l'or, qui s'est solidifié, après avoir filtré à travers des rochers. Pour le scion d'or, lequel est très dur en raison de sa densité et de couleur sombre, on l'a appelé « adamas [121] ». L'espèce formée de parties semblables à celles de l'or, mais qui a plus d'une variété, est pour la densité supérieure à l'or, parce qu'elle contient un léger alliage de terre ténue qui la rend plus dure, mais en même temps plus légère, parce qu'elle renferme de grands interstices : c'est de cette espèce d'eaux brillantes et solides qu'est composé le cuivre. La portion de terre qui y est mêlée apparaît seule à la surface, quand par l'effet du temps les deux substances se séparent l'une de l'autre : elle s'appelle vert-de-gris.

Quant aux autres corps de même sorte, il n'y a plus aucune difficulté pour en rendre compte, en s'attachant dans ses explications à l'idée de vraisemblance ; et, lorsque, pour se délasser, on délaisse l'étude des êtres éternels et qu'on se donne l'innocent plaisir de considérer les raisons vraisemblables de ce qui naît, on se ménage dans la vie un amusement modéré et sage. C'est à cet amusement que nous venons de nous livrer et nous allons continuer à exposer sur les mêmes sujets une suite d'opinions vraisemblables. L'eau mêlée de feu, qui est fine et liquide à cause de sa mobilité et du chemin qu'elle parcourt en roulant sur le sol, ce qui lui vaut ce nom de liquide, et qui, d'autre part, est molle, parce que ses bases, moins stables que celles de la terre, cèdent facilement, cette eau vient-elle à se séparer du feu et de l'air et à rester seule, elle devient plus homogène et se resserre sur elle-même à la suite de la sortie de ces deux corps, et, ainsi condensée, devient de la grêle, si c'est surtout au-dessus de la terre qu'elle éprouve ce changement, et de la glace, s'il a lieu à la surface de la terre. Si le changement est incomplet et qu'elle ne soit encore congelée qu'à demi, au-dessus de la terre elle prend le nom de neige, et de gelée blanche, si elle se forme de la rosée à la surface de la terre.

La plupart des formes d'eau mélangées les unes aux autres, et distillées à travers les plantes que produit la terre, ont reçu le nom général de sucs. Ces sucs, diversifiés par les mélanges dont ils sont les produits, ont fourni un grand nombre d'espèces qui n'ont pas de nom. Mais quatre espèces, contenant du feu et particulièrement limpides, ont reçu des noms. Parmi celles-ci, celle qui réchauffe l'âme en même temps que le corps est le vin. Celle qui est lisse et divise le courant visuel et qui, à cause de cela, paraît brillante, luisante et grasse à la vue est l'espèce huileuse, poix, huile de ricin, huile proprement dite et tous les autres sucs doués des mêmes propriétés. Celle qui dilate, autant que la nature le comporte, les pores contractés de la bouche et produit, grâce à cette propriété, une sensation de douceur a reçu généralement le nom de miel. Enfin celle qui dissout la chair en la brûlant, sorte d'écume distincte de tous les autres sucs, a été appelée verjus [122].

Quant aux espèces de terre, celle qui s'est purifiée en traversant de l'eau, devient un corps pierreux de la manière que je vais dire. Lorsque l'eau qui s'y trouve mêlée se divise dans le mélange, elle prend la forme de l'air et l'air ainsi produit s'élève vers le lieu qui lui est propre. Mais, comme il n'y a point de vide au-dessus d'eux, cet air-là pousse l'air voisin. Celui-ci, qui est pesant, lorsque, sous la poussée, il s'est répandu autour de la masse de terre, la presse violemment et la pousse dans les places d'où est sorti l'air nouvellement formé. Alors la terre, comprimée par l'air de manière que l'eau ne peut la dissoudre, forme une pierre, la plus belle étant la pierre transparente formée de parties égales et homogènes, la plus laide celle qui a les qualités contraires. L'espèce qui, sous la rapide action du feu, a été dépouillée de toute son humidité et qui forme un corps plus cassant que la précédente est celle qu'on nomme terre à potier. Parfois la terre, gardant de l'humidité, se liquéfie sous l'action du feu et devient en se refroidissant une pierre de couleur noire [123]. Deux autres substances qui, à la suite du mélange, ont de même perdu une grande quantité d'eau, mais ont des particules de terre plus fine et un goût salin, deviennent demi-solides et solubles de nouveau par l'eau. La première, qui sert à enlever les taches d'huile et de poussière, est la soude; la deuxième, qui s'harmonise agréablement dans les combinaisons faites pour flatter le palais, est le sel qui, aux termes de la loi [124], est une offrande agréable aux dieux. Quant aux composés de ces deux corps, qui sont solubles par le feu, mais non par l'eau, voici comment et pour quelle raison ils se condensent. Ni le feu ni l'air ne peuvent dissoudre des masses de terre, parce que leurs particules, étant naturellement plus petites que les interstices de la structure de la terre, trouvent de nombreux et larges passages où ils se frayent un chemin sans violence, et la laissent sans la dissoudre ni la fondre. Les particules de l'eau étant, au contraire, plus grandes, s'ouvrent un passage par la force et divisent et dissolvent la terre. Quand la terre n'est pas condensée violemment, l'eau à elle seule peut la dissoudre ainsi; si elle l'est, rien ne peut la dissoudre, sauf le feu; car rien n'y peut plus entrer que lui. A son tour, l'eau, sous une compression très violente, n'est dissoute que par le feu; sous une compression plus faible, elle l'est à la fois par le feu et par l'air, l'un passant par ses interstices, l'autre par ses triangles aussi. Pour l'air condensé par force, rien ne peut le dissoudre, si ce n'est en divisant ses éléments; s'il n'a pas été violenté, il n'est soluble que par le feu. Pour les corps mêlés de terre et d'eau, tant que l'eau y occupe les interstices de la terre et les comprime violemment, les parties d'eau qui viennent du dehors, ne trouvant pas d'entrée, coulent tout autour de la masse et la laissent sans la dissoudre. Au contraire, les particules de feu pénètrent dans les interstices de l'eau, car le feu agit sur l'eau comme l'eau sur la terre, et elles sont les seules causes qui fassent fondre et couler le corps composé de terre et d'eau. Parmi ces composés, il arrive que les uns contiennent moins d'eau que de terre : ce sont toutes les espèces de verre et toutes celles de pierres qu'on appelle fusibles; et que les autres contiennent plus d'eau : ce sont toutes les substances solides de la nature de la cire et de l'encens.

Nous avons à peu près expliqué les variétés qui résultent des figures, des combinaisons et des transformations mutuelles des corps. Il faut maintenant essayer de faire voir les causes des impressions qu'ils font sur nous. D'abord, quels que soient les objets dont on parle, il faut qu'ils provoquent une sensation. Mais nous n'avons pas encore exposé l'origine de la chair et de ce qui a rapport à la chair, ni de la partie mortelle de l'âme. Or il se trouve qu'on ne peut en parler convenablement sans traiter des impressions sensibles, ni de celles-ci sans traiter du corps et de l'âme, et que traiter des deux choses à la fois est à peu près impossible. Il faut donc admettre l'une des deux comme démontrée, et revenir plus tard à celle que nous aurons admise. Présupposons donc ce qui regarde le corps et l'âme, afin de traiter des impressions immédiatement après les espèces qui les produisent.

En premier lieu, pourquoi disons-nous que le feu est chaud ? Pour étudier la question, observons l'action tranchante et coupante du feu sur nos corps. Que l'impression qu'il cause soit quelque chose d'acéré, j'imagine que nous le sentons tous. Pour nous rendre compte de la finesse de ses arêtes, de l'acuité de ses angles, de la petitesse de ses parties, de la rapidité de son mouvement, toutes propriétés qui le rendent violent et tranchant et grâce auxquelles il coupe vivement tout ce qu'il rencontre, il faut nous remémorer comment sa figure s'est formée, et nous verrons que sa nature est plus capable que toute autre de diviser et de réduire les corps en menus morceaux, et que c'est elle qui a naturellement donné à ce que nous appelons chaud son impression sensible et son nom.

L'impression contraire à celle de la chaleur est assez claire : néanmoins nous ne laisserons pas d'en parler. Des liquides qui entourent notre corps, ceux qui ont les particules les plus grandes, pénétrant en lui, refoulent ceux qui ont les particules les plus petites; mais comme ils ne peuvent se glisser à leurs places, ils compriment l'humidité qui est en nous et, d'hétérogène et mobile qu'elle était, ils la rendent immobile en la faisant homogène, et la coagulent en la comprimant. Mais un corps comprimé contrairement à sa nature se défend naturellement en se poussant lui-même en sens contraire. A cette lutte et à ces secousses on a donné le nom de tremblement et de frisson, et l'ensemble de ces impressions et l'agent qui les produit ont reçu celui de froid.

Dur est le terme appliqué aux objets auxquels notre chair cède, et mou indique ceux qui cèdent à notre chair, et les mêmes termes s'appliquent aux objets à l'égard les uns des autres. Ceux-là cèdent qui reposent sur une petite base; au contraire, ceux qui ont des bases quadrangulaires et sont par là solidement assis forment l'espèce la plus résistante, et il faut y comprendre tout ce qui, étant d'une composition très dense, est très rigide.

Pour le lourd et le léger, c'est en les considérant en même temps que la nature de ce qu'on appelle le haut et le bas qu'on les expliquera le plus clairement. Qu'il y ait naturellement deux régions opposées qui partagent l'univers en deux, l'une étant le bas, vers lequel tombe tout ce qui a une certaine masse corporelle, et l'autre le haut, où rien ne s'élève que par force, c'est une erreur complète de le croire. En effet, le ciel étant complètement sphérique, tous les points qui, étant à égale distance du centre, sont ses extrémités sont tous pareils en tant qu'extrémités, et le centre, distant dans la même mesure de tous les points extrêmes, doit être conçu comme opposé à eux tous. Le monde étant ainsi disposé, quel est celui des points en question qu'on peut mettre en haut ou en bas, sans être justement blâmé de lui imposer un nom tout à fait impropre ? S'agit-il du lieu qui est au milieu du monde, il n'est pas juste de dire qu'il est naturellement bas ou haut, il en est simplement le centre. Quant au lieu qui l'entoure, il n'est pas le centre et ne contient aucune partie qui soit différente d'une autre et plus près du centre que l'une quelconque des parties à l'opposite. Or comment peut-on appliquer des noms contraires à ce qui est exactement de même nature, et comment croire qu'alors on parle juste ? Supposons, en effet, qu'il y ait un corps solide en équilibre au centre de l'univers : il ne se porterait jamais à aucune des extrémités à cause de leur parfaite similitude. Supposons encore que quelqu'un fasse le tour de ce corps : il se trouverait souvent antipode de lui-même et il appellerait bas et haut le même point de ce corps. Puisque, comme nous venons de le dire, le tout est sphérique, il n'y a pas de raison d'appeler tel endroit bas, tel autre haut.

D'où viennent donc ces dénominations et à quoi s'appliquent-elles dans la réalité pour que nous en ayons pris l'habitude de diviser ainsi tout le ciel lui-même et d'en parler en ces termes ? Voilà sur quoi il faut nous mettre d'accord en partant de la supposition suivante. Imaginons un homme placé dans la région de l'univers spécialement assignée au feu et où se trouve la masse principale vers laquelle il se porte, et supposons qu'ayant pouvoir sur elle, il détache des parties du feu et les pèse, en les mettant sur les plateaux d'une balance, puis que, soulevant le fléau, il tire le feu de force dans l'air, élément de nature différente, il est évident qu'une petite partie cédera plus facilement qu'une grande à la violence. Car, lorsque deux corps sont soulevés en même temps par la même force, nécessairement le plus petit cède plus facilement à la contrainte, tandis que le plus grand résiste et cède plus difficilement. On dit alors que l'un est lourd et se porte vers le bas, et que le petit est léger et se porte vers le haut. Or il faut constater que c'est précisément ainsi que nous agissons dans le lieu où nous sommes. Placés à la surface de la terre, quand nous mettons dans une balance des substances terrestres et parfois de la terre pure, nous les tirons vers l'air, élément différent, par force et contrairement à leur nature; alors chacune des deux substances pesées tend à rejoindre sa parente; mais la plus petite cède plus facilement que la plus grande et suit la première la force qui la jette dans un élément étranger. Aussi l'avons-nous appelée légère, et nous appelons haut le lieu où nous la poussons de force;

dans le cas contraire, nous employons le nom de pesant et de bas. En conséquence, les positions des choses diffèrent entre elles, parce que les masses principales des espèces occupent des régions opposées l'une à l'autre. Si en effet l'on compare ce qui est léger ou pesant, ou haut ou bas dans une région avec ce qui est léger ou pesant, ou haut ou bas dans la région opposée, on trouvera que tous ces objets prennent ou ont une direction opposée, ou oblique, ou entièrement différente les uns par rapport aux autres. La seule chose qu'il faut retenir de tout cela, c'est que c'est la tendance de chaque chose vers l'espèce dont elle est parente qui rend lourd un objet en mouvement, et bas, le lieu vers lequel il se porte, tandis que les conditions opposées produisent les résultats contraires. Telles sont les causes que nous assignons à ces phénomènes.

Pour les impressions de lisse et de rugueux, chacun, je pense, est à même d'en apercevoir la cause et de l'expliquer à autrui. C'est la dureté unie à l'inégalité des parties qui produit l'un, et l'égalité des parties unie à la densité qui produit l'autre.

En ce qui concerne les impressions communes à tout le corps, il nous reste à voir, et c'est le point le plus important, la cause des plaisirs et des douleurs attachés aux affections des sens que nous avons passées en revue, et toutes les impressions qui, traversant les parties du corps, arrivent jusqu'à la sensation, portant en elles à la fois des peines et des plaisirs inhérents à cette sensation [125]. Mais pour saisir les causes de toute impression, sensible ou non, il faut commencer par nous rappeler la distinction que nous avons faite précédemment entre la nature facile à mouvoir et celle qui se meut difficilement; car c'est par cette voie qu'il faut poursuivre tout ce que nous voulons saisir. Lorsqu'un organe naturellement facile à mouvoir vient à recevoir une impression, même légère, il la transmet tout autour de lui, chaque partie la passant identiquement à l'autre, jusqu'à ce qu'elle arrive à la conscience et lui annonce la qualité de l'agent. Mais si l'organe est de nature contraire, s'il est stable et ne produit aucune transmission circulaire, il subit simplement l'impression, sans mettre aucune partie voisine en mouvement. Il en résulte que, les parties ne se transmettant pas les unes aux autres l'impression première, qui reste en elles sans passer dans l'animal entier, le sujet n'en a pas la sensation. C'est ce qui arrive pour les os, les cheveux et toutes les autres parties qui sont principalement composées de terre, tandis que les phénomènes dont nous avons parlé d'abord ont lieu surtout pour la vue et l'ouïe, parce que le feu et l'air ont ici une importance capitale. Quant au plaisir et à la douleur, voici l'idée qu'il en faut prendre : toute impression contre nature et violente qui se produit tout d'un coup est douloureuse, tandis que le retour subit à l'état normal est agréable. Toute impression douce et graduelle est insensible, et l'impression contraire a des effets contraires. L'impression qui se produit avec aisance est sensible au plus haut degré, mais ne comporte ni douleur ni plaisir. Telles sont les impressions qui se rapportent au rayon visuel lui-même, qui, nous l'avons dit plus haut, forme pendant le jour un corps intimement uni au nôtre. Ni coupures, ni brûlures, ni aucune autre affection ne lui font éprouver aucune douleur, et il ne ressent pas non plus de plaisir en revenant à sa forme primitive, bien qu'il nous donne des perceptions très vives et très claires, selon les impressions qu'il subit et les corps qu'il peut rencontrer et toucher lui-même. C'est qu'il n'y a pas du tout de violence dans sa division ni dans sa concentration. Au contraire, les corps composés de plus grosses parties, cédant avec peine à l'agent qui agit sur eux et transmettant l'impulsion reçue à l'animal tout entier, déterminent des plaisirs et des peines, des peines quand ils éprouvent une altération, des plaisirs quand ils reviennent à leur état normal. Tous les organes qui perdent de leur substance et se vident graduellement, mais qui se remplissent tout d'un coup et abondamment, sont insensibles à l'évacuation, mais deviennent sensibles à la réplétion; aussi ne causent-ils point de douleurs à la partie mortelle de l'âme, mais ils lui procurent de grands plaisirs. C'est ce qui paraît manifestement à propos des bonnes odeurs. Mais quand les organes s'altèrent tout d'un coup et reviennent à leur premier état petit à petit et avec peine, ils donnent toujours des impressions contraires aux précédentes, comme on peut le voir dans les brûlures et les coupures du corps.

Nous avons à peu près expliqué les affections communes à tout le corps et les noms qui ont été donnés aux agents qui les produisent. Il faut essayer maintenant d'expliquer, si tant est que nous en soyons capables, les affections qui se produisent dans les parties spéciales de notre corps et aussi les causes qui les font naître.

Il faut en premier lieu mettre en lumière du mieux que nous pourrons ce que nous avons omis ci-dessus en parlant des saveurs, à savoir les impressions propres à la langue. Or ces impressions, comme la plupart des autres, paraissent résulter de certaines contractions et de certaines divisions, mais aussi dépendre plus que les autres des qualités rugueuses ou lisses du corps. En effet, toutes les fois que des particules terreuses, entrant dans les petites veines qui s'étendent jusqu'au cœur [126] et qui servent à la langue pour apprécier les saveurs, viennent en contact avec les portions humides et molles de la chair, et s'y liquéfient, elles contractent les petites veines et les dessèchent, et nous paraissent âpres, si elles sont plus rugueuses, aigres, si elles le sont moins.

Les substances qui rincent ces petites veines et nettoient

toute la région de la langue, quand leur effet est trop actif et qu'elles attaquent la langue au point d'en dissoudre une partie, comme le fait le nitre, toutes ces substances sont alors appelées piquantes. Mais celles dont l'action est plus faible que celle du nitre et qui sont modérément détergentes sont salées sans être piquantes ni rugueuses et nous paraissent plus amies.

Celles qui, absorbant la chaleur de la bouche et lissées par elle, y deviennent brûlantes et brûlent à leur tour l'organe qui les a échauffées, se portent en haut, en vertu de leur légèreté, vers les sens de la tête, coupent tout ce qu'elles rencontrent, et ces propriétés ont fait appeler âcres toutes les substances de cette sorte.

Il arrive aussi que les particules amincies par la putréfaction et pénétrant dans les veines étroites y rencontrent des parties de terre et d'air d'une grosseur proportionnée à la leur et qu'en les poussant les unes autour des autres, elles les mélangent, puis que ces parties mélangées se heurtent et, se glissant les unes dans les autres, produisent des creux, en s'étendant autour des particules qui y pénètrent. Alors un liquide creux, tantôt terreux, tantôt pur, s'étendant autour de l'air, il se forme des vaisseaux humides d'air et des masses liquides creuses et sphériques; les unes, composées d'eau pure et formant un enclos transparent, sont appelées bulles; les autres, composées d'une humidité terreuse qui s'agite et s'élève, sont désignées sous le nom d'ébullition et de fermentation, et l'on appelle acide ce qui produit ces phénomènes.

Une affection contraire à toutes celles qui viennent d'être décrites est produite par une cause contraire. Lorsque la structure des particules qui entrent dans les liquides est naturellement conforme à l'état de la langue, elles oignent et lissent ses aspérités, elles contractent ou relâchent les parties anormalement dilatées ou resserrées et rétablissent toutes choses, autant que possible, dans leur état normal. Ce remède des affections violentes, toujours agréable et bienvenu, est ce qu'on appelle le doux. C'est ainsi que nous expliquons ces sensations.

En ce qui regarde la propriété des narines, il n'y a pas d'espèces définies. Une odeur, en effet, n'est jamais qu'une chose à demi formée, et aucun type de figure n'a les proportions nécessaires pour avoir une odeur. Les veines qui servent à l'odorat ont une structure trop étroite pour les espèces de terre et d'eau, trop large pour celles de feu et d'air. Aussi personne n'a jamais perçu l'odeur d'aucun de ces corps; les odeurs ne naissent que des substances en train de se mouiller, de se putréfier, de se liquéfier ou de s'évaporer. C'est quand l'eau se change en air et l'air en eau que l'odeur se produit dans le milieu de ces changements, et toute odeur est fumée ou brouillard, quand l'air est en train de se transformer en eau, fumée, quand c'est l'eau qui se change en air. De là vient que toutes les odeurs sont plus fines que l'eau et plus épaisses que l'air. On se rend bien compte de leur nature quand, le passage de la respiration se trouvant obstrué, on aspire le souffle de force; en ce cas, aucune odeur ne filtre, et le souffle vient seul dénué de toute odeur. En conséquence, les variétés d'odeurs se répartissent en deux types qui n'ont pas de noms, parce qu'elles dérivent de formes qui ne sont ni nombreuses ni simples. La seule distinction nette qui soit entre elles est celle du plaisir et de la peine qu'elles causent : l'une irrite et violente toute la cavité qui est en nous entre le sommet de la tête et le nombril; l'autre lénifie cette même cavité et la ramène agréablement à son état naturel.

Nous avons à considérer maintenant le troisième organe de sensation qui est en nous et à expliquer les raisons de ses affections. D'une manière générale, nous pouvons définir le son comme un coup donné par l'air à travers les oreilles au cerveau et au sang et arrivant jusqu'à l'âme. Le mouvement qui s'ensuit, lequel commence à la tête et se termine dans la région du foie, est l'ouïe. Ce mouvement est-il rapide, le son est aigu; s'il est plus lent, le son est plus grave; s'il est uniforme, le son est égal et doux; il est rude dans le cas contraire [127]; il est fort grand, lorsque le mouvement est grand, et faible, s'il est petit. Quant à l'accord des sons entre eux, c'est une question qu'il nous faudra traiter plus tard.

Il reste encore une quatrième espèce de sensations qui se produisent en nous et qu'il faut diviser, parce qu'elle embrasse de nombreuses variétés, que nous appelons du nom général de couleurs. C'est une flamme qui s'échappe des différents corps et dont les parties sont proportionnées à la vue de manière à produire une sensation. Nous avons expliqué précédemment les causes et l'origine de la vision. Maintenant il est naturel et convenable de donner une explication raisonnable des couleurs. Parmi les particules qui se détachent des autres corps et qui viennent frapper la vue, les unes sont plus petites, les autres plus grandes que celles du rayon visuel lui-même, et les autres de même dimension [128]. Ces dernières ne produisent pas de sensation : ce sont celles que nous appelons transparentes. Les plus grandes et les plus petites, dont les unes contractent et les autres dilatent le rayon visuel, sont analogues aux particules chaudes et froides qui affectent la chair et aux particules astringentes qui affectent la langue et aux particules brûlantes que nous avons appelées piquantes. Ce sont les particules blanches et noires, dont l'action est identique à celle du froid et du chaud, mais dans un genre différent, et qui pour ces raisons se montrent sous un aspect différent. En conséquence, voici les noms qu'il faut leur donner : celui de blanc à ce qui dilate le rayon visuel, celui de noir à ce qui produit l'effet contraire. Lorsqu'une autre sorte de feu qui se meut plus rapidement heurte le rayon visuel et le dilate jusqu'aux yeux, dont il divise violemment et dissout les ouvertures, et en fait couler tout d'un coup du feu et de l'eau que nous appelons larme; lorsque ce mouvement qui est lui-même du feu s'avance à leur rencontre, et que le feu jaillit au-dehors comme d'un éclair, tandis que l'autre feu entre et s'éteint dans l'humidité, alors des couleurs de toute sorte naissent dans le mélange. Nous appelons éblouissement l'impression éprouvée et nous donnons à ce qui la produit le nom de brillant et d'éclatant.

Il y a aussi la variété de feu intermédiaire entre ces deux-là; elle arrive jusqu'à l'humidité des yeux et s'y mêle, mais n'a point d'éclat. Le rayonnement du feu au travers de l'humidité à laquelle il se mêle produit une couleur de sang, que nous appelons rouge. Le brillant, mêlé au rouge et au blanc, devient jaune. Quant à la proportion de ces mélanges, la connût-on, il ne serait pas sage de la dire, puisqu'on n'en saurait donner la raison nécessaire ni la raison probable d'une manière satisfaisante. Le rouge mélangé au noir et au blanc produit le pourpre, et le violet foncé, quand ces couleurs mélangées sont plus complètement brûlées et qu'on y mêle du noir. Le roux naît du mélange du jaune et du gris, le gris du mélange du blanc et du noir, et l'ocre du mélange du blanc avec le jaune. Le blanc uni au jaune et tombant dans du noir saturé donne une couleur bleu foncé; le bleu foncé mêlé au blanc donne le pers, et le roux mêlé au noir, le vert. Quant aux autres couleurs, ces exemples font assez bien voir par quels mélanges on devrait en expliquer la reproduction pour garder la vraisemblance. Mais tenter de soumettre ces faits à l'épreuve de l'expérience serait méconnaître la différence de la nature humaine et de la nature divine. Et en effet Dieu seul est assez intelligent et assez puissant pour mêler plusieurs choses en une seule et, au rebours, dissoudre une seule chose en plusieurs, tandis qu'aucun homme n'est capable à présent et ne le sera jamais à l'avenir de réaliser aucune de ces deux opérations.

Toutes ces choses ainsi constituées primitivement suivant la nécessité, l'artisan de la plus belle et de la meilleure des choses qui naissent les a prises, quand il a créé le dieu qui se suffit à lui-même et qui est le plus parfait. Il s'est servi des causes de cet ordre comme d'auxiliaires, tandis que lui-même façonnait le bien dans toutes les choses engendrées. C'est pourquoi il faut distinguer deux espèces de causes, l'une nécessaire et l'autre divine, et rechercher en tout la divine, pour nous procurer une vie heureuse dans la mesure que comporte notre nature, et la nécessaire en vue de la première, nous disant que, sans la nécessaire, il est impossible de concevoir isolément les objets que nous étudions, ni de les comprendre, ni d'y avoir part de quelque autre manière.

A présent donc que, comme des charpentiers, nous avons à pied d'œuvre, entièrement triés, les matériaux dont il nous faut composer le reste de notre exposé, reprenons brièvement ce que nous avons dit en commençant et revenons vite au même point d'où nous sommes parvenus ici, et tâchons de finir notre histoire en lui donnant un couronnement en rapport avec ce qui précède. Or, ainsi qu'il a été dit au commencement, tout était en désordre, quand Dieu introduisit des proportions en toutes choses, à la fois relativement à elles-mêmes et les unes à l'égard des autres, dans toute la mesure et de toutes les façons qu'elles admettaient la proportion et la symétrie. Car jusqu'alors aucune chose n'y avait part, sauf par accident, et, parmi les choses qui ont des noms aujourd'hui, il n'y en avait absolument aucune digne de mention qui eût un nom, tel que le feu, l'eau ou tout autre élément. Mais tout cela, c'est Dieu qui l'ordonna d'abord et qui en forma ensuite cet univers, animal unique, qui contient en lui-même toutes les créatures vivantes et immortelles. Des animaux divins, c'est lui-même qui en fut l'artisan; mais pour les animaux mortels, il chargea ses propres enfants de les engendrer.

Ceux-ci prirent modèle sur lui, et, quand ils en eurent reçu le principe immortel de l'âme, ils façonnèrent ensuite autour de l'âme un corps mortel et lui donnèrent pour véhicule le corps tout entier, puis, dans ce même corps, ils construisirent en outre une autre espèce d'âme, l'âme mortelle, qui contient en elle des passions redoutables et fatales, d'abord le plaisir, le plus grand appât du mal, ensuite les douleurs qui mettent les biens en déroute, en outre la témérité et la crainte, deux conseillères imprudentes, puis la colère difficile à calmer et l'espérance facile à duper. Alors mêlant ces passions avec la sensation irrationnelle et l'amour qui ose tout, ils composèrent suivant la loi de la nécessité la race mortelle. Aussi, comme ils craignaient de souiller le principe divin, sauf le cas d'une nécessité absolue, ils logèrent le principe mortel, à l'écart du divin, dans une autre chambre du corps. Ils bâtirent, à cet effet, un isthme et une limite entre la tête et la poitrine, et mirent entre eux le cou, afin de les maintenir séparés. C'est dans la poitrine et dans ce qu'on appelle le tronc qu'ils enchaînèrent le genre mortel de l'âme. Et, parce qu'une partie de l'âme est naturellement meilleure et l'autre pire, ils firent deux logements dans la cavité du thorax, en le divisant, comme on sépare l'appartement des femmes de celui des hommes, et ils mirent le diaphragme entre eux comme une cloison. La partie de l'âme qui participe du courage et de la colère, qui désire la victoire, fut logée par eux plus près de la tête, entre le diaphragme et le cou, afin qu'elle fût à portée d'entendre la raison et se joignît à elle pour contenir de force la tribu des désirs, quand ils refusent de se soumettre de plein gré aux prescriptions que la raison leur envoie du haut de sa citadelle.

Quant au cœur, nœud des veines et source du sang [129], qui circule avec force dans tous les membres, ils le placèrent au corps de garde, afin que, lorsque la partie courageuse bouillirait de colère à l'annonce faite par la raison que les membres sont en butte à quelque injustice causée du dehors ou par les désirs intérieurs, chaque organe des sens dans le corps pût rapidement percevoir par tous les canaux les commandements et les menaces de la raison, leur obéir et s'y conformer exactement, et permettre ainsi à la partie la plus noble de commander à eux tous. En outre, pour remédier aux battements du cœur, dans l'appréhension du danger et dans l'éveil de la colère, les dieux, sachant que c'est par le feu que devait se produire ce gonflement des parties irritées, imaginèrent de greffer sur lui le tissu du poumon, qui est mou et dépourvu de sang [130] et qui, en outre, contient en lui des cavités percées comme celles d'une éponge, afin que, recevant l'air et la boisson, il rafraîchît le cœur et lui procurât du relâche et du soulagement, dans la chaleur dont il est brûlé. C'est pour cela qu'ils conduisirent les canaux de la trachée-artère jusqu'au poumon et qu'ils le placèrent autour du cœur comme un tampon, afin que le cœur, quand la colère atteint en lui son paroxysme, battant contre un objet qui lui cède en le rafraîchissant, fût moins fatigué et servît mieux la raison de concert avec le principe irascible.

Pour la partie de l'âme qui a l'appétit du manger et du boire et de tout ce que la nature du corps lui rend nécessaire, les dieux l'ont logée dans l'intervalle qui s'étend entre le diaphragme et le nombril, et ont construit dans tout cet espace une sorte de mangeoire pour la nourriture du corps, et ils ont enchaîné là cette partie, comme une bête sauvage, mais qu'il faut nourrir à l'attache, si l'on veut qu'il existe une race mortelle. C'est donc pour que, paissant toujours à sa mangeoire et logée le plus loin possible de la partie qui délibère, elle causât le moins de trouble et de bruit et laissât la partie meilleure délibérer en paix sur les intérêts communs à tous et à chacun, c'est pour cela que les dieux l'ont reléguée à cette place. Et parce qu'ils savaient qu'elle ne comprendrait pas la raison et que, même si elle en avait d'une manière ou d'une autre quelque sensation, il n'était pas dans sa nature de s'inquiéter des raisons, et que jour et nuit elle serait surtout séduite par des images et des fantômes, les dieux, pour remédier à ce mal, composèrent la forme du foie et la placèrent dans la demeure où elle est. Ils firent le foie compact, lisse, brillant et doux et amer à la fois, afin que la puissance des pensées qui jaillissent de l'intelligence allât s'y réfléchir comme sur un miroir qui reçoit des empreintes et produit des images visibles. Elle pourrait ainsi faire peur à l'âme appétitive, lorsque, faisant usage d'une partie de l'amertume qui lui est congénère, elle se présente, terrible et menaçante, et que, la mêlant vivement à travers tout le foie, elle y fait apparaître des couleurs bilieuses, qu'en le contractant, elle le rend tout entier ridé et rugueux, et qu'en courbant et ratatinant le lobe qui était droit et en obstruant et fermant les réservoirs et les portes du foie, elle cause des douleurs et des nausées. Mais, lorsqu'un souffle doux, venu de l'intelligence, peint sur le foie des images contraires et apaise son amertume, en évitant d'agiter et de toucher ce qui est contraire à sa propre nature, lorsqu'il se sert pour agir sur l'âme appétitive d'une douceur de même nature que celle du foie, qu'il restitue à toutes ses parties leur attitude droite, leur poli et leur liberté, il rend joyeuse et sereine la partie de l'âme logée autour du foie et lui fait passer honorablement la nuit en la rendant capable d'user, pendant le sommeil, de la divination [131], parce qu'elle ne participe ni à la raison ni à la sagesse.

C'est ainsi que ceux qui nous ont formés, fidèles à l'ordre de leur père, qui leur avait enjoint de rendre la race mortelle aussi parfaite qu'ils le pourraient, améliorèrent même cette pauvre partie de notre être en y mettant l'organe de la divination, pour qu'elle pût toucher en quelque manière à la vérité. Ce qui montre bien que Dieu a donné la divination à l'homme pour suppléer à la raison, c'est qu'aucun homme dans son bon sens n'atteint à une divination inspirée et véridique; il ne le peut que pendant le sommeil, qui entrave la puissance de l'esprit, ou quand sa raison est égarée par la maladie ou l'enthousiasme. C'est à l'homme dans son bon sens qu'il appartient de se rappeler et de méditer les paroles prononcées en songe ou dans l'état de veille par la puissance divinatoire ou par l'enthousiasme, de soumettre à l'épreuve du raisonnement toutes les visions aperçues et de chercher comment et à qui elles annoncent un mal ou un bien futur, passé ou présent. Mais quand un homme est dans le délire et qu'il n'en est pas encore revenu, ce n'est pas à lui à juger ses propres visions et ses propres paroles et le vieux dicton a raison qui affirme qu'il n'appartient qu'au sage de faire ses propres affaires et de se connaître soi-même. C'est pourquoi la loi a institué la race des prophètes pour juger les prédictions inspirées par les dieux. On leur donne parfois le nom de devins : c'est ignorer totalement qu'ils sont des interprètes des paroles et des visions mystérieuses, mais non pas des devins : le nom qui leur convient le mieux est celui de prophètes des choses révélées par la divination [132].

Voilà pour quelle raison le foie a la nature et la place que nous disons; c'est pour la divination. Ajoutons que c'est dans le corps vivant qu'il donne les signes les plus clairs. Privé de la vie, il devient aveugle et ses oracles sont trop obscurs pour avoir une signification précise. Quant au viscère voisin, il a été fabriqué et placé à gauche en vue du foie, pour le tenir toujours brillant et pur, comme une éponge disposée en vue du miroir et toujours prête pour l'essuyer. C'est pourquoi, lorsque des impuretés s'amassent autour du foie par suite des maladies du corps, la substance poreuse de la rate les absorbe et les nettoie, parce qu'elle est tissée d'une matière creuse et exsangue. Il s'ensuit que, lorsqu'elle se remplit de ces rebuts, elle grossit et s'envenime, et qu'au rebours, quand le corps est purgé, elle se réduit et retombe à son volume normal [133].

En ce qui regarde l'âme, ce qu'elle a de mortel et ce qu'elle a de divin, comment, en quelle compagnie et pour quelle raison ses deux parties ont été logées séparément, avons-nous dit la vérité ? Pour l'affirmer, il faudrait que Dieu confirmât notre dire. Mais que nous ayons dit ce qui est vraisemblable, dès à présent et après un examen encore plus approfondi, nous pouvons nous hasarder à l'affirmer. Affirmons-le donc. Maintenant il faut poursuivre de la même façon la suite de notre sujet, c'est-à-dire la formation du reste du corps. Voici d'après quel raisonnement il conviendrait surtout de l'expliquer. Les auteurs de notre espèce avaient prévu quelle serait notre intempérance à l'égard du boire et du manger et que, par gourmandise, nous consommerions beaucoup plus que la mesure et le besoin ne l'exigeraient. Aussi, pour éviter que les maladies ne détruisissent rapidement la race mortelle et qu'elle ne finît tout de suite, avant d'atteindre sa perfection, les dieux prévoyants disposèrent ce qu'on appelle le bas-ventre pour servir de réceptacle au surplus de la boisson et de la nourriture, et ils y enroulèrent les intestins sur eux-mêmes, de peur que la nourriture, en passant rapidement, ne forçât le corps à réclamer rapidement aussi d'autres aliments, et, le rendant insatiable, n'empêchât toute l'espèce humaine de cultiver la philosophie et les muses et d'obéir à la partie la plus divine qui soit en nous.

Pour les os, les chairs et toutes les substances de cette sorte, voici comment les choses se passèrent. Toutes ont leur origine dans la génération de la moelle; car c'est dans la moelle que les liens de la vie, puisque l'âme est liée au corps, ont été fixés et ont enraciné la race mortelle; mais la moelle elle-même a été engendrée d'autres éléments. Dieu prit les triangles primitifs réguliers et polis, qui étaient les plus propres à produire avec exactitude le feu, l'eau, l'air et la terre; il sépara chacun d'eux de son propre genre, les mêla les uns aux autres en due proportion, et en fit la moelle, préparant ainsi la semence universelle de toute espèce mortelle. Puis il y implanta et y attacha les diverses espèces d'âmes, et au moment même de cette répartition originelle, il divisa la moelle elle-même en autant de sortes de figures que chaque espèce devait en recevoir. Une partie devait, comme un champ fertile, recevoir en elle la semence divine; il la fit exactement ronde et il donna à cette partie de la moelle le nom d'encéphale, dans la pensée que, lorsque chaque animal serait achevé, le vase qui la contiendrait serait la tête. L'autre partie, qui devait contenir l'élément mortel de l'âme, il la divisa en figures à la fois rondes et allongées et il les désigna toutes sous le nom de moelle. Il y attacha, comme à des ancres, les liens de l'âme entière, puis construisit l'ensemble de notre corps autour de la moelle, qu'il avait au préalable enveloppée tout entière d'un tégument osseux.

Il composa les os de cette façon : ayant passé au crible de la terre pure et lisse, il la délaya et la mouilla avec de la moelle, puis la mit au feu, ensuite la plongea dans l'eau, et derechef la remit au feu, puis dans l'eau, et, la faisant passer ainsi à plusieurs reprises dans l'un et l'autre élément, la rendit insoluble à tous les deux. Alors il s'en servit pour façonner autour du cerveau de l'animal une sphère osseuse, dans laquelle il laissa une étroite ouverture. Puis, autour de la moelle du cou et du dos, il façonna des vertèbres, qu'il fixa pour la soutenir, comme des pivots, à partir de la tête jusqu'à l'extrémité du tronc. Ainsi, pour protéger toute la semence, il l'enferma dans une enveloppe pierreuse, à laquelle il mit des articulations, utilisant en cela la nature de l'Autre, comme une puissance insérée entre elles, pour permettre les mouvements et les flexions. Considérant d'autre part que la contexture de la substance osseuse était plus sèche et plus raide qu'il ne convenait et aussi que, si elle devenait très chaude ou au contraire se refroidissait, elle se carierait et corromprait vite la semence qu'elle contient, pour ces raisons, il imagina l'espèce des nerfs et de la chair, de manière qu'en liant tous les membres ensemble avec les nerfs qui se tendent et se relâchent autour de leurs pivots, il rendît le corps flexible et extensible, tandis que la chair devait être un rempart contre la chaleur et une protection contre le froid, et aussi contre les chutes, parce qu'elle cède au choc des corps mollement et doucement, à la façon d'un vêtement rembourré de feutre. De plus, comme elle contient en elle une humeur chaude, elle devait en été, en transpirant et se répandant au-dehors, procurer à tout le corps une fraîcheur naturelle, et, au rebours, pendant l'hiver, le défendre suffisamment, grâce à son feu, contre le froid qui l'assaille du dehors et l'enveloppe.

C'est dans cette intention que celui qui nous modela, ayant fait un harmonieux mélange d'eau, de feu et de terre, y ajouta un levain formé d'acide et de sel, et composa ainsi la chair, qui est molle et pleine de suc. Pour les nerfs, il les composa d'un mélange d'os et de chair sans levain, tirant de ces deux substances une seule substance intermédiaire en qualité, et il se servit de la couleur jaune pour la colorer. De là vient que les nerfs sont d'une nature plus ferme et plus visqueuse que les chairs et plus molle et plus flexible que les os. Dieu s'en servit pour envelopper les os et la moelle, liant les os l'un à l'autre au moyen des nerfs [134], puis il recouvrit le tout d'une enveloppe de chairs. A ceux des os qui renfermaient le plus d'âme il donna la plus mince enveloppe de chair et à ceux qui en contenaient le moins, l'enveloppe la plus ample et la plus épaisse. En outre, aux jointures des os, là où la raison ne montrait pas quelque nécessité de placer beaucoup de chair, il en fit pousser peu, de peur qu'elle ne gênât la flexion des membres et n'appesantît le corps en lui rendant le mouvement difficile. Il avait encore un autre motif : c'est que les chairs abondantes, éparses et fortement tassées les unes sur les autres, auraient par leur rigidité rendu le corps insensible, affaibli la mémoire et paralysé l'intelligence. Voilà pourquoi les cuisses et les jambes, la région des hanches, les os du bras et de l'avant-bras et tous nos autres os qui n'ont pas d'articulations, et aussi tous les os intérieurs qui, renfermant peu d'âme dans leur moelle, sont vides d'intelligence, tous ces os ont été amplement garnis de chairs; ceux, au contraire, qui renferment de l'intelligence, l'ont été plus parcimonieusement, sauf lorsque Dieu a formé quelque masse de chair pour être par elle-même un organe de sensation, par exemple l'espèce de la langue; mais, en général, il en est ce que nous avons dit. Car la substance qui naît et se développe en vertu de la nécessité n'admet en aucune façon la coexistence d'une vive sensibilité et d'os épais et de chair abondante. Autrement, c'est la structure de la tête qui, plus que toute autre partie, aurait réuni ces caractères, s'ils eussent consenti à se trouver ensemble, et l'espèce humaine, couronnée d'une tête charnue, nerveuse et forte, aurait joui d'une vie deux fois, maintes fois même plus longue, plus saine, plus exempte de souffrances que notre vie actuelle. Mais en fait les artistes qui nous ont fait naître, se demandant s'ils devaient faire une race qui aurait une vie plus longue et plus mauvaise, ou une vie plus courte et meilleure, s'accordèrent à juger que la vie plus courte, mais meillcure, était absolument préférable pour tout le monde à la vie plus longue, mais plus mauvaise. C'est pour cela qu'ils couvrirent la tête d'un os mince, mais non de chairs et de nerfs, puisqu'elle n'a pas d'articulations. Pour toutes ces raisons la tête qui fut ajoutée au corps humain est plus sensible et plus intelligente, mais beaucoup plus faible que le reste.

C'est pour les mêmes motifs et de la même façon que Dieu mit certains nerfs au bas de la tête autour du cou et les y souda suivant un procédé symétrique, et s'en servit aussi pour attacher les extrémités des mâchoires sous la substance du visage. Quant aux autres, il les distribua dans tous les membres pour lier chaque articulation à sa voisine.

Pour l'appareil de la bouche, ses organisateurs le disposèrent, comme il l'est actuellement, avec des dents, une langue et des lèvres, en vue du nécessaire et en vue du bien; ils imaginèrent l'entrée en vue du premier et la sortie en vue du second. Car tout ce qui entre pour fournir sa nourriture au corps est nécessaire, et le courant de paroles qui sort de nos lèvres pour le service de l'intelligence est le plus beau et le meilleur de tous les courants.

Pour en revenir à la tête, il n'était pas possible de la laisser avec sa boîte osseuse toute nue, exposée aux rigueurs alternées des saisons, ni de la couvrir d'une masse de chairs qui l'eût rendue stupide et insensible. Or, comme la substance de la chair ne se dessèche pas, il se forma autour d'elle une pellicule qui la dépassait en grandeur et qui se sépare d'elle : c'est ce que nous appelons aujourd'hui la peau. Grâce à l'humidité du cerveau, cette peau crût et se ferma sur elle-même de manière à revêtir tout le tour de la tête. L'humidité qui montait sous les sutures l'arrosa et la referma sur le sommet de la tête, en la ramassant dans une sorte de nœud [135]. Ces sutures, qui affectent toutes sortes de formes, sont l'effet de la puissance des cercles de l'âme et de la nourriture; elles sont plus nombreuses, si la lutte entre ces deux influences est plus vive, moins nombreuses, quand elle est moins violente.

Toute cette peau, le dieu la troua tout autour de la tête par des piqûres de feu; quand elle fut percée et que l'humidité s'écoula dehors au travers d'elle, tout le liquide et toute la chaleur qui étaient purs s'en allèrent; mais ce qui avait été formé par un mélange avec les éléments dont la peau elle-même était composée, soulevé par le mouvement, s'étendit dehors en un long fil aussi fin que la piqûre; mais repoussé, à cause de la lenteur du mouvement, par l'air extérieur qui l'environnait, il revint se pelotonner à l'intérieur sous la peau et y prit racine. C'est suivant ces procédés que la nature a fait naître les cheveux dans la peau : c'est une substance en forme de fil de même nature que la peau, mais plus dure et plus dense, à cause de la constriction opérée par le refroidissement, lorsque chaque cheveu qui se détache de la peau se refroidit et se condense. C'est ainsi que notre créateur a fait notre tête velue, en utilisant les causes que nous avons mentionnées. Il pensa qu'au lieu de chair, les cheveux devaient être pour la sûreté du cerveau une enveloppe légère, propre à lui fournir de l'ombre l'été et un abri pendant l'hiver, sans entraver ni gêner en rien la sensibilité.

En outre, à la place où les nerfs, la peau et les os ont été entrelacés dans nos doigts, un composé de ces trois substances, en se desséchant, devint une seule peau dure qui les contient toutes. Elle fut façonnée par les causes auxiliaires que nous avons dites, mais achevée, et ce fut là la cause essentielle, en vue des créatures qui devaient exister par la suite. Ceux qui nous construisaient savaient qu'un jour les femmes et les bêtes naîtraient des hommes; ils savaient en particulier que parmi les créatures beaucoup auraient besoin de griffes pour maint usage. C'est pour cela qu'ils ébauchèrent chez les hommes dès leur naissance la formation des ongles. C'est dans ce dessein et pour ces raisons qu'ils firent pousser à l'extrémité des membres la peau, les cheveux et les ongles.

Lorsque toutes les parties et tous les membres de l'animal mortel eurent été réunis en un tout, il se trouva que cet animal devait nécessairement vivre dans le feu et dans l'air. Aussi fondu et vidé par eux, il dépérissait, quand les dieux imaginèrent pour lui un réconfort. Mêlant à d'autres formes et à d'autres sens une substance parente de la substance humaine, ils donnèrent ainsi naissance à une autre sorte d'animaux. Ce sont les arbres, les plantes et les graines, aujourd'hui domestiqués et éduqués par la culture, qui se sont apprivoisés avec nous. Auparavant il n'y avait que les espèces sauvages, qui sont plus anciennes que les espèces cultivées. Tout ce qui participe à la vie mérite fort justement le nom d'animal; et ce dont nous parlons en ce moment participe de la troisième espèce d'âme, celle dont nous avons marqué la place entre le diaphragme et le nombril, qui n'a aucune part à l'opinion, au raisonnement, à l'intelligence, mais seulement à la sensation agréable et désagréable, ainsi qu'aux appétits. En effet le végétal est toujours passif, et sa formation ne lui a pas permis, en tournant en lui-même et sur lui-même, en repoussant le mouvement extérieur et usant seulement du sien propre, de raisonner sur rien de ce qui le concerne et d'en discerner la nature. Il vit donc à la manière d'un animal, mais il est fixé au sol, immobile et enraciné, parce qu'il est privé du pouvoir de se mouvoir par lui-même.

Quand nos supérieurs eurent planté toutes ces espèces pour nous servir de nourriture à nous, leurs sujets, ils creusèrent des canaux au travers de notre corps même, comme on fait des conduits dans les jardins, afin qu'il fût arrosé comme par le cours d'un ruisseau. Tout d'abord, sous la jointure de la peau et de la chair, ils creusèrent des canaux cachés, deux veines dorsales [136], parce que le corps se trouvait double, avec un côté droit et un côté gauche; puis ils les firent descendre le long de l'épine dorsale, gardant entre elles la moelle génératrice, afin qu'elle fût aussi vigoureuse que possible et que l'écoulement, suivant une pente descendante, pût se faire aisément de là aux autres parties et rendre l'irrigation uniforme. Après cela, ils partagèrent les veines dans la région de la tête, les entrelacèrent et les firent passer au travers les unes des autres dans des directions opposées, inclinant celles qui venaient de la droite vers la gauche du corps et celles qui venaient de la gauche vers la droite, afin qu'elles pussent contribuer avec la peau à lier la tête au corps, car il n'y avait pas de nerfs qui fissent le tour de la tête à son sommet, et, en outre, afin que les perceptions venant soit de l'un, soit de l'autre côté, pussent être révélées à tout le corps.

Les dieux organisèrent ensuite leur système d'irrigation d'une façon que nous saisirons plus aisément, si au préalable nous nous mettons d'accord sur ce point, que tout ce qui est composé d'éléments plus petits ne laisse point passer ceux qui sont composés d'éléments plus grands, et que ceux qui sont faits de particules plus grandes ne peuvent pas retenir ceux qui sont faits de particules plus petites. Or le feu est, de toutes les espèces, celle dont les parties sont les plus petites; aussi passe-t-il à travers l'eau, l'air et tous leurs composés, et rien ne peut le retenir. Il faut admettre que la même loi s'applique à la cavité qui est en nous, que, lorsque les aliments et les boissons y tombent, elle les retient, mais que l'air et le feu dont les particules sont plus petites que celles de sa propre structure, elle ne peut les retenir. Or c'est de ces éléments que Dieu s'est servi pour faire passer les humeurs du ventre dans les veines. Il a tissé d'air et de feu un treillis pareil à une nasse, ayant à son entrée deux tuyaux, dont l'un a été divisé à son tour en forme de fourche; et, à partir de ces tuyaux, il étendit des sortes de joncs circulairement à travers tout le treillis jusqu'à ses extrémités. Il composa de feu tout l'intérieur de son treillis, et d'air les tuyaux et l'enveloppe, et prenant le tout, il l'adapta de la manière suivante à l'animal qu'il avait formé : il mit en haut dans la bouche la partie composée de tuyaux, et, comme elle était double, il fit descendre un tuyau par la trachée-artère dans le poumon, et l'autre dans le ventre le long de la trachée-artère [137]. Puis, fendant le premier en deux, il en fit passer les deux parties à la fois par les canaux du nez, de sorte que, quand l'un des conduits, celui qui passe par la bouche, ne fonctionne pas, tous ses courants pussent aussi être remplis par celui du nez. Quant au reste de l'enveloppe de la nasse, le dieu le fit croître autour de toute la cavité de notre corps et le disposa de telle sorte que tantôt tout ce treillis passe doucement dans les tuyaux, qui sont composés d'air, et que tantôt les tuyaux refluent vers la nasse, que le treillis pénètre au travers du corps, qui est poreux, et en sort tour à tour, que les rayons du feu intérieur suivent le double mouvement de l'air auquel ils sont mêlés et que cela ne cesse pas de se produire tant que l'animal mortel subsiste. A cette espèce de phénomènes nous disons que celui qui a établi les noms a donné celui d'inspiration et d'expiration. Et tout ce mécanisme et ses effets ont pour but de nourrir et de faire vivre notre corps en l'arrosant et le rafraîchissant. Car, lorsque le feu attaché au-dedans de nous suit le courant respiratoire qui entre ou qui sort et que, dans ses perpétuelles oscillations, il passe à travers le ventre, il prend les aliments et les boissons, les dissout, les divise en petites parcelles et les disperse à travers les conduits par où il passe, les verse, comme d'une source, dans les canaux des veines et fait couler à travers le corps, comme par un aqueduc, le courant des veines.

Revenons au phénomène de la respiration pour voir par quelles causes il est devenu tel qu'il est aujourd'hui. Voici ce qui a eu lieu. Comme il n'y a pas de vide où puisse pénétrer un corps en mouvement, et que nous exhalons de l'air hors de nous, il est dès lors évident pour tout le monde que cet air n'entre pas dans le vide, mais qu'il chasse de sa place l'air avoisinant. L'air déplacé chasse à son tour celui qui l'avoisine, et, sous cette pression nécessaire, le tout revient en cercle à la place d'où est sortie notre haleine, y pénètre et la remplit à la place du souffle expiré et tout ce mouvement, pareil à celui d'une roue qui tourne, se produit simultanément, parce qu'il n'y a pas de vide. Par suite, la poitrine et le poumon, au moment même où ils chassent l'air au-dehors, sont remplis de nouveau par l'air qui environne le corps, et pénètre à l'intérieur à travers les chairs poreuses autour desquelles il est poussé. Derechef, quand cet air est rejeté et sort à travers le corps, il pousse en rond l'air inspiré à l'intérieur du corps par les passages de la bouche et des narines. Quelle est la cause initiale de ces phénomènes ? Voici ce qu'il en faut penser. Dans tout animal, les parties internes qui entourent le sang et les veines sont les plus chaudes, comme s'il y avait en lui une source de feu. C'est pour cela que nous comparions cette région au tissu de notre nasse, quand nous disions que la partie centrale était dans toute son étendue tressée de feu, et que toutes les autres parties, à l'intérieur, l'étaient d'air. En conséquence, il faut reconnaître que le chaud se porte naturellement au-dehors vers sa place, vers son parent, et que, comme il y a deux sorties, l'une par le corps vers le dehors et l'autre par la bouche et les narines, lorsque le chaud s'élance d'un côté, il refoule l'air de l'autre en cercle, et cet air refoulé, tombant dans le feu, s'échauffe, tandis que celui qui sort se refroidit. Mais comme la chaleur change de place et que l'air qui est à l'autre issue devient plus chaud, l'air plus chaud, à son tour, se porte d'autant plus vers ce côté-là, vu qu'il se dirige vers sa propre substance, et il refoule en cercle celui qui est près de l'autre issue. C'est de la sorte que l'air, recevant constamment et imprimant tour à tour les mêmes mouvements et ballotté ainsi en cercle de part et d'autre par l'effet des deux impulsions, donne naissance à l'inspiration et à l'expiration [138].

C'est encore suivant le même principe qu'il faut étudier les effets des ventouses médicinales, la déglutition, la trajectoire des projectiles, soit lancés en l'air, soit courant à la surface du sol, et aussi tous les sons rapides ou lents, aigus ou graves, tantôt dissonants, parce que les mouvements qu'ils produisent en nous sont dissemblables, et tantôt consonants, parce que ces mouvements sont semblables. Car les sons plus lents atteignent les mouvements des sons plus rapides qui les précèdent, quand ceux-ci commencent à s'arrêter et sont tombés à une vitesse pareille à celle avec laquelle les sons les plus lents se rencontrent ensuite avec eux et leur impriment leur mouvement; mais quand ils les rattrapent, ils ne les troublent pas en leur imposant un mouvement différent : ils y ajoutent le commencement d'un mouvement plus lent, en accord avec celui qui était le plus rapide, mais qui tire à sa fin, et du mélange de l'aigu et du grave, ils produisent un effet unique et procurent ainsi du plaisir aux ignorants et de la joie aux sages, qui voient dans des mouvements mortels l'imitation de l'harmonie divine [139].

On expliquera de même le cours des eaux, la chute de la foudre et la merveilleuse attraction que possèdent l'ambre et la pierre d'Héraclée [140]. Il n'y eut jamais de vertu attractive dans aucun de ces corps, mais le fait qu'il n'y a pas de vide, que ces corps se choquent en cercle les uns les autres, qu'en se divisant ou se contractant ils échangent tous leurs places pour regagner chacun celle qui lui est propre : c'est à ces actions combinées entre elles que sont dus ces phénomènes étonnants, comme on s'en convaincra en les étudiant suivant la bonne méthode.

Et maintenant, pour en revenir à la respiration, point de départ de ce discours, c'est de cette façon et par ces moyens qu'elle s'est formée, ainsi qu'il a été dit précédemment. Le feu divise les aliments, il s'élève au-dedans de nous du même mouvement que le souffle et, en s'élevant avec lui, il remplit les veines en y versant les parcelles divisées qu'il puise dans le ventre, et c'est ainsi que des courants de nourriture se répandent dans le corps entier de tous les animaux. Or ces particules qui viennent d'être divisées et retranchées de substances de même nature, les unes de fruits, les autres d'herbe, que Dieu a fait pousser tout exprès pour nous servir de nourriture, présentent toutes les variétés de couleur par suite de leur mélange; mais c'est la couleur rouge qui y domine et qui est l'œuvre du feu qui divise l'eau et la marque de son empreinte. Voilà pourquoi la couleur de ce qui coule dans le corps présente l'apparence que nous avons décrite. C'est ce que nous appelons le sang, c'est ce qui nourrit les chairs et le corps entier; c'est de lui que chaque partie du corps tire le liquide dont il remplit la place laissée vide. Le mode de réplétion et d'évacuation est le même que celui qui a donné naissance à tous les mouvements qui se font dans l'univers et qui portent chaque chose vers sa propre espèce. Et en effet les éléments qui nous environnent au-dehors ne cessent de nous dissoudre et de répartir et d'envoyer à chaque espèce de substance ce qui est de même nature qu'elle. De même le sang, divisé à l'intérieur de notre corps en menus fragments et contenu dans l'organisme de tout être vivant, qui est pour lui comme un ciel, est contraint d'imiter le mouvement de l'univers; chacun des fragments qui se trouve à l'intérieur se porte vers ce qui lui ressemble et remplit de nouveau le vide qui s'est formé. Mais quand la perte est plus grande que l'apport, l'individu dépérit; quand elle est plus petite, il s'accroît. Ainsi, quand la structure de l'animal entier est jeune et que les triangles des espèces qui la constituent sont encore neufs, comme s'ils sortaient du chantier, ils sont solidement assemblés ensemble, quoique la consistance de la masse entière soit molle, attendu qu'elle vient à peine d'être formée de moelle et qu'elle a été nourrie de lait. Alors, comme les triangles qu'elle englobe et qui lui viennent du dehors pour lui servir d'aliments et de boissons, sont plus vieux et plus faibles que les siens propres, elle les maîtrise en les coupant avec ses triangles neufs et fait grandir l'animal en le nourrissant de beaucoup d'éléments semblables aux siens. Mais quand la racine des triangles se distend à la suite des nombreux combats qu'ils ont soutenus longtemps contre de nombreux adversaires, ils ne peuvent plus diviser et s'assimiler les triangles nourriciers qui entrent; ce sont eux qui sont facilement divisés par ceux qui viennent du dehors. Alors l'animal tout entier, vaincu dans cette lutte, dépérit et cet état se nomme vieillesse. Enfin, lorsque les liens qui tiennent assemblés les triangles de la moelle, distendus par la fatigue, ne tiennent plus, ils laissent à leur tour les liens de l'âme se relâcher, et celle-ci, délivrée conformément à la nature, s'envole joyeusement; car, si tout ce qui est contraire à la nature est douloureux, tout ce qui arrive naturellement est agréable. Et c'est ainsi que la mort causée par des maladies ou par des blessures est douloureuse et violente, tandis que celle qui vient avec la vieillesse au terme marqué par la nature est de toutes les morts la moins pénible et s'accompagne plutôt de joie que de douleur.

D'où proviennent les maladies, n'importe qui, je pense, peut s'en rendre compte. Comme il y a quatre genres qui entrent dans la composition des corps, la terre, le feu, l'eau et l'air, lorsque, contrairement à la nature, ils sont en excès ou en défaut, ou qu'ils passent de la place qui leur est propre dans une place étrangère, ou encore, parce que le feu et les autres éléments ont plus d'une variété, lorsque l'un d'eux reçoit en lui la variété qui ne lui convient pas, ou qu'il arrive quelque autre accident de cette espèce, c'est alors que se produisent les désordres et les maladies. Lorsqu'en effet un genre change de nature et de position, les parties qui auparavant étaient froides deviennent chaudes, celles qui étaient sèches deviennent humides par la suite, celles qui étaient légères ou pesantes deviennent le contraire, et elles subissent tous les changements dans tous les sens. En fait nous affirmons que c'est seulement lorsque la même chose s'ajoute à la même chose ou s'en sépare dans le même sens, de la même manière et en due proportion, qu'elle peut, restant identique à elle-même, demeurer saine et bien portante. Ce qui manque à une de ces règles, soit en se retirant d'un élément, soit en s'y ajoutant, produira toutes sortes d'altérations, des maladies et des destructions sans nombre.

Mais comme il y a aussi des compositions secondaires formées par la nature, il y a une seconde classe de maladies à considérer par ceux qui veulent se rendre maîtres de la question. Puisqu'en fait la moelle, les os, la chair et les nerfs sont composés des éléments nommés plus haut et que le sang aussi est formé des mêmes éléments, quoique d'une autre manière, la majeure partie des maladies arrivent comme il a été dit précédemment, mais les plus graves qui puissent nous affliger nous viennent de la cause que voici : c'est que ces compositions se corrompent, quand elles se forment à rebours de l'ordre naturel. En effet, dans l'ordre naturel, les chairs et les nerfs naissent du sang, les nerfs des fibres auxquelles ils ressemblent, et les chairs du résidu qui se coagule en se séparant des fibres [141]. Des nerfs et de la chair naît à son tour cette matière visqueuse et grasse qui sert à la fois à coller la chair à la structure des os et à nourrir et faire croître l'os qui enclôt la moelle, tandis que l'espèce la plus pure, la plus lisse et la plus brillante des triangles, filtrant à travers l'épaisseur des os, s'en écoule et en dégoutte pour arroser la moelle [142]. Quand tout se passe ainsi, il en résulte le plus souvent la santé; la maladie, dans le cas contraire. En effet, quand la chair se vicie et renvoie sa putréfaction dans les veines, elles se remplissent alors, en même temps que d'air, d'un sang abondant, de composition variée, dont les couleurs et l'amertume sont très diverses, ainsi que les qualités acides et salées, et qui charrie de la bile, des sérosités et des phlegmes de toute sorte. Car toutes ces sécrétions qui se font à rebours de la règle et sont le produit de la corruption commencent d'abord par empoisonner le sang lui-même, et sans fournir désormais aucune nourriture au corps, se répandent partout à travers les veines, sans garder l'ordre des révolutions naturelles. Elles sont ennemies entre elles, parce qu'elles ne tirent aucune jouissance les unes des autres, et en guerre ouverte avec les éléments constituants du corps qui restent à leur poste; elles les corrompent et les dissolvent. Quand ce sont les parties les plus anciennes de la chair qui se décomposent, comme elles sont difficiles à pourrir, elles noircissent à cause de la combustion prolongée qu'elles ont subie, et, devenues amères par suite de leur corrosion complète, elles attaquent dangereusement toutes les parties du corps qui ne sont pas encore gâtées, et tantôt le noircissement, au lieu d'amertume, s'accompagne d'acidité, quand la substance amère s'est amenuisée davantage; et tantôt la substance amère, trempée dans le sang, prend une couleur plus rouge, et, si elle est mêlée au noir, une couleur verdâtre. Enfin la couleur jaune se mêle à l'amertume, quand de la chair jaune est dissoute par le feu de l'inflammation.

Toutes ces humeurs portent le nom commun de bile, qui leur a été donné ou par des médecins ou par un homme capable d'embrasser du regard un grand nombre de cas dissemblables et de discerner en eux un genre unique digne de servir de dénomination à tous.

Des autres humeurs qui passent pour être des variétés de la bile, chacune se définit d'après sa couleur spécifique. La sérosité qui vient du sang est une lymphe douce; celle qui vient de la bile noire et acide est maligne, quand sous l'action de la chaleur elle est mélangée avec une qualité saline; en ce cas, elle prend le nom de pituite acide. Il y a aussi le produit qui résulte de la décomposition d'une chair neuve et tendre avec le concours de l'air. Ce produit, gonflé par l'air, est entouré d'humidité et, de ce fait, il se forme des bulles qui sont invisibles une à une à cause de leur petitesse, mais qui, réunies ensemble, font une masse visible qui offre une couleur blanche due à la naissance de l'écume. C'est toute cette putréfaction d'une chair tendre, où l'air se trouve mélangé, que nous appelons la pituite blanche. La lymphe de la pituite nouvellement formée donne la sueur, les larmes et toutes les autres sécrétions par lesquelles le corps se purifie tous les jours. Or toutes ces humeurs sont des facteurs de maladies, quand le sang ne se remplit pas de nourriture et de boisson comme le veut la nature, mais accroît sa masse d'aliments contraires, en dépit des lois de la nature. Lorsque les différentes sortes de chair sont déchirées par les maladies, mais gardent leurs bases, la virulence du mal ne se fait sentir qu'à demi, car il peut encore se réparer aisément. Mais, lorsque ce qui lie les chairs aux os tombe malade, et que, séparé à la fois des fibres[143] et des nerfs, il cesse de nourrir l'os et de lier l'os à la chair, mais que, de brillant, de lisse et de visqueux, il devient, en se desséchant, par suite d'un mauvais régime, raboteux et salin, alors toute la substance qui subit ces altérations s'émiette et revient sous les chairs et les nerfs, en se séparant des os; et les chairs, se détachant de leurs racines, laissent les nerfs à nu et pleins de saumure, tandis qu'elles-mêmes, retombant dans le cours du sang, aggravent les maladies mentionnées précédemment. Mais, si graves que soient ces affections du corps, plus graves encore sont celles qui les précèdent, quand la densité de la chair ne permet pas à l'os de respirer suffisamment, que la moisissure l'échauffe et le carie, qu'au lieu d'absorber sa nourriture, il va s'effriter au contraire lui-même dans le suc nourricier, que ce suc va dans les chairs, et que la chair tombant dans le sang rend toutes les maladies plus graves que celles dont nous avons parlé plus haut. Mais la pire de toutes, c'est quand la substance de la moelle souffre d'un manque ou d'un excès d'aliments. C'est la cause des maladies les plus terribles et les plus capables d'amener la mort; car alors toute la substance du corps s'écoule à rebours.

Il existe encore une troisième espèce de maladies, qu'il faut concevoir comme provenant de trois causes, à savoir de l'air, de la pituite et de la bile. Lorsque le poumon, qui est chargé de dispenser l'air au corps, est obstrué par des mucosités et n'a pas ses passages libres, et qu'alors l'air ne va pas dans certaines parties et pénètre dans d'autres en plus grande quantité qu'il ne faut, d'un côté, il fait pourrir celles qui n'ont pas de ventilation, de l'autre, il pénètre par force dans les veines, les distord, dissout le corps et se trouve intercepté dans le milieu du corps où est le diaphragme. Ainsi naissent fréquemment des milliers de maladies douloureuses accompagnées de sueurs abondantes. Souvent aussi, quand la chair s'est désagrégée dans le corps, il s'y introduit de l'air qui, n'en pouvant sortir, occasionne les mêmes douleurs que l'air qui entre du dehors. Ces douleurs sont particulièrement grandes, quand l'air, entourant les nerfs et les petites veines qui sont là, se gonfle et imprime aux muscles extenseurs et aux tendons qui y adhèrent une tension en arrière. C'est de la tension ainsi produite que les maladies qui en résultent ont reçu le nom de tétanos et d'opisthotonos [144]. Elles sont difficiles à guérir; en fait, elles se terminent le plus souvent par un accès de fièvre.

La pituite blanche est dangereuse, si l'air de ses bulles est intercepté. Si elle trouve un exutoire à la surface du corps, elle est relativement bénigne, mais elle tachette le corps en produisant des dartres blanches, des dartres farineuses et d'autres accidents similaires. Mêlée à la bile noire et répandue sur les circuits les plus divins, ceux de la tête, elle en trouble le cours, plus bénigne, si ce désordre a lieu pendant le sommeil, plus difficile à chasser, quand elle attaque des gens éveillés. Comme c'est une maladie de la substance sacrée, elle est très justement appelée le mal sacré [145]. La pituite aigre et salée est la source de toutes les maladies catarrhales; mais elles ont reçu les noms les plus variés, suivant les diverses parties où la fluxion s'épanche.

Toutes les inflammations du corps, ainsi appelées de la brûlure et de la chaleur qui les accompagnent, sont causées par la bile. Quand la bile trouve une issue au-dehors, elle produit, par son bouillonnement, des tumeurs de toute sorte; quand elle est confinée à l'intérieur, elle occasionne une foule de maladies inflammatoires, dont la plus grave a lieu lorsque, mêlée au sang pur, elle détourne de leur place les fibres, qui ont été distribuées dans le sang, pour qu'il garde une juste proportion de ténuité et d'épaisseur, de peur que, liquéfié par la chaleur, il ne s'écoule par les pores du corps, ou que, trop épais et difficile à mouvoir, il ne circule difficilement dans les veines. Cet heureux équilibre, c'est la fibrine qui le conserve grâce à sa structure naturelle. Même quand le sang est mort et qu'il se refroidit, on n'a qu'à rapprocher les fibres les unes des autres, pour que tout ce qui reste de sang s'écoule au travers. Si, au contraire, on les laisse en état, elles coagulent rapidement le sang avec l'aide du froid environnant. Telle étant l'action des fibres dans le sang, la bile, qui par son origine est du vieux sang, et qui se fond de nouveau de la chair dans le sang, quand, chaude et humide, elle y pénètre d'abord en petite quantité, se congèle alors sous l'influence des fibres et, ainsi congelée et éteinte par force, elle produit à l'intérieur du froid et des frissons. Quand elle coule dans le sang en plus grande quantité, elle maîtrise les fibres par sa propre chaleur et, par son bouillonnement, les secoue et y jette le désordre, et, si elle est assez puissante pour les maîtriser jusqu'au bout, elle pénètre dans la substance de la moelle et, en brûlant, dissout les liens qui y attachent l'âme, comme les amarres d'un navire, et la met en liberté. Si, au contraire, la bile est en moindre quantité et que le corps résiste à la dissolution, c'est elle qui est maîtrisée, et alors, ou bien elle s'échappe par toute la surface du corps, ou bien, refoulée au travers des veines dans le thorax ou dans le bas-ventre, elle quitte le corps comme un banni s'échappe d'une ville en révolution. Elle produit alors des diarrhées, des dysenteries et toutes les maladies analogues.

Ainsi, quand l'excès du feu est la principale cause des maladies du corps, il produit des inflammations et des fièvres continues, tandis que l'excès d'air amène des fièvres quotidiennes, et l'excès d'eau, des fièvres tierces, parce que l'eau est plus lente que l'air et que le feu. Quant à l'excès de terre, la terre étant le plus lent des quatre éléments, il lui faut une période de temps quadruple pour se purifier et elle engendre des fièvres quartes dont on se débarrasse difficilement.

Voilà comment se produisent les maladies du corps. Voici comment celles de l'âme naissent de nos dispositions corporelles. Il faut admettre que la maladie de l'âme est la démence. Mais il y a deux espèces de démence : l'une est la folie, l'autre l'ignorance. En conséquence, toute affection qui entraîne, soit l'une, soit l'autre, doit être appelée maladie, et il faut reconnaître que les plaisirs et les douleurs excessives sont pour l'âme les plus graves des maladies. Car, lorsqu'on est joyeux ou au contraire affligé outre mesure, on s'empresse à contretemps de saisir le plaisir ou de fuir la douleur, et l'on est incapable de rien voir et de rien entendre avec justesse; on est comme un forcené et hors d'état d'exercer sa raison. Quand un homme a dans la moelle un sperme d'une abondance débordante, qui est comme un arbre trop chargé de fruits, ses désirs et leurs suites lui procurent chaque fois de multiples souffrances et des plaisirs multiples, et il est fou pendant la plus grande partie de sa vie par suite des plaisirs et des douleurs excessives qu'il ressent, et son âme est malade et déraisonnable par la faute de son corps, et on le regarde, non comme un malade, mais comme un homme volontairement vicieux. La vérité est que l'incontinence amoureuse est une maladie de l'âme qui provient en grande partie de la propriété d'une seule substance, qui, grâce à la porosité des os, inonde le corps de son humidité; et presque tous les reproches dont on charge l'intempérance dans les plaisirs, comme si les hommes étaient volontairement méchants, sont des reproches injustifiés; car personne n'est volontairement méchant. Ceux qui sont méchants le deviennent par suite d'une mauvaise disposition du corps et d'une éducation manquée, deux choses fâcheuses pour tout le monde et qui nous arrivent contre notre volonté. Il en est de même en ce qui concerne les douleurs : c'est également le corps qui est cause que l'âme contracte de grands vices. Par exemple quand les humeurs de la pituite aigre et salée, ou celles qui sont amères et bilieuses, après avoir erré dans le corps d'un homme, ne trouvent pas d'issue au-dehors et que, parquées au-dedans, elles mêlent leur vapeur aux mouvements de l'âme et se confondent avec eux, elles produisent dans l'âme des maladies de toute sorte, plus ou moins graves et plus ou moins nombreuses; et se frayant un chemin vers les trois sièges de l'âme, elles engendrent, suivant celui qu'elles envahissent, toutes les variétés de la morosité et de l'abattement, de l'audace et de la lâcheté, enfin de l'oubli et de la paresse intellectuelle. En outre, lorsque ces vices du tempérament sont renforcés par de mauvaises institutions et par des discours qu'on entend dans les villes, soit en particulier, soit en public, et qu'on n'a pas dès le jeune âge reçu de leçons qui puissent guérir le mal, c'est ainsi que tous ceux de nous qui sont méchants le deviennent par deux causes tout à fait indépendantes de leur volonté, et il faut toujours en accuser les pères plutôt que les enfants, les instituteurs plutôt que les élèves. Mais il faut s'appliquer de toutes ses forces, et par l'éducation et par les mœurs et par l'étude, à fuir le vice et à atteindre la vertu, son contraire. Toutefois, c'est là un sujet d'un autre ordre.

En regard de ces considérations, il est naturel, il est à propos d'exposer par quels moyens on soigne et conserve les corps et les esprits; car mieux vaut insister sur le bien que sur le mal. Or tout ce qui est bon est beau et le beau n'est jamais disproportionné. Il faut donc poser en principe qu'un animal, pour être beau, doit avoir de justes proportions. Mais ces proportions, nous ne les percevons et n'en tenons compte que dans les petites choses; dans les plus importantes et les plus considérables, nous ne nous en avisons pas. Par exemple, en ce qui concerne la santé et les maladies, la vertu et le vice, il n'y a pas de proportion ou de disproportion qui importe plus que celles qui s'établissent particulièrement entre l'âme et le corps. Cependant nous n'y faisons pas attention et nous ne réfléchissons pas que, quand une âme forte et grande à tous égards a pour véhicule un corps trop faible et trop chétif, ou que les deux sont assortis dans le rapport inverse, l'animal tout entier manque de beauté, puisqu'il est mal proportionné, alors que la proportion est de première importance, tandis que l'état contraire est pour celui qui sait le discerner le plus beau et le plus aimable de tous les spectacles. Par exemple, si un corps a les jambes trop longues ou quelque autre membre disproportionné, non seulement il est disgracieux, mais encore, si ce membre prend part avec d'autres à quelque travail, il éprouve beaucoup de fatigues, beaucoup de mouvements convulsifs; il va de travers et tombe et se cause à lui-même mille souffrances. Concevons bien qu'il en est de même de cet être double que nous appelons animal. Quand l'âme est en lui plus forte que le corps et qu'elle est en proie à quelque passion, elle secoue le corps entier par le dedans et le remplit de maladies; quand elle se livre avec ardeur à certaines études et à certaines recherches, elle le consume; si elle entreprend d'instruire les autres et s'engage dans des combats de parole en public et en particulier, elle l'enflamme et l'ébranle par les querelles et les rivalités qui s'ensuivent, et y provoque des catarrhes qui donnent le change à ceux qu'on appelle des médecins et leur fait attribuer le mal à des causes imaginaires. Si c'est au contraire un corps grand et supérieur à l'âme qui est uni à une intelligence petite et débile, comme il y a naturellement dans l'homme deux sortes de désirs, ceux du corps pour la nourriture et ceux de la partie la plus divine de nous-mêmes pour la sagesse, les mouvements de la partie la plus forte l'emportent sur ceux de l'autre et augmentent sa part d'influence, et, rendant l'âme stupide, lente à apprendre et prompte à oublier, ils y engendrent la plus grave des maladies, l'ignorance. Contre ce double mal, il n'y a qu'un moyen de salut, ne pas exercer l'âme sans le corps, ni le corps sans l'âme, afin que, se défendant l'un contre l'autre, ils s'équilibrent et conservent la santé. Il faut donc que celui qui veut s'instruire ou qui s'applique fortement à n'importe quel travail intellectuel donne en retour de l'exercice à son corps par la pratique de la gymnastique et que, de son côté, celui qui façonne soigneusement son corps donne en compensation de l'exercice à son âme, en étudiant la musique et la philosophie dans toutes ses branches, s'ils veulent l'un et l'autre mériter qu'on les appelle à la fois bons et beaux.

C'est d'après ces mêmes principes qu'il faut aussi prendre soin des parties de soi-même, en imitant la forme de l'univers. Comme le corps est échauffé et refroidi intérieurement par les substances qui entrent en lui et qu'il est desséché et humecté par les objets extérieurs, et que, sous l'action de ces doubles mouvements, il subit les effets qui suivent ces modifications, lorsqu'on abandonne aux mouvements un corps en repos, il est vaincu et périt. Si, au contraire, on imite ce que nous avons appelé la nourrice et la mère de l'univers, si on met le plus grand soin à ne jamais laisser le corps en repos, si on le remue et si, en lui imprimant sans cesse certaines secousses en toutes ses parties, on le défend, conformément à la nature, contre les mouvements intérieurs et extérieurs, et si, en le secouant ainsi modérément, on établit entre les affections qui errent dans le corps et ses parties un ordre conforme à leurs affinités, conformément à ce que nous avons dit plus haut à propos du tout, il ne placera pas un ennemi à côté d'un ennemi et ne leur permettra pas d'engendrer dans le corps des guerres et des maladies, mais il mettra un ami à côté d'un ami et leur fera entretenir la santé.

Or de tous les mouvements le meilleur est celui qu'un corps produit par lui-même en lui-même, parce que c'est celui qui est le plus proche parent du mouvement de l'intelligence et de celui de l'univers. Le mouvement qui vient d'un autre agent est moins bon, mais le pire est celui qui, venant d'une cause étrangère, meut le corps partiellement pendant qu'il est couché et en repos. Aussi, de tous les moyens de purger et de conforter le corps, le meilleur consiste dans les exercices gymnastiques; vient ensuite le balancement qu'on éprouve en bateau ou dans tout autre véhicule qui ne fatigue point le corps. Une troisième espèce de mouvement, qui peut être utile dans certains cas d'extrême nécessité, mais qu'un homme de bon sens ne doit pas admettre autrement, c'est la purgation médicale obtenue par des drogues; car lorsque les maladies ne présentent pas de grands dangers, il ne faut pas les irriter par des médecines. La nature des maladies ressemble en quelque manière à celle des êtres vivants. La constitution des êtres vivants comporte en effet des temps de vie réglés pour toute l'espèce, et chaque individu naît avec un temps de vie fixé par le destin, à part les accidents inévitables, car, dès la naissance de chacun, ses triangles sont constitués de manière à pouvoir tenir jusqu'à un certain temps, au-delà duquel personne ne peut prolonger sa vie. Il en est de même de la constitution des maladies : si on la dérange par des drogues en dépit du temps prédestiné, il en résulte d'ordinaire que de légères maladies deviennent graves et que leur nombre s'accroît. C'est pourquoi il faut diriger toutes les maladies par un régime, autant qu'on en a le loisir, et ne pas irriter par des médecines un mal réfractaire.

Sur l'animal complexe et sa partie corporelle, sur la façon dont il faut qu'un homme la dirige et s'en laisse diriger pour mener la vie la plus conforme à la raison, je me bornerai à ce que je viens de dire. Mais le point le plus important et le plus pressant, c'est d'appliquer toutes ses forces à rendre la partie destinée à gouverner aussi belle et bonne que possible, en vue de son office de gouvernante. Le traitement détaillé de cette question fournirait à soi seul la matière d'un ouvrage à part; mais il n'est pas hors de propos de la traiter incidemment, suivant les principes établis précédemment, et de conclure ainsi notre discours par les observations suivantes. Nous avons dit souvent qu'il y a en nous trois espèces d'âmes logées en trois endroits différents et qu'elles ont chacune leurs mouvements séparés. Il nous faut dire de même à présent, d'une manière aussi brève que possible, que, si l'une d'elles reste oisive et n'exerce pas les mouvements qui lui sont propres, elle devient nécessairement très faible, et que celle qui s'exerce devient très forte. Il faut donc veiller à ce que leurs mouvements soient proportionnés les uns aux autres. De l'espèce d'âme qui a la plus haute autorité en nous, voici l'idée qu'il faut s'en faire : c'est que Dieu nous l'a donnée comme un génie, et c'est le principe que nous avons dit logé au sommet de notre corps, et qui nous élève de la terre vers notre parenté céleste, car nous sommes une plante du ciel, non de la terre, nous pouvons l'affirmer en toute vérité. Car Dieu a suspendu notre tête et notre racine à l'endroit où l'âme fut primitivement engendrée et a ainsi dressé tout notre corps vers le ciel. Or, quand un homme s'est livré tout entier à ses passions ou à ses ambitions et applique tous ses efforts à les satisfaire, toutes ses pensées deviennent nécessairement mortelles, et rien ne lui fait défaut pour devenir entièrement mortel, autant que cela est possible, puisque c'est à cela qu'il s'est exercé. Mais lorsqu'un homme s'est donné tout entier à l'amour de la science et à la vraie sagesse et que, parmi ses facultés, il a surtout exercé celle de penser à des choses immortelles et divines, s'il parvient à atteindre la vérité, il est certain que, dans la mesure où il est donné à la nature humaine de participer à l'immortalité, il ne lui manque rien pour y parvenir; et, comme il soigne toujours la partie divine et maintient en bon état le génie qui habite en lui, il doit être supérieurement heureux. Il n'y a d'ailleurs qu'une seule manière de soigner quelque chose, c'est de lui donner la nourriture et les mouvements qui lui sont propres. Or les mouvements parents de la partie divine qui est en nous, ce sont les pensées de l'univers et ses révolutions circulaires. C'est sur elles que chacun doit se modeler et corriger les révolutions relatives au devenir qui se font dans notre tête d'une manière déréglée, en apprenant à discerner les harmonies et les révolutions de l'univers, en rendant la partie qui pense semblable à l'objet de sa pensée, en conformité avec sa nature originelle, afin d'atteindre, dans le présent et dans l'avenir, à la perfection de cette vie excellente que les dieux ont proposée aux hommes.

Et maintenant la tâche qui nous a été imposée en commençant, de faire l'histoire de l'univers jusqu'à la génération de l'homme, semble à peu près accomplie. Comment, à leur tour, les autres animaux sont venus à l'existence, c'est ce qu'il nous faut dire brièvement, là où il n'y a pas nécessité de s'étendre, et nous pouvons croire ainsi que nous gardons la juste mesure en traitant ce sujet. Voici donc ce que nous en dirons. Parmi les hommes qui avaient reçu l'existence, tous ceux qui se montrèrent lâches et passèrent leur vie à mal faire furent, suivant toute vraisemblance, transformés en femmes à leur deuxième incarnation. Ce fut à cette époque et pour cette raison que les dieux construisirent le désir de la conjonction charnelle, en façonnant un être animé en nous et un autre dans les femmes, et voici comment ils firent l'un et l'autre. Dans le canal de la boisson, à l'endroit où il reçoit les liquides, qui, après avoir traversé les poumons, pénètrent sous les rognons dans la vessie, pour être expulsés dehors sous la pression de l'air, les dieux ont percé une ouverture qui donne dans la moelle épaisse qui descend de la tête par le cou le long de l'échine, moelle que dans nos discours antérieurs nous avons appelée sperme. Cette moelle, parce qu'elle est animée et a trouvé une issue, a implanté dans la partie où se trouve cette issue un désir vivace d'émission et a ainsi donné naissance à l'amour de la génération. Voilà pourquoi chez les mâles

les organes génitaux sont naturellement mutins et autoritaires, comme des animaux sourds à la voix de la raison, et, emportés par de furieux appétits, veulent commander partout. Chez les femmes aussi et pour les mêmes raisons, ce qu'on appelle la matrice ou l'utérus est un animal qui vit en elles avec le désir de faire des enfants. Lorsqu'il reste longtemps stérile après la période de la puberté, il a peine à le supporter, il s'indigne, il erre par tout le corps, bloque les conduits de l'haleine, empêche la respiration, cause une gêne extrême et occasionne des maladies de toute sorte, jusqu'à ce que, le désir et l'amour unissant les deux sexes, ils puissent cueillir un fruit, comme à un arbre, et semer dans la matrice, comme dans un sillon, des animaux invisibles par leur petitesse et encore informes, puis, différenciant leurs parties, les nourrir à l'intérieur, les faire grandir, puis, les mettant au jour, achever la génération des animaux. Telle est l'origine des femmes et de tout le sexe féminin.

La tribu des oiseaux vient par un changement de forme, la croissance de plumes au lieu de cheveux, de ces hommes sans malice, mais légers, qui discourent des choses d'en haut, mais s'imaginent dans leur simplicité que les preuves les plus solides en cette matière s'obtiennent par le sens de la vue.

L'espèce des animaux pédestres et des bêtes sauvages est issue des hommes qui ne prêtent aucune attention à la philosophie et n'ont pas d'yeux pour observer la nature du ciel, parce qu'ils ne font plus aucun usage des révolutions qui se font dans la tête et se laissent guider par les parties de l'âme qui résident dans la poitrine. Par suite de ces habitudes, leurs membres antérieurs et leur tête, attirés vers la terre par leur affinité avec elle, s'appuient sur elle, et leur crâne s'est allongé et a pris toutes sortes de formes, selon la manière dont la paresse a comprimé en chacun d'eux les cercles de l'âme. Cette race est née avec quatre pieds ou davantage pour la raison que voici. C'est que le dieu a donné aux plus inintelligents plus de supports, pour qu'ils fussent davantage attirés vers la terre. Parmi ces derniers mêmes, les plus stupides, qui étendent entièrement tout leur corps sur la terre, n'ayant plus besoin de pieds, les dieux les ont engendrés sans pieds et les ont fait ramper sur le sol.

La quatrième espèce, qui vit dans l'eau, est née des plus stupides et des plus ignorants de tous. Ceux-là, les artisans de leur transformation ne les ont même plus jugés dignes de respirer un air pur, parce que leur âme était souillée de toutes sortes de fautes. Au lieu de les laisser respirer un air léger et pur, ils les ont enfoncés dans l'eau pour en respirer les troubles profondeurs. Voilà d'où est venue la nation des poissons, des coquillages et de tous les animaux aquatiques, qui, en raison de leur basse ignorance, ont en partage les demeures les plus basses. Tels sont les principes suivant lesquels, aujourd'hui comme alors, tous les animaux passent l'un dans l'autre, suivant qu'ils perdent ou gagnent en intelligence ou en stupidité.

Nous pouvons dire ici que notre discours sur l'univers est enfin arrivé à son terme; car il a reçu en lui des êtres vivants mortels et immortels et il en a été rempli, et c'est ainsi qu'étant lui-même un animal visible qui embrasse tous les animaux visibles, dieu sensible fait à l'image de l'intelligible, il est devenu très grand, très bon, très beau et très parfait, ce ciel engendré seul de son espèce.

CRITIAS

NOTICE SUR LE CRITIAS

ARGUMENT

Le *Critias* reprend, pour le compléter, le récit, ébauché dans le *Timée*, de la guerre soutenue par les Athéniens contre les rois de l'Atlantide.

Critias commence par réclamer l'indulgence comme Timée l'avait fait avant lui. Il prétend même y avoir plus de droit que Timée; car Timée avait à parler des choses divines, que nous ignorons, et la vraisemblance suffit aux auditeurs en de telles matières, tandis que lui va parler des choses humaines, et ici chacun se croit compétent et se montre un juge rigoureux.

Pour s'intéresser à la guerre, il est indispensable de connaître les antagonistes et de décrire les forces et le gouvernement des uns et des autres. Critias commence par les gens de son pays, les Athéniens. Quand les dieux se partagèrent le monde, Athèna et Hèphaistos reçurent en commun le lot de l'Attique. Ils y firent naître des gens de bien et leur enseignèrent l'organisation politique. Les noms de ces hommes se sont conservés, mais le souvenir de leurs actions a péri à la suite des déluges qui n'ont laissé subsister chaque fois que des montagnards illettrés. Le pays était alors habité par trois classes de citoyens : les artisans, les agriculteurs et les guerriers, qui habitaient à part, vivaient en commun, sans rien posséder en propre, et n'exigeaient des citoyens qu'ils protégeaient que le strict nécessaire. Le territoire était plus étendu qu'aujourd'hui : il allait jusqu'à l'Isthme et comprenait la Mégaride, et il s'étendait au nord jusqu'au fleuve Asopos. La qualité du sol y était sans égale et pouvait nourrir une nombreuse armée. Depuis lors, les inondations ont dénudé le pays. Il était, en ce temps-là, couvert d'une terre grasse et fertile; les montagnes étaient revêtues de forêts, et le sol gardait les pluies, qui alimentaient des sources et des rivières.

Quant à la ville, l'aspect en a été modifié par des tremblements de terre et des pluies extraordinaires, qui ont dilué et entraîné le sol. L'acropole s'étendait de la Pnyx au Lycabette, formant un plateau revêtu de terre végétale. Sur ses pentes habitaient les artisans et les laboureurs, et, sur le sommet, les guerriers, qui y vivaient en commun. Les guerriers administraient le pays avec justice, et ils étaient renommés pour leur beauté et leur vertu dans le monde entier.

Avant d'aborder le sujet de l'Atlantide, Critias prévient ses auditeurs que les noms des barbares qui l'habitaient ont été traduits d'abord par les Egyptiens dans leur langue, et que Solon les a traduits de même en langue grecque.

Dans le partage du monde, Poséidon avait obtenu l'Atlantide, île immense située au-delà des colonnes d'Hèraclès. Il y installa cinq couples de fils jumeaux qu'il avait eus de Clito, la fille du roi du pays. Ce roi habitait une montagne située au milieu d'une vaste plaine. Poséidon la fortifia en creusant autour trois enceintes circulaires concentriques, deux de terre et trois de mer, et fit jaillir au milieu de l'île deux sources abondantes, l'une d'eau froide et l'autre d'eau chaude. Il divisa le pays en dix lots en faveur de ses dix fils. L'aîné, Atlas, eut la souveraineté sur les autres, et le lot le plus beau, avec la demeure de sa mère, au centre de l'île. Cette île était d'une extrême richesse; l'on en extrayait des métaux de toute sorte; elle nourrissait toutes sortes d'animaux, en particulier des éléphants, et des arbres fruitiers de toute espèce.

Les habitants complétèrent l'œuvre du dieu de la mer. Ils jetèrent des ponts sur les enceintes d'eau de mer pour ménager un passage vers le dehors et vers le palais royal, dont l'émulation des rois fit une merveille de grandeur et de beauté. Ils creusèrent, de la mer à l'enceinte extérieure, un fossé propre à livrer passage aux plus grands navires, et à travers les enceintes de terre des tranchées assez larges pour permettre à une trière d'y passer. Ils recouvrirent ces tranchées de toits pour qu'on pût y naviguer à couvert. Ils revêtirent d'un mur de pierre le pourtour de l'île où habitait le roi et transformèrent les carrières d'où ils avaient extrait les pierres en bassins souterrains pour les vaisseaux. Sur l'acropole, se dressait un temple immense, consacré à Poséidon et à Clito. Ce temple était revêtu d'or et rempli de statues de toute sorte. Autour des sources que Poséidon avait fait jaillir, on avait construit pour les bains des bassins à ciel ouvert pour l'été, et d'autres couverts pour l'hiver. Dans les diverses enceintes on avait ménagé des temples, des jardins, des gymnases, un hippodrome, des casernes pour la garde du prince. Les arsenaux maritimes étaient pleins de trières. Un mur circulaire, distant de cinq stades de la plus grande enceinte et de son port, était couvert d'habitations pressées les unes contre les autres, et le canal et le plus grand port étaient remplis de navires venus de toutes les parties du monde.

Quant au pays lui-même, les rivages en étaient fort élevés et à pic sur la mer. Tout autour de la ville s'étendait une plaine encerclée de montagnes richement peuplées. Autour de cette plaine on avait creusé un fossé d'une longueur de 10 000 stades (1 776 kilomètres). Des tranchées la coupaient en ligne droite et se déchargeaient dans ce fossé. Elles servaient au flottage du bois qu'on descendait de la montagne et au transport des marchandises venues du dehors ou du pays même, où se faisaient annuellement deux récoltes.

En ce qui regarde l'organisation militaire, chaque district — il y en avait 60 000 — fournissait un chef et le chef à son tour fournissait des soldats de toutes armes et des marins pour une flotte qui devait compter 1 200 trières.

Quant à l'organisation politique, en voici les principaux traits. Chacun des dix princes était maître absolu dans ses Etats. Ils s'assemblaient tous les dix tous les cinq ou six ans dans le temple de Poséidon pour délibérer sur les affaires communes et juger ceux d'entre eux qui auraient violé les lois de Poséidon. Ils égorgeaient d'abord un taureau, et ils en faisaient couler le sang sur la colonne où étaient gravées les lois ; puis ils remplissaient de vin un cratère où ils jetaient un caillot de sang au nom de chacun d'eux, et ils s'engageaient à obéir en tout point aux ordres de Poséidon en buvant une coupe puisée au cratère, coupe qu'ils consacraient dans le temple. La nuit venue et tous feux éteints dans le temple, chacun des princes, vêtu d'une robe d'un bleu sombre, s'asseyait dans les cendres du sacrifice pour juger ou être jugé. Au retour du jour, ils inscrivaient sur une table d'or les jugements rendus pendant la nuit. Chacun d'eux s'engageait à prêter mainforte aux autres, en cas d'attaque, à délibérer en commun et à reconnaître l'hégémonie des descendants d'Atlas. Le roi cependant ne pouvait faire mettre à mort aucun d'eux, s'il n'avait en sa faveur plus de la moitié des voix.

Pendant de nombreuses générations, les rois de l'Atlantide obéirent aux lois. Attentifs à la seule vertu, ils supportaient aisément le fardeau de la richesse et de la puissance. Mais quand la portion divine qui était en eux s'altéra par son alliage avec la partie mortelle, ils oublièrent les prescriptions de Poséidon et cédèrent à l'ambition et à l'orgueil. Pour les ramener à la modération et à la vertu, Zeus résolut de les châtier. A cet effet, il réunit les dieux et leur dit :

Le manuscrit de Platon finit sur ces mots, et cette guerre fameuse que Critias devait raconter en détail et qui devait être l'essentiel de l'ouvrage, ne nous est connue que par ce qui en est dit dans le *Timée*, à savoir que les

Athéniens, réduits à leurs seules forces, repoussèrent les rois de l'Atlantide, mais que leur armée périt avec eux dans le cataclysme qui engloutit l'île entière. Qu'est-ce qui empêcha Platon de terminer son ouvrage ? L'antiquité ne nous en a rien dit. Trouva-t-il la tâche au-dessus de ses forces ? Mourut-il avant de pouvoir la mener à bonne fin, ou se désintéressa-t-il de son sujet pour composer *les Lois* ? Son but avait été de justifier les utopies de *la République*, en montrant qu'elles s'étaient déjà réalisées neuf mille ans auparavant chez les Athéniens vainqueurs des Atlantes, et de prouver qu'une petite république bien policée et vertueuse est supérieure, même à la guerre, à un grand Etat despotique où l'orgueil et l'ambition ont aboli la justice. Il a rempli la première partie de cette tâche. S'il a renoncé à la seconde, c'est peut-être qu'il appréhendait de trouver peu de créance chez ses lecteurs, en exposant une guerre purement imaginaire, alors qu'il pouvait arriver au même but en racontant une guerre authentique, qui intéresserait bien autrement les Athéniens, puisqu'ils en étaient les héros, la guerre où leur patriotisme et leur courage avaient triomphé d'un immense empire, assimilable à celui de l'Atlantide, l'empire des rois de Perse. Et ce récit, il l'a fait avec une admirable éloquence dans le troisième livre des *Lois*, où il a exalté la victoire des Athéniens.

Tel qu'il nous est parvenu, et tout incomplet qu'il est, le *Critias* n'en est pas moins un ouvrage très intéressant, sinon par la nouveauté des pensées et la hauteur des spéculations philosophiques, du moins par les descriptions originales et brillantes qui en sont l'essentiel. Platon a le don de rendre ses contes vraisemblables par la précision des détails empruntés à la réalité qu'il a observée autour de lui. C'est en se fondant sur les cataclysmes arrivés de son temps, tremblements de terre, fractures du sol, raz de marée, qu'il explique la transformation de l'acropole, autrefois unie à la Pnyx et au Lycabette, maintenant séparée de ces deux collines et dénudée de sa terre végétale. C'est parce qu'il a vu les montagnes se déboiser peu à peu qu'il les suppose jadis couvertes de forêts et alimentant des sources abondantes. S'il attribue ces transformations à des cataclysmes brusques, au lieu d'y reconnaître l'action lente des forces naturelles ou la main de l'homme, c'est que les observations géologiques en sont encore à leur début et les sciences naturelles à leur enfance.

Quant aux constructions colossales que les habitants de l'Atlantide avaient faites dans leur île, à ses canaux, à ses ports, à ses arsenaux, Platon s'est inspiré pour les dépeindre de ce qu'il avait appris de l'immense empire des Perses, des travaux exécutés en Sicile par Denys l'Ancien, ou dans les ports du Pirée et de Munychie par le fameux architecte Hippodamos de Milet. En ce qui concerne les sacrifices extraordinaires que font les dix rois de l'Atlantide, il se peut que l'imagination de Platon se soit donné libre carrière ; il se peut aussi qu'il en ait emprunté certains détails aux rites bizarres observés dans les diverses religions de la Grèce, de la Perse et de l'Égypte. En tout cas, il a réussi à tracer un tableau original et grandiose de toutes les merveilles réalisées par les Atlantes. Il voulait nous en donner une haute idée, il y a parfaitement réussi.

Sur les personnages du *Critias* nous avons dit l'essentiel dans notre notice sur le *Timée*. Il nous reste à fixer la date de la composition. Le dialogue fait immédiatement suite au *Timée* et se tient le même jour. Il est vraisemblable qu'il fut composé immédiatement après le *Timée*. Ce n'est pas, il est vrai, l'avis de M. Taylor (*Introduction au Critias*, p. 101). Il note que le *Timée* a été revisé avant d'être publié et que le *Critias* ne l'a pas été, vu les difficultés syntaxiques qu'il présente. De cette constatation et de quelques divergences de détail, il conclut que le *Critias* a été composé quelques années après le *Timée*. Mais est-ce une raison, parce que Platon n'aurait pas revisé un ouvrage qu'il n'a pas achevé, pour en conclure que cet ouvrage a été composé plusieurs années après ? Quant aux légères divergences que M. Taylor a relevées entre le *Timée* et le *Critias*, elles peuvent aisément s'expliquer, précisément parce que le *Critias* n'a pas été revisé, sans qu'il soit besoin d'admettre un si long intervalle entre les deux ouvrages.

Nous avons traduit le *Critias* sur le texte publié par M. Rivaud et nous avons fait notre profit de son introduction et de sa traduction, comme aussi de l'élégante traduction de M. Taylor, et de la traduction précise et nette de M. Bury.

CRITIAS OU L'ATLANTIDE

PERSONNAGES DU DIALOGUE

TIMÉE, CRITIAS, SOCRATE, HERMOCRATE, TIMÉE

TIMÉE

Que je suis content, Socrate, de me reposer comme après un long voyage, maintenant que j'ai fini d'une manière satisfaisante la traversée de mon sujet! A présent, je prie le dieu auquel nos discours viennent de donner la naissance, bien qu'il existe depuis longtemps [146], qu'il nous fasse la grâce de conserver parmi nos propos tous ceux qui sont vrais, et, si nous avons sans le vouloir émis quelque fausse note, de nous infliger la punition qui convient. Or la juste punition, c'est de remettre dans le ton celui qui en est sorti. Afin donc qu'à l'avenir nos discours sur la génération des dieux soient exacts, nous prions le dieu de nous accorder le plus parfait et le meilleur des correctifs, la science. Cette prière faite, je remets à Critias, comme il a été convenu, la suite du discours.

CRITIAS

Bien, Timée; je l'accepte, mais j'en userai comme tu l'as fait toi-même en commençant : tu as demandé l'indulgence sous prétexte que tu allais traiter un grand sujet. Moi aussi, je sollicite l'indulgence, et je prétends même y avoir plus de droit que Timée, vu les questions que j'ai à traiter. J'ai bien conscience que je vais vous faire une demande fort présomptueuse et assez indiscrète; il faut pourtant que je la fasse. Que ce que tu as dit n'ait pas été bien dit, quel homme de sens oserait le soutenir ? Mais que ce que j'ai à dire ait besoin d'une plus grande indulgence, en raison d'une plus grande difficulté, c'est ce qu'il faut essayer de montrer comme je pourrai. Et en effet, Timée, quand on parle des dieux à des hommes, il est plus facile de les satisfaire que quand on nous parle, à nous, des mortels. Car l'inexpérience et la complète ignorance des auditeurs sur des matières qui leur sont ainsi étrangères font la partie belle à qui veut en parler, et, au sujet des dieux, nous savons où nous en sommes. Mais, pour saisir plus clairement ma pensée, prenez garde à l'observation que voici. Ce que nous disons tous, tant que nous sommes, est forcément, n'est-ce pas, une imitation, une image. Considérons maintenant la fabrication des images que les peintres font des corps divins et humains, au point de vue de la facilité et de la difficulté qu'ils ont à les imiter de façon à contenter le spectateur, et nous nous rendrons compte que, si un peintre qui peint la terre, des montagnes, des rivières, des forêts et le ciel tout entier avec ce qu'il renferme et ce qui s'y meut, est capable d'en atteindre si peu que ce soit la ressemblance, nous sommes aussitôt satisfaits. En outre, comme nous n'avons des choses de ce genre aucune connaissance précise, nous n'en examinons pas, nous n'en discutons pas les représentations; nous nous contentons d'esquisses vagues et trompeuses. Au contraire, quand un peintre entreprend de représenter nos corps, nous percevons vivement le défaut de son dessin, parce que nous avons l'habitude de nous voir tous les jours et nous devenons des juges sévères pour celui qui ne reproduit pas entièrement tous les traits de ressemblance. C'est ce qui arrive aussi nécessairement à l'égard des discours. Quand il s'agit des choses célestes et divines, il nous suffit qu'on en parle avec quelque vraisemblance; mais pour les choses mortelles et humaines, nous les examinons avec rigueur. Si donc, dans ce que je vais dire à l'impromptu, je ne réussis pas à rendre parfaitement ce qui convient, vous devez me le pardonner; car il faut songer que les choses mortelles ne sont pas aisées, mais difficiles à représenter selon l'attente des spectateurs. C'est justement pour vous rappeler cela et pour demander une indulgence, non pas inférieure, mais plus grande pour l'exposition que j'ai à faire, que j'ai dit tout cela, Socrate. Si donc il vous paraît que j'ai droit à cette faveur, accordez-la-moi de bonne grâce.

SOCRATE

Et pourquoi, Critias, hésiterions-nous à te l'accorder ? Accordons aussi la même grâce au troisième orateur, à Hermocrate. Car il est clair qu'un peu plus tard, quand il lui faudra prendre la parole, il fera la même demande que vous. Afin donc qu'il imagine un autre préambule et ne soit pas forcé d'employer le même, qu'il parle avec l'assurance que notre indulgence lui est acquise pour ce moment-là. Au reste, mon cher Critias, je t'avertis des dispositions de ton public. Le poète qui t'a précédé a obtenu auprès de lui un merveilleux succès [147]. Aussi tu auras besoin d'une indulgence sans réserve pour pouvoir prendre sa succession.

HERMOCRATE

Cet avertissement-là, Socrate, s'adresse à moi aussi bien qu'à Critias. Après tout, jamais des lâches n'ont élevé de trophée, Critias. Il te faut donc aborder bravement ton sujet, et, après avoir invoqué Apollon et les Muses, nous faire connaître et chanter la vertu de tes concitoyens d'autrefois.

CRITIAS

Mon cher Hermocrate, tu es au second rang, avec un autre devant toi : voilà pourquoi tu fais encore le brave, mais tu sauras bientôt si la tâche est facile. Quoi qu'il en soit, il faut obéir à tes exhortations et à tes encouragements, et, outre les dieux que tu viens de nommer, appeler aussi les autres à mon aide et particulièrement Mnémosyne. Car on peut dire que tout ce qu'il y a de plus important dans mon sujet dépend d'elle. Si, en effet, je puis me rappeler suffisamment et vous rapporter les discours tenus autrefois par les prêtres et apportés ici par Solon, je suis à peu près sûr que cette assemblée sera d'avis que j'ai bien rempli ma tâche. C'est ce que j'ai à faire à présent et sans plus tarder.

Avant tout, rappelons-nous qu'en somme il s'est écoulé neuf mille ans depuis la guerre qui, d'après les révélations des prêtres égyptiens, éclata entre les peuples qui habitaient au-dehors par-delà les colonnes d'Héraclès et tous ceux qui habitaient en deçà. C'est cette guerre qu'il me faut maintenant raconter en détail. En deçà, c'est notre ville, dit-on, qui eut le commandement et soutint toute la guerre; au-delà, ce furent les rois de l'île Atlantide, île qui, nous l'avons dit, était autrefois plus grande que la Libye et l'Asie, mais qui, aujourd'hui, engloutie par des tremblements de terre, n'a laissé qu'un limon infranchissable, qui barre le passage à ceux qui cinglent d'ici vers la grande mer. Quant aux nombreux peuples barbares et à toutes les tribus grecques qui existaient alors, la suite de mon discours, en se déroulant, si je puis dire, les fera connaître au fur et à mesure qu'il les rencontrera; mais il faut commencer par les Athéniens de ce temps-là et par les adversaires qu'ils eurent à combattre et décrire les forces et le gouvernement des uns et des autres. Et entre les deux, c'est à celui de notre pays qu'il faut donner la priorité.

Autrefois les dieux se partagèrent entre eux la terre entière, contrée par contrée et sans dispute; car il ne serait pas raisonnable de croire que les dieux ignorent ce qui convient à chacun d'eux, ni que, sachant ce qui convient mieux aux uns, les autres essayent de s'en emparer à la faveur de la discorde [148].

Ayant donc obtenu dans ce juste partage le lot qui leur convenait, ils peuplèrent chacun leur contrée, et, quand elle fut peuplée, ils nous élevèrent, nous, leurs ouailles et leurs nourrissons, comme les bergers leurs troupeaux, mais sans violenter nos corps, comme le font les bergers qui mènent paître leur bétail à coups de fouet; mais, se plaçant pour ainsi dire à la poupe, d'où l'animal est le plus facile à diriger, ils le gouvernaient en usant de la persuasion comme gouvernail et maîtrisaient ainsi son âme selon leur propre dessein, et c'est ainsi qu'ils conduisaient et gouvernaient toute l'espèce mortelle.

Tandis que les autres dieux réglaient l'organisation des différents pays que le sort leur avait assignés, Héphaistos et Athéna qui ont la même nature, et parce qu'ils sont enfants du même père, et parce qu'ils s'accordent dans le même amour de la sagesse et des arts, ayant reçu tous deux en commun notre pays, comme un lot qui leur était propre et naturellement approprié à la vertu et à la pensée, y firent naître de la terre des gens de bien et leur enseignèrent l'organisation politique. Leurs noms ont été conservés, mais leurs œuvres ont péri par la destruction de leurs successeurs et l'éloignement des temps. Car l'espèce qui chaque fois survivait, c'était, comme je l'ai dit plus haut, celle des montagnards et des illettrés, qui ne connaissaient que les noms des maîtres du pays et savaient peu de chose de leurs actions. Ces noms, il les donnaient volontiers à leurs enfants; mais des vertus et des lois de leurs devanciers ils ne connaissaient rien, à part quelques vagues on-dit sur chacun d'eux. Dans la disette des choses nécessaires, où ils restèrent, eux et leurs enfants, pendant plusieurs générations, ils ne s'occupaient que de leurs besoins, ne s'entretenaient que d'eux et ne s'inquiétaient pas de ce qui s'était passé avant eux et dans les temps anciens. Les récits légendaires et la recherche des antiquités apparaissent dans les cités en même temps que le loisir, lorsqu'ils voient que certains hommes sont pourvus des choses nécessaires à la vie, mais pas auparavant. Et voilà comment les noms des anciens hommes se sont conservés sans le souvenir de leurs hauts faits. Et la preuve de ce que j'avance, c'est que les noms de Cécrops, d'Erechtée, d'Erichthonios, d'Erysichthon et la plupart de ceux des héros antérieurs à Thésée dont on ait gardé la mémoire, sont précisément ceux dont se servaient, au rapport de Solon, les prêtres égyptiens, lorsqu'ils lui racontèrent la guerre de ce temps-là. Et il en est de même des noms des femmes. En outre, la tenue et l'image de la déesse, que les hommes de ce temps-là représentaient en armes conformément à la coutume de leur temps, où les occupations guerrières étaient communes aux femmes et aux enfants, signifient que, chez tous les êtres vivants, mâles et femelles, qui vivent en société, la nature a voulu qu'ils fussent les uns et les autres capables d'exercer en commun la vertu propre à chaque espèce.

Notre pays était alors habité par les différentes classes de citoyens qui exerçaient des métiers et tiraient du sol leur subsistance. Mais celle des guerriers, séparée des autres dès le commencement par des hommes divins, habitait à part. Ils avaient tout le nécessaire pour la nourriture et l'éducation; mais aucun d'eux ne possédait rien en propre; ils pensaient que tout était commun entre eux tous; mais ils n'exigeaient des autres citoyens rien au-delà de ce qui leur suffisait pour vivre, et ils exerçaient toutes les fonctions que nous avons décrites hier en parlant des gardiens que nous avons imaginés.

On disait aussi, en ce qui concerne le pays, et cette tradition est vraisemblable et véridique, tout d'abord, qu'il était borné par l'isthme et qu'il s'étendait jusqu'aux sommets du Cithéron et du Parnès [149], d'où la frontière descendait en enfermant l'Oropie sur la droite, et longeant l'Asopos à gauche, du côté de la mer [150]; qu'ensuite la qualité du sol y était sans égale dans le monde entier, en sorte que le pays pouvait nourrir une nombreuse armée exempte des travaux de la terre. Une forte preuve de la qualité de notre terre, c'est que ce qui en reste à présent peut rivaliser avec n'importe laquelle pour la diversité et la beauté de ses fruits et sa richesse en pâturages propres à toute espèce de bétail. Mais, en ce temps-là, à la qualité de ses produits se joignait une prodigieuse abondance. Quelle preuve en avons-nous et qu'est-ce qui reste du sol d'alors qui justifie notre dire ? Le pays tout entier s'avance loin du continent dans la mer et s'y étend comme un promontoire, et il se trouve que le bassin de la mer qui l'enveloppe est d'une grande profondeur. Aussi, pendant les nombreuses et grandes inondations qui ont eu lieu pendant les neuf mille ans, car c'est là le nombre des ans qui se sont écoulés depuis ce temps-là jusqu'à nos jours, le sol qui s'écoule des hauteurs en ces temps de désastre ne dépose pas, comme dans les autres pays, de sédiment notable et, s'écoulant toujours sur le pourtour du pays, disparaît dans la profondeur des flots. Aussi comme il est arrivé dans les petites îles, ce qui reste à présent, comparé à ce qui existait alors, ressemble à un corps décharné par la maladie. Tout ce qu'il y avait de terre grasse et molle s'est écoulé et il ne reste plus que la carcasse nue du pays. Mais, en ce temps-là, le pays encore intact avait, au lieu de montagnes, de hautes collines; les plaines qui portent aujourd'hui le nom de Phelleus [151] étaient remplies de terre grasse; il y avait sur les montagnes de grandes forêts, dont il reste encore aujourd'hui des témoignages visibles. Si, en effet, parmi les montagnes, il en est qui ne nourrissent plus que des abeilles, il n'y a pas bien longtemps qu'on y coupait des arbres propres à couvrir les plus vastes constructions, dont les poutres existent encore. Il y avait aussi beaucoup de grands arbres à fruits et le sol produisait du fourrage à l'infini pour le bétail. Il recueillait aussi les pluies annuelles de Zeus et ne perdait pas comme aujourd'hui l'eau qui s'écoule de la terre dénudée dans la mer, et, comme la terre était alors épaisse et recevait l'eau dans son sein et la tenait en réserve dans l'argile imperméable, elle laissait échapper dans les creux l'eau des hauteurs qu'elle avait absorbée et alimentait en tous lieux d'abondantes sources et de grosses rivières. Les sanctuaires qui subsistent encore aujourd'hui près des sources qui existaient autrefois portent témoignage de ce que j'avance à présent. Telle était la condition naturelle du pays. Il avait été mis en culture, comme on pouvait s'y attendre, par de vrais laboureurs, uniquement occupés à leur métier, amis du beau et doués d'un heureux naturel, disposant d'une terre excellente et d'une eau très abondante, et favorisés dans leur culture du sol par des saisons le plus heureusement tempérées.

Quant à la ville, voici comment elle était ordonnée en ce temps-là. D'abord l'acropole n'était pas alors dans l'état où elle est aujourd'hui. En une seule nuit, des pluies extraordinaires, diluant le sol qui la couvrait, la laissèrent dénudée. Des tremblements de terre s'étaient produits en même temps que cette chute d'eau prodigieuse, qui fut la troisième avant la destruction qui eut lieu au temps de Deucalion. Mais auparavant, à une autre époque, telle était la grandeur de l'acropole qu'elle s'étendait jusqu'à l'Eridan et à l'Ilisos et comprenait le Pnyx, et qu'elle avait pour borne le mont Lycabette du côté qui fait face au Pnyx [152]. Elle était entièrement revêtue de terre et, sauf sur quelques points, elle formait une plaine à son sommet. En dehors de l'acropole, au pied même de ses pentes, étaient les habitations des artisans et des laboureurs qui cultivaient les champs voisins. Sur le sommet, la classe des guerriers demeurait seule autour du temple d'Athèna et d'Hèphaistos, après avoir entouré le plateau d'une seule enceinte, comme on fait le jardin d'une seule maison. Ils habitaient la partie nord de ce plateau, où ils avaient aménagé des logements communs et des réfectoires d'hiver, et ils avaient tout ce qui convenait à leur genre de vie en commun, soit en fait d'habitations, soit en fait de temples, à l'exception de l'or et de l'argent [153]; car ils ne faisaient aucun usage de ces métaux en aucun cas. Attentifs à garder le juste milieu entre le faste et la pauvreté servile, ils se faisaient bâtir des maisons décentes, où ils vieillissaient, eux et les enfants de leurs enfants, et qu'ils transmettaient toujours les mêmes à d'autres pareils à eux. Quant à la partie sud, lorsqu'ils abandonnaient en été, comme il est naturel, leurs jardins, leurs gymnases, leurs réfectoires, elle leur en tenait lieu. Sur l'emplacement de l'acropole actuelle, il y avait une source qui fut engorgée par les tremblements de terre et dont il reste les minces filets d'eau qui ruissellent du pourtour; mais elle fournissait alors à toute la ville une eau abondante, également saine en hiver et en été. Tel était le genre de vie de ces hommes qui étaient à la fois les gardiens de leurs concitoyens et les chefs avoués des autres Grecs. Ils veillaient soigneusement à ce que leur nombre, tant d'hommes que de femmes, déjà en état ou encore en état de porter les armes, fût, autant que possible, constamment le même, c'est-à-dire environ vingt mille.

Voilà donc quels étaient ces hommes et voilà comment ils administraient invariablement, selon les règles de la justice, leur pays et la Grèce. Ils étaient renommés dans toute l'Europe et toute l'Asie pour la beauté de leurs corps et les vertus de toute sorte qui ornaient leurs âmes, et ils étaient les plus illustres de tous les hommes d'alors. Quant à la condition et à la primitive histoire de leurs adversaires, si je n'ai pas perdu le souvenir de ce que j'ai entendu raconter étant encore enfant, c'est ce que je vais maintenant vous exposer, pour en faire partager la connaissance aux amis que vous êtes.

Mais, avant d'entrer en matière, j'ai encore un détail à vous expliquer, pour que vous ne soyez pas surpris d'entendre des noms grecs appliqués à des barbares. Vous allez en savoir la cause. Comme Solon songeait à utiliser ce récit pour ses poèmes, il s'enquit du sens des noms, et il trouva que ces Egyptiens, qui les avaient écrits les premiers, les avaient traduits dans leur propre langue. Luimême, reprenant à son tour le sens de chaque nom, le transporta et transcrivit dans notre langue. Ces manuscrits de Solon étaient chez mon grand-père et sont encore chez moi à l'heure qu'il est, et je les ai appris par cœur étant enfant. Si donc vous entendez des noms pareils à ceux de chez nous, que cela ne vous cause aucun étonnement : vous en savez la cause.

Et maintenant voici à peu près de quelle manière commença ce long récit. Nous avons déjà dit, au sujet du tirage au sort que firent les dieux, qu'ils partagèrent toute la terre en lots plus ou moins grands suivant les pays et qu'ils établirent en leur honneur des temples et des sacrifices. C'est ainsi que Poséidon, ayant eu en partage l'île Atlantide, installa des enfants qu'il avait eus d'une femme mortelle dans un endroit de cette île que je vais décrire. Du côté de la mer, s'étendait, par le milieu de l'île entière, une plaine qui passe pour avoir été la plus belle de toutes les plaines et fertile par excellence. Vers le centre de cette plaine, à une distance d'environ cinquante stades, on voyait une montagne qui était partout de médiocre altitude. Sur cette montagne habitait un de ces hommes qui, à l'origine, étaient, en ce pays, nés de la terre. Il s'appelait Evénor et vivait avec une femme du nom de Leucippe. Ils engendrèrent une fille unique, Clito, qui venait d'atteindre l'âge nubile, quand son père et sa mère moururent. Poséidon, s'en étant épris, s'unit à elle et fortifia la colline où elle demeurait, en en découpant le pourtour par des enceintes faites alternativement de mer et de terre, les plus grandes enveloppant les plus petites. Il en traça deux de terre et trois de mer et les arrondit en partant du milieu de l'île, dont elles étaient partout à égale distance, de manière à rendre le passage infranchissable aux hommes; car on ne connaissait encore en ce temps-là ni vaisseaux ni navigation. Lui-même embellit l'île centrale, chose aisée pour un dieu. Il fit jaillir du sol deux sources d'eau, l'une chaude et l'autre froide, et fit produire à la terre des aliments variés et abondants. Il engendra cinq couples de jumeaux mâles, les éleva, et, ayant partagé l'île entière de l'Atlantide en dix portions, il attribua au premier né du couple le plus vieux la demeure de sa mère et le lot de terre alentour, qui était le plus vaste et le meilleur; il l'établit roi sur tous ses frères et, de ceux-ci, fit des souverains, en donnant à chacun d'eux un grand nombre d'hommes à gouverner et un vaste territoire. Il leur donna des noms à tous. Le plus vieux, le roi, reçut le nom qui servit à désigner l'île entière et la mer qu'on appelle Atlantique, parce que le premier roi du pays à cette époque portait le nom d'Atlas. Le jumeau né après lui, à qui était échue l'extrémité de l'île du côté des colonnes d'Hèraclès, jusqu'à la région qu'on appelle aujourd'hui Gadirique en ce pays, se nommait en grec Eumèlos et en dialecte indigène Gadire [154], mot d'où la région a sans doute tiré son nom. Les enfants du deuxième couple furent appelés, l'un Amphérès, l'autre Evaimon. Du troisième couple, l'aîné reçut le nom de Mnèseus, le cadet celui d'Autochthon. Du quatrième, le premier né fut nommé Elasippos, le deuxième Mèstor; à l'aîné du cinquième groupe on donna le nom d'Azaès, au cadet celui de Diaprépès. Tous ces fils de Poséidon et leurs descendants habitèrent ce pays pendant de longues générations. Ils régnaient sur beaucoup d'autres îles de l'Océan et, comme je l'ai déjà dit, ils étendaient en outre leur empire, de ce côté-ci, à l'intérieur du détroit, jusqu'à l'Egypte et à la Tyrrhénie.

La race d'Atlas devint nombreuse et garda les honneurs du pouvoir. Le plus âgé était roi, et, comme il transmettait toujours le sceptre au plus âgé de ses fils, ils conservèrent la royauté pendant de nombreuses générations. Ils avaient acquis des richesses immenses, telles qu'on n'en vit jamais dans aucune dynastie royale et qu'on n'en verra pas facilement dans l'avenir. Ils disposaient de toutes les ressources de leur cité et de toutes celles qu'il fallait tirer de la terre étrangère. Beaucoup leur venaient du dehors, grâce à leur empire, mais c'est l'île elle-même qui leur fournissait la plupart des choses à l'usage de la vie, en premier lieu tous les métaux, solides ou fusibles, qu'on extrait des mines, et en particulier une espèce dont nous ne possédons plus que le nom, mais qui était alors plus qu'un nom et qu'on extrayait de la terre en maint endroit de l'île, l'orichalque [155], le plus précieux, après l'or, des métaux alors connus. Puis tout ce que la forêt fournit de matériaux pour les travaux des charpentiers, l'île le produisait aussi en abondance. Elle nourrissait aussi abondamment les animaux domestiques et sauvages. On y trouvait même une race d'éléphants très nombreuse; car elle offrait une plantureuse pâture non seulement à tous les autres animaux qui paissent au bord des marais, des lacs et des rivières, ou dans les forêts, ou dans les plaines, mais encore également à cet animal, qui par nature est le plus gros et le plus vorace. En outre, tous les parfums que la terre nourrit à présent, en quelque endroit que ce soit, qu'ils viennent de racines ou d'herbes ou de bois, ou de sucs distillés par les fleurs ou les fruits, elle les produisait et les nourrissait parfaitement, et aussi les fruits cultivés et les secs, dont nous usons pour notre nourriture, et tous ceux dont nous nous servons pour compléter nos repas, et que nous désignons par le terme général de légumes, et ces fruits ligneux qui nous fournissent des boissons, des aliments et des parfums, et ce fruit à écailles et de conservation difficile, fait pour notre amusement et notre plaisir, et tous ceux que nous servons après le repas pour le soulagement et la satisfaction de ceux qui souffrent d'une pesanteur d'estomac, tous ces fruits, cette île sacrée qui voyait alors le soleil, les produisait magnifiques, admirables, en quantités infinies [156]. Avec toutes ces richesses qu'ils tiraient de la terre, les habitants construisirent les temples, les palais des rois, les ports, les chantiers maritimes, et ils embellirent tout le reste du pays dans l'ordre que je vais dire.

Ils commencèrent par jeter des ponts sur les fossés d'eau de mer qui entouraient l'antique métropole, pour ménager un passage vers le dehors et vers le palais royal. Ce palais, ils l'avaient élevé dès l'origine à la place habitée par le dieu et par leurs ancêtres. Chaque roi, en le recevant de son prédécesseur, ajoutait à ses embellissements et mettait tous ses soins à le surpasser, si bien qu'ils firent de leur demeure un objet d'admiration par la grandeur et la beauté de leurs travaux. Ils creusèrent depuis la mer jusqu'à l'enceinte extérieure un canal de trois plèthres de large, de cent pieds de profondeur et de cinquante stades de longueur, et ils ouvrirent aux vaisseaux venant de la mer une entrée dans ce canal, comme dans un port, en y ménageant une embouchure suffisante pour que les plus grands vaisseaux y pussent pénétrer. En outre, à travers les enceintes de terre qui séparaient celles d'eau de mer, vis-à-vis des ponts, ils ouvrirent des tranchées assez larges pour permettre à une trière de passer d'une enceinte à l'autre, et par-dessus ces tranchées ils mirent des toits pour qu'on pût naviguer dessous; car les parapets des enceintes de terre étaient assez élevés au-dessus de la mer. Le plus grand des fossés circulaires, celui qui communiquait avec la mer, avait trois stades de largeur, et l'enceinte de terre qui lui faisait suite en avait autant. Des deux enceintes suivantes, celle d'eau avait une largeur de deux stades et celle de terre était encore égale à celle d'eau qui la précédait; celle qui entourait l'île centrale n'avait qu'un stade. Quant à l'île où se trouvait le palais des rois, elle avait un diamètre de cinq stades. Ils revêtirent d'un mur de pierre le pourtour de cette île, les enceintes et les deux côtés du pont, qui avait une largeur d'un plèthre. Ils mirent des tours et des portes sur les ponts et à tous les endroits où passait la mer. Ils tirèrent leurs pierres du pourtour de l'île centrale et de dessous les enceintes, à l'extérieur et à l'intérieur; il y en avait des blanches, des noires et des rouges. Et tout en extrayant les pierres, ils construisirent des bassins doubles creusés dans l'intérieur du sol, et couverts d'un toit par le roc même. Parmi ces constructions les unes étaient d'une seule couleur; dans les autres, ils entremêlèrent les pierres de manière à faire un tissu varié de couleurs pour le plaisir des yeux, et leur donnèrent ainsi un charme naturel. Ils revêtirent d'airain, en guise d'enduit, tout le pourtour du mur qui entourait l'enceinte la plus extérieure; d'étain fondu celui de l'enceinte intérieure, et celle qui entourait l'acropole elle-même d'orichalque aux reflets de feu.

Le palais royal, à l'intérieur de l'acropole, avait été agencé comme je vais dire. Au centre même de l'acropole il y avait un temple consacré à Clito et à Poséidon. L'accès en était interdit et il était entouré d'une clôture d'or. C'est là qu'à l'origine ils avaient engendré et mis au jour la race des dix princes. C'est là aussi qu'on venait chaque année des dix provinces qu'ils s'étaient partagées offrir à chacun d'eux les sacrifices de saison. Le temple de Poséidon lui-même était long d'un stade, large de trois plèthres et d'une hauteur proportionnée à ces dimensions; mais il avait dans son aspect quelque chose de barbare. Le temple tout entier, à l'extérieur, était revêtu d'argent, hormis les acrotères, qui l'étaient d'or; à l'intérieur, la voûte était tout entière d'ivoire émaillé d'or, d'argent et d'orichalque; tout le reste, murs, colonnes et pavés, était garni d'orichalque. On y avait dressé des statues d'or, en particulier celle du dieu, debout sur un char, conduisant six chevaux ailés, et si grand que sa tête touchait la voûte, puis, en cercle autour de lui, cent Néréides [157] sur des dauphins; car on croyait alors qu'elles étaient au nombre de cent; mais il y avait aussi beaucoup d'autres statues consacrées par des particuliers. Autour du temple, à l'extérieur, se dressaient les statues d'or de toutes les princesses et de tous les princes qui descendaient des dix rois et beaucoup d'autres grandes statues dédiées par les rois et les particuliers, soit de la ville même, soit des pays du dehors soumis à leur autorité. Il y avait aussi un autel dont la grandeur et le travail étaient en rapport avec tout cet appareil, et tout le palais de même était proportionné à la grandeur de l'empire, comme aussi aux ornements du temple.

Les deux sources, l'une d'eau froide et l'autre d'eau chaude, avaient un débit considérable et elles étaient, chacune, merveilleusement adaptées aux besoins des habitants par l'agrément et la vertu de leurs eaux. Ils les avaient entourées de bâtiments et de plantations d'arbres appropriées aux eaux. Ils avaient construit tout autour des bassins, les uns à ciel ouvert, les autres couverts, destinés aux bains chauds en hiver. Les rois avaient les leurs à part, et les particuliers aussi; il y en avait d'autres pour les femmes et d'autres pour les chevaux et les autres bêtes de somme, chacun d'eux étant disposé suivant sa destination. Ils conduisaient l'eau qui s'en écoulait dans le bois sacré de Poséidon, où il y avait des arbres de toutes essences, d'une grandeur et d'une beauté divines, grâce à la qualité du sol; puis ils la faisaient écouler dans les enceintes extérieures par des aqueducs qui passaient sur les ponts. Là, on avait aménagé de nombreux temples dédiés à de nombreuses divinités, beaucoup de jardins et beaucoup de gymnases, les uns pour les hommes, les autres pour les chevaux, ces derniers étant construits à part dans chacune des deux îles formées par les enceintes circulaires. Entre autres, au milieu de la plus grande île, on avait réservé la place d'un hippodrome d'un stade de large, qui s'étendait en longueur sur toute l'enceinte, pour le consacrer aux courses de chevaux. Autour de l'hippodrome, il y avait, de chaque côté, des casernes pour la plus grande partie de la garde. Ceux des gardes qui inspiraient le plus de confiance tenaient garnison dans la plus petite des deux enceintes, qui était aussi la plus près de l'acropole, et à ceux qui se distinguaient entre tous par leur fidélité on avait assigné des quartiers à l'intérieur de l'acropole autour des rois mêmes.

Les arsenaux étaient pleins de trières et de tous les agrès nécessaires aux trières, le tout parfaitement apprêté. Et voilà comment tout était disposé autour du palais des rois.

Quand on avait traversé les trois ports extérieurs, on trouvait un mur circulaire commençant à la mer et partout distant de cinquante stades de la plus grande enceinte et de son port. Ce mur venait fermer au même point l'entrée du canal du côté de la mer. Il était tout entier couvert de maisons nombreuses et serrées les unes contre les autres, et le canal et le plus grand port étaient remplis de vaisseaux et de marchands venus de tous les pays du monde et de leur foule s'élevaient jour et nuit des cris, du tumulte et des bruits de toute espèce.

Je viens de vous donner un rapport assez fidèle de ce que l'on m'a dit jadis de la ville et du vieux palais. A présent il me faut essayer de rappeler quel était le caractère du pays et la forme de son organisation. Tout d'abord, on m'a dit que tout le pays était très élevé et à pic sur la mer, mais que tout autour de la ville s'étendait une plaine qui l'entourait et qui était elle-même encerclée de montagnes descendant jusqu'à la mer; que sa surface était unie et régulière, qu'elle était oblongue en son ensemble, qu'elle mesurait sur un côté trois mille stades et à son centre, en montant de la mer, deux mille. Cette région était, dans toute la longueur de l'île, exposée au midi et à l'abri des vents du nord. On vantait alors les montagnes qui l'entouraient, comme dépassant en nombre, en grandeur et en beauté toutes celles qui existent aujourd'hui. Elles renfermaient un grand nombre de riches villages peuplés de perièques [158], des rivières, des lacs et des prairies qui fournissaient une pâture abondante à tous les animaux domestiques et sauvages et des bois nombreux et d'essences variées amplement suffisants pour toutes les sortes d'ouvrages de l'industrie.

Or cette plaine avait été, grâce à la nature et aux travaux d'un grand nombre de rois au cours de longues générations, aménagée comme je vais dire. Elle avait la forme d'un quadrilatère généralement rectiligne et oblong; ce qui lui manquait en régularité avait été corrigé par un fossé creusé sur son pourtour. En ce qui regarde la profondeur, la largeur et la longueur de ce fossé, il est difficile de croire qu'il ait eu les proportions qu'on lui prête, si l'on considère que c'était un ouvrage fait de main d'homme, ajouté aux autres travaux. Il faut cependant répéter ce que nous avons ouï dire : il avait été creusé à la profondeur d'un plèthre, sa largeur était partout d'un stade, et, comme sa longueur embrassait toute la plaine, elle montait à dix mille stades. Il recevait les cours d'eau qui descendaient des montagnes, faisait le tour de la plaine, aboutissait à la ville par ses deux extrémités, d'où on le laissait s'écouler dans la mer. De la partie haute de la ville partaient des tranchées d'environ cent pieds de large, qui coupaient la plaine en ligne droite et se déchargeaient dans le fossé près de la mer; de l'une à l'autre il y avait un intervalle de cent stades. Elles servaient au flottage des bois descendus des montagnes vers la ville et au transport par bateaux des autres productions de chaque saison, grâce à des canaux qui partaient des tranchées et les faisaient communiquer obliquement les unes avec les autres et avec la ville. Notez qu'il y avait tous les ans deux récoltes, parce que l'hiver on utilisait les pluies de Zeus, et en été, les eaux qui jaillissent de la terre, qu'on amenait des tranchées.

En ce qui regarde le nombre de soldats que devait fournir la plaine en cas de guerre, on avait décidé que chaque district fournirait un chef. La grandeur du district était de dix fois dix stades et il y en avait en tout six myriades. Quant aux hommes à tirer des montagnes et du reste du pays, leur nombre, à ce qu'on m'a dit, était infini; ils avaient tous été répartis par localités et par villages entre ces districts sous l'autorité des chefs. Or le chef avait ordre de fournir pour la guerre la sixième partie d'un char de combat, en vue d'en porter l'effectif à dix mille; deux chevaux et leurs cavaliers; en outre un attelage de deux chevaux, sans char, avec un combattant armé d'un petit bouclier et un conducteur des deux chevaux porté derrière le combattant, plus deux hoplites, des archers et des frondeurs au nombre de deux pour chaque espèce, des fantassins légers lanceurs de pierres et de javelots au nombre de trois pour chaque espèce, et quatre matelots pour remplir douze cents navires [159]. C'est ainsi qu'avait été réglée l'organisation militaire de la ville royale. Pour les neuf autres provinces, chacune avait son organisation particulière, dont l'explication demanderait beaucoup de temps.

Le gouvernement et les charges publiques avaient été réglés à l'origine de la manière suivante. Chacun des dix rois dans son district et dans sa ville avait tout pouvoir sur les hommes et sur la plupart des lois : il punissait et faisait mettre à mort qui il voulait. Mais leur autorité l'un sur l'autre et leurs relations mutuelles étaient réglées sur les instructions de Poséidon, telles qu'elles leur avaient été transmises par la loi, et par les inscriptions gravées par les premiers rois sur une colonne d'orichalque, placée au centre de l'île dans le temple de Poséidon. C'est dans ce temple qu'ils s'assemblaient tous les cinq ans ou tous les six ans alternativement, accordant le même honneur au pair et à l'impair. Dans cette assemblée, ils délibéraient sur les affaires communes, ils s'enquéraient si l'un d'eux enfreignait la loi et le jugeaient. Au moment de porter leur jugement, ils se donnaient d'abord les uns aux autres des gages de leur foi de la manière suivante. Il y avait dans l'enceinte du temple de Poséidon des taureaux en liberté. Les dix rois, laissés seuls, priaient le dieu de leur faire capturer la victime qui lui serait agréable, après quoi ils se mettaient en chasse avec des bâtons et des nœuds coulants, sans fer. Ils amenaient alors à la colonne le taureau qu'ils avaient pris, l'égorgeaient à son sommet et faisaient couler le sang sur l'inscription. Sur la colonne, outre les lois, un serment était gravé, qui proférait de terribles imprécations contre ceux qui désobéiraient. Lors donc qu'ils avaient sacrifié suivant leurs lois, ils consacraient tout le corps du taureau, puis, remplissant de vin un cratère, ils y jetaient au nom de chacun d'eux un caillot de sang et portaient le reste dans le feu, après avoir purifié le pourtour de la colonne. Puisant ensuite dans le cratère avec des coupes d'or, ils faisaient une libation sur le feu en jurant qu'ils jugeraient conformément aux lois inscrites sur la colonne et puniraient quiconque les aurait violées antérieurement, qu'à l'avenir ils n'enfreindraient volontairement aucune des prescriptions écrites et ne commanderaient et n'obéiraient à un commandement que conformément aux lois de leur père. Lorsque chacun d'eux avait pris cet engagement pour lui-même et sa descendance, il buvait et consacrait sa coupe dans le temple du dieu; puis il s'occupait du dîner et des cérémonies nécessaires. Quand l'obscurité était venue et que le feu des sacrifices était refroidi, chacun d'eux revêtait une robe d'un bleu sombre de toute beauté, puis ils s'asseyaient à terre dans les cendres du sacrifice où ils avaient prêté serment, et, pendant la nuit, après avoir éteint tout le feu dans le temple, ils étaient jugés ou jugeaient, si quelqu'un en accusait un autre d'avoir enfreint quelque prescription. Leurs jugements rendus, ils les inscrivaient, au retour de la lumière, sur une table d'or, et les dédiaient avec leurs robes, comme un mémorial. Il y avait en outre beaucoup d'autres lois particulières relatives aux prérogatives de chacun des rois, dont les plus importantes étaient de ne jamais porter les armes les uns contre les autres, de se réunir pour se prêter main-forte, dans le cas où l'un d'eux entreprendrait de détruire l'une des races royales dans son Etat, de délibérer en commun, comme leurs prédécesseurs, sur les décisions à prendre touchant la guerre et les autres affaires, mais en laissant l'hégémonie à la race d'Atlas. Le roi n'était pas maître de condamner à mort aucun de ceux de sa race, sans l'assentiment de plus de la moitié des dix rois.

Telle était la formidable puissance qui existait alors en cette contrée, et que le dieu assembla et tourna contre notre pays, pour la raison que voici. Pendant de nombreuses générations, tant que la nature du dieu se fit sentir suffisamment en eux, ils obéirent aux lois et restèrent attachés au principe divin auquel ils étaient apparentés. Ils n'avaient que des pensées vraies et grandes en tout point, et ils se comportaient avec douceur et sagesse en face de tous les hasards de la vie et à l'égard les uns des autres. Aussi, n'ayant d'attention qu'à la vertu, faisaient-ils peu de cas de leurs biens et supportaient-ils aisément le fardeau qu'était pour eux la masse de leur or et de leurs autres possessions. Ils n'étaient pas enivrés par les plaisirs de la richesse et, toujours maîtres d'eux-mêmes, ils ne s'écartaient pas de leur devoir. Tempérants comme ils étaient, ils voyaient nettement que tous ces biens aussi s'accroissaient par l'affection mutuelle unie à la vertu, et que, si on s'y attache et les honore, ils périssent eux-mêmes et la vertu avec eux. Tant qu'ils raisonnèrent ainsi et gardèrent leur nature divine, ils virent croître tous les biens dont j'ai parlé. Mais quand la portion divine qui était en eux s'altéra par son fréquent mélange avec un élément mortel considérable et que le caractère humain prédomina, incapables dès lors de supporter la prospérité, ils se conduisirent indécemment, et à ceux qui savent voir, ils apparurent laids, parce qu'ils perdaient les plus beaux de leurs biens les plus précieux, tandis que ceux qui ne savent pas discerner ce qu'est la vraie vie heureuse les trouvaient justement alors parfaitement beaux et heureux, tout infectés qu'ils étaient d'injustes convoitises et de l'orgueil de dominer. Alors le dieu des dieux, Zeus, qui règne suivant les lois et qui peut discerner ces sortes de choses, s'apercevant du malheureux état d'une race qui avait été vertueuse, résolut de les châtier pour les rendre plus modérés et plus sages. A cet effet, il réunit tous les dieux dans leur demeure, la plus précieuse, celle qui, située au centre de tout l'univers, voit tout ce qui participe à la génération, et, les ayant rassemblés, il leur dit :...

[8]*Le manuscrit de Platon finit sur ces mots. cf. p.* 475.

NOTES

NOTES SUR LE SOPHISTE

1. A la fin du *Théétète*, Socrate a donné rendez-vous à Théodore pour le lendemain matin. Théodore y vient avec Théétète, et ils amènent avec eux un membre de l'école d'Elée, qui va réfuter luimême la doctrine de Parménide.

2. Socrate applique à l'étranger ce qu'un des prétendants dit d'Ulysse déguisé en mendiant : « Antinoos, ce n'est pas beau : tu as frappé un pauvre errant. Imprudent! Si c'était quelque dieu du ciel! Semblables à des étrangers venus de loin, les dieux prennent des aspects divers et vont de ville en ville connaître parmi les hommes les superbes et les justes. » (*Odyssée*, XVII, 483-487.) Platon a mêlé à ces vers le vers 271 du chant IX de l'*Odyssée :* « (Zeus) hospitalier qui accompagne les étrangers respectables. »

3. C'est le même Socrate qui figure déjà dans le *Théétète* (147 d), comme ayant discuté avec Théétète la question des irrationnelles. C'est lui qui remplacera Théétète dans *le Politique.*

4. Le grec applique le mot *nageur* non seulement aux animaux aquatiques, mais encore aux volatiles, *qui nagent dans l'air.*

5. Sur ce genre de chasse, où l'on enfermait le gibier dans un filet, voyez Xénophon, *De la chasse*, ch. V, 5-11.

6. Platon tire le mot ἀσπαλιευτική, pêche à la ligne, de ἀνά, en montant et σπᾶν, tirer. C'est, comme la plupart des étymologies du *Cratyle*, une étymologie fantaisiste. L'origine du mot nous est inconnue.

7. Le mot sophiste est dérivé du mot σοφός, savant.

8. Platon fait dériver le mot ἀδολέσχης, bavard, de ἀηδία, manque de plaisir, et λέξις ou λέχη, partage. Par ce mot « bavard, » il entend le dialecticien.

9. D'après Diogène Laërce, IX, 8, 55, Protagoras aurait écrit *Un art de la dispute, Sur la lutte, Sur les sciences, Sur la constitution de l'Etat, Deux livres de contradictions.*

10. Cf. *République*, 596 c : « Cet artisan dont je parle n'a pas seulement le talent de faire des meubles de toute sorte; il fait encore toutes

les plantes, et il façonne tous les êtres vivants et lui-même. Ce n'est pas tout : il fait la terre, le ciel, les dieux, tout ce qui existe dans le ciel et tout ce qui existe sous la terre chez Hadès. »

11. Cf. *République*, 598 b-c : « Nous pouvons dire que le peintre nous peindra un cordonnier, un charpentier ou tout autre artisan sans connaître le métier d'aucun d'eux. Il n'en fera pas moins, s'il est bon peintre, illusion aux enfants et aux ignorants, en peignant un charpentier et en le montrant de loin, parce qu'il lui aura donné l'apparence d'un charpentier véritable. »

12. Cf. *République*, 598 c-d : « Quand quelqu'un vient nous dire qu'il a rencontré un homme au courant de tous les métiers et qui connaît mieux tous les détails de chaque art que n'importe quel spécialiste, il faut lui répondre qu'il est naïf et qu'il est tombé sans doute sur un charlatan ou un imitateur qui lui a jeté de la poudre aux yeux, et que, s'il l'a pris pour un savant universel, c'est qu'il n'est pas capable de distinguer la science, l'ignorance et l'imitation. »

13. Platon songe ici à l'ordre que Datis reçut de Darius de lui amener prisonniers tous les Erétriens et tous les Athéniens. Arrivé à la frontière d'Erétrie, Datis commanda à ses soldats de s'étendre d'une mer à l'autre et de parcourir tout le territoire en se donnant la main, afin de pouvoir dire au roi que personne ne leur avait échappé. Cf. *Ménexène*, 240 a-c et *Lois*, 698 c. Il y a d'ailleurs un jeu de mots sur βασιλικὸς, λόγος, *édit royal* et *raison souveraine*.

14. Cf. *République*, 602 c-d : « Les mêmes objets paraissent brisés ou droits, selon qu'on les regarde dans l'eau ou hors de l'eau, concaves ou convexes, suivant une autre illusion visuelle produite par les couleurs, et il est évident que tout cela jette le trouble dans notre âme. C'est à cette infirmité de notre nature que la peinture ombrée, l'art du charlatan et autres interventions du même genre s'adressent et appliquent tous les prestiges de la magie. »

15. Cf. Diels, *Fragmente der Vorsokratiker*, frg. 7, et Aristote, *Métaphysique*, 1089 a, 2 et suiv.

16. Il s'agit de certains Ioniens qui posaient une seule matière, à laquelle ils adjoignaient deux forces opposées qui avaient le pouvoir d'unir et de séparer.

17. Par exemple Archélaos, disciple d'Anaxagore, et beaucoup d'autres.

18. C'est-à-dire Héraclite d'Ephèse et Empédocle d'Agrigente.

19. Héraclite affirmait que l'unité s'opposant à elle-même produit l'accord comme l'harmonie de l'arc et de la lyre (*Banquet*, 187 a). C'est à cette comparaison célèbre de l'unité s'opposant à elle-même comme les cordes tendues à la lyre ou à l'arc que l'expression « les Muses à la voix plus tendue » fait allusion.

20. A cette énumération de philosophes, comparez celle d'Isocrate parlant des anciens sophistes : « Pour l'un, il y a une infinité d'êtres; pour Empédocle, quatre, parmi lesquels règnent la Haine et l'Amitié; pour Ion, seulement trois; pour Alcméon, rien que deux, pour Parmé-

nide et Mélissos, un; pour Gorgias, absolument aucun. » *Or.*, XV, 268.

21. Cf. Diels, *Vorsokratiker*, 13, p. 156 (frg. 8, 43).

22. Ceux qui ont traité de l'être sont les Ioniens, les Eléates, Héraclite, Empédocle; ceux qui ont étudié les rapports de l'être et du non-être sont les Eléates et les Mégariques; ceux qui ont enseigné que le non-être ne pouvait même pas être pensé sont Gorgias, Protagoras, Antisthène et d'autres.

23. Ceux-ci sont d'abord les atomistes, qui plaçaient l'être dans les corps, puis ceux qui le plaçaient dans les idées seules.

24. Cf. *Théétète*, 155 e, où Socrate parle des atomistes en ces termes : « Ce sont des gens qui croient qu'il n'existe pas autre chose que ce qu'ils peuvent saisir à pleines mains et qui ne reçoivent au rang des êtres ni les actions, ni les genèses, ni tout ce qui est invisible. »

25. Ces adversaires des atomistes sont les Mégariques, qui, partant de la doctrine de Parménide, n'accordaient l'être qu'aux idées ou formes rigides, immuables, éternelles, sans communication entre elles.

26. Par ces hommes nés des dents du dragon semées par Cadmos, l'étranger désigne des âmes matérielles, qui n'ont rien de commun avec les âmes venues du ciel et avec le monde invisible. Platon vise ici les atomistes et sans doute aussi Antisthène et Aristippe.

27. On n'est pas d'accord sur les philosophes que l'étranger désigne ici par les amis des idées ou des formes. On a cru longtemps que c'étaient les Mégariques; mais les rares textes qui les concernent font voir en eux des partisans de l'unité absolue, et non d'une pluralité intelligible. On a supposé aussi qu'il s'agissait d'une fraction de l'école platonicienne, dirigée par Speusippe, pendant le troisième voyage de Platon en Sicile. Burnet voit en eux les derniers pythagoriciens. A. Diès croit que ces amis des formes sont une création littéraire de Platon, « un éléatisme littérairement imaginé ». Il faudrait mieux connaître, pour se prononcer, les courants d'idées qu'avaient suscités soit l'éléatisme, soit la théorie des Idées de Platon.

28. Cf. *Cratyle*, 440 a-b : « On ne peut même pas dire, Cratyle, qu'il y ait connaissance, si tout change et si rien ne demeure fixe; car si cette chose même que nous appelons connaissance ne cesse pas d'être connaissance, alors la connaissance peut subsister toujours, et il y a connaissance. Mais si la forme même de la connaissance vient à changer, elle se change en une autre forme que la connaissance, et du coup il n'y a plus de connaissance, et si elle change toujours, il n'y aura jamais connaissance, et, pour la même raison, il n'y aura ni sujet qui connaisse ni objet à connaître. »

29. Schleiermacher pensait à un jeu d'enfants. Il s'agit peut-être tout simplement d'une réponse d'enfant, qui, prié de choisir entre deux choses, demande qu'on lui donne les deux.

30. Euryklès était un devin ventriloque, dont il est question dans les *Guêpes* d'Aristophane (1019-1020). Cf. Plutarque, *Œuvres morales*, 414 e.

31. Sur la tâche du dialecticien, cf. *Phèdre*, 265 c-e, 266 b, 273 e et *République*, VII, 534 b.

32. Sans doute cette envie a passé à Platon; car il n'a pas donné suite à son projet. Peut-être a-t-il jugé que la définition du philosophe était superflue, après celles qu'il en a données dans d'autres ouvrages, entre autres dans *la République*, dans le *Phédon*, dans le *Phèdre*, dans le *Théétète* et ici.

33. L'étranger joue sur le double sens du mot : πρόβλημα, défense ou rempart que l'on élève devant soi, et difficulté à résoudre, problème.

34. Platon a déjà dit la même chose dans le *Théétète*, 189 e-190 a : « Penser », c'est un discours que l'âme se fait à elle-même sur les objets qu'elle considère... Il me paraît que l'âme, quand elle pense, ne fait autre chose que s'entretenir avec elle-même, interrogeant et répondant, affirmant et niant; et que, quand elle s'est décidée, que cette décision se fasse plus ou moins promptement, quand elle a prononcé sur un objet, sans demeurer davantage en suspens, c'est en cela que consiste le jugement. Ainsi juger, selon moi, c'est parler, et l'opinion est un discours prononcé, non à un autre, ni de vive voix, mais en silence à soi-même. »

35. Cf. *Timée*, 46 a-c : « Quant à l'origine des images produites par les miroirs et par toutes les surfaces brillantes et polies, il n'est plus difficile de s'en rendre compte. C'est de la combinaison des deux feux, intérieur et extérieur, chaque fois que l'un d'eux rencontre la surface polie et subit plusieurs changements, que naissent nécessairement toutes ces images, parce que le feu de la face réfléchie se fond avec le feu de la vue sur la surface polie et brillante. Mais ce qui est à gauche apparaît à droite, parce qu'un contact a lieu entre les parties opposées du courant visuel et les parties opposées de l'objet, contrairement à ce qui se passe d'habitude dans la rencontre. Au contraire, la droite paraît à droite et la gauche à gauche, quand le rayon visuel change de côté, en se fondant avec la lumière avec laquelle il se fond, et cela arrive quand la surface polie des miroirs, se relevant de part et d'autre, renvoie la partie droite du rayon visuel vers la gauche et la gauche vers la droite. Si le miroir est tourné de façon que la courbure soit placée suivant la longueur du visage, il le fait paraître tout entier renversé, parce qu'alors il renvoie le rayon visuel du bas vers le haut et celui du haut vers le bas. »

36. Les mots entre guillemets sont une citation d'Homère, *Iliade*, VI, 210, où Glaucos répond à Diomède, qui l'interroge sur son origine, qu'il est fils d'Hypolochos, après quoi il ajoute : « Voilà ma naissance et le sang dont je me vante d'être. »

NOTES SUR LE POLITIQUE

37. Théodore était de Cyrène, en Libye, et c'est dans une oasis de Libye que Jupiter Ammon avait son oracle.

38. Ainsi le portrait du sophiste est à peine achevé que Théodore prie l'étranger de continuer par celui du politique ou du philosophe.

Les deux dialogues sont donc censés avoir été tenus sans interruption le même jour.

39. Il y avait en effet des médecins publics, choisis par l'assemblée du peuple parmi les hommes libres et appointés par l'Etat.

40. Pline (*H. N.*, XXX, 3) parle de poissons apprivoisés, mais sans rien dire des Egyptiens ni des Perses.

41. Il faut se rappeler que les anciens mathématiciens grecs résolvaient les problèmes d'arithmétique au moyen de figures géométriques (voir dans le 6e vol. la note 198 sur un passage du *Théétète*). Etant donné un carré dont le côté mesure 1 pied c'est-à-dire 1 pied carré, la longueur de la diagonale sera $\sqrt{2}$, et le carré construit sur cette diagonale sera $\sqrt{2}^2$, c'est-à-dire un carré de deux pieds.

42. L'étranger s'amuse à jouer sur l'expression *carré de deux pieds :* l'homme étant un animal à deux pieds, il le compare à la diagonale du carré de l'unité, $\sqrt{2}$, et, comme les quadrupèdes ont deux fois deux pieds, il les compare à la diagonale du carré construit sur cette diagonale, soit deux fois deux pieds.

43. Ce passage est obscur. On pense que l'être en question est le cochon, et que l'épithète de *noble* est ironique.

44. Voyez *le Sophiste*, 227 b.

45. C'est sans doute ce passage qui a donné lieu à la plaisanterie de Diogène le Cynique, rapportée par Diogène Laërce, dans la notice qu'il lui a consacrée : « Platon ayant défini l'homme un animal à deux pieds sans plumes, et l'auditoire l'ayant approuvé, Diogène apporta dans son école un coq plumé et dit : « Voilà l'homme selon Platon. » (*Vie, doctrines et sentences des philosophes illustres*, tome deuxième, traduction Genaille.)

46. C'est-à-dire l'accouplement de trois idées exprimées par trois mots : γενέσεων, ἀμείκτου, νομευτικῆς.

47. La récapitulation est incomplète : Platon a omis la division en animaux sauvages et apprivoisés, et la division en animaux aquatiques et animaux de terre ferme.

48. Pour venger sur les Pélopides le meurtre de son fils Myrtilos, Hermès fit naître dans les troupeaux d'Atrée un agneau à toison d'or. Se voyant disputer le trône par son frère Thyeste, Atrée promit de montrer cet agneau, comme un signe de la faveur des dieux. Mais Thyeste persuada Aérope, femme d'Atrée, de lui donner l'agneau, et Atrée aurait perdu son royaume, si Zeus, qui était pour lui, n'avait pas manifesté sa faveur par un autre signe, en faisant rétrograder le soleil et les pléiades du couchant à l'orient. Telle est la forme de la légende qu'on trouve dans une scolie de l'*Oreste* d'Euripide, v. 990 sqq. D'après une autre tradition, c'est après le festin où Atrée servit à Thyeste les corps de ses enfants, que le soleil recula d'horreur.

49. Voyez Hésiode, *Théogonie*, 126-187.

50. P. M. Schuhl pense que Platon songeait à « un appareil représentant le mouvement du ciel, bien équilibré et mobile sur un pivot ».

51. Ces autres révolutions sont celles que fait le soleil aux solstices.

52. Cf. *Lois*, 713 c-d, où les mêmes idées se retrouvent.

53. La compagne des travaux d'Hèphaistos est Athèna.

54. Ces divinités sont Dèmèter et Dionysos, dont l'une donna aux hommes le blé, l'autre le vin. Platon reprend dans ce paragraphe les idées déjà exprimées par Protagoras dans le dialogue de ce nom (319 c-322 b).

55. Ce roi désigné par le sort est l'archonte-roi, qui avait la charge des cérémonies religieuses et des sacrifices que célébraient anciennement les rois.

56. Citation d'Homère, *Iliade*, XI, 514.

57. Les anciennes lois d'Athènes étaient gravées sur des tables formant une sorte de pyramide à trois côtés et tournant sur un pivot.

58. Tout ce passage est une allusion claire aux accusations portées contre Socrate par Mélètos, Anytos et Lycon.

59. Platon semble contredire ici ce qu'il a dit 292 a, que la démocratie n'a qu'un nom. C'est seulement à l'époque de Polybe qu'on la désigne par *ochlocratie*, quand elle s'exerce au mépris des lois. Mais l'expression employée par Platon : « On n'a pas *l'habitude* de rien changer à son nom » semble laisser croire que quelques-uns avaient déjà trouvé un second nom pour désigner la démocratie dégénérée en démagogie.

60. On se demande ce qu'est cet adamas. On a pensé que c'était l'hématite ou le platine.

NOTES SUR LE PHILÈBE

61. Cette déesse, comme va le dire Socrate, est la déesse du plaisir, Aphrodite, avec laquelle Philèbe, son adorateur, se sent quitte, après s'être déchargé sur Protarque du soin de la défendre.

62. Cf. *Parménide*, 129 c-d : « Si c'est moi qu'on montre comme étant un et multiple, qu'y a-t-il là d'étonnant ? On peut alléguer, quand on veut montrer que je suis multiple, que mon côté droit diffère de mon côté gauche, ma face de mon dos, et de même pour le haut et le bas de ma personne ; car je participe, j'imagine, de la pluralité. Veut-on, au contraire, montrer que je suis un, on dira que, des sept hommes ici présents, j'en suis un, puisque j'ai part aussi à l'unité. Les deux affirmations apparaîtront ainsi comme vraies. Si donc on entreprend de prouver que des choses telles que les pierres, les morceaux de bois et autres pareilles sont à la fois unes et multiples, nous dirons qu'on montre bien que ces choses sont unes et multiples, mais non que l'un est multiple et le multiple un, et qu'on ne dit rien là de surprenant, mais bien ce que nous accordons tous. »

63. J'ai adopté ici la correction de Badham qui ajoute la négation μή devant le verbe Σιμαι, pour éviter une tautologie.

64. Notre traduction n'a pas le sel de la phrase grecque. On disait en manière de proverbe : « Il ne faut pas déranger *un méchant* bien

couché. » Platon utilise plaisamment ce dicton, en remplaçant *un méchant* par *Philèbe.*

65. Cf. *République*, 539 b : « Tu n'es pas sans avoir remarqué, je pense, que les adolescents qui ont une fois goûté à la dialectique en abusent et s'en font un jeu, qu'ils ne s'en servent que pour contredire, qu'à l'exemple de ceux qui les confondent, ils confondent les autres à leur tour, et que, semblables à de jeunes chiens, ils prennent plaisir à tirailler et à déchirer avec le raisonnement tous ceux qui les approchent. »

66. Allusion à l'oracle rendu aux Mégariens : « Mais vous, Mégariens, vous n'êtes ni les troisièmes, ni les quatrièmes, ni les douzièmes, et l'on ne fait de vous ni estime, ni compte. » (*Schol. de Théocrite*, XIV, 48 sqq.).

67. Cf. ce que Platon dit de Theuth dans le *Phèdre*, 274.

68. Cf. *Cratyle*, 424 c : « Ne devons-nous pas faire comme eux (ceux qui s'attaquent aux rythmes) et distinguer d'abord les voyelles, puis classer par espèces les autres lettres, celles qui ne comportent ni son ni bruit *(les muettes)*, c'est ainsi que les désignent les habiles en ces matières, puis celles qui, sans être des voyelles, ne sont pourtant pas des muettes *(les semi-voyelles)*, et parmi les voyelles elles-mêmes distinguer les différentes espèces ? » Les semi-voyelles sont λ, μ, ν, ρ, σ, ζ, ξ, ψ (liquides et sifflantes).

69. Cf. *Timée*, 64 c-d : « Une impression contre nature et violente qui se produit tout d'un coup est douloureuse, tandis que le retour d'un seul coup à l'état naturel est agréable. »

70. Cf. *République*, 583 c : « Ne peut-on pas dire qu'il y a un état où on ne sent ni joie ni peine ? — Si, assurément. — Et qu'entre ces deux sentiments, à égale distance de l'un et de l'autre, il y a une sorte de repos de l'âme par rapport à chacun d'eux ? »

71. Dans *la République*, 368 a, Socrate, s'adressant à Glaucon et à Adimante, les appelle « fils de cet homme ». D'après Stallbaum et Adam cette expression signifie que Glaucon et Adimante sont les héritiers de la discussion abandonnée par Thrasymaque. Stallbaum explique de même la même expression adressée à Protarque, qui a pris la succession de Philèbe, et pour lui « cet homme » est Philèbe, d'autant plus que Philèbe appelle ses jeunes camarades présents à l'entretien : « mes enfants ».

Badham rejette cette explication. Selon lui, ἐκεῖνος, « cet homme », est souvent substitué au nom propre en parlant d'un absent ou d'un mort avec respect, et ce mot désignerait le véritable père de Protarque, c'est-à-dire Callias.

72. Selon Héraclite, le monde alterne entre un mouvement ascendant et un mouvement descendant. Cf. Diogène Laërce, *Héraclite*, IX, 7 : « Entre contraires, il y a une lutte qui aboutit à la création : c'est ce qu'on appelle la guerre et la querelle; l'autre, qui aboutit à l'embrasement, s'appelle la concorde et la paix. Le mouvement vers le haut et vers le bas crée le monde de la façon suivante : le feu en se condensant devient liquide, l'eau en se condensant se change

en terre, et voilà pour le mouvement vers le bas. En sens inverse, d'autre part, la terre fond et se change en eau, et d'elle se forme tout le reste; car il (Héraclite) rapporte presque tout à l'évaporation de la mer. Voilà donc comment se fait le mouvement vers le haut. » (Traduction Robert Genaille, Garnier-Flammarion).

73. Sans doute Antisthène et son école.

74. Cela donne à penser que Philèbe était un délicat à qui de tels exemples répugnaient.

75. Homère, *Iliade*, XVIII, 108. C'est Achille qui parle et maudit la colère qui l'a fait rentrer dans sa tente et a été la cause de la mort de Patrocle.

76. Images exprimées par les poètes sur la scène.

77. Il s'agit peut-être d'Aristippe et de ses partisans. Diogène Laërce (II, 87) dit qu'Aristippe « démontra que le but de la vie est un mouvement doux accompagné de sensation ».

78. Nous avons adopté la correction de Badham, τὸ τρίτον ἔτ' ἐρῶ, au lieu de l'inexplicable leçon des manuscrits τὸ τρίτον ἑτέρῳ.

79. Ce que Socrate dit de l'art de la flûte pourrait à la rigueur s'appliquer au constructeur qui détermine par conjecture la place des trous. Peut-être faut-il lire κιθαριστική, l'art de jouer de la cithare, au lieu de αὐλητική. C'est par conjecture que le joueur de cithare trouve l'endroit où il doit toucher les cordes de son instrument pour obtenir la note juste. Au reste, le texte des manuscrits n'est pas sûr.

80. Cf. *République*, 525 d-e : « L'arithmétique donne à l'âme un puissant élan vers la région supérieure, et la force à raisonner sur les nombres en eux-mêmes, sans jamais souffrir qu'on introduise dans ses raisonnements des nombres qui représentent des objets visibles ou palpables. Tu sais, en effet, je pense, ce que font ceux qui sont versés dans cette science : si l'on veut, en discutant avec eux, diviser l'unité proprement dite, ils se moquent et ne veulent rien entendre. Si tu la divises, eux la multiplient d'autant, dans la crainte que l'unité n'apparaisse plus comme une, mais comme un assemblage de parties. »

81. Homère, *Iliade*, IV, 452.

82. A la fin d'un repas on offrait aux dieux trois libations, la dernière à Zeus sauveur. L'expression *offrir la troisième libation à Zeus sauveur* était devenue proverbiale pour dire *mettre la dernière main à quelque chose.*

NOTES SUR LE TIMÉE

83. Cf. *République*, II, 369 e, 374 e.

84. Cf. *République*, II, 375 b sqq.

85. Cf. *République*, II, 375 e.

86. Cf. *République*, II, 376 e sqq.

87. Cf. *République*, III, 415 a sqq.

88. Cf. *République*, V, 451-457.

89. Cf. *République*, V, 457 sqq.

90. Cf. *République*, V, 460 a.

91. Ce ne sont plus ici les paroles mêmes de *la République*, où il est dit : « Je veux ensuite que ces fonctionnaires portent au bercail les enfants des citoyens d'élite et les remettent à des gouvernantes qui habiteront à part dans un quartier particulier de la ville. Pour les enfants des hommes inférieurs et pour ceux des autres qui seraient venus au monde avec quelque difformité, ils les cacheront, comme il convient, dans un endroit secret et dérobé aux regards. » *République*, V, 460 c.

92. Il n'y a là qu'une partie de *la République*, ce qui fait supposer qu'il s'agit ici, non de l'entretien qui fait l'objet de ce grand ouvrage, mais d'un entretien qui aurait eu lieu la veille.

93. Le scoliaste nous a conservé deux vers où Solon fait mention de Critias : « Dis au blond Critias d'écouter son père : il n'obéira pas à un guide à esprit faux. » Ces vers sont sans doute tirés des *Elégies à Critias*, mentionnées par Aristote, *Rhét.*, I, 15.

94. Les Apaturies étaient une fête ionienne et athénienne qu'on célébrait trois jours durant, au mois de pyanepsion (octobre). Le premier jour s'appelait δόρπεια, parce que les membres des phratries y mangeaient ensemble; le deuxième, ἀνάρρυσις, parce qu'on y sacrifiait à Zeus et à Athèna; le troisième, κουρεῶτις, nom qui vient peut-être de ce que l'on coupait les cheveux des enfants, avant de les présenter à l'assemblée de la phratrie.

95. Le Nil se sépare en deux bras : celui de Canope et celui de Péluse.

96. Amasis, roi de la XXVIe dynastie, vers 169 avant J.-C. Cf. Hérodote, II, 162 sqq.

97. Phoroneus, fils du fleuve Inachos et de Mélia, fut roi d'Argos. Clément d'Alexandrie dit que Platon suit ici le vieil historien Acusilaos, qui appelle Phoroneus le premier des hommes.

98. Il ne faut pas confondre cette Niobè, fille de Phoroneus, avec la fameuse Niobè, épouse d'Amphion. Niobè, fille de Phoroneus, eut de Zeus un fils appelé Argos, qui donna son nom à la ville d'Argos.

99. Les Grecs appelaient médiété soit une série de trois termes formant une progression continue, soit le moyen terme qui unit entre eux les deux termes extrêmes de la progression.

100. Platon reconnaît dans le *Timée* sept mouvements : le mouvement circulaire et les mouvements de droite à gauche et de gauche à droite, d'avant en arrière et d'arrière en avant, de haut en bas et de bas en haut. Dans *les Lois*, X, 893 e-894 a, il en énumère dix.

101. Il faut se figurer le composé des trois ingrédients comme une longue bande que le dieu coupe en morceaux suivant deux proportions géométriques dont les termes sont 1, 2, 4, 8 et 1, 3, 9, 27. Platon les place sur une seule rangée à des intervalles correspondant aux longueurs de ces morceaux dans l'ordre 1, 2, 3, 4, 8, 9, 27. Puis il remplit les intervalles de nombres additionnels, jusqu'à ce qu'il obtienne une série représentant des notes musicales aux intervalles d'un ton ou d'un demi-ton. Cette série couvre quatre octaves plus une sixte majeure.

102. Pour l'explication de ce passage très compliqué, voir H. Martin, note XXIII, p. 383-421, de son édition du *Timée*, Rivaud, notice sur le *Timée*, p. 42-52, Cornford, édition commentée du *Timée*, p. 66-72.

103. Voici ce que Timée entend par là. Le plan du zodiaque est

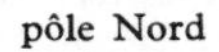

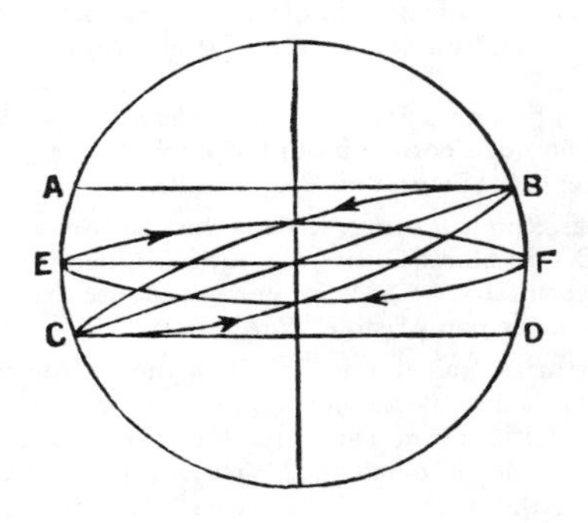

pôle Sud

oblique par rapport à celui de l'équateur comme la diagonale d'un rectangle l'est à ses côtés.

Ce rectangle doit être inséré entre les deux tropiques AB et CD, la diagonale du rectangle est CB. Le mouvement du même est le mouvement de toute la sphère de gauche à droite ou de l'est à l'ouest dans le plan de l'équateur EF. Le mouvement de l'autre est en sens inverse et dans le plan de la diagonale CB qui est le diamètre de l'écliptique. Le zodiaque est une large bande contenant les douze constellations au centre desquelles court l'écliptique.

104. Les trois cercles dont les vitesses sont égales sont ceux du soleil, de Vénus et de Mercure. Les quatre autres sont la lune, Mars, Jupiter et Saturne. Sur les difficultés qu'offre l'explication de ce passage, voyez Cornford, *ouvrage cité*, p. 74-88.

105. Platon emploie indifféremment les mots *ciel*, *univers*, le *tout* pour désigner l'ensemble du monde.

106. Ce pouvoir contraire à celui du soleil consiste en ce que ces deux astres tantôt le devancent, tantôt le suivent.

107. « D'après le système astronomique exposé dans le *Timée*, tout le ciel et par conséquent tous les corps célestes, sans excepter les planètes, sont emportés dans le mouvement de la nature du Même, dans le mouvement invariable, c'est-à-dire dans la révolution diurne du huitième cercle, celui des étoiles fixes. Mais les sept planètes ont en outre chacune un mouvement particulier dans le ciel, et, par l'effet combiné du mouvement diurne et de leur mouvement oblique, elles

décrivent en réalité une spirale dans l'espace, comme Proclus et Chalcidius l'expliquent fort bien. Par exemple, le soleil, qui, dans ce système, est une planète, décrit du solstice d'hiver au solstice d'été, sur la surface d'une sphère dont sa distance au centre de la terre est le rayon, une spirale ascendante entre les deux tropiques, puis il redescend du solstice d'été au solstice d'hiver, en décrivant sur la même sphère une spirale inverse de la première. Ces deux spirales réunies font autant de tours qu'il y a de jours dans l'année. Les tours de ces deux spirales, tracées ainsi sur la surface d'une sphère, sont d'autant plus grands qu'ils se rapprochent plus de l'équateur; mais ils sont tous parcourus en des temps égaux. » A. Martin, 2e *vol.*, p. 75-76.

108. Ces astres sont les planètes qui montent ou descendent d'un tropique à l'autre.

109. Ce sont les cinq mouvements dont il a déjà été question, de droite à gauche et de gauche à droite, de haut en bas et de bas en haut, et d'arrière en avant.

« En résumé, d'après Platon, les étoiles fixes ont deux mouvements, savoir le mouvement diurne du ciel autour de la terre et un mouvement propre de rotation sur elles-mêmes. Outre ces deux mouvements, les planètes en ont un troisième, par lequel elles changent de position dans le ciel. Le mouvement du corps de chaque astre lui est imprimé par son âme; le mouvement de translation autour de la terre, simple pour les étoiles fixes, double pour les planètes, leur est imprimé par les cercles de l'âme du monde. Nous avons vu que le double mouvement de translation des planètes se résout en un mouvement en spirale. Aristote au contraire nie que les corps célestes tournent sur eux-mêmes. Il n'accorde le mouvement de rotation sur soi-même qu'à la sphère entière du ciel, et il suppose que les corps célestes n'ont point d'autre mouvement que celui des cercles auxquels ils sont attachés. » H. Martin, II, p. 85.

110. Cette expression « dieux de dieux » s'explique difficilement. H. Martin croit qu'elle s'adresse à la fois aux astres et aux dieux populaires, aux astres, qui sont les premiers fils du démiurge, et aux dieux populaires, qui sont fils les uns des autres, et il traduit en conséquence *dieux, fils de dieux* comme Cicéron : *Vos qui deorum satu orti estis.* Peut-être pourrait-on entendre : dieux qui commandez à des dieux, les premiers étant des dieux supérieurs et les autres des dieux inférieurs.

111. Platon dérive le mot αἴσθησις, sensation, du verbe αἴσσειν, bondir, se précipiter, s'agiter violemment.

112. Le courant de la vision est le feu visuel qui sort de l'œil et qui rencontrant le feu qui vient de l'objet extérieur se combine avec lui et forme une sorte de corps qui communique par le feu extérieur avec l'objet et par le feu intérieur avec l'âme.

113. « Suivant la théorie de Platon, le rayon *bd* parti de la droite de l'œil (voir la figure) rencontre le rayon *fd* parti de la droite de l'objet *ef*, s'il faut que les angles formés avec la ligne *gh* par les rayons qui se rencontrent soient égaux. De même le rayon gauche *ac* rencontre le rayon gauche *ec*, tandis que dans la vision directe, le rayon parti de la droite de l'œil rencontre le rayon parti de la

gauche de l'objet qui est en face. Donc ce qui paraît la droite dans la vision directe doit paraître la gauche dans la vision réfléchie et réciproquement. Ainsi la droite de l'image qu'on voit dans un miroir plan représente la gauche de l'objet. Telle est la théorie de Platon. » H. Martin, II, p. 165.

114. Pour la plupart des interprètes, la troisième réalité, outre l'être et le devenir, est le lieu. Aristote prétend que dans le *Timée* la matière et le lieu sont une seule et même chose. Voyez une autre explication dans Rivaud, *Notice sur le Timée*, p. 63-70.

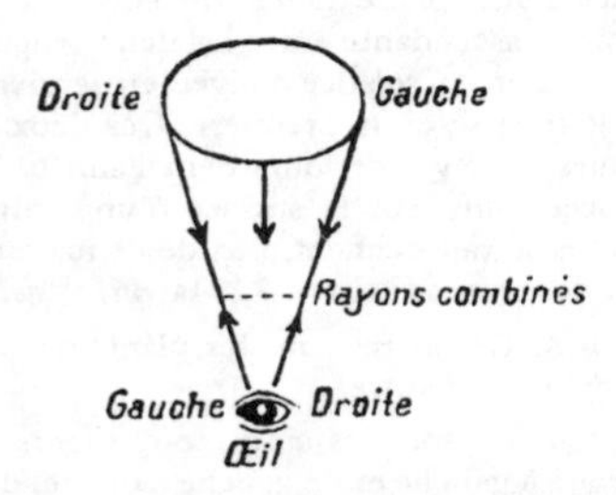

Vision directe d'un objet faisant face à l'œil de l'observateur.

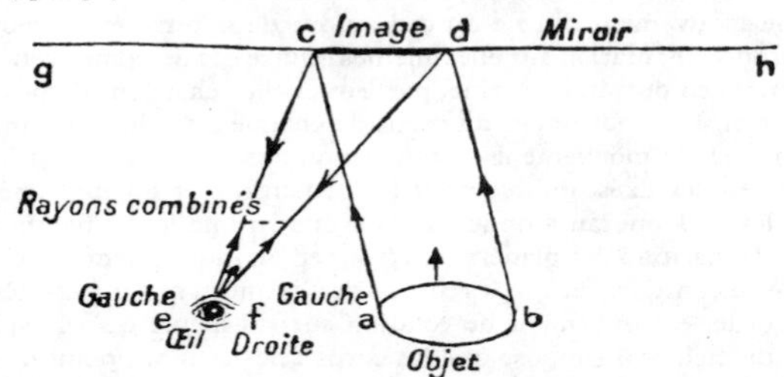

Réflexion d'un objet faisant face à l'œil de l'observateur.

115. La figure ci-dessous montre comment Platon comprend l'assemblage des six triangles formant un triangle équilatéral.

« Aristote reproche à Platon d'avoir supposé que les corps se composent de plans et déclare qu'au contraire les corps se composent évidemment de solides et que tant de plans que l'on voudra ne formeront jamais une épaisseur quelconque. Il lui reproche en outre d'avoir considéré comme indivisibles les triangles primitifs dont ces plans se composent, tandis que toute grandeur est nécessairement divisible. Il comprend dans une même réfutation l'indivisibilité des atomes de Démocrite et celle des triangles de Platon.

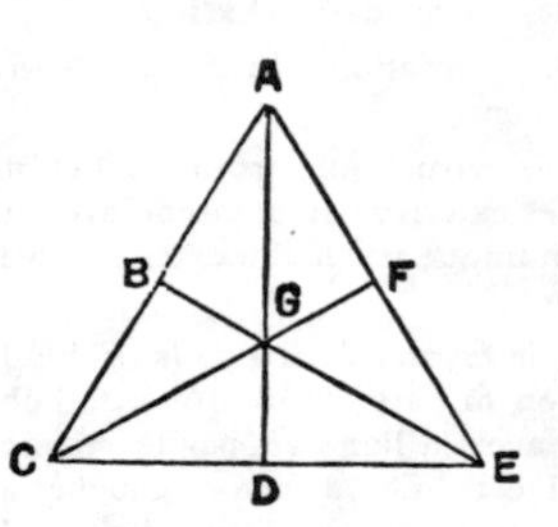

« Au second de ces reproches Platon aurait pu répondre que mathématiquement toute grandeur est en effet divisible, mais que physiquement la division de ces triangles ne peut avoir lieu, parce qu'ils ne sont soumis à l'action d'aucune force capable de l'opérer. Quant au second reproche, peut-être Platon regarde-t-il les triangles et carrés comme des feuilles minces de matière corporelle; mais alors la dissolution de ces enveloppes vides et leur recomposition en d'autres enveloppes n'est pas aisée à concilier avec la négation du vide. » H. Martin, II, p. 240.

116. La terre se compose de cubes, l'eau d'icosaèdres, l'air d'octaèdres et le feu de tétraèdres ou pyramides. La cinquième combinaison est le dodécaèdre.

117. Platon pense qu'il n'y a qu'un seul monde. Démocrite en admettait une infinité.

118. Pourquoi cinq ? Autant qu'il y a de polyèdres réguliers.

119. Platon a dit plus haut que les quatre éléments pouvaient se transformer les uns dans les autres. Il restreint ici son affirmation aux trois éléments de l'eau, du feu et de l'air.

120. « En effet, séparez les 20 bases triangulaires d'un icosaèdre régulier : puisque $20 = 8 \times 2 + 4$, vous avez de quoi former les bases de 2 octaèdres réguliers et d'une pyramide régulière, c'est-à-dire que 1 corpuscule d'eau peut donner 2 corpuscules d'air plus 1 de feu. De même, puisque $8 = 4 \times 2$, dans un octaèdre vous trouvez les bases de 2 pyramides, c'est-à-dire qu'un corpuscule d'air peut donner 2 corpuscules de feu. Réciproquement, puisque $4 \times 2 = 8$, 2 corpuscules de feu peuvent se réunir en 1 corpuscule d'air, et puisque $8 \times 2 + \frac{8}{2} = 20$, 2 corpuscules d'air, divisés suivant leurs bases, peuvent se réunir en 1 corpuscule d'eau. » H. Martin, II, p. 251.

121. Ce scion d'or n'est pas le diamant. Le mot ἀδάμας ne se trouve pas dans cette acception avant Théophraste. C'est peut-être le platine ou l'hématite.

« Remarquons que Platon semble croire que la dureté, c'est-à-dire la cohésion des parties, est toujours proportionnelle à la densité. C'est une erreur : le verre est moins dense et plus dur que le plomb; de même l'airain, qui est plus dur que l'or, lui est inférieur en densité, quoique Platon dise le contraire dans la phrase suivante. » H. Martin, II, p. 259.

122. On n'est pas d'accord sur le sens du mot ὀπός. D'après Stallbaum, c'est le *silphium* (laserpitium). H. Martin y voit l'*opium*. Fraccaroli et Rivaud traduisent par *ferment*. Bury et Taylor, par *verjus*, Cornford par *acrid juice* (suc âcre).

123. Quelle est cette pierre noire ? lave ou basalte ?

124. Platon parle sans doute de quelque loi religieuse qui prescrivait l'usage du sel dans certaines cérémonies.

125. Le *Timée* s'accorde sur la nature du plaisir et de la douleur avec le *Philèbe*, 31-32, 42, 44-45 et 50, et avec *la République*, 582-584.

126. « Platon ne paraît pas savoir que le palais est le principal organe du goût; mais surtout il ne sait pas que ce qui sert à transmettre les sensations, ce sont les nerfs, petits tubes remplis de moelle, qui tous communiquent avec le cerveau, soit immédiatement, soit par la moelle

épinière, et dont ainsi le cerveau est le véritable centre, comme Hérophile et Erasistrate l'avaient dit avant Galien. Platon, à l'exemple de Diogène d'Apollonie, fait jouer ce rôle à de petites veines; il en place le centre dans le foie parce que là est le siège de l'âme mortelle. Aristote considère le cœur comme le centre des sensations. Suivant Diogène d'Apollonie, c'était l'air contenu dans le cerveau; suivant Alcméon, c'était le cerveau même. » H. Martin, II, p. 284-285.

127. « Ainsi Platon pense que la valeur musicale du son est proportionnelle à sa vitesse. Au contraire, des expériences décisives démontrent que la vitesse de transmission du son à travers l'air est indépendante de sa valeur musicale, qui s'apprécie uniquement par la rapidité avec laquelle les vibrations sonores se succèdent. » H. Martin, II, p. 299.

128. « Suivant Platon, comme suivant Empédocle, ce sont les rapports de grandeur et de petitesse des diverses espèces de feu envoyées par les corps avec le feu visuel sortant des yeux qui produisent la diversité des couleurs. » H. Martin, II, p. 291.

129. On voit ici que Platon attribue aux veines les fonctions des nerfs et ne distingue pas les veines des artères.

130. Platon est mal renseigné sur les fonctions du poumon, organe de la respiration, où le sang vient se purifier.

131. Platon croyait à la divination en général et en particulier aux présages que l'on tirait du foie des victimes offertes en sacrifice. C'est cette croyance qui lui fait imaginer cette singulière explication du rôle du foie.

132. D'après son étymologie, le mot προφήτης signifie celui qui proclame ou interprète les prédictions faites par le devin.

133. Le rôle de la rate qui forme les globules rouges et blancs du sang n'a été connu que de nos jours.

134. Par nerfs entendez les tendons; Platon ignore les nerfs proprement dits.

135. « Suivant Platon, la peau est donc une sorte d'écorce de la chair, produite par un dessèchement incomplet de la superficie. Pour expliquer l'existence de la peau sur le crâne, dépourvu de chairs, il suppose que la peau du corps s'est étendue jusque sur cette partie, en vertu d'une sorte de croissance et de végétation, favorisée par l'humidité du cerveau.

« Comme Platon l'a dit plus haut, le crâne n'offre point d'articulations; cependant il se compose de plusieurs os, dont les jointures, dentelées, sinueuses et irrégulières, sont appelées par Platon sutures, ῥαφαί. Aristote les nomme de même, et ce nom leur est resté. Platon suppose que l'humidité du cerveau, s'élevant par ces sutures, vient nourrir la peau du crâne. » H. Martin, II, p. 319.

136. Ces deux veines dorsales sont, l'une, une artère, et l'autre, une veine.

137. Platon ne connaît pas ce que nous appelons les artères. Ce qu'il appelle artères, c'est le système que d'autres auteurs appellent φάρυγξ, lequel se compose du larynx, de la trachée-artère et des bronches.

138. Voici le commentaire d'H. Martin (II, p. 335 sqq.) sur ce passage obscur et embarrassant : « Platon suppose qu'une nasse d'une autre forme que celle des pêcheurs, une nasse qui, au lieu d'un panier intérieur, en a deux de formes irrégulières, et qui, au lieu d'être faite de jonc, consiste en un *tissu d'air et de feu*, enveloppe la partie creuse du corps humain, c'est-à-dire le tronc. Cette image un peu étrange lui a paru commode pour expliquer l'entrée et la sortie du *souffle* et du *feu*, c'est-à-dire de l'air et du calorique, et par suite la respiration. L'un des deux paniers intérieurs a pour ouverture la bouche et se divise en deux parties, dont l'une descend par les *artères*, c'est-à-dire par la trachée-artère et les bronches, dans la *cavité de la poitrine et du poumon*, que Platon croit *vide de sang*, tandis que l'autre partie descend dans le ventre par un conduit parallèle à la trachée-artère, c'est-à-dire par l'œsophage. L'autre panier intérieur a pour ouvertures les deux narines, et il communique avec le premier par l'arrière-bouche. Platon ne suppose point que ces paniers intérieurs se terminent par un trou en entonnoir, car il nous dit que le passage de l'air et de la chaleur s'effectue *à travers leur tissu même*. C'est d'air que sont formées les parois de cette espèce de nasse, c'est-à-dire les tissus des paniers intérieurs qui tapissent la cavité du corps humain, et du panier extérieur appliqué sur la peau du dos, des flancs, du ventre et de la poitrine. En d'autres termes, la couche d'air en contact immédiat avec la surface interne et externe du corps humain constitue les parois de la nasse; les cavités des deux paniers intérieurs sont la continuation de l'air extérieur qui vient les remplir; et *l'intérieur de la nasse*, l'espace compris de toutes parts entre les parois et où rien ne peut entrer, si ce n'est à travers leur tissu, c'est l'espace occupé par la substance même du corps, dans laquelle le sang circule, espace plein, *étendu autour de toute la partie creuse de notre corps*, suivant les expressions mêmes de Platon. Dans tout cet espace, c'est-à-dire dans la masse compacte du corps, il y a des joncs qui aboutissent d'une part aux parois des paniers intérieurs, c'est-à-dire à la cavité du ventre et de la poitrine, de l'autre aux parois du panier extérieur, c'est-à-dire à la peau du corps humain. Platon a soin de nous prévenir que ces joncs, au lieu d'être d'air comme le tissu de la nasse, sont des *rayons de feu entrelacés*, c'est-à-dire *la chaleur animale contenue dans les chairs où sont le sang et les veines*. Or le feu compris ainsi dans l'intérieur de la nasse, c'est-à-dire dans la masse charnue du corps humain, tend à se porter hors du corps vers la région du feu, et pour cela il y a deux chemins, l'un à travers le corps jusqu'à la peau et au tissu du panier extérieur, qui livre passage au feu; l'autre à travers le tissu des paniers intérieurs, dans lesquels le feu pénètre, pour sortir ensuite par la bouche et les narines. Considérons-le d'abord entrant dans les paniers intérieurs, c'est-à-dire dans la cavité du ventre et de la poitrine. Il s'y mêle avec l'air qu'ils contiennent, et sort par la bouche et le nez avec cet air échauffé. Alors, en vertu de l'impossibilité du vide et de l'impulsion circulaire, le tissu même du panier extérieur, c'est-à-dire l'air froid, entre à travers le corps, qui a peu de densité, comme Platon a soin de le dire, ou en d'autres termes à travers le tissu peu serré des chairs, comme il le répète un peu plus loin : cet air froid pénètre ainsi dans toute la cavité du corps humain, pour remplir la place de l'air chaud exhalé par la

bouche et les narines. Mais bientôt, par son contact avec les chairs et surtout avec le sang, l'air froid s'échauffe en se mêlant avec le feu, qui entre en même temps que lui, tandis que l'air qui sort par la bouche et les narines se refroidit. Alors l'air chaud, prenant son cours en sens inverse à travers les chairs, sort par les pores de la peau, et force ainsi l'air froid à entrer par la bouche et les narines dans la cavité de la poitrine et dans celle du ventre, et à pénétrer même par le poumon jusque dans les veines, où nous avons déjà vu que l'air circule en même temps que le sang, suivant Platon, afin de rafraîchir le corps, comme il sera dit plus loin. Puis l'air qui sort par les pores se refroidit à son tour, tandis que l'air qui entre par le nez et la bouche s'échauffe, et bientôt le mouvement a lieu en sens inverse et ainsi de suite. Lorsque l'air entré dans le ventre à travers l'épaisseur du corps s'est échauffé, il dissout par l'action du feu les substances alimentaires qui s'y trouvent, et, lorsqu'il reprend son cours en sens contraire, il les dépose dans les veines, dans ces canaux destinés à arroser et à nourrir le corps humain. » — « Aristote reproche à Platon d'avoir supposé mal à propos l'entrée et la sortie alternative de l'air à travers l'épaisseur du corps, et d'avoir attribué à la respiration un rôle imaginaire pour la nutrition, tandis que, suivant Aristote, son unique usage, indispensable pour la vie, est de rafraîchir le corps à chaque instant. Il y a de la vérité dans ces critiques d'Aristote, bien qu'il n'ait pas su lui-même que le principal usage de la respiration consiste à purifier le sang veineux par le contact de l'air qui lui enlève son excès de carbone. »

139. « Cette explication des accords musicaux, développée par Platon, est tout à fait erronée. En effet, un son aigu et un son grave, partis en même temps de deux cordes d'un même instrument, arrivent en même temps à l'oreille : leurs impressions peuvent bien diminuer d'intensité; mais chaque note, en se prolongeant, reste la même, et, loin de se succéder par une transition insensible, les deux sensations sont distinctes, mais simultanées. Lorsque deux sons forment un accord, c'est que le rapport des nombres de leurs vibrations dans un temps donné est exprimé par une fraction très simple, de telle sorte que les coïncidences des vibrations soient rapprochées et faciles à saisir. » H. Martin, II, p. 339.

140. Sur la pierre d'Héraclée, voir *Ion*, 583 d-e.

141. Ces fibres ne sont pas de même nature que celles qui constituent la chair : ce sont ici les petits filaments qui forment la partie la plus épaisse du sang.

142. « Ce qui attache réellement la chair aux os, ce sont les tendons, les ligaments et les aponévroses. Quant à la substance visqueuse et luisante à laquelle est attribuée ici la fonction de coller encore mieux la chair aux os, cette substance qui, provenant de la chair et des tendons, sert à faire croître et à nourrir les os, et dont la partie la plus pure, s'infiltrant à travers eux, arrose la moelle, ce ne peut être que le suc même dont la chair est pleine, comme Platon l'a dit plus haut en parlant de sa formation. C'est donc à ce suc qu'il attribue l'aspect luisant de la chair et des tendons et la force avec laquelle ils adhèrent aux os. Mais ici il semble surtout considérer ce suc comme réuni

autour des os et y formant la membrane nommée *périoste*, qui, suivant lui, secrète le suc dont la moelle se nourrit à travers les os. » H. Martin, II, p. 350.

143. Il s'agit ici des fibres de la chair et non des fibres du sang, dont Platon a parlé plus haut.

144. L'opisthotonos est une variété du tétanos. Il a lieu lorsque les membres se recourbent en arrière.

145. Le mal sacré n'est autre que l'épilepsie. Les Anciens l'ont appelé ainsi parce qu'ils le croyaient envoyé par les dieux.

NOTES SUR LE « CRITIAS »

146. Ce dieu, c'est l'Univers ou Ciel.

147. Socrate assimile ses interlocuteurs à des auteurs dramatiques qui se disputent le prix aux Dionysies.

148. Cette affirmation de Platon est en contradiction avec ce qu'il a dit dans le *Ménexène*, 237 c-d, de la dispute de Poséidon et d'Athèna à propos de l'Attique.

149. Le Cithéron est une montagne située au nord-ouest de l'Attique et le Parnès au nord-est.

150. L'Oropie est au nord du Parnès, avec Oropos pour capitale, et l'Asopos est un fleuve de Béotie.

151. Phelleus désignait une contrée pierreuse de l'Attique.

152. L'Eridan descendait du mont Hymette et se jetait dans l'Ilisos. La Pnyx était une colline située à l'ouest de l'Acropole et le Lycabette une haute colline au nord-est de la ville.

153. Cf. *République*, 416 d sqq. et *Lois*, 801 b.

154. Gadire, c'est Cadix, et le pays gadirique est celui des Gaditains.

155. Qu'est-ce que ce métal qui a disparu ? Il est impossible de le deviner, puisque Platon dit que ce n'est plus qu'un nom.

156. Il est difficile de spécifier de quels fruits Platon a voulu parler. M. Rivaud note qu'il s'agit peut-être de l'olive, de la grenade et du citron.

157. Selon la tradition ordinaire, elles étaient au nombre de cinquante.

158. Platon assimile les habitants de ces villages aux périèques, habitants libres d'une ville laconienne autre que Sparte.

159. C'est juste le nombre des trières que Xerxès avait équipées contre la Grèce.

TABLE DES MATIÈRES

GF Flammarion

08/04/136948-IV-2008 – Impr. MAURY Imprimeur, 45330 Malesherbes.
N° d'édition LO1EHPNFG0203C016. – 1er trimestre 1969. – Printed in France.